ABIGAËL

MESSAGÈRE DES ANGES

TOME 2

Catalogage avant publication de Bibliothèque et Archives nationales du Québec et Bibliothèque et Archives Canada

Dupuy, Marie-Bernadette, 1952-

Abigaël, messagère des anges

Comprend des références bibliographiques.

ISBN 978-2-89431-523-1 (vol. 2)

I. Titre.

PQ2664.U693A62 2017   843'.914   C2016-941935-5

© 2017 Les éditions JCL

Photo du rocher : Stéphane Charbeau

Les éditions JCL bénéficient du soutien financier de la SODEC et du Programme de crédit d'impôt du gouvernement du Québec.

Nous remercions le Conseil des Arts du Canada de l'aide accordée à notre programme de publication.

Financé par le gouvernement du Canada | **Canadä**

Édition

LES ÉDITIONS JCL

jcl.qc.ca

Distribution au Canada et aux États-Unis

Messageries ADP

messageries-adp.com

Distribution en France et autres pays européens

DNM

librairieduquebec.fr

Distribution en Suisse

SERVIDIS/TRANSAT

servidis.ch

 Suivez Les éditions JCL sur Facebook.

Imprimé au Canada

Dépôt légal : 2017

Bibliothèque et Archives nationales du Québec

Bibliothèque nationale du Canada

Bibliothèque nationale de France

MARIE-BERNADETTE DUPUY

ABIGAËL
MESSAGÈRE DES ANGES

TOME 2

LES ÉDITIONS JCL

D'une vallée à l'autre, suivez avec moi le destin
de deux jeunes femmes exceptionnelles, Abigaël et Claire,
au sein de ma Charente natale

NOTE DE L'AUTEURE

Chers amis lecteurs,

Vous retrouverez dans ce roman la jeune Abigaël, que je surnomme pour ma part «Messagère des Anges», comme peuvent l'être ceux que nous qualifions de médiums.

Plongée au cœur de la Seconde Guerre mondiale plusieurs mois avant son dénouement, mon héroïne continue son chemin, éprise de justice et pleine d'amour à donner, malgré ces temps chaotiques où tant d'horreurs sont commises.

En écrivant ce deuxième volet, j'ai voulu rendre hommage aux résistants, à tous ceux qui, dans mon département et en France, ont lutté pour leur patrie contre la barbarie, au nom de l'humanité.

Franck, mon cher papa aujourd'hui disparu, a fait partie des «combattants de l'ombre». Même de longues années plus tard, il gardera un souvenir vivace et très émouvant de cette période, dont la seule évocation le fera pleurer.

Confrontée à d'odieuses exactions, Abigaël va mûrir et se battre avec ses armes, la prière et la bonté, sans cesser de guider les âmes errantes vers la lumière et la sérénité.

Je respecte ceux qui doutent ou qui nient ce genre de phénomènes paranormaux; on y croit ou non. J'espère, en retour, ne pas être jugée pour mes croyances, mes intimes convictions. Je le rappelle, la personnalité et les dons de mon arrière-grand-mère m'ont inspiré le thème de cet ouvrage et m'ont poussée à honorer sa mémoire en créant la douce et jolie Abigaël.

Selon mon habitude, je me suis documentée avec soin et j'ai eu de longs entretiens avec des personnes qui constituent des

*références dans ce domaine. Comme monsieur Alain Grondain,
à qui je réitère mes remerciements pour leur soutien et leurs
précieux témoignages, ainsi que monsieur Bernardin, archéologue reconnu.*

*C'est également pour moi et pour vous, amis lecteurs,
l'occasion d'évoquer une dernière fois Claire Roy, la belle dame
brune du Moulin du Loup, et de lui accorder une place dans
ces pages avant, bien sûr, de laisser le rôle principal à Abigaël.*

Avec toute mon affection
Marie-Bernadette Dupuy

1

Le château de Torsac

Route de Puymoyen à Torsac, dimanche 5 mars 1944
La fourgonnette grise couverte en partie d'une bâche marron s'engagea en brinquebalant dans un chemin parsemé d'ornières encore remplies d'une eau boueuse. La vague de froid avait relâché son étreinte à la fin du mois de janvier, mais des pluies persistantes s'étaient ensuite abattues sur le département.

C'était une des premières journées au parfum de printemps, un dimanche ensoleillé où la campagne arborait des couleurs plus gaies, sous un air suave qui embaumait la terre réchauffée.

Un cahot plus violent que les précédents projeta un des passagers assis à l'arrière contre une barre métallique de la paroi. Le visage déjà tuméfié, l'homme sentit du sang couler le long de sa tempe. Marqué par les coups, il paraissait sans âge. Les mains attachées derrière le dos, il semblait accablé par le sort. Une jeune femme brune lui faisait face, qui gardait la tête basse, l'air hébété. Deux miliciens au faciès hostile, vêtus d'un uniforme noir, les surveillaient, leur arme pointée vers eux.

Un silence oppressant régnait. Avant la guerre, en des temps ordinaires, ces quatre personnes auraient pu se croiser dans une rue de la ville ou sur un champ de foire sans prêter attention les unes aux autres. Mais ils étaient à présent de part et d'autre d'une barrière invisible, édifiée par des convictions différentes.

Le chauffeur coupa le moteur après avoir garé le véhicule dans un pré de fauche entouré de sous-bois.

— Ici, ça vous convient, capitaine? demanda-t-il d'une voix sonore.

— Ce sera très bien, Nivet. Pas de témoin, pas de baraque aux environs! Finissons-en.

Lionel Dubreuil, ledit capitaine, avait vite gagné ses galons dans la milice angoumoisine en se montrant implacable, rusé et tenace. Le crâne rasé sous son béret noir, les yeux d'un brun terne enfouis sous des arcades sourcilières proéminentes et broussailleuses, il descendit du fourgon, claqua la portière et vérifia le chargeur de son revolver.

— Amenez-les! ordonna-t-il d'un ton arrogant.

Ils se mirent à trois pour saisir rudement les prisonniers par les bras et les faire dégringoler de la plateforme. L'homme faillit tomber à genoux, mais il parvint à rester debout; la jeune femme s'effondra en avant, tellement effrayée qu'elle ne pouvait ni crier ni pleurer. Un des miliciens la releva en l'empoignant par les cheveux.

— Je vous en prie, ma fiancée n'a rien à voir là-dedans! protesta l'homme, pathétique avec son visage bleui par les ecchymoses, ainsi que le sang séché sous son nez, mais frais sur sa joue.

Régina et lui étaient amants depuis un mois à peine.

— Avance, toi! hurla un des militaires en le poussant d'un coup de poing dans le dos.

Pour les deux condamnés, la scène se déroulait au ralenti. Ils jetaient des regards étonnés sur les arbres irradiés de minuscules feuilles d'un vert acide et sur les chatons duveteux d'un saule, à l'orée du bois.

— Allez, Mousnier, à toi de nous montrer ce que tu as dans les tripes! s'écria le capitaine Dubreuil. Occupe-toi de la fille. Une balle dans le front, ça suffira. Tiens, je te prête mon revolver. Tu pourras tirer à bout portant plus facilement.

Le jeune milicien désigné considéra l'arme, puis la silhouette tremblante de sa future victime. Pris de panique, il sentit son cœur bondir dans sa poitrine.

— Tu dois obéir! menaça Dubreuil. Tu faisais moins de manières pour cogner sur ce fichu traître. Si tu veux entrer dans l'avant-garde[1], montre-nous ce que tu vaux.

— Frapper un homme, balbutia Patrick Mousnier, c'est pas la même chose.

Il avait l'accent un peu traînant du pays. Pour ses dix-huit ans, il possédait une stature robuste d'adulte. Son esprit retors travaillait à toute allure, prenant la mesure de la situation. Les nouvelles recrues avaient intérêt à prouver leur détermination, sinon elles n'avaient aucune chance de rester dans la Milice. Or, il ne pouvait plus rentrer chez lui. Il devait être à la hauteur.

Avec une moue hargneuse, il s'empara du revolver d'un geste rapide. En deux enjambées, il fut contre la femme qu'il devait tuer. Elle se redressa enfin et le fixa intensément.

Son fiancé ferma les yeux en se répétant qu'elle n'aurait pas le temps de souffrir, que leur calvaire, commencé à l'aube, serait terminé dans un instant.

— Regarde-la! lui hurla aussitôt le capitaine sur un ton suraigu.

— Non, rétorqua-t-il. Non, et dépêchez-vous, bande de lâches!

---

1. La Milice française, assimilée à une armée, se composait des francs-gardes, des avant-gardes et de bénévoles.

Patrick s'affola. Il pointa l'arme sur le condamné en criant:

— C'est qu'il ose nous insulter, ce salaud!

Fébrile, sans en attendre l'ordre, il tira.

—

Ses longs cheveux au vent, Abigaël pédalait avec énergie. Perchée sur son vélo, elle suivait une route étroite bordée de bois de chênes, son joli visage caressé par une brise tiède; elle éprouvait une délicieuse sensation de liberté et de plénitude. Une mèche d'un blond doré se plaqua soudain à la hauteur de son nez. En tenant le guidon d'une seule main, elle la repoussa de l'autre, non sans sourire avec malice. Au moment de son départ, sa tante, la très sérieuse Marie Monteil, lui avait bien conseillé de nouer un foulard sur sa tête.

— A-t-on idée de ne pas se coiffer convenablement le jour du Seigneur, Abigaël! Et tu veux me faire croire que tu comptes aller à la messe?

— Oui, à l'église de Puymoyen comme dimanche dernier, mais, ensuite, j'irai jusqu'à Torsac, avait-elle répondu. J'apporte un foulard que je mettrai plus tard, tantine.

La sincérité se lisait dans ses grands yeux d'un bleu limpide. La jeune fille méprisait le mensonge et sa tante le savait. Elle s'était contentée de soupirer. Abigaël se disait à présent qu'elle avait scrupuleusement respecté son emploi du temps. «J'ai même pu discuter avec le père André après l'office et il m'a indiqué le trajet le plus rapide, à bicyclette. Quel bonheur, à présent! J'ai la journée devant moi! songea-t-elle. Je m'arrêterai tout à l'heure, à mi-chemin.»

Elle se rendait pour la première fois au château de Torsac, situé à huit kilomètres de là, et s'en faisait une joie. Pour son déjeuner, elle avait emporté, dans le panier fixé sur son porte-bagages, de maigres provisions, à savoir deux tranches de pain, un bout de fromage, une poignée de pruneaux et une manne offerte par leur voisin, le professeur Hitier, toujours mystérieusement approvisionné malgré les restrictions.

Les talus reverdis s'ornaient déjà de la floraison jaune d'or des pissenlits et parfois un vieil arbre fruitier offrait une vision charmante, une nuée rose ou blanche de fleurettes juste écloses.

— Le printemps arrive, murmura-t-elle rêveusement. Deux mois passés sans Adrien, sans entendre sa voix, sans pouvoir le toucher…

Elle retint un soupir; l'élu de son cœur était vivant et c'était le plus important. Ainsi que Lucas, le fiancé de sa cousine Béatrice, il avait intégré le réseau Bir Hacheim à la fin de décembre. Après plusieurs semaines d'un silence inquiétant, on en avait eu des nouvelles par le professeur Hitier.

— Il va revenir très vite, cria-t-elle, certaine d'être seule dans ce coin de campagne à l'approche de midi. N'est-ce pas, Adrien? Tu sais que je t'attends!

Une détonation fit écho à son exclamation passionnée. Tout de suite, elle freina et observa le paysage qui l'entourait. Prescience ou simple hasard? Son regard se porta aussitôt dans la bonne direction, vers un chemin de terre qui menait à un pré bordé de sous-bois. Elle aperçut une fourgonnette bâchée à travers les branchages d'une haie et des silhouettes vêtues d'un uniforme noir.

«Des miliciens, se dit-elle. Mon Dieu, que font-ils? Il y a eu un coup de feu, ils ont abattu quelqu'un.»

Les conseils de son oncle Yvon et du professeur Jacques Hitier s'imposèrent à son esprit. Les deux hommes et sa cousine Béatrice constituaient un petit noyau local de résistance et ils l'avaient préparée à gérer des cas de figure périlleux.

Le souffle court, le cœur survolté, la jeune fille sauta sans bruit par terre et cacha le vélo dans le fossé bordant la route où elle se réfugia également en se faisant la plus petite possible. Des éclats de voix lui parvinrent, entre-coupés de plaintes lamentables.

Abigaël se mit à prier de toute son âme. Elle mau-dissait son impuissance, sachant trop bien qu'elle ne pouvait intervenir. «Ils me tueraient moi aussi, se disait-elle. Béa m'a raconté les crimes dont ces préten-dus soldats se rendent coupables. Après les avoir jugés sommairement, ils exécutent ceux qu'ils suspectent n'importe où, même s'ils ne sont que deux ou trois à décider. Et ils torturent, ils violent…»

Sa cousine n'avait pas hésité à l'informer, sans se soucier de la choquer ou pas, en soutenant qu'elle agissait dans son intérêt, dans le but de lui inculquer une infinie prudence.

— Si tu tombais un jour entre les mains des miliciens, Abigaël, et s'ils savaient que tu aides des résis-tants, ce qu'ils te feraient subir serait épouvantable. Et personne ne viendrait à ton secours.

Consciente du danger, elle eut envie d'enfouir son visage dans l'herbe drue du fossé, de disparaître. Elle aurait voulu avoir le don soudain d'invisibilité. Cependant, elle préféra dresser un peu la tête pour savoir ce qui se passait.

Une autre détonation éclata, assourdissante, suivie d'une autre encore. Abigaël vit une femme s'écrou-ler, une fleur rouge au milieu du front. Le corps d'un homme gisait à un mètre d'elle.

«Seigneur, non, non! Seigneur, pourquoi?»

Elle se sentit glacée, horrifiée, pétrifiée. Des inconnus venaient de mourir à quelques mètres de sa cachette. En luttant pour ne pas sangloter de révolte et d'effroi, elle pensa à la fillette blonde qui lui était apparue, frêle petite âme errante, le soir de son arrivée dans la vallée de l'Anguienne, une enfant innocente massacrée par la milice…

Le moteur de la fourgonnette ronflait. Abigaël se demanda si les assassins laisseraient les corps sur place. Elle le souhaitait, dans l'espoir de trouver leur nom et de pouvoir prévenir leur famille un jour. «Tant pis, je n'irai pas à Torsac. S'il faut enterrer ces pauvres gens, je retournerai à la ferme pour prévenir oncle Yvon.»

Malgré son chagrin, ce fut la terreur qui la submergea. Quand le véhicule ferait demi-tour pour reprendre la route, les miliciens la découvriraient, allongée dans le fossé. Elle chercha une solution, la bouche sèche tant elle était bouleversée. «Je recule et me glisse à plat ventre sous la haie. Peut-être qu'ils ne me verront pas. Mais il y a le vélo.» Elle prit le risque en anticipant qu'une fois qu'elle serait bien cachée sous le taillis d'épineux, on ne ferait pas attention à la bicyclette.

Aux cris et aux discussions virulentes qui lui parvenaient, elle devina que, de toute évidence, une querelle retardait le départ.

— Tu n'avais pas à tirer sur le type, tu devais obéir, vociférait-on. Déjà, tu t'es payé du bon temps avec sa traînée! Ça ne va pas, ton comportement, tu as compris? Allez, embarquez les corps, on les balancera près du cimetière de Dirac.

— Oui, capitaine Dubreuil, répondit-on.

Un long frisson courut le long du dos d'Abigaël, couchée sous les aubépines. La voix du prétendu capitaine lui avait causé un malaise indéfinissable.

«Cet homme est le mal incarné, songea-t-elle. Seigneur Jésus, protégez-moi, sainte Vierge Marie, veillez sur moi, je vous en supplie!» se dit-elle dans une prière en son for intérieur. Elle aurait voulu entrer dans le sol, se changer en rocher ou en arbre.

Il y eut des bruits de portières claquées; le moteur changea de cadence et se mit à lancer des vrombissements par saccades. Abigaël se crispa, le souffle suspendu. Elle ferma les yeux, certaine qu'un regard, même perdu au sein de la végétation, avait la capacité d'attirer d'autres regards. La fourgonnette grise avait viré dans le champ. Elle reprenait à présent le chemin semé d'ornières.

— Tourne à gauche, imbécile, braila le capitaine au chauffeur, on ne revient pas vers Puymoyen, on va à Dirac. Tu n'as pas pigé, encore?

Il ne parlait pas, il rugissait et éructait comme si une rage permanente l'habitait et lui donnait envie de mordre et de tuer.

Abigaël entrouvrit les paupières. Entre ses cils, elle distingua néanmoins le véhicule, qui s'éloignait déjà. Rassurée, elle rouvrit grand les yeux, ce qu'elle regretta l'instant d'après. Elle reconnut sans erreur possible l'homme accoudé au panneau métallique qui obturait à moitié l'habitacle arrière. C'était Patrick Mousnier, son cousin, le fils de son oncle Yvon. Il fixait le ciel bouche bée et hagard. «Mon Dieu, non, je ne peux pas le croire, il aurait participé à l'exécution! se dit-elle, révulsée par le simple fait d'envisager cette idée. Non, il n'a pas pu tomber aussi bas… Lui, milicien, à son âge! Seigneur, faites que je me trompe!»

Un grand calme revenait sur la campagne, malgré l'odeur ténue de poudre qui stagnait dans l'air tiède. Abigaël abandonna son refuge au bout de longues minutes consacrées à réfléchir. La route était déserte. Un oiseau invisible chantait trois petites notes flûtées répétitives.

Elle se félicitait à présent de n'avoir aucun lien réel de parenté avec Patrick, qu'elle pensait être son cousin germain lors de son arrivée en Charente. Mais, à l'approche de Noël, Pélagie, l'épouse d'Yvon, lui avait révélé la vérité.

«Papa a été recueilli tout petit par les Mousnier, qui l'ont bientôt adopté officiellement, se souvint-elle. Au début, j'aurais préféré ne jamais le savoir; maintenant, ça me réconforte.»

D'un pas léger et rapide, elle se dirigea vers le chemin de terre, puis s'avança au milieu du pré en se guidant sur les traces de roues qu'avait laissées la fourgonnette dans l'herbe. Un peu plus loin, une tache sanglante l'arrêta net.

— Qui étaient-ils? interrogea-t-elle tout bas. Un couple, il me semble. Ils s'aimaient sans doute.

Abigaël tenait à prier pour ces deux défunts, abattus à quelques mètres d'elle. Ses doigts menus se fermèrent sur la fine croix en argent qui pendait à son cou au bout d'une chaînette sans valeur. Elle récita le *Notre Père* et l'*Ave Maria*, avec une ferveur vibrante de compassion. «Sont-ils dans la lumière divine, pareils aux agneaux sacrifiés? Sont-ils en paix, loin des violences abjectes de ce monde?»

Elle souhaitait confusément une manifestation de l'au-delà, une rencontre qui aurait apaisé sa peine. Mais aucune forme humaine ne prit consistance devant elle. Il lui était difficile de provoquer une apparition, d'appeler une âme errante, comme elle les désignait, fidèle en cela au legs étrange que lui avait fait sa mère Pascaline, médium elle aussi, sa mère morte très jeune juste après lui avoir donné la vie, mais qui avait consigné dans un cahier le récit de ses expériences paranormales en y ajoutant des conseils et des mises en garde. Elle avait notamment transcrit la prière particulière qu'elle récitait pour aider les âmes égarées à s'élever.

«J'irai au cimetière de Dirac, le milicien a parlé de jeter les corps là-bas. C'est une abomination!»

Des larmes ruisselaient sur les joues d'Abigaël et coulaient le long de son nez. Elle les essuya à l'aide du foulard censé discipliner ses cheveux, qu'elle venait de sortir de son sac en bandoulière.

Tremblante, en état de choc, elle retira son vélo du fossé avec des gestes maladroits. Ses jambes lui semblaient en coton et elle eut du mal à pédaler, au début. Sans cesse, la voix âpre et rude du capitaine résonnait dans son esprit et elle revoyait la fleur rouge sur le front de la femme inconnue.

Sa joie de découvrir le château de Torsac n'était plus qu'un pauvre souvenir. Elle avait honte de respirer encore, de chérir son amoureux, de pouvoir contempler le paysage irisé par le soleil de midi. En même temps, elle aspirait à être consolée et la promesse de revoir enfin sa belle dame brune lui redonna un peu d'énergie.

— Claire, murmura-t-elle, ma chère Claire, j'étais si heureuse à la seule idée de vous retrouver aujourd'hui! Je suis sûre que vous m'attendez. Deux fois déjà, vous m'avez appelée en rêve.

Comme elle prononçait ces mots, un soulagement inespéré desserra l'étau qui broyait sa poitrine.

Elle parcourut au moins deux kilomètres avant d'atteindre le carrefour dont lui avait parlé le curé de Puymoyen. «En face, la route conduit à Dirac. À droite, c'est la direction de Torsac.» Elle hésita, en s'efforçant de réfléchir à ce qui était le plus prudent. «Si jamais les miliciens se sont arrêtés! Si j'allais les croiser… Patrick est avec eux, Patrick, parmi les assassins!»

Oppressée, elle secoua la tête et se remit à pédaler en direction de Torsac et du château des Martignac, qu'elle imaginait blanc de lumière dans un écrin de verdure.

«Claire me conseillera. J'ai besoin de la revoir, d'être sûre qu'elle va bien. Auprès d'elle, je n'aurai plus peur et je n'aurai plus autant de chagrin.»

Des images lui revinrent, la plupart datant de la fin du mois de décembre, de ce soir béni où Marie de Martignac et elle avaient ramené Claire Roy-Dumont à la ferme des Mousnier. «Il faisait presque nuit, le jardin était blanc de neige, mais les fenêtres étaient éclairées et Béatrice, j'ignore encore pourquoi, avait mis une chandelle derrière une des vitres, se remémorait-elle. Sauvageon marchait tout près de Claire, qui avait refusé notre aide et qui se tenait très droite, d'une dignité de reine».

Abigaël obliqua à droite, un panneau indiquant le village de Torsac. Elle avait le cœur lourd. Pourtant, elle insistait, en quête de ces moments magnifiques dont elle avait raconté l'essentiel à la fin du cahier de sa mère. «Oh, les visages d'Yvon et du professeur Hitier lorsqu'ils ont vu Claire entrer dans la cuisine que j'avais décorée pour Noël sans me douter que je ferais ainsi un grand plaisir à ma belle dame brune, elle qui, ni vivante ni morte, avait su m'attirer vers le lieu où elle était cachée, elle qui avait réussi à m'envoyer ses propres souvenirs de son cher moulin les soirs de fête!»

Elle croyait revivre l'émouvante scène qui avait suivi. Sa cousine Béatrice s'était empressée de fermer les volets et Jacques Hitier s'était incliné devant Claire en lui disant:

— Madame, vous ne pouvez pas imaginer l'extrême bonheur que j'éprouve à vous revoir. Je vous en prie, asseyez-vous près du feu.

Yvon Mousnier avait salué la dame, lui aussi, les yeux brillants d'une surprise immense.

— Je suis honoré de vous accueillir chez moi, s'était-il écrié.

Claire avait chuchoté un merci distrait avant de s'approcher du sapin sous les regards fascinés de la tante Marie, de Béatrice, de Cécile et de Grégoire. Abigaël avait été soulagée que la fermière fût absente, elle dont les réparties étaient parfois amères ou déplaisantes.

«Nous avons tous profité de sa présence, de son aura, se dit-elle, tout en amorçant un virage pentu bordé de pans de rochers. C'était comme si nous recevions la visite d'un haut personnage qu'il fallait vénérer et entourer de prévenances. J'ai eu le tort d'en faire la remarque à voix basse, mais Claire m'a entendue et elle a protesté en souriant. Elle a déclaré que j'étais une jeune fille extraordinaire, qu'elle me devait de reprendre vie. Alors, monsieur Hitier et oncle Yvon m'ont remerciée en m'embrassant et j'ai rougi, hélas! comme toujours quand je suis l'objet de l'attention générale.»

Abigaël évoqua aussi Marie de Martignac qui, pendant ces instants bouleversants, se tenait dans un angle de la pièce, les bras croisés sur sa poitrine, pareille à une spectatrice discrète, n'attendant aucun signe d'intérêt ni aucune marque de gratitude. Cependant, peu après, Claire avait expliqué de son timbre doux et paisible tout ce que la jeune femme avait fait pour elle.

«Le lendemain, à l'aube, Marie de Martignac emmenait Claire pour l'héberger dans le château de sa famille, se dit encore la jeune fille. Personne n'a beaucoup dormi cette nuit-là, à part les enfants.»

Perdue dans ses pensées, Abigaël faillit manquer un deuxième virage encore plus pentu que le précédent et atterrir sur le talus. Elle freina brusquement et sa roue avant dérapa un peu. Soudain, surgissant d'un bosquet de noisetiers, un chevreuil traversa la chaussée empierrée pour disparaître en trois bonds nerveux.

— Un peu plus, c'était l'accident, dit-elle tout bas, à la fois apeurée et ravie d'avoir vu une bête des bois.

Deux autres virages abrupts plus loin, un clocher pointu lui apparut, dominant de grands arbres. Bientôt, après avoir longé le mur d'enceinte du cimetière, elle perçut la chanson d'un ruisseau qui coulait au creux du vallon où se nichait Torsac.

— Je suis arrivée, soupira-t-elle en cherchant la silhouette du château.

Elle ne s'était pas arrêtée en chemin pour déjeuner comme elle l'avait prévu. De toute façon, elle n'aurait rien pu avaler. Le village semblait désert, mais Abigaël se dirigea d'instinct vers l'église dont la façade, surmontée d'un fronton triangulaire, venait de lui apparaître au coin d'une grande et belle maison aux toitures d'ardoise.

— Ah, c'est la mairie! constata-t-elle à mi-voix.

Sans lâcher son vélo, elle approcha de la large porte en ogive du sanctuaire qui était largement ouverte et observa l'intérieur avec une sorte d'avidité. Des cierges brûlaient sur l'autel en marbre vert orné de dorures.

Abigaël ressentit un appel irrésistible. Elle cala la bicyclette contre un mur, puis entra à petits pas. Chaque geste l'apaisait: tremper le bout de ses doigts dans l'eau bénite, se signer et enfin prendre place à genoux sur un prie-Dieu. Elle demeura un long moment absorbée, à implorer tous les anges du Ciel d'accueillir les deux victimes des miliciens. «Que leur âme trouve la voie de la lumière, qu'ils puissent rejoindre ensemble le paradis, la dimension céleste où il n'y a plus de cruauté, d'injustice, de brutalité…»

Elle invoqua Jésus-Christ en fixant ardemment ses grands yeux bleus sur le crucifix doré qui se dressait au milieu de l'autel, avec en toile de fond un vitrail illuminé par le soleil. Ce fut à cet instant qu'elle distingua un murmure entrecoupé de sanglots. «Je ne suis pas seule, se dit-elle. Quelqu'un est là qui pleure.»

Elle découvrit une frêle paroissienne entièrement voilée de tulle noir, comme recroquevillée sur une chaise placée derrière le confessionnal. Elle se demanda, le cœur serré, si c'était bien une personne vivante. «Non, ce n'est pas une apparition, je ne ressens aucun malaise.»

Pour ne pas gêner la femme dans ses prières, elle recula sans bruit et sortit. Un homme examinait son vélo, mais surtout le contenu du panier. L'individu portait une casquette crasseuse en toile beige et une veste en piteux état.

— Monsieur! appela-t-elle d'un ton cordial.

Il se retourna et lui présenta un visage hagard, envahi par une barbe naissante d'un noir d'encre sur sa peau mate.

— Excusez, mademoiselle! balbutia-t-il, prêt à s'enfuir.

— Si vous êtes affamé, je vous offre mes provisions de bon cœur, déclara-t-elle en lui souriant. Ce n'est pas grand-chose, mais, si vous en avez besoin, prenez-les.

— Merci bien, répondit-il, l'air incrédule. Ma femme va être contente. Notre fils crie famine. Il a cinq ans. Nous habitons dans une grange abandonnée au bord de la rivière. J'ai toqué chez des gens, mais ils n'ont rien à donner.

— Emportez vite ce que j'ai, déjà, insista la jeune fille, pleine de compassion. Et, si vous pouviez m'indiquer où se trouve le château du village, ça me rendrait service.

— Bien sûr! On le voit mieux en suivant la route qui monte vers Fouquebrune, mais l'entrée est juste là, ce portail gris. Il faut sonner. Il y a une cloche. J'y ai tenté ma chance tout à l'heure, mais on m'a sommé de filer sans même ouvrir. On n'est pourtant pas des pestiférés, seulement des réfugiés.

— Des réfugiés? Mais je croyais qu'ils étaient rentrés chez eux, dans le nord et l'est de la France!

— Nous venons d'Espagne, mademoiselle. Je cherche du travail, mais je n'ose pas aller en ville. Je vous remercie encore, vous êtes bien gentille!

L'homme la salua et s'esquiva dans une ruelle voisine, les précieuses victuailles serrées contre sa poitrine. Abigaël déplora de ne pas avoir eu davantage de nourriture à lui donner.

— Pauvres gens! murmura-t-elle en marchant d'un pas décidé vers le fameux portail gris.

Une chaîne pendait à gauche d'un des piliers en pierre. Elle la tira et entendit aussitôt l'écho d'une cloche.

Elle attendit, dominant de son mieux son impatience. Si le village paraissait tranquille, il était désormais en terrain occupé comme le reste de la France, la zone libre ayant été supprimée.

«Les Allemands pourraient très bien réquisitionner le château. Ils ont établi une feldkommandantur au domaine d'Ortebise, mais ce n'est pas loin d'ici. Si par malheur il y avait un souci là-bas…, se dit-elle, très inquiète pour la sécurité de Claire Roy-Dumont. Est-ce prudent de la cacher dans une demeure qui peut attirer l'attention?»

Manifestement, elle n'était pas la seule à se tourmenter. Après cinq minutes, quelqu'un marcha vers le portail, de l'autre côté.

— Qu'est-ce que c'est-y encore? fit une voix éraillée au fort accent charentais. On manque de tout, par chez nous. Allez mendier ailleurs, misère!

C'était sûrement une domestique, très âgée de surcroît; Abigaël le sut à ses intonations tremblantes.

— Je vous en prie, madame! s'écria-t-elle. Je suis une amie de Marie de Martignac. Elle m'a invitée à passer au château.

— La bonne blague! Mademoiselle Marie n'a pas d'amie dans le pays. Fichez le camp, je n'dois ouvrir à personne, moi.

Dépitée, Abigaël plaqua ses mains sur le bois peint du portail. Elle ne pouvait pas s'en aller sans avoir revu Claire.

— Dans ce cas, je vous en conjure, renseignez-vous auprès de votre maîtresse, madame Edmée de Martignac. C'est important. Je suis venue en vélo depuis le Lion de Saint-Marc, un hameau au nord de Puymoyen dans la vallée de l'Anguienne. Vous devez connaître…

— Comment qu'on vous appelle?

— Abigaël Mousnier.

— Pardi, fallait le dire plus tôt, misère! Eh! ça me revient, mademoiselle Marie m'a causé de vous!

La clef tourna dans la serrure. Un des battants s'entrouvrit sur une vieille femme en robe noire, une coiffe blanche sur ses rares cheveux d'un gris jaunâtre. Elle était voûtée et très ridée; ses jambes enflées étaient serrées dans des bas de laine beiges.

— Dépêchez-vous donc! gronda-t-elle en s'empressant de refermer. Mon nom à moi, c'est Ursule. Je suis entrée au service de madame Edmée il y a plus de quarante-trois ans, tiens, un mois après la naissance de son fils Louis.

La domestique se signa dans un gros soupir. Abigaël revit comme dans un éclair la photographie de Louis de Martignac que le professeur Hitier lui avait demandé de tenir entre ses doigts afin de savoir si ce résistant était encore vivant. Elle avait eu des visions atroces et avait répondu qu'il se trouvait dans un enfer sur la terre.

«Louis de Martignac, prisonnier dans un camp, sûrement en Allemagne, songea-t-elle. Qu'est-il advenu de lui, en trois mois?»

— Vous êtes toute jeunette, remarqua Ursule. C'est point prudent de vadrouiller en bicyclette sur les chemins, ces temps-ci. Votre papa vous le permet?

— Il est mort, madame, ma mère aussi, mais j'ai la permission de la tante qui m'a élevée.

— Vous n'avez pas eu de chance, ma pauvrette!

La vieille se signa à nouveau en marmonnant des mots indistincts et, du geste, invita Abigaël à la suivre. La jeune fille en profita pour admirer la vaste cour pavée, bordée sur sa droite par d'élégants bâtiments qu'elle soupçonna être d'anciennes écuries. Mais son regard se posa très vite sur la masse imposante du corps de logis du château aux nombreuses fenêtres à meneaux et que surplombaient deux grosses tours à mâchicoulis surhaussées de créneaux de style médiéval.

«J'ai l'impression d'être dans un décor de roman historique», pensa-t-elle, en se souvenant de ses lectures de fillette, notamment *Les trois mousquetaires* d'Alexandre Dumas et *Le Capitaine Fracasse* d'un de ses auteurs favoris, Théophile Gautier.

— Il n'y a pas grand monde, aujourd'hui, bougonna Ursule. Fallait venir plus tard. Mademoiselle Marie reste à l'école jusqu'à six heures ce soir.

— Je sais, mais…

— Mais quoi?

— J'en discuterai avec madame Edmée de Martignac.

— Si elle est de retour, ouais.

Elle haussa les épaules, puis introduisit Abigaël dans un salon aux dimensions impressionnantes, dont le plafond était orné de fresques aux couleurs pastel qui devaient être très anciennes.

Le mobilier était superbe, sobre et cossu. De lourds rideaux en velours vert voilaient en partie les fenêtres. Un maigre feu brûlait sous le manteau sculpté d'une cheminée monumentale en pierres blanches. Une femme en grand deuil était assise près de l'âtre, sur une simple chaise paillée.

— Madame, de la visite, annonça la domestique. Mademoiselle Meunier.

— Non, Mousnier, rectifia la jeune femme tout bas.

— Mademoiselle Mousnier, madame.

Abigaël eut l'intuition qu'il s'agissait de l'inconnue qui priait dans l'église, dissimulée sous un voile en tulle noir.

— Laissez-nous, Ursule, ordonna Edmée de Martignac en se levant à l'aide de sa canne. Bonjour, mademoiselle. Je vous ai vue, tout à l'heure, à l'église. Aussi, je suis vite rentrée au château par un passage plus discret que le portail. Vous êtes Abigaël, bien sûr! Je vous ai reconnue au portrait flatteur que ma fille Marie m'a fait de vous.

— Oui, en effet, je suis Abigaël Mousnier, madame, et je vous remercie de me recevoir.

Elles s'étudièrent réciproquement, tout en affichant un discret sourire de politesse. Les prunelles très claires de la vieille dame au maintien aristocratique sondèrent celles tout aussi limpides de la jeune visiteuse. Les marques de l'âge avaient altéré les traits fins d'Edmée de Martignac; cependant, on devinait qu'elle avait été une très jolie femme.

— Je ne me déplace pas aisément, précisa-t-elle en reprenant place sur la chaise. Je souffre beaucoup d'une jambe et du dos.

— Rien ni personne ne vous soulage? insinua Abigaël, qui songeait à Claire, réfugiée quelque part dans le château.

— Non. Il y a vingt ans, je n'avais que l'inconvénient de marcher avec cette canne. Depuis quelques mois, la douleur est venue, peut-être en réponse à un trop-plein de chagrin. Mais ne parlons pas de moi, mademoiselle. Je suppose que vous n'êtes pas ici pour me faire la conversation.

Très gênée, Abigaël approuva d'un signe de tête avant d'avouer tout bas:

— Je voudrais voir madame Claire Roy.

— Elle va nous rejoindre. Je suis certaine qu'elle vous a aperçue dans la cour depuis la fenêtre de sa chambre. Nous pouvons en discuter librement, ma fille Marie m'a mise au courant de toute l'histoire à laquelle, hélas! mon propre fils a été mêlé. Je ne pouvais pas refuser d'héberger Claire, mais j'estime que c'est de la folie. Nous risquons d'en payer tous le prix, si vous me comprenez.

Edmée de Martignac s'exprimait avec véhémence, sans laisser à Abigaël la possibilité de répondre.

— Les S.S. peuvent mettre le château à sac. J'ai déjà eu la visite à l'automne d'un officier allemand escorté d'une vraie troupe de soldats. Je vis dans la peur, mademoiselle, tout ceci au nom de la Résistance! Si mon fils n'avait pas adhéré aux idées de Jean Dumont, il serait encore là, près de moi, avec ses enfants. Je prie chaque jour pour son retour. Mon pauvre Louis…

Courbée sur son siège, la vieille dame fondit en larmes amères. Ses maigres épaules étaient secouées par les sanglots qui l'ébranlaient.

— Je suis vraiment désolée pour vous, madame, déclara Abigaël sur un ton vibrant de sincérité. La guerre nous affecte tous dans ce que nous avons de plus cher, mais comment renoncer à combattre nos ennemis? Il faut lutter pour notre patrie, contre la barbarie.

— Nous ne sommes pas de taille, mademoiselle. Nous pourrions vivre en paix. Il nous suffirait de nous plier aux sages préceptes du gouvernement de Vichy. Pourquoi tenter le diable en menant des actes terroristes? Ma belle-fille en est morte. Si vous saviez à quel point mes petits-enfants en souffrent! Et ils en souffriront encore longtemps!

— Où sont-ils?

— Quentin, qui a seize ans et demi, est pensionnaire dans un lycée privé d'Angoulême sous une fausse identité. La directrice, une sainte femme, a consenti à ce subterfuge. Quant à Agnès, âgée de onze ans et très douée pour les études, je l'ai confiée à une école religieuse d'Angoulême. Elle reviendra quelques jours seulement pour les vacances de Pâques. Mais pourquoi Claire tarde-t-elle autant?

— Il se peut qu'elle ne m'ait pas vue arriver, madame. Si vous m'indiquez où se trouve sa chambre, je peux y aller seule.

— Non, trancha Edmée de Martignac d'un ton sévère. Vous seriez de toute façon incapable de vous repérer et Ursule n'a pas des jambes de vingt ans pour vous conduire là-haut. Attendons encore.

— Mais, madame, si Claire ignore ma venue, elle ne descendra pas!

— Asseyez-vous donc, mon enfant, je vous assure qu'elle ne va pas tarder. Elle aura entendu la cloche… J'espère que mes propos ne vous ont pas choquée.

— Un peu, si!

— Au moins, vous êtes franche. Dans ce cas, je le serai aussi. Claire a sauvé ma fille Marie quand elle était enfant. Oui, elle lui a sauvé la vie. Ensuite, comme nous avions noué des relations amicales, j'ai pu garder le château grâce à des arrangements financiers avec Bertrand Giraud, l'époux de sa cousine Bertille. La première fois que Claire est entrée dans ce salon, on aurait pu croire les lieux abandonnés. Tout était décrépit, usé, élimé. Je pouvais à peine me chauffer. Toujours grâce à un revers de fortune, j'ai pu faire des travaux et racheter des meubles de mon goût. Le château a eu son heure de gloire, j'y ai donné des fêtes, mais cette terrible guerre m'a de nouveau dépouillée. Les Allemands ont failli établir une kommandantur entre ces murs qui datent du treizième siècle. Durant des générations, la fleur de la noblesse charentaise a vécu ici. Dieu merci, les envahisseurs ont changé d'avis et ils se sont plutôt cantonnés à Ortebise, mais ils ont emporté mon argenterie, du mobilier, des tentures et des tableaux.

La voix de la vieille dame se brisa. Elle tamponna ses yeux humides à l'aide d'un mouchoir brodé immaculé, sorti de sa manche en faille noire.

— Je craignais des représailles bien plus graves quand mon fils Louis a été emmené, parce qu'il appartenait au réseau Sirius, le réseau de Jean Dumont. Oh, j'ai eu la visite d'un haut gradé. Son *Heil Hitler!* a retenti sous ce toit, mais il s'est contenté de me poser des questions sur Claire Dumont. J'ai dit que j'ignorais totalement où elle se trouvait, si elle était morte ou vive.

— C'était après l'attaque du Moulin du Loup… chuchota Abigaël.

— Oui, son corps n'était pas parmi ceux des victimes, un milicien l'aurait affirmé à un des S.S. Par la suite, la Gestapo l'a recherchée activement. Ma fille et moi sommes persuadées qu'elle la recherche encore.

Glacée, Abigaël se décida à s'asseoir sur une banquette tapissée de velours rouge, à un mètre de la cheminée.

— Alors, il ne faudrait pas que Claire reste là, gémit-elle, malade d'angoisse. Si elle est arrêtée, ils la tortureront pour essayer d'obtenir des noms de résistants.

Edmée de Martignac leva une main lasse afin de manifester son impuissance. Au même moment, une masse grise déboula dans le salon et le traversa pareille à une flèche. Abigaël poussa un cri.

— Sauvageon! Mon beau Sauvageon, comme je suis contente!

L'animal s'était jeté sur elle. Ses robustes pattes avant lui meurtrissaient les genoux, tandis qu'il léchait son visage avec frénésie.

— Seigneur, repoussez cette bête, mademoiselle! s'indigna la châtelaine.

— Comment repousser un ami qui vous fait la fête? répliqua-t-elle en caressant le loup.

— Je n'aurais pas dit mieux, fit une voix douce et feutrée.

Claire Roy-Dumont était entrée, mais Abigaël, sidérée, se demandait bien par quelle porte, car elle se tenait devant un panneau lambrissé en chêne sombre. Devant sa mine intriguée, Edmée annonça d'une voix sèche:

— Il y a dans le lambris une porte étroite qui s'ouvre sur un escalier creusé dans l'épaisseur du mur. Nous avons fait mettre un verrou. Mon invitée emprunte ce passage.

— Bonjour, Abigaël, murmura Claire. Venez, je vous emmène dans un lieu plus isolé du château où nous serons tranquilles et certaines de n'importuner personne.

— D'accord, répondit la jeune fille en bondissant de son siège, secrètement soulagée d'échapper à la froideur dolente de la vieille dame.

Edmée de Martignac ne leur prêta plus attention. Elle se remit à fixer les flammes du maigre feu, mais elle avait à présent pris dans une de ses poches un chapelet qu'elle serrait entre ses doigts.

Il faisait très sombre dans l'escalier en colimaçon, dont les marches en pierres, courtes et raides, étaient usées en leur centre par d'innombrables allées et venues. Le loup s'y était engagé sans hésitation, comme s'il le connaissait depuis toujours, mais Claire alluma une lampe à pile.

— C'est pour vous aider, Abigaël. Moi, je n'ai pas besoin de lumière, d'habitude. Il suffit de se tenir au mur.

— Je suis si contente de vous revoir, madame! Vous pouvez éteindre, je ferai comme vous.

— Vous risqueriez de trébucher, demoiselle. Dites-moi, pourquoi me rendez-vous visite aujourd'hui?

— J'ai rêvé de vous trois nuits de suite; aussi, ce matin, j'ai décidé de partir. J'avais l'impression que vous m'appeliez.

Claire, qui la précédait, s'immobilisa. Abigaël put observer sa silhouette, en contre-jour sur le rond de clarté de la lampe. Sa belle dame brune lui sembla d'une minceur juvénile, dans une robe assez longue et très ajustée.

— J'espérais que vous viendriez très vite, autant l'avouer, ma chère enfant. Je pense beaucoup à vous depuis ce jour où vous m'avez prise dans vos bras, au hameau de Sterling. J'ai senti un fluide bénéfique couler dans mes veines, celui de votre énergie. J'ai toujours le cœur brisé, mais je veux vivre afin de témoigner, de pouvoir un jour rendre hommage à mon Jean et à ceux qui sont morts à ses côtés. Je crois au destin, Abigaël. Nos chemins devaient se croiser. Mais venez, nous discuterons plus tard.

Abigaël crut que l'escalier ne finirait jamais. Elle éprouvait une exaltation bienfaisante en suivant Claire, mais sans oublier une seconde l'exécution dont elle avait été témoin et la présence de Patrick Mousnier dans le fourgon de la milice.

— On pourrait croire que nous grimpons vers le paradis, dit-elle soudain sans vraiment réfléchir.

— J'ai la conviction que l'au-delà existe, que nos chers disparus survivent dans une autre dimension, répondit Claire. Cependant, j'ignore si ce monde invisible est un paradis.

— Excusez-moi.

— De quoi? Nous pouvons évoquer ce domaine, nous deux, puisque nous avons des dons particuliers, pas assez efficaces, parfois, hélas! Savez-vous que des défunts me sont apparus de façon confuse et singulière? Seulement, allez savoir pourquoi, ceux que nous adorions ne viennent pas nous consoler de leur départ.

— Vous faites allusion à votre mari, Jean?

— Oui, gémit Claire d'une voix faible. Si je pouvais le revoir deux ou trois secondes seulement! Il me sourirait, il me dirait qu'il m'attendra. Je l'aimais tant!

— Je le sais, mais gardez espoir. Peut-être se manifestera-t-il! Ma mère, Pascaline, était passeuse d'âmes, je vous l'ai dit le soir où vous avez dormi chez mon oncle. Elle est morte deux jours après ma naissance et j'attends souvent un signe d'elle, même infime.

— Ce sont là de grands mystères, Abigaël, dont nous n'avons qu'une faible idée, à mon humble avis.

Leur conversation, entre les murs du vieux château, où régnait une odeur de sable et de roche, dans une obscurité à peine dissipée par le faisceau lumineux de la lampe, avait quelque chose de confidentiel, d'irréel. Pourtant, une complicité s'était établie immédiatement et, lorsque Claire poussa une porte étroite, Abigaël regretta presque de retrouver la clarté crue du soleil.

— Nous sommes sous les combles. Je vous emmène dans mon refuge favori.

— Votre chambre?

— Non, une petite pièce ronde dans une des tours. De là, je contemple la campagne, le ciel, les nuages… Si une patrouille allemande approchait, j'aurais le temps de disparaître. Marie de Martignac a tout prévu pour ma sauvegarde.

Abigaël jeta un regard inquiet à Claire, qui marchait à ses côtés sous la charpente colossale du château. Le plancher gris de poussière était encombré de papiers jaunis, de caisses en bois disloquées ainsi que de tissus rongés par les loirs et les souris.

— Mangez-vous à votre faim, madame? s'alarma-t-elle en la voyant en pleine lumière.

La minceur élégante de sa belle dame brune confinait à la maigreur; son visage était émacié et ses yeux, cernés de mauve.

— Je me moque de la nourriture, rétorqua-t-elle. Je n'ai guère faim, mais, hélas! j'ai une grande soif de vengeance, un sentiment dangereux dont je ne peux me débarrasser. Il le faudrait, pourtant. Toute ma vie, la violence m'a répugnée. À présent, la nuit, je rêve éveillée; je me vois tuant de mes mains celui qui a tiré sur mon mari.

Claire soupira en poussant une nouvelle porte basse cloutée. Elle entra la première dans la tour. Des pigeons s'envolèrent par une fenêtre sans vitre, qui évoquait un peu une meurtrière de jadis, en plus large.

— Nous voici loin de tout, Abigaël. Maintenant, dites-moi si le professeur Hitier a pu obtenir des renseignements sur mes enfants?

— Non, je suis navrée, madame. C'est moi qui suis allée à vélo à Angoulême. J'ai trouvé la maison de Victor et Blanche Nadaud, rue de l'Évêché, mais le prêtre qui gardait la clef a disparu. Je l'ai su en m'adressant au sacristain de la cathédrale. Où est cette clef, à présent? Je n'ai pas la réponse. J'ai même tenté de glisser la main dans la fente de la boîte aux lettres, en vain.

— C'était imprudent, lui reprocha Claire.

— J'y retournerai, je vous le promets. Ce matin-là, je n'ai pas insisté auprès du sacristain et il n'y avait pas de prêtre. Quant à frapper directement à la porte de l'évêché, je n'ai pas osé.

— Vous avez eu raison. Oh! mon Dieu, si je savais où sont Matthieu et Faustine, ma fille chérie, Ludivine, mes petits-enfants, je les rejoindrais par n'importe quel moyen! Ils devaient pourtant m'écrire à cette adresse.

— Ils l'ont peut-être fait. Ayez confiance, je réussirai à dénicher la clef de la maison. Mais j'ai peur pour vous, car vous n'êtes pas en sécurité, ici, et, sans vouloir manquer de respect à madame de Martignac, qui est très éprouvée, je ne l'ai pas trouvée sympathique. Enfin, non, j'ai senti qu'elle nourrit de la rancune à votre égard. J'en ai été blessée.

Claire s'accouda à l'appui de la fenêtre, dos tourné à la jeune fille. Elle débita d'une voix triste:

— Edmée n'approuve pas la Résistance. Elle estime plus sage de faire confiance au maréchal Pétain. Elle nous rend responsables, mon mari et moi, de l'arrestation de son fils Louis.

— Et sûrement aussi du décès d'Angéla, sa femme, hasarda Abigaël.

— Angéla? Edmée n'a pas dû beaucoup la pleurer, mais, si je vous confiais pourquoi, je devrais évoquer une vieille histoire compliquée qui m'a durement marquée. Si j'en ai l'occasion, et le temps, je vous la raconterai. Autre chose que je tiens à vous préciser: Edmée de Martignac est la demi-sœur de ma mère, Hortense, morte il y a des années, à la naissance de mon frère Matthieu.

Claire fit volte-face. Son corps mince fut secoué d'un long frisson. Ses yeux de velours noir brillaient de larmes contenues.

— J'ai changé, jolie demoiselle, je me sens dépouillée de ma force de jadis. Le passé me hante et j'ai envie de préserver mes souvenirs. Pourtant, ils sont douloureux, parfois, trop souvent, même.

Navrée de percevoir une infinie détresse chez sa belle dame brune, Abigaël approuva en silence.

— Je suis certaine, dit-elle enfin, qu'il y a eu dans votre existence de merveilleux jours de bonheur. Vous devez penser à eux en priorité.

— Vous avez raison, chère petite. Au sujet d'Edmée, faites comme si vous ignoriez notre parenté, si vous discutez avec elle.

— D'accord, mais comment peut-elle déplorer de vous cacher ici, puisque vous êtes la fille de sa demi-sœur?

— Une demi-sœur qu'elle n'a jamais connue, précisa Claire. Pour être franche, j'ai remarqué depuis longtemps que son caractère la pousse à l'aigreur et à l'anxiété. Je la comprends. Elle protège sa petite-fille et ce château qu'elle chérit. Nous avons appris tardivement nos liens de sang. C'était un lourd secret de famille qui m'a été révélé par mon cher père Maraud, ce personnage hors du commun qui vous est apparu plusieurs fois.

— Le père Maraud! Les grelots de sa petite voiture tirée par un âne gris! murmura Abigaël.

— L'âne Figaro que j'ai recueilli. J'aimerais avoir le temps de vous raconter ma vie d'avant, quand j'étais libre et heureuse, enfin, le plus souvent libre et presque toujours heureuse.

Submergée par une détresse insoutenable, Abigaël se mit à pleurer. Claire ne lui demanda pas la cause de ses larmes. Elle se précipita pour l'attirer dans ses bras et la bercer en déposant de légers baisers sur ses cheveux.

— Vous êtes si jeune, si pure! chuchota-t-elle à son oreille. Vous auriez le droit de vivre dans l'insouciance. Ne vous occupez plus de moi, je m'en voudrais trop s'il vous arrivait malheur.

Le contact de Claire, sa douceur maternelle et le magnétisme qui émanait de son corps offrirent à Abigaël un précieux réconfort. Entre deux sanglots, elle lui confia son principal tourment en quelques phrases qui lui échappèrent par saccades.

— Je suis désolée, madame, j'ai besoin de me confier et c'est vous qui devrez écouter cet horrible récit. J'étais si contente de partir pour Torsac, de venir vers vous, et il a fallu que j'assiste à une exécution et que je découvre mon cousin Patrick parmi les miliciens! Comment apprendre ça à mon oncle? En plus, il l'a chassé de la ferme à cause de moi, parce qu'il se comportait mal à mon égard, très mal.

— Que voulez-vous dire?

— Ce n'est pas mon cousin par le sang. Il a essayé de…

— Je comprends. Yvon ne pouvait pas agir autrement, dans ce cas-là. Vous n'êtes en rien responsable. La milice attire bien des mauvais sujets, des parias. Dites la vérité à votre oncle, il vaut mieux qu'il sache où est son fils et avec qui.

— Je le ferai, madame, même s'il m'en coûte. Mais, ces pauvres gens, qui va les enterrer décemment et prévenir leurs proches? En vous quittant, j'avais l'intention de me rendre à Dirac pour savoir ce qu'il en était.

Claire tressaillit, livide, sans lâcher Abigaël, qui s'était calmée.

— N'en faites rien, ma chère petite! Je vous conseille de rentrer directement au Lion de Saint-Marc. Vous ne pouvez pas prendre en charge toutes les injustices, surtout en pleine guerre. Il faut vous préserver, sinon les anges du Ciel n'auront plus leur messagère sur cette terre ravagée par la guerre. Ne pleurez plus.

Blottie contre Claire, Abigaël ferma les yeux. Elles restèrent ainsi de longues minutes, sous le regard d'ambre du loup.

2

Une âme inquiète des siens

Château de Torsac, même jour, même heure
En quittant la tour ronde, Claire avait conduit
Abigaël dans sa chambre, située au second étage du
château. Par son extrême dépouillement, la pièce
évoquait une cellule de moine, ce qui surprit la jeune
fille. Les murs étaient blanchis à la chaux et le lit en fer
ne faisait pas un mètre de large. Une table étroite se
dressait devant l'unique fenêtre.

— Madame de Martignac aurait pu vous loger dans
un lieu moins triste! se désola-t-elle tout bas.

— Les domestiques vivaient là, jadis, et pour
eux c'était déjà du luxe, répondit Claire. Il y a ici un
avantage, je peux guetter la cour, savoir qui y entre et, si
nécessaire, me cacher.

— Dans l'escalier secret?

— Non, on me trouverait vite. Disons que je
l'emprunterais pour rejoindre les caves. Là, comme
chez le professeur Hitier, il y a un départ de souterrain. Toute cette région en pierre calcaire est truffée
de passages creusés dans les profondeurs du sol, soit
par les eaux des anciens temps, soit par les hommes.
Au Moulin du Loup, un placard ouvrait sur une sorte
de puits muni d'échelons qui conduisait à un souterrain. C'est une particularité de notre région. Bien des

galeries, naturelles ou non, serpentent sous les chaumes ou les prés. Notre souterrain rejoignait une grotte des falaises, la grotte aux fées. Nous avons pu nous réunir là-bas dans la plus parfaite discrétion quand Jean a fondé le réseau Sirius. Oh! je voudrais vous emmener là-bas! Cette grotte a été témoin de tant d'événements insolites bienheureux! Ma petite-fille Isabelle y est née.

Abigaël écoutait, ravie, sans oser s'asseoir sur le tabouret, seul siège de la chambre.

— Je fais ma savante, déclara Claire en souriant, mais j'ai beaucoup appris dans les livres que me prêtait Victor Nadaud. Il est archéologue. Avant d'épouser Blanche Dehedin, la sœur jumelle de mon mari, il était amoureux de moi. Jean ne l'appréciait pas, évidemment.

Chaque fois que Claire prononçait le prénom de son mari, sa voix tremblait. Elle fit un geste de la main comme pour balayer son émotion.

— J'ignore quel âge avait le prêtre à qui ma belle-sœur a confié la clef de sa maison, rue de l'Évêché, mais, en bientôt quatre ans, cet homme a pu mourir... ou être arrêté, car nous avons su il y a quelques mois qu'il cachait des Juifs. Une chose me tourmente. Si mon frère Matthieu et ses enfants me croient déportée ou enterrée dans une fosse commune, loin du département, ils ne chercheront jamais à me revoir.

Claire joignit les mains et fixa le crucifix en bois accroché au-dessus du lit.

— Comment les retrouver, comment entrer en contact avec eux si j'ai la joie de les savoir sains et saufs? Je n'ai plus qu'à prier en espérant un miracle.

— Je serai ce miracle, madame.

— Chère petite, je vous en supplie, ne prenez plus de risques pour moi. Vous devez vivre. Votre don est tellement rare, et d'autant plus précieux! Soyez très prudente dans tout ce que vous entreprenez. Surtout, méfiez-vous de cet homme, un véritable monstre à figure humaine, le chef de la milice d'Angoulême. J'en suis sûre, c'est lui qui a torturé ma pauvre Janine. Comment lui en vouloir, si elle a parlé?

Abigaël approuva d'un signe de tête en se rappelant le moment pénible où le professeur Hitier et son oncle avaient annoncé à Claire l'exécution par les miliciens de son domestique Léon, de son épouse Anita et de la petite Marie, recueillie par leur fille Janine pendant l'exode.

— Je suis la seule survivante du réseau Sirius, ajouta Claire, comme si elle lisait dans les pensées d'Abigaël. Ce sinistre individu cherchait à nous détruire depuis le début de la guerre, quand il n'était qu'un chasseur. Je ne vous ai pas posé la question, en décembre. Êtes-vous allée jusqu'au Moulin du Loup?

— Non, madame.

— J'aimerais revoir ma maison, même si elle n'est plus que ruines et décombres. J'ai tout perdu, le bel héritage de mon père Colin Roy et de ma mère Hortense, la grande horloge dont les battements me faisaient dire que c'était là le cœur de notre foyer, des meubles du siècle dernier et les albums où Faustine, ma fille adoptive, l'épouse de mon frère Matthieu, avait patiemment collé des centaines de clichés. Je n'ai pas un seul portrait de Bertille, ma princesse.

— Madame, je suis désolée, d'autant plus que monsieur Hitier m'a soumise à une expérience très particulière alors que je le connaissais à peine. Il m'a demandé de tenir des photos entre mes doigts afin de savoir si la personne était en vie ou décédée. Je me croyais incapable de réussir. Pourtant, j'ai eu des visions, des sensations vraiment étonnantes. Pour Louis de Martignac, j'ai eu la certitude qu'il était vivant, mais dans des conditions effroyables.

— Si j'avais un cliché de ma cousine, vous pourriez me dire si j'ai une chance de la revoir? s'enflamma Claire.

— Peut-être.

— Non, il ne faut même pas essayer. Si vous aviez la conviction qu'elle n'est plus de ce monde, ce serait trop dur pour moi. Je préfère garder une bribe d'espérance et prier. Venez, nous devons accorder un peu de temps à ma pauvre Edmée. Ne vous fiez pas à ses airs hautains et à ses tirades déplaisantes. En réalité, elle est très généreuse. Et puis, elle souffre le martyre dans sa chair de maman. Mais, cette fois, puisque tout est calme, dehors, nous emprunterons le grand escalier en pierres du pays.

Abigaël suivit Claire avec empressement, pleine d'admiration pour son courage, son allure digne et sa vivacité. Elle ne pouvait s'empêcher de comparer la femme énergique qui la guidait à une reine antique parée d'une longue natte brune, prête à se battre encore et toujours contre l'injustice et le malheur. «Est-ce bien la même personne que j'ai découverte plongée dans une léthargie inquiétante, si pâle, si faible?»

— Voulez-vous visiter les cuisines? s'enquit soudain Claire, un léger sourire sur ses lèvres d'un rose vif. Du temps qu'Edmée pouvait mener un train de vie convenable, elle avait engagé plusieurs domestiques, ce qui n'était pas du goût d'Ursule. La vieille femme est bien contente d'être redevenue la maîtresse absolue des lieux. Au fait, avez-vous déjeuné, Abigaël?

— Non. J'avais emporté de quoi manger en route, mais j'ai donné mon repas à un réfugié espagnol que j'ai trouvé penché sur le contenu de mon panier. Sa femme et leur petit garçon sont affamés. Ils habiteraient une ruine à proximité du village.

La réaction de Claire la stupéfia. Elle se figea au moment où elle allait tourner la poignée de la porte des cuisines.

— Mon Dieu, un réfugié? Ici, à Torsac? C'est impossible, nous serions au courant par Marie, qui travaille à la mairie le lundi. Je pense que vous avez été abusée par votre bonté, petite, et qu'il s'agit plutôt d'un policier. Il doit surveiller le village. Avait-il un accent, au moins?

— Je ne sais plus, balbutia la jeune fille, prise de panique. Il m'a indiqué le portail et il m'a dit aussi qu'on avait une meilleure vue sur le château de la route de Fouquebrune.

— Comment un réfugié espagnol saurait-il ça?

Les traits de Claire étaient durcis par l'angoisse.

— Il semblait sincère et vraiment reconnaissant. Pensez-vous qu'un homme de la milice aurait emporté cette nourriture? En règle générale, ils portent un uniforme. Ils ne vont pas jusqu'à se déguiser ou à jouer la comédie!

— Qu'en savez-vous, ma pauvre enfant? Ils sont capables de tout. Je ne devrais pas rester là, je mets en danger Edmée et sa fille. Peu de gens, à présent, pourraient témoigner de mes relations amicales avec la famille de Martignac il y a plus de vingt ans, et l'état civil ne mentionne pas les liens de parenté dont je vous ai parlé. Mais ce maudit Dubreuil a pu l'apprendre et venir fouiner par ici.

Abigaël se sentait mal. La gorge nouée et la bouche sèche, elle dut s'appuyer au mur du couloir.

— Dubreuil? Madame, c'était le nom du capitaine de la milice. Je l'ai entendu, tout à l'heure, quand ils ont tué ce pauvre couple.

Claire devint livide. Elle porta une main diaphane à la hauteur de son cœur, qui cognait à grands coups dans sa poitrine.

— Dieu soit loué, vous n'êtes pas tombée entre ses griffes, ma chère petite! gémit-elle.

— Non, et j'espère que ça ne m'arrivera jamais. Madame, calmez-vous. Je n'ai rien dit de précis à cet homme, le réfugié. Si c'est un espion, a-t-il pu juger anormal que je vienne au château? Je suis désolée! J'aurais dû inventer un prétexte.

Elles échangèrent un regard anxieux. Quand la vieille Ursule poussa le battant, toutes deux faillirent crier, tant elles étaient nerveuses.

— Pardi, vous m'avez fichu la trouille, vous aussi! s'exclama la domestique. En voilà, des manières! Madame Edmée a réclamé son déjeuner. Je vais la servir. Dites, si ça vous tente, j'ai fait de la soupe avec les topinambours qui restaient dans le cellier.

— Allez-y, Ursule, dit Claire. Quant à moi, je n'ai pas faim.

— Mais madame sera contrariée! Elle m'a fait dresser trois couverts.

En avisant les joues décolorées d'Abigaël, qui paraissait instable sur ses jambes, Claire changea d'avis. Elle prit la jeune visiteuse par le bras.

— Une assiette de potage nous redonnera des forces et nous aidera à réfléchir, murmura-t-elle. Surtout, pas un mot sur le prétendu réfugié espagnol! Je me suis peut-être affolée pour rien.

—

Le déjeuner fut plus agréable que prévu. Ursule avait su agrémenter les topinambours grâce à de l'oseille et de l'ail. Comme dessert, elle présenta, toute fière, des flans fleurant bon la vanille.

— Comment faites-vous? s'étonna la châtelaine. Il faut du lait, pour préparer des flans, Ursule.

— Pardi, madame, y'a encore des vaches chez les anciens meuniers du hameau de l'Angole! Je m'arrange pour qu'on m'apporte deux litres de lait frais le samedi soir.

— Et vous payez ce lait avec quel argent? insista Edmée, l'air soupçonneux.

— Mademoiselle Marie me donne un peu de sous.

— Edmée, profitons de ce bon dessert sans discuter, soupira Claire. Il serait préférable de remercier Ursule, qui fait tant d'efforts pour nous. Admettez aussi qu'à la campagne, nous avons de la chance. Pendant ces quatre ans d'occupation, fort heureusement, le bétail s'est reproduit. Les moutons, les poules et les lapins n'ont pas été réquisitionnés. Au moulin, nous avions le nécessaire, nous aussi.

Abigaël avait mangé du bout des lèvres. En écoutant ses hôtesses évoquer les problèmes d'alimentation, elle songeait à la bonne nourriture dont elle bénéficiait depuis qu'Yvon Mousnier les hébergeait, sa tante Marie et elle.

— Mon oncle se débrouille bien, crut-elle judicieux de mentionner. Ma tante Pélagie a pu garder une basse-cour assez importante et nous ne manquons pas d'œufs. Ils ont deux vaches, aussi, et des moutons.

— Boudiou, y'en a qui sont chanceux! bougonna Ursule.

Edmée pinça les lèvres, ce qui arracha un faible sourire à Claire, accoutumée à l'humeur morose de la châtelaine.

— Je pourrai vous apporter des provisions, la prochaine fois que je viendrai, s'écria Abigaël. Mon oncle serait sûrement disposé à vous offrir deux poules pondeuses.

— Inutile, mademoiselle! trancha Edmée.

— À moins que vous n'arriviez la nuit, cela paraîtrait louche aux yeux des villageois, renchérit Claire. Or, il est impossible que vous fassiez la route seule après le couvre-feu. Tant qu'il n'y a pas d'enfants à nourrir, nous n'avons pas besoin de votre aide, ma chère. Et il ne faut pas attirer l'attention sur vous ni sur le château.

— Alors, vous me déconseillez de revenir vous voir? s'alarma la jeune fille.

— Je le déplore, mais oui, d'autant plus que je peux prendre la fuite d'un moment à l'autre par les souterrains.

— Et où iriez-vous, malheureuse? s'indigna Edmée. Surtout escortée d'un loup!

— La région n'a aucun secret pour moi, répliqua Claire.

Personne n'osa la contredire, mais Ursule reprit le chemin des cuisines en ronchonnant. Elle chérissait celle qu'elle appelait la «dame du Moulin du Loup», qui l'avait soignée des années auparavant de rhumatismes handicapants.

Une demi-heure plus tard, Abigaël s'apprêta à partir. Elle aurait volontiers passé l'après-midi en compagnie de Claire, mais elle avait promis à sa tante de rentrer tôt. Cependant, à l'instant de quitter le grand salon inondé de soleil, elle demeurait insatisfaite. Rien ne s'était déroulé comme elle l'avait imaginé le matin, à son réveil.

— Je suis bien audacieuse d'exiger une telle promesse, madame, dit-elle tout bas à Claire, mais je voudrais que nous puissions bientôt passer toute une journée ensemble. J'ai eu tant de visions furtives de votre existence passée, j'aimerais en savoir davantage sur votre jeunesse, sur le Moulin du Loup et sur votre famille.

— Sans crainte d'aviver les blessures de mon cœur? s'étonna Claire, mais l'air légèrement taquin.

— J'ai souvent l'intuition que la parole peut évacuer le venin de certaines plaies, insinua Abigaël. En me racontant votre vie, en faisant revivre ceux que vous aimiez, peut-être éprouverez-vous un peu d'apaisement?

En guise de réponse, Claire lui caressa tendrement la joue.

— Soigner le cœur et l'âme est une tâche ardue. On ne sait où apposer les mains, alors que, sur un corps malade qui vous indique l'endroit douloureux, les choses sont faciles. Petite, si Dieu le veut, nous aurons le temps de nous confier nos souvenirs.

Elles échangèrent un long regard complice, plein de tendresse et de respect mutuel. Toutes deux guérisseuses et dotées du pouvoir si particulier d'entrer en contact avec l'au-delà, elles se comprenaient sans qu'il soit besoin de grands discours.

— Eh bien, au revoir, madame.

— Je vous en prie, plus de madame. Claire suffira.

— Merci, s'écria Abigaël, merci… Claire. Au revoir, madame de Martignac. Transmettez mes amitiés à votre fille Marie.

La sévère châtelaine se contenta d'un signe de tête discret, les yeux rivés sur les flammèches de l'âtre. Elle était de nouveau assise près du feu, son chapelet entre les doigts.

Ursule se fit un devoir de raccompagner Abigaël jusqu'au portail. Au moment d'ouvrir, elle la retint par le poignet.

— Revenez donc bien vite! Moi, ça m'intéresse, vos poules pondeuses. On manque de tout. Alors, des œufs frais… Ce n'est pas gai, entre madame Edmée qui rumine son chagrin et madame Claire qui se cache la plupart du temps à l'étage.

— Je ferai de mon mieux, c'est promis.

— Merci, vous avez tout d'un ange, mademoiselle.

— Non, hélas, ne dites pas ça. Au revoir, Ursule.

Elle enfourcha son vélo, mais décida de suivre le chemin qui longeait la rivière au lieu de prendre aussitôt la route du retour. «Si je trouve la grange abandonnée, si les réfugiés sont bien là, je retournerai rassurer Claire.»

La Charraud coulait entre des berges étroites bordées d'ajoncs et de roseaux. Du côté gauche s'étendaient des prairies, mais, à droite, des sous-bois clairsemés couvraient une pente douce, où affleuraient des pans de roche grise. Il n'y avait aucun bâtiment en perspective, ce qui inquiéta Abigaël.

— Je ferais mieux de faire demi-tour. Cet homme a menti, se dit-elle à mi-voix.

Elle s'arrêta, dépitée, et scruta attentivement le cours de la rivière. Sans raison précise, son cœur se mit à battre plus vite, tandis qu'un poids pesait sur sa nuque et ses épaules. Le souffle court, elle murmura:

— Non, pas maintenant.

Le malaise qui la submergeait lui était familier. Il annonçait la présence d'une âme perdue. Pourtant, elle ne voyait personne se dessiner sous ses yeux. Son instinct la poussa à se retourner; une femme se tenait là, près d'un genévrier. Tout doucement, elle descendit de la bicyclette, qu'elle coucha sur le talus.

Comme chaque fois, un silence étrange se fit et le paysage s'estompa, nimbé d'une sorte de brume grise dans laquelle la silhouette paraissait réelle, coiffée de boucles blondes et vêtue d'une robe verte.

— Pouvez-vous m'aider? entendit Abigaël sans avoir discerné de mouvements sur les lèvres de l'apparition.

— Oui, madame, je peux vous aider, sinon vous ne me verriez pas, répondit-elle d'une voix douce.

Ce n'était pas une rencontre ordinaire, la jeune fille en avait la conviction. Déjà, la femme ne manifestait pas l'habituelle détresse qui conférait souvent aux âmes errantes une attitude craintive, une expression désespérée.

— Ils sont là-bas, soupira-t-elle. Je voudrais tant leur dire de partir, de me laisser pour que je sois en paix!

Désemparée, Abigaël observa le couvert des arbres, dans la direction que semblait indiquer l'inconnue.

— Qui sont-ils? murmura-t-elle. Madame, où dois-je aller?

— Auprès d'eux, par pitié!

En quelques secondes, la vision s'effaça, la brume se dissipa et le paysage reprit ses couleurs printanières. La rivière chantonna de nouveau et des mésanges survolèrent le chemin désert. Tremblante, Abigaël se signa et se mit à prier.

«Maman, chère petite maman qui es au Ciel, viens à mon secours! J'ai lu et relu le cahier où tu notais tes expériences, où tu as écrit des conseils sur la cérémonie des bougies, sur les mots à répéter pour diriger une âme vers la lumière, mais les choses sont différentes pour moi. Des défunts se manifestent quand je suis en pleine nature, seule… Cette petite fille, dans la vallée de l'Anguienne, la grand-mère d'Adrien, celui que j'aime, et cette femme, maintenant. Maman, guide-moi!»

Apaisée, elle respira profondément et se dirigea vers le sous-bois. Elle grimpa d'un pas rapide parmi les chênes nains et les genévriers. Bientôt, un toit de tôles rouillées et un pan de mur lui apparurent.

— Est-ce qu'il y a quelqu'un? appela-t-elle en s'approchant d'une large ouverture ronde dénuée de porte.

Un bruit de feuillage sec froissé par les mouvements d'un corps fit écho à sa question. Elle avança encore et se trouva nez à nez avec l'homme qui s'était prétendu un réfugié espagnol.

— C'est vous, mademoiselle? Il faut partir.

Elle remarqua qu'il avait bel et bien un léger accent, mais, même sans ce détail, elle ne doutait plus de sa sincérité, à cause du pathétique tableau dont la misérable bâtisse était le décor. Un petit garçon de cinq ans environ somnolait sur une litière de feuilles et de paille contre le corps inerte d'une femme. Malgré la rigidité du cadavre et son teint jaunâtre d'apparence cireuse, Abigaël la reconnut immédiatement.

— Mon Dieu, votre épouse est morte depuis quand, monsieur? demanda-t-elle tout bas.

— Hier, avant la nuit, balbutia-t-il. Je l'ai veillée toute la nuit. Ce matin, notre fils pleurait tellement! Il avait si faim! Je l'ai laissé avec elle et je suis parti en quête d'un peu de nourriture.

— Vous avez laissé votre enfant ici, près de sa mère?

— Il n'avait pas la force de marcher jusqu'au village, avoua l'homme, tête basse. Je ne sais plus où aller, maintenant que mon Inès nous a quittés. Elle était malade du cœur et elle n'a pas résisté aux épreuves que nous avons traversées. Nous avons tant marché! Des mois!

Abigaël étreignit les mains du malheureux veuf. Elle devait lui expliquer pourquoi elle était venue là, mais elle craignait de se heurter, comme c'était fréquemment le cas, à son incrédulité.

— Monsieur, nous devons donner une sépulture décente à votre épouse. Si vous n'osez pas le faire, je vais aller parler au curé de Torsac. Il ne pourra pas refuser d'inhumer votre dame dans le cimetière ni de dire une messe.

— Je n'ai pas d'argent. Et comment la transporter là-bas?

L'homme était à bout de forces, épuisé autant moralement que physiquement, Abigaël le sentait. Elle n'avait pas lâché ses doigts et elle essayait de lui insuffler du courage autant que de l'énergie.

— Monsieur, écoutez-moi sans m'interrompre ni protester. J'ai la faculté de voir les âmes en peine, de communiquer avec elles. Je suis médium. Tout à l'heure, sur le chemin au bord de la rivière, j'ai eu une sorte de malaise et, peu après, votre épouse s'est manifestée. Elle m'a suppliée de l'aider, de vous aider, surtout, je pense. Inès s'est montrée à moi, je vous l'assure. Elle n'ose pas vous abandonner, vous et votre fils; pourtant, elle est prête à s'élever vers la lumière divine une fois qu'elle sera rassurée sur votre sort et celui de son enfant. Elle veut que vous partiez d'ici et que vous cherchiez un refuge plus convenable pour le petit, je suppose.

Le réfugié l'écoutait bouche bée, les larmes aux yeux. Abigaël remarqua mieux sa maigreur et la barbe noire qui ombrait ses joues creuses.

— Monsieur, désirez-vous prier en ma compagnie, pour dire adieu à votre femme?

Il jeta un regard hébété sur le corps menu d'Inès et sur son visage impassible, puis il fixa Abigaël, l'air confiant.

— Inès me répétait de partir, ça, c'est vrai. Alors, vous l'avez vue, vraiment?

— Oui, monsieur, répliqua gravement Abigaël. Elle était très jolie, habillée de ces vêtements qu'elle porte, et ses cheveux brillaient, ses beaux cheveux blonds.

L'homme se mit à pleurer.

—

Ferme d'Yvon Mousnier, le soir

Les bras croisés sur sa poitrine, Marie Monteil faisait les cent pas dans la cour de la ferme. Pour la vingtième fois au moins, elle arrêta ses allées et venues et s'avança sur le chemin par lequel devait arriver sa nièce.

— Abigaël, plus jamais je ne t'autoriserai à sortir! menaça-t-elle entre ses dents. Seigneur, où est-elle?

Yvon Mousnier sortit de la grange, un bidon de lait à la main. Il releva d'un doigt la visière de sa casquette:

— Toujours pas là? marmonna-t-il.

— Non! Ça devient inquiétant. Il est sept heures.

— Les roues du vélo ne sont pas fameuses. Si un pneu a crevé, elle est obligée de revenir à pied. Ne vous faites pas de mouron, Abigaël a la tête sur les épaules.

— Je n'en suis plus si sûre!

De taille moyenne, mince, les cheveux blond-gris et les yeux en amande d'un gris-bleu très clair, c'était encore une jolie femme malgré ses cinquante-deux ans. Enveloppée d'un châle en laine noire, elle continuait à déambuler, les traits crispés par l'angoisse. Apitoyé, le fermier la rejoignit et la fixa d'un œil débonnaire.

— Allons, Marie, ne restez pas là, il fait frisquet, à présent. Abigaël a dû profiter le plus longtemps possible de sa visite au château.

Il avait baissé le ton comme si on pouvait l'entendre. De même, par prudence, il s'était gardé de prononcer le nom de Claire Roy-Dumont.

— Peut-être qu'il n'y avait plus personne là-bas, rétorqua Marie. J'admire cette dame, mais elle représente un danger pour nous tous. Que se passera-t-il si on l'arrête et qu'elle dénonce monsieur Hitier, vous-même et votre fille Béatrice?

— Ne parlez pas de malheur, gronda Yvon. De toute façon, cette femme-là, elle saurait mourir sans dénoncer personne, je peux vous le dire.

Des grognements ponctués de cris aigus s'élevèrent du toit à cochons. La truie s'agitait et donnait des coups de groin dans la porte. Marie Monteil se tourna un peu et vit Pélagie approcher, un seau rempli d'épluchures à bout de bras. L'épouse du fermier lui décocha un regard dur où se lisait une colère contenue.

— Il y a du boulot à la cuisine, lança-t-elle d'une voix aigre. Grégoire a fait des siennes, en plus. Il a renversé son bol de lait.

— Je rentre m'occuper de lui. Je nettoierai, Pélagie. Je guettais le retour de ma nièce, qui tarde beaucoup.

— Elle aura déniché un galant, pardi!

Une guerre larvée couvait entre les deux femmes depuis le départ de Patrick, le fils de la maison chassé par son père. Flavie, la sœur de Pélagie, avait d'abord hébergé le garçon, mais il était parti et la famille n'avait aucune nouvelle de lui.

Yvon soupira, excédé. Il tendit le bidon de lait à Marie et se dirigea vers la grange.

— J'ai les bêtes à nourrir, précisa-t-il. J'ai double de travail, ces temps-ci.

Béatrice, la fille aînée du couple, avait intégré un réseau de résistance malgré les protestations paternelles. Quant à Patrick, il ne serait pas le bienvenu s'il osait revenir. Marie approuva timidement. Attristée, elle s'éloigna vers le second portail en fer forgé qui ouvrait sur un jardin d'agrément où trônait un grand sapin à la ramure sombre. Elle songea qu'il fallait tirer de l'eau du puits, mais elle remit la besogne à plus tard.

«Seigneur, veillez sur ma chère petite Abigaël, l'enfant de ma sœur, l'enfant de mon cœur!» implora-t-elle en silence.

Le grincement caractéristique d'un frein sur une roue de vélo la figea sur place. Elle posa le bidon et s'empressa de faire demi-tour. Abigaël était enfin là. Son soulagement fut de courte durée, car un petit garçon brun était assis sur le porte-bagages. Il tenait la jeune fille par la taille. Un homme les suivait d'un pas rapide, vêtu d'une veste en toile sale et déchirée ainsi que d'un pantalon dans le même état.

— Abigaël, qu'est-ce que…

— Je vais t'expliquer, tantine.

Yvon apparut à son tour, l'œil méfiant. Pélagie accourut elle aussi, la mine renfrognée.

— D'où viennent-ils? tonna le fermier.

— Mon oncle, plaida Abigaël, ce sont des réfugiés. Vous avez besoin d'un ouvrier agricole et monsieur Pérez ne demande que le gîte et le couvert. Il est prêt à partager son repas avec son fils, qui a cinq ans. Madame Pérez est morte hier.

— Nom d'un chien, tu n'en feras jamais d'autres! enragea Yvon en arrachant sa casquette et en la jetant par terre.

— Tu nous prends pour la Croix-Rouge! s'égosilla Pélagie.

Effrayé, l'enfant éclata en sanglots. Son père le prit à son cou pour le consoler.

— Tant pis, mademoiselle, on s'en va en ville, le petit et moi, marmonna-t-il. Je ne veux pas déranger.

Abigaël supplia son oncle en le fixant de son regard d'un bleu très clair.

— Ils errent depuis des semaines, déclara-t-elle. Madame Pérez n'a pas résisté à la faim, au froid et à leur misérable errance. Je rentre tard, car j'ai dû persuader le curé de Torsac de dire une messe et de procéder à l'enterrement, sans cercueil, dans un linceul comme les premiers chrétiens, mais je sais qu'elle repose en paix.

Marie Monteil avait compris. L'oncle Yvon également. Seule Pélagie haussa les épaules, furibonde.

— On n'a pas de quoi nourrir des étrangers, grogna-t-elle.

L'homme hésitait à s'en aller; il contemplait à la dérobée l'enclos du poulailler où s'ébattaient des canards et des poules blanches. Il respirait l'odeur forte qui s'échappait de l'étable et, quand une vache poussa un bref meuglement, il eut un pauvre sourire.

— Est-ce que vous vous y connaissez, au moins? interrogea alors Yvon, qui étudiait la physionomie du réfugié.

— Pour sûr, monsieur! Nous sommes arrivés en France en 1935, chez ma grand-mère qui était française. Mon épouse, Inès, l'aidait au ménage et à la cuisine. Moi, j'avais été embauché dans un élevage de bovins près de Pau. En Espagne, mes parents avaient des moutons et des chèvres.

Pleine d'espoir, Abigaël approuvait d'un signe de tête chaque parole de l'étranger.

— Je comprends mieux pourquoi vous causez bien le français, concéda son oncle. Une fois remplumé, je crois que vous pourriez me donner un sacré coup de main. J'ai semé du blé et des betteraves. Vous coucherez dans le grenier avec votre gamin. Il y a une pièce cloisonnée meublée d'un lit double. Je vous préviens, cet été, vous cuirez, sous le toit.

— Merci, monsieur, merci, vous êtes quelqu'un de bon! s'écria l'homme, transfiguré.

— Merci pour eux, mon oncle! renchérit Abigaël en se ruant sur le fermier pour l'embrasser sur la joue.

— Eh bien, il serait temps de penser au dîner, nota Marie sur un ton gêné. Comment s'appelle votre fils, monsieur Pérez?

— Vicente, mais, ma femme et moi, nous disions Vic. C'est plus court et ça sonne moins étranger.

— Voudrais-tu prendre un petit bain, Vic? demanda-t-elle d'une voix douce. Abigaël, tire de l'eau au puits. Il m'en faudra deux seaux.

— D'accord, tantine. Je dois dire deux mots à mon oncle, avant.

— Non, tu obéis! Tire de l'eau tout de suite, trancha Marie.

Abigaël capitula. Elle s'empressa même de seconder sa tante efficacement dès qu'elles furent à l'intérieur de la maison, où régnait un certain désordre et où résonnaient les plaintes de Grégoire, abandonné à son sort. Handicapé mental, le benjamin des Mousnier s'exprimait et agissait comme un enfant de trois ans dans le meilleur des cas, alors qu'il en comptait douze.

— Calme-toi, chuchota Abigaël en caressant ses cheveux roux bouclés. Regarde, nous ramenons Vic, un petit garçon. Tu ne dois pas lui faire peur en pleurant si fort. Demain, nous irons chercher Cécile chez monsieur Hitier. Elle pourra jouer avec vous deux.

La fillette en question, âgée de dix ans, était la sœur d'Adrien, un jeune réfractaire au Service du travail obligatoire. Tous deux orphelins, ils avaient fui Angoulême après le décès de leur grand-mère et s'étaient cachés dans une grotte de la vallée. Grâce à Abigaël, ils s'étaient installés chez le vieux professeur, un résistant notoire qui, en cas de contrôle, les ferait passer pour son petit-neveu et sa petite-nièce. Si Adrien avait rejoint le maquis, Cécile, sous sa fausse identité, jouissait de la protection des Mousnier et de Jacques Hitier.

La perspective de revoir Cécile réconforta Grégoire. Il essuya du revers de sa manche sa bouche maculée de lait et de saindoux.

— Goire… a mangé… ta'tine tombée par terre, bredouilla-t-il.

— C'est sale, très sale! Il ne faut pas faire des choses pareilles, s'impatienta Marie.

D'ordinaire d'humeur égale vis-à-vis de lui, elle s'en occupait du matin au soir.

— Ne le gronde pas, par pitié, soupira Abigaël en nettoyant les dégâts.

Elles s'affairèrent dans une ambiance tendue, dénuée des courtes phrases complices qu'elles échangeaient d'habitude. Quand Pélagie et Yvon entrèrent dans la cuisine, le petit Vicente, nu, était dûment savonné par Marie. En découvrant le tableau, son père ôta son chapeau informe.

— Merci! Il en avait besoin, le pauvre, murmura-t-il.

— Il ne va pas remettre ses hardes crasseuses, précisa Marie. Pélagie, vous avez peut-être gardé des vêtements de votre fils qui seraient à sa taille. Je les ajusterai, si nécessaire.

La fermière faillit récriminer, mais un coup d'œil de son mari la rendit plus conciliante.

— Je monte voir dans l'armoire du palier, dit-elle.

— Je me laverai ce soir à l'eau froide, annonça tout bas le réfugié.

— Vous aurez aussi des habits propres, affirma Yvon. Bon! La soupe est-elle prête?

— Oui, mon oncle, je mets le couvert! s'écria Abigaël, ravie de la tournure que prenait l'accueil de ses protégés. Asseyez-vous, je vous sers un verre de vin.

Il acquiesça en prenant place au coin de la cheminée où flambait un bon feu.

— Alors, raconte, petite. As-tu vu madame Claire? Comment se porte-t-elle?

— Mieux que je l'imaginais, mon oncle. Seigneur, quelle personne courageuse! Elle souffre, mais elle le dissimule et j'ai eu la joie de la voir sourire.

En constatant que l'Espagnol séchait son fils en lui chuchotant des mots de réconfort, elle s'approcha du fermier pour ajouter à mi-voix:

— Elle craint d'attirer de graves ennuis à la châtelaine et elle a parlé de s'enfuir bientôt par les souterrains. Ce serait de la folie. Où irait-elle? Un autre point me tourmente. Elles sont quatre femmes au château et elles manquent de tout. Claire est d'une minceur alarmante. J'aimerais y retourner très vite pour leur apporter des poules pondeuses et de la farine. Ursule, la domestique, se procure du lait dans un hameau voisin.

Songeur, Yvon hocha la tête. Abigaël étudia son expression, comme avide de déchiffrer sur ses traits la moindre de ses pensées.

— Nous en causerons ce soir tous les deux, déclarat-il. Nous aurons deux personnes en plus à nourrir, ici. Ta tante risque de piquer une crise de rage.

— Mais pas vous, mon oncle, souffla-t-elle à son oreille. Dieu vous le rendra. Vous avez un cœur d'or.

Ferme des Mousnier, vingt-trois heures

Abigaël venait d'empiler la vaisselle sale près de l'évier et de nettoyer la longue table où Jacques Hitier et Yvon étaient assis face à face.

Elle avait dû ajouter quatre couverts pour le dîner, car le professeur s'était présenté à la porte du logis en poussant Cécile devant lui, alors que tous se mettaient à table. Il avait toujours la même excuse, dont il abusait pour quitter sa maison des falaises, voisine de la ferme, un logement creusé dans le rocher, mais agrandi par une façade en pierres de taille.

— Cécile s'ennuie, en compagnie d'un vieux barbon de mon espèce, disait-il. Elle réclame son copain Grégoire et le petit chat. Son grand frère lui manque, aussi.

Dès qu'elle entendait ces derniers mots, Abigaël approuvait d'un faible sourire inquiet. Elle se languissait de son amoureux sûrement autant que la fillette. Or, depuis un mois, on était sans nouvelles des jeunes résistants, Béatrice, son fiancé Lucas et Adrien.

Ce soir-là, cependant, Jacques Hitier s'était montré nerveux, l'air soucieux et réjoui à la fois. Il avait accueilli les prévenances de Marie Monteil avec plus d'enthousiasme, en lui adressant des regards débordants d'affection.

«Décidément, pensait Abigaël, Adrien voyait juste lorsqu'il parlait d'une romance entre ma tante et le professeur. Ils me font de la peine, à contenir le plaisir qu'ils ont d'être dans la même pièce. À leur âge, c'est touchant.»

— Arrête de ranger, petite, nous devons discuter tous les trois, maintenant que tout le monde est couché, intervint son oncle.

— Oui, je ne m'attendais pas à trouver un inconnu ici, déplora le professeur, sa pipe entre les dents.

Durant le repas, l'ambiance avait été tendue. Jorge, le réfugié espagnol, s'en était aperçu et il était vite monté se coucher en emmenant son petit Vicente, à moitié endormi sur sa chaise. Repu et épuisé, l'enfant n'avait pas encore dit un mot.

— Je suis navrée, plaida Abigaël, je ne pouvais pas laisser cet homme et son fils, après l'inhumation hâtive de la mère. Ils avaient besoin qu'on leur tende une main secourable. Claire aurait agi comme je l'ai fait.

Elle s'installa sur le banc à côté du fermier. Il lui tapota le dos de la main.

— Sûrement! Tu es charitable et dévouée comme elle, admit-il.

— Il n'empêche que j'ai des renseignements importants à vous communiquer, dit le professeur Hitier, mais je n'ai pas osé en parler devant un étranger. Sa présence chez vous, Yvon, risque de nous compliquer les choses si nous devons préparer une action en lien avec le réseau Bir Hacheim.

— Nous pouvons très bien nous réunir chez vous, monsieur, hasarda Abigaël. Qu'aviez-vous à nous annoncer? Il n'y a rien de grave?

Son cœur cognait fort. Elle refoulait vaillamment au fil des jours la peur insidieuse qui la rongeait.

— Nos alliés américains mettraient au point un débarquement en Normandie, peut-être pour le mois de juin. Si cela se réalise, la guerre pourrait se terminer dans le courant de l'année.

— Ce serait formidable, s'extasia Yvon, rayonnant.

— Ne nous réjouissons pas tant que rien n'est certain, mon ami. Il y a plus urgent. Deux parachutistes britanniques blessés ont été pris en charge par les nôtres du côté de la forêt de la Braconne. Il faut les convoyer vers Bordeaux. Ta fille et son fiancé ont été désignés, de même qu'Adrien.

Abigaël retint un petit cri de frayeur. L'instant suivant, elle offrait un visage impassible.

«Adrien a choisi de se battre. Je n'ai plus qu'à prier pour lui, ainsi que pour Béa et Lucas, se raisonna-t-elle. Au moins, je sais qu'il est en vie. Quand tout ceci sera fini et loin derrière nous, nous pourrons être heureux, car il reviendra, j'en ai la certitude.»

— Il y a autre chose de préoccupant, continua le professeur. Il s'agit de Claire Dumont. J'ai contacté plusieurs personnes en ville. Le prêtre qui gardait à disposition la clef de la maison des Nadaud, rue de l'Évêché, a été arrêté il y a six mois et envoyé dans un camp de travail, sans aucun doute en Allemagne. Dès qu'on signale une disparition, on peut s'attendre au pire.

— Un prêtre! murmura Abigaël, épouvantée. La Gestapo ne recule devant rien. S'en prendre à un homme d'Église!

— Il avait hébergé des Juifs et on a dû le dénoncer, ce qui est monnaie courante depuis le début de l'Occupation, précisa Yvon.

— Mais Claire espère qu'il y a des lettres de son frère et de sa fille, là-bas, confia-t-elle tout bas. Elle prétend survivre dans le but de venger son mari. Heureusement, elle semble prête à renoncer à sa rancune, si elle peut rejoindre sa famille. Je voudrais trouver une solution. Il en existe bien une! Il faudrait faire une clef ou forcer la serrure.

— Le jour, dans Angoulême, ce serait une idiotie, protesta son oncle. La nuit, ce serait pire. Il faut respecter le couvre-feu, et les soldats allemands patrouillent.

— Le prêtre a pu dissimuler la clef chez lui. Il suffirait d'entrer et de la chercher. Je vous en prie, mon oncle, laissez-moi me charger de cette mission, qui est sacrée pour moi. Qui fera attention à une fille de la campagne se promenant dans les rues? Je me sens capable de faire un miracle, je l'ai promis à Claire. J'y suis déjà allée et je n'ai pas eu d'ennuis.

Le professeur Hitier secoua la tête en affectant un air las.

— Ne fais pas de promesses impossibles à tenir, Abigaël. Je m'oppose à une deuxième expédition périlleuse en ville, seule. Tu es de mon avis, Yvon?

— Bah! j'ai du mal à ne pas céder aux caprices de ma nièce, tenta-t-il de plaisanter. Tu le vois bien, elle m'amène un ouvrier agricole et un gamin de plus, et je dis amen. Quand même, je pense qu'il y a forcément un moyen d'entrer dans cette fichue maison.

Le fermier se leva pour prendre la bouteille d'eau-de-vie dans le placard. Il servit deux petits verres.

— Un coup de gnole, ça aide à réfléchir, dit-il.

Abigaël se contenta d'un peu d'eau fraîche. Elle retardait le moment de parler de Patrick. Mais Jacques Hitier, sans le savoir, l'obligea à se décider.

— Je gardais le pire pour la fin, soupira-t-il. La milice a exécuté un couple, aujourd'hui. Dubreuil, ce monstre à face humaine, a fait jeter les corps en sang près du cimetière de Dirac. Les malheureux, on les a tirés du lit ce matin pour aller les fusiller en campagne.

— Des résistants? chuchota Yvon, livide.

— Non, des communistes soupçonnés d'avoir distribué des tracts.

Tremblante, Abigaël se signa. Elle retenait ses larmes. Son oncle entoura ses épaules de son bras.

— Qu'est-ce que tu as?

Toute pâle et les yeux perdus dans le vague, elle raconta l'odieuse scène dont elle avait été témoin. Les deux hommes l'écoutèrent, les traits durcis, crispés. Enfin, d'une voix altérée par l'anxiété, elle évoqua le départ du fourgon.

— J'ai demandé conseil à Claire Roy, mon oncle. Elle estime que je vous dois la vérité.

— Quelle vérité?

— Patrick, votre fils, il était là, il portait l'uniforme noir des miliciens. Je vous assure que c'était lui. Je ne mens pas.

Yvon Mousnier resta bouche bée, le regard voilé par la rudesse du choc. Soudain, il tapa du poing sur la table.

— Fichtre, quel petit con! lâcha-t-il tout bas, le souffle court. Vous êtes témoins, si j'apprends qu'il a participé aux crimes de ces fous furieux, je l'abattrai moi-même... Patrick, mon fils, mon gamin, non, non! Lui, tombé si bas! Mon fils dans la milice!

Abigaël saisit la main du fermier et l'étreignit entre ses doigts menus.

— Ne dites pas ça, je vous en supplie. Patrick m'a causé du tort. Pourtant, je crois qu'il a un bon fond. Je suis capable de lui pardonner ce qu'il m'a fait, mais, s'il devient un assassin, son âme en paiera le prix. Vous devez le ramener dans le droit chemin pour son salut éternel. Il est encore temps de le sauver, mon oncle.

— Puisses-tu dire vrai, petite.

— Elle a raison, Yvon, il faut le tirer de là, affirma alors le professeur Hitier. Je suis prêt à t'aider.

3

Une visite chez le diable

Ferme des Mousnier, le lendemain matin,
lundi 6 mars 1944

Un peu surprise, Abigaël regarda la pendulette qui ornait le manteau de la cheminée. Il était sept heures et, fait exceptionnel, toute la famille s'attablait pour le petit déjeuner. Rasé, coiffé et vêtu d'une chemise propre, Jorge Pérez asseyait son fils sur une chaise en lui parlant tout bas. Pélagie faisait bouillir du lait, alors que sa tante Marie disposait des bols et des cuillères. Yvon avait sorti du beurre, qu'on tenait au frais dans le garde-manger du cellier.

Ensommeillée et ses boucles brunes en pagaille, Cécile fixait d'un œil absent le pot de confiture encore scellé d'un papier paraffiné maintenu par du fil de cuisine.

— Pérez, si vous êtes d'attaque, j'ai une parcelle à labourer. J'y sèmerai de l'orge. Savez-vous pousser la charrue? demanda le fermier, dont le visage exprimait une douleur secrète.

— Bien sûr, monsieur, et les chevaux m'aiment bien. Ils m'écoutent.

— Formidable! Vous attellerez le poulain. Il n'a que trois ans, mais il connaît son boulot. Il va droit et il obéit au doigt et à l'œil. J'ai besoin de la jument, aujourd'hui. Tiens, ma femme, fais du café, le professeur va arriver.

— Du café? Et quoi, encore? protesta Pélagie. On n'en a guère. Je le garde pour le dimanche.

— On en a suffisamment! Ne discute pas.

— Pourquoi monsieur Hitier viendrait-il de si bon matin? s'étonna Marie Monteil d'une voix douce.

— Parce que je l'ai invité, pardi! ronchonna Yvon. Nous montons en ville, tous les deux.

Seule Abigaël savait la raison de cette expédition imprévue. Elle sentit ses joues s'empourprer, comme chaque fois qu'elle était émue. Vite, elle beurra une tartine de pain pour Cécile et en fit une autre pour le petit Vicente.

— Monsieur Pérez, votre fils a-t-il bien dormi? s'informa-t-elle gentiment.

— Il fait des cauchemars, mais je le console de mon mieux, le pauvre, répondit le réfugié. Je voudrais qu'il me parle un peu, mais, depuis trois semaines, il est comme muet.

— Pourquoi? s'intéressa Cécile. Je jouerai avec lui tout à l'heure. Je reste toute la journée ici et je dors là ce soir.

Grégoire, son chat blanc dans les bras, esquissa une grimace qui se voulait joviale en balbutiant:

— Goire, y veut ben prêter son train!

— Tu es un bon garçon, affirma Marie en lui caressant la joue. Nous allons nous occuper de Vic tous ensemble. Il doit avoir beaucoup de chagrin, privé de sa maman.

Pélagie préparait le café. Elle se retourna et observa l'enfant. Le petit portait un gilet en laine rouge qu'elle avait tricoté jadis pour Patrick, de même qu'un pantalon en velours à peu près de sa taille.

— C'est sûr qu'il est triste, ce gosse! maugréa-t-elle. Je crois qu'il y a un vieux tricycle sur le plancher à foin de la grange. Si vous le rafistolez, ça pourra l'amuser, votre Vic, monsieur Pérez.

La soudaine amabilité de la fermière intrigua Marie et Abigaël. Mais Yvon tapota l'épaule de sa femme dans un geste de gratitude qui la fit sourire.

— Faut s'entraider, par les temps qui courent, ajouta-t-elle.

— Je ne sais pas comment vous remercier, tous, dit Pérez d'une voix tremblante. Vous, mademoiselle, grâce à qui mon épouse a une sépulture décente, et vous, madame Mousnier, monsieur, madame Monteil... J'étais vraiment désespéré, au bout du rouleau, comme on dit en France, et j'aurais pu commettre l'irréparable. Maintenant, je reprends confiance.

Le malheureux réprima un sanglot. Yvon lui tendit sa blague à tabac.

— Vous fumez, Pérez?

— J'en roulerai bien une, après le café.

— Et voilà, la vie continue, trancha le fermier.

Jacques Hitier entra deux minutes plus tard, un chapeau de feutre brun à la main, très élégant dans un costume trois-pièces.

— Bonjour, tout le monde!

Les joues roses, Marie se leva précipitamment afin de prendre une tasse dans le buffet. Le professeur la salua d'un sourire las.

— Je serai prêt dans un quart d'heure, annonça Yvon. J'ai déjà attelé Fanou.

— Vous allez à Angoulême avec la charrette? demanda Marie, désireuse de comprendre ce qui se passait.

— Oui, mais je confie la jument et la charrette à un vieux camarade, rue de la Tourgarnier. Ensuite, nous prendrons le car de neuf heures. Nous avons une affaire à régler.

— Ma nièce n'est pas du voyage, au moins? J'ai besoin d'elle. Je refuse qu'elle s'absente à nouveau.

— Non, tantine, je n'accompagne pas ces messieurs, affirma la jeune fille sur un ton docile.

En son for intérieur, Abigaël pensait tout le contraire. La soif d'agir la tourmentait; pourtant, elle devait se montrer prudente. «C'était une bonne occasion de me rendre rue de l'Évêché, mais je dois patienter. Oncle Yvon l'exige. Je doute qu'il réussisse à rencontrer Patrick et à le persuader de quitter la milice, mais je dois prier de toute mon âme pour qu'il y parvienne, tant que son fils n'a pas de sang sur les mains. Pourvu, mon Dieu, que ce soit encore le cas…»

Elle ferma les yeux un instant, tête basse, pour réciter le *Notre Père* en silence.

— Abi se rendort, claironna Cécile, bien réveillée à présent, de la confiture au coin de la bouche.

— Cécile, je t'ai déjà recommandé de ne pas appeler ma nièce ainsi, la sermonna Marie. L'usage des diminutifs me déplaît. Nous travaillerons, ce matin, et, pour ne pas oublier ce que je viens de te dire, tu écriras cinquante fois Abigaël sur ton cahier de devoirs.

— Mais monsieur Yvon, il appelle souvent sa fille Béa! gémit Cécile. Je préfère les opérations de calcul. Nous devions faire des soustractions.

— Tu feras les deux, trancha Marie, irritée. Monsieur Hitier, puisque vous allez en ville, pourriez-vous me rapporter de l'aspirine? J'ai des migraines, le soir, et je n'ai plus un seul cachet.

— Je ferai mon possible, chère amie, répliqua le professeur avec un air grave. Ne tardons pas, Yvon.

— Vous dînerez sans doute avec nous, hasarda Abigaël en se levant de table.

— Je l'espère, marmonna le fermier.

Un mauvais pressentiment l'accablait; il en avait le cœur serré. Il mit sa meilleure veste et une casquette propre. Au moment de sortir, il embrassa sa femme en l'étreignant quelques secondes. Elle le dévisagea tendrement. Abigaël comprit alors que son oncle avait avoué à Pélagie dans quelle voie désastreuse leur fils s'était engagé.

— Sois vite de retour, mon homme, chuchota-t-elle. Fais ce qu'il faut.

— Je te le promets.

Marie Monteil s'était efforcée de ne pas écouter ce dialogue murmuré. Cependant, elle en avait saisi l'essentiel. Toute pâle, elle interrogea sa nièce d'un mouvement du menton.

— Je reviens vite, tantine, je veux assister au départ, répliqua la jeune fille.

Dehors, elle respira l'air frais du petit matin. L'herbe était constellée de rosée; un merle sautillait sur la margelle du puits. Elle marcha derrière les deux hommes en imaginant la joie qu'elle éprouverait à grimper dans la charrette et à rôder enfin rue de l'Évêché.

Pendant que son oncle achevait d'atteler Fanou, une robuste jument à la robe rousse et à la crinière jaune, elle s'adressa au professeur, manifestement nerveux, et lui dit tout bas:

— Je vous en supplie, soyez très prudents.

— Nous prenons un gros risque, en effet, concéda-t-il en s'écartant un peu de la grange. Par chance, Patrick est mineur. L'autorité parentale devrait jouer son rôle. Les gars de son âge qui rejoignent le rang des miliciens sont fréquemment des rebuts de la société, des voyous avides de se servir d'une arme et désireux d'être nourris et logés.

— Mais, si vous ramenez Patrick, il peut nous causer des ennuis, s'alarma-t-elle, ou s'en prendre de nouveau à moi. Sauvageon n'est plus là pour me protéger, ni Adrien.

— Nous avons décidé, Yvon et moi, que je logerai son fils. Je pense pouvoir lui remettre les idées en place. J'ai suffisamment d'exemples pour ça, sur les crimes de la milice. Ou bien…

— Ou bien?

— Il travaillera à la ferme aux côtés de son père. Ta tante et toi, vous viendrez habiter chez moi. Je vous laisserai ma chambre et on dressera un lit pliant pour Cécile. Moi, je coucherai sur le divan à l'entresol.

— Si c'est nécessaire, je me plierai à vos décisions.

Abigaël sut cacher sa désillusion. La maison des falaises était exiguë et sombre. Néanmoins, elle y voyait un avantage: elle serait à même d'emprunter le souterrain qui reliait la pittoresque bâtisse à la ville d'Angoulême.

— Je vous souhaite bonne chance, dit-elle.

Yvon approchait en tenant la jument par le licou. Il adressa un regard plein d'affection à sa nièce. S'il n'avait aucun lien par le sang avec elle, Abigaël était la fille de son frère adoptif, Pierre, son Pierre qu'il avait adoré et vu mourir. Il vouait aussi un culte à Pascaline, la mère de la jeune fille, de qui il avait été secrètement amoureux.

— Courage, petite, veille sur la maisonnée en notre absence! s'écria-t-il. Je te remercie, pour ton cousin. Quel crétin je fais! Je le croyais planqué et en train d'engraisser chez ma belle-sœur. J'aurai un mot à dire à Flavie, à ce propos. Elle aurait pu nous avertir qu'il avait filé!

Il embrassa Abigaël sur le front et, la mine soucieuse, grimpa sur le siège de la charrette. Le professeur Hitier s'assit près de lui.

— J'oubliais, tu montreras à Pérez la parcelle à labourer, pour l'orge. Montre-lui où je stocke les grains.

— Ne vous inquiétez pas, mon oncle.

Attristée et anxieuse, Abigaël suivit l'attelage des yeux lorsqu'il s'éloigna sur le chemin, en direction du hameau tout proche. Elle entendit Fanou hennir, puis le bruit même de ses sabots ferrés s'estompa.

Incapable de rentrer aussitôt, elle contempla les falaises qui se dressaient en face d'elle comme d'antiques murailles, percées çà et là d'ouvertures taillées par l'homme.

«Si je courais jusqu'à la fontaine! songea-t-elle. Je me sens si bien, là-bas!»

Dès son arrivée dans la vallée de l'Anguienne, Abigaël avait découvert par hasard une particularité du lieu. Sous une avancée rocheuse envahie par le lierre, trois arches abritaient une source claire qui coulait sur des cailloux. On y accédait par une porte ronde, elle aussi creusée dans le rocher. Sur la droite se dressait une sorte de table en pierre qui pouvait figurer un autel primitif. Cependant, au cours d'une de leurs longues discussions, le professeur Hitier avait émis l'hypothèse que la fontaine servait peut-être de lavoir aux femmes de la vallée.

— Elles auraient savonné et frotté le linge là-dessus, avait-il supposé.

Depuis, Abigaël espérait entrevoir, grâce à ses dons, une scène du passé, puisqu'un matin un moine lui était apparu au milieu du chemin, une cruche à la main, vision fugace aussitôt effacée, mais, l'espace de quelques secondes, d'une poignante précision.

Bientôt, elle se glissait sous l'avancée de la falaise et retrouvait la senteur particulière de l'eau fraîche, de la végétation aquatique et des mousses d'un vert sombre que le courant agitait. Il se mêlait à cette odeur désormais familière le parfum pénétrant des épais bosquets de buis tout proches.

Elle perçut trop tard un mouvement derrière elle. Un bras la ceintura à la hauteur des épaules et une main se posa sur sa bouche. Un bref instant, elle pensa à Patrick, qui serait revenu en cachette, mais elle fut vite rassurée par le contact même de son agresseur. Le bras qui l'emprisonnait était plus câlin que brutal et les doigts qui l'avaient bâillonnée caressaient à présent ses lèvres et son menton. Une joie délirante la submergea quand elle put se retourner.

— Adrien! Oh! mon Adrien chéri, tu es là!

Après une séparation de deux mois, elle était incapable de contenir l'élan amoureux qui la jetait vers lui, si bien qu'elle avait laissé échapper pour la première fois un «chéri» enflammé.

— Je devais te revoir, affirma-t-il en l'étreignant. Rien ne m'en aurait empêché.

Abigaël le contempla, éblouie. Elle reprenait possession de son visage anguleux aux traits virils. Il avait un grand front sous des mèches brunes, un beau regard gris-vert, le nez un peu busqué, la bouche charnue et bien dessinée.

— Tu te souviens? dit-il. Je t'avais surprise de la même façon le soir où nous avons fait connaissance, pas loin d'ici.

— Jamais je n'oublierai, répliqua-t-elle. Mais, sur le coup, j'ai eu presque aussi peur.

— Que tu es belle! murmura-t-il sur un ton caressant. Tes cheveux me semblent plus blonds, mais tes joues sont toujours douces et à peine rosées.

Il la serra plus fort contre lui et s'empara de ses lèvres. Il était délicat, la sachant peu experte et vite effarouchée. Pourtant, il se laissa emporter par la passion et le désir, et son baiser devint rapidement audacieux, impérieux. Elle le repoussa, haletante.

— Sais-tu que j'allais rentrer à la ferme quand j'ai eu l'idée soudaine de venir ici, à la fontaine! avoua-t-elle. Qu'aurais-tu fait si j'avais sagement rejoint ma tante et les enfants?

— Je l'ignore. Je t'aurais appelée de toutes mes forces mentales, de toute mon âme, ou bien j'aurais patienté jusqu'à ce soir pour frapper chez les Mousnier.

— Oh! non, non, je ne veux pas penser à ça, nous aurions perdu un temps précieux, mon amour.

— Vrai, tu m'aimes encore? plaisanta-t-il.

— Je t'aime pour l'éternité des jours, répondit-elle gravement.

Apaisé, il la fit asseoir sur l'autel en pierre et prit place à ses côtés. Sans rien dire, il se roula une cigarette qu'il alluma.

— J'ai emprunté le souterrain du professeur, expliqua-t-il. L'opération à laquelle je vais participer avec Béatrice et Lucas peut se révéler très dangereuse, même fatale pour nous tous si les Allemands se doutent de quelque chose, et c'est le cas, je crois. Seulement, nous ne pouvons pas différer le transport des deux aviateurs anglais.

— Comment allez-vous procéder? s'alarma-t-elle.

— Moins tu en sauras, mieux ce sera, ma petite chérie.

— Pourquoi donc? Moi aussi je fais partie de la Résistance! J'ai déjà porté des messages pour le professeur Hitier. Il a un contact du côté de Vœuil-et-Giget.

— Et ça me déplaît! Enfin, tant que tu ne fais rien de plus compliqué…

Un peu vexée, Abigaël se mura dans un silence boudeur. Adrien la dérida en lui pinçant doucement la taille.

— Je ne mets pas en doute ton courage, mon ange, précisa-t-il, mais je n'ai aucune envie que tu prennes des risques, que tu sois en danger.

Il la reprit contre lui en faisant preuve d'une infinie tendresse.

— J'ai enfreint les consignes pour courir vers toi, Abigaël, parce que je me demandais si je reviendrais vivant de notre expédition. Je voulais te dire adieu, te toucher, entendre ta jolie voix.

Exalté, il l'enlaça plus fermement. Ses mains s'égaraient; l'une effleurait un sein rond et menu à travers le tissu du corsage, l'autre, insistante, allait et venait sur une de ses cuisses. Abigaël n'osait pas se soustraire à ses caresses, car elle ne le reverrait peut-être jamais.

— Le prof n'est pas là, chuchota-t-il à son oreille d'une voix changée. Nous pourrions en profiter, dis, tu voudrais bien? Mon petit ange, quand je t'ai vue arriver, mon cœur a bondi dans ma poitrine.

— Mais que faisais-tu ici, caché dans la fontaine? Et quand es-tu sorti de la maison des falaises? Comment as-tu ouvert le fond du placard qui accède au souterrain? C'est monsieur Hitier qui déclenche le mécanisme, d'habitude, si on lui donne le mot de passe.

— Je n'y suis plus tenu, je fais partie du réseau Bir Hacheim. Le prof m'a autorisé à circuler librement par ce passage. Ne t'occupe pas de ça, ma chérie. Je suis si heureux! Tu es là et je t'aime. Sais-tu, je t'aime très fort.

Malgré le bonheur qu'elle éprouvait, Abigaël se posait des questions. Elle ne se laissait pas aisément dominer par ses sentiments ou ses sens. D'une intelligence mûre pour son âge et très intuitive, elle insista sur le point qui la préoccupait.

— Est-ce que tu me dis la vérité, Adrien? interrogea-t-elle tout bas, en échappant à ses caresses de plus en plus fébriles.

— Mais oui! Aurais-tu perdu la tête? Quel intérêt aurais-je à te mentir? Abigaël, tu me déçois, là. J'ai obtenu quelques heures de liberté du chef de l'opération et je les ai consacrées à te rendre visite.

— Tu dois passer un peu de temps auprès de Cécile. Ta petite sœur te réclame souvent. Tu lui manques. Et tu ne m'as pas répondu. Pourquoi te trouvais-tu ici, à la fontaine?

Adrien leva les bras au ciel, l'air furibond. Il paraissait gêné, aussi.

— Tu n'as pas confiance en moi! trancha-t-il sèchement. J'aurais dû m'éviter tout ce trajet dans les ténèbres, obsédé par ton image que je parais d'une lumière merveilleuse.

Blessée, Abigaël s'appuya à la paroi crayeuse de la cavité. Elle ferma les yeux, ne sachant plus comment se faire pardonner. Néanmoins, elle continuait à penser que son amoureux avait menti, sans en avoir la preuve formelle. Dépité devant son silence et son expression de souffrance, il capitula.

— Bon, autant être franc, j'avais un but précis en revenant dans la vallée. Et j'ai réussi à actionner le panneau au fond du placard grâce à mon canif, en forçant sur les rouages. J'avais besoin du revolver du professeur pour Béatrice, qui était la seule à ne pas être armée. Elle m'a poussé à faire le trajet. En fait, je croyais que monsieur Hitier serait chez lui.

— En somme, c'est presque du vol! s'indigna Abigaël. Et où est le revolver?

— Je ne l'ai pas trouvé. Alors, je suis venu fouiller ici. Béa prétend que le prof cache une seconde arme derrière la table en pierre, sous le sable, mais il n'y a rien.

Profondément déçue, la jeune fille recula à prudente distance d'Adrien. Elle le fixa sans indulgence.

— Aurais-tu cherché à me revoir, si tu avais récupéré une des armes? demanda-t-elle, la gorge nouée. Serais-tu venu au moins embrasser ta petite sœur?

— Bien sûr! dit-il d'un ton las qui sonnait faux.

— Que je suis sotte! J'ai cru que tu te languissais de moi, que je comptais pour toi, mais non. En plus, tu voulais m'entraîner chez monsieur Hitier, je devine très bien pourquoi. Je te le répète, Adrien, en espérant que tu t'en souviendras, je ne suis pas ce genre de fille et je ne le serai jamais. Maintenant, tu ferais mieux de repartir. Je vais t'accompagner dans la maison des falaises afin de bien refermer le fond du placard. Ce souterrain est précieux. Personne ne doit en découvrir l'existence.

Elle songea aux paroles de Claire sur l'infinité de galeries creusées dans le sous-sol rocheux depuis des siècles, soit par l'eau, soit par la main de l'homme.

— Et Cécile! s'écria Adrien.

— Attends-moi chez le professeur, je te l'amènerai. Depuis hier soir, il y a à la ferme un réfugié espagnol et son fils de cinq ans. Ce n'est pas la peine de te montrer.

Elle s'apprêtait à sortir lorsqu'il l'arrêta d'un geste presque brutal.

— Je t'en prie, mon ange, pardonne-moi. Avec ma sœur, tu représentes tout ce que j'ai de plus cher au monde. Je suis hanté par ton sourire, le bleu ciel de ton regard, ta beauté… Dès que je te tiens contre moi, je m'affole et te désire, je n'y peux rien. Tes baisers sont si bons, ma petite chérie. J'ai le droit d'en vouloir davantage, à la veille de mettre ma vie en jeu.

Ce discours la troubla. C'était la troisième fois qu'Adrien la suppliait de s'offrir à lui. Elle faillit céder, mais se reprit aussitôt.

— Tu reviendras sain et sauf, affirma-t-elle, je le sens, je le sais. Excuse-moi de te refuser ce dont tu as envie. Je voudrais au moins, si j'acceptais, que nous puissions avoir de longues heures devant nous, que ce soient des moments inoubliables, pas une étreinte rapide en redoutant d'être dérangés... J'ai promis d'aider ma tante, ce matin, et elle doit guetter mon retour. J'étais sortie quelques minutes seulement pour dire au revoir à oncle Yvon et au professeur Hitier, qui avaient une affaire à régler en ville. Je ne sais pas ce qui m'a poussée vers la fontaine.

— Une de tes âmes errantes, ironisa-t-il.

— Ne te moque pas, Adrien. Et lâche-moi, s'il te plaît, tu me fais mal.

Il lui broyait le poignet pour la retenir. Effaré, il la libéra et couvrit de baisers sa chair meurtrie en soulevant délicatement son avant-bras jusqu'à ses lèvres.

— Pardon, ma chérie, je me conduis comme un sale type. C'est dur, le maquis, ça me rend nerveux et violent. On dort dans les bois, on ne mange pas à notre faim... Ça, encore, je n'en souffre pas trop. Mais il y a des querelles, des coups de gueule et la peur constante d'être pris, arrêté, fusillé. Béatrice a plus de cran que certains gars, je t'assure. Elle se porte toujours volontaire. Son fiancé en est malade.

En silence, Abigaël évoqua sa cousine, une jolie fille de dix-neuf ans, brune, élancée, au caractère bien trempé. Elles avaient tissé des liens d'amitié durant l'hiver, lorsque Béatrice avait fait une fausse couche dont ses parents n'avaient rien su.

— Va m'attendre chez le professeur, insista-t-elle. Cécile sera si contente! Tu es sa seule famille. Je ne serai pas longue.

—

Adrien n'avait pas osé protester et ils s'étaient séparés devant le jardinet en pente de la maison des falaises. Abigaël reçut un accueil froid quand elle fut de retour dans la grande cuisine de la ferme. Manifestement, Jorge Pérez était sorti, mais Cécile et Grégoire jouaient avec le chat. Seul Vicente n'avait pas bougé de sa chaise.

— Qu'est-ce que tu as fabriqué, dehors, Abigaël? s'exclama Marie Monteil, exaspérée. Quand on s'engage à aider, il faut tenir parole.

Le petit courba le dos, terrifié par le moindre éclat de voix. Pélagie, qui avait rempli un seau en fer de déchets pour les cochons, se pencha sur lui.

— Veux-tu venir avec moi nourrir la truie, Vic? lui proposa-t-elle. Elle a eu des petits. Ils sont mignons, je t'assure.

Il marmonna un «oui» et descendit prudemment de son siège. Souriante, Pélagie lui prit la main. L'attitude de la fermière convainquit Abigaël qu'elle appréciait la présence d'un enfant de cet âge sous son toit, un garçon de surcroît. Jamais elle n'avait été aussi gentille envers Cécile.

«Personne n'est vraiment mauvais ni entièrement bon, sans doute, pensa-t-elle. Pour cette raison, je dois accorder une deuxième chance à Patrick, s'il revient ici.»

Marie frottait la table à l'aide d'un chiffon humide. Elle toisa sa nièce sans douceur, ce qui était de plus en plus fréquent ces dernières semaines.

— Monsieur Pérez est parti atteler le poulain. Tu iras lui montrer la parcelle à labourer, lui intima-t-elle l'ordre. Ensuite, tu dois t'occuper des moutons et du repas de midi.

— Tantine, ne sois pas fâchée, je ferai ce qu'il faut, mais, d'abord, je dois emmener Cécile chez le professeur. Je peux en parler librement, puisque nous sommes seules. Adrien est de passage; il désire embrasser sa sœur.

— Adrien! se récria sa tante. Ta disparition ne me surprend plus. Tu étais avec lui! Tu devrais tirer un trait sur ce jeune homme, ma pauvre Abigaël, sinon tu souffriras tôt ou tard.

— C'est mon problème, tantine. Je t'en prie, ne dis rien de plus.

Elles s'affrontèrent du même regard limpide, l'une pénétrée de son bon droit d'éducatrice et d'adulte, la seconde révoltée, soucieuse de préserver son jardin secret.

— Je t'accorde un quart d'heure, pas davantage, décréta Marie, pâle de contrariété. Seigneur, comme tu as changé!

— Tu me le répètes chaque jour, j'ai compris, rétorqua Abigaël.

— Ne sois pas insolente…

Cécile avait suivi le dialogue, son cœur battant à grands coups. Elle n'en retenait qu'une chose, son frère était là, tout proche. Vite, elle enfila son gilet et sauta dans ses chaussures rangées près de la porte donnant dans le vestibule.

— Goire aussi, y veut aller se promener, bredouilla Grégoire, la mine affolée.

— Nous irons plus tard, je te le promets, affirma Abigaël. Fais boire du lait à ton chat et installe-le près du feu, nous revenons bientôt. Tiens compagnie à tantine!

Cécile s'était ruée à l'extérieur. Elle cueillait en riant les premières pâquerettes qui pointaient entre les touffes d'herbe.

— Pour mon frère, expliqua-t-elle à la jeune fille quand celle-ci la rejoignit.

— Dépêche-toi, il doit repartir.

Elles coururent presque jusqu'à la maison des falaises. Adrien entrouvrit la porte dès qu'il les aperçut dans le jardinet. Cécile poussa un bref cri de joie. L'instant suivant, il la soulevait du sol pour la serrer contre lui et l'embrasser.

— Ma petite sœur adorée! souffla-t-il à son oreille. Mais dis donc, tu as de belles couleurs et tu as pris des rondeurs.

— Je mange comme quatre, à la ferme, se vanta la fillette. Toi, tu piques, tu n'es pas rasé.

Abigaël contemplait le charmant tableau qu'ils formaient, tous les deux. Elle se mit à rêver d'un avenir paisible où elle serait l'épouse d'Adrien et où elle veillerait sur Cécile.

— Je suis bien heureux de te voir, sais-tu, dit-il en la faisant tournoyer en l'air.

— C'est vrai que tu ne peux pas rester? déplora-t-elle.

— Oui, mais un jour je reviendrai pour de bon et on ne se quittera plus, toi et moi, ma Cécile.

Adrien la posa enfin. Elle s'accrocha à lui, câline. Le frère et la sœur se ressemblaient beaucoup: mêmes cheveux bruns, mêmes yeux gris-vert, même nez un peu busqué. Surtout, ils avaient la bouche charnue et mobile, d'un rose prononcé.

— Est-ce que tu étudies? demanda-t-il. Tu dois continuer à t'instruire, car tu retourneras à l'école, quand la
guerre sera finie.

— Madame Marie me fait travailler. Elle me donne
des dictées et des opérations de calcul. Monsieur Hitier,
lui, me donne des leçons d'histoire et de géographie.

— Parfait, je suis content, alors. N'oublie pas de
lire. À ton âge, j'avais déjà lu tous les romans de Jules
Verne.

— Je lui ai acheté des livres de la comtesse de Ségur,
en ville, précisa Abigaël. Une librairie les vendait à bas
prix. C'est mieux, pour une petite fille.

— Je veux lire Jules Verne comme mon frère,
minauda Cécile, incapable de lâcher la taille d'Adrien.

— Tu liras les deux, coquine! plaisanta-t-il. Le principal, c'est que tu sois sage et obéissante. D'accord? Bon,
je dois repartir. Si tu rentrais à la ferme toute seule? Tu
ne risques rien.

— Mais pourquoi? Je ne t'ai pas vu longtemps!

— Cécile, je ne faisais que passer. S'il te plaît, ne
discute pas. Autre chose, ne dis pas à madame Pélagie
que je suis venu.

— Je dois mentir, alors? Marie le sait, elle, que tu es
là.

Adrien lança un regard de reproche à Abigaël. Il
cajola encore sa sœur, couvrit de bises légères son front
et ses joues, puis la poussa vers la porte.

— Madame Pélagie n'a pas besoin d'être au courant.
Obéis, ma chérie.

— Promis, mais reviens vite, hein, gémit la fillette.

— Dis à tante Marie que j'arrive tout de suite, Cécile,
et ne traîne pas en chemin, recommanda Abigaël.

Ils l'observèrent tandis qu'elle s'éloignait d'un pas
rapide en se frottant les yeux, car elle pleurait. Adrien
tourna le verrou.

— La pauvrette, elle est triste, mais je suis pressé, jeta-t-il, l'air inquiet. Abigaël, tu aurais pu trouver un prétexte pour m'amener Cécile sans parler de moi à ta tante.

— Je n'aurais pas pu revenir, sinon.

— D'accord. Après tout, je m'en fiche, tu arrangeras sûrement les choses au mieux. Bon, écoute-moi, j'ai renvoyé ma sœur pour que tu puisses refermer l'entrée du souterrain derrière moi, et comme il faut. Mais je t'assure que c'est une vraie tuile de ne pas pouvoir compter sur les armes du prof. Béa sera furieuse.

— Monsieur Hitier et oncle Yvon sont à Angoulême. Je pense qu'ils ont emporté les revolvers.

— Eux? Ce serait de la folie! Tu imagines les conséquences si, par malheur, ils étaient contrôlés?

— Ils n'agissent pas étourdiment. Je leur fais confiance.

Elle hésitait à lui parler de Patrick, de son appartenance à la milice et de son possible retour à la ferme le soir même. De plus en plus nerveux, Adrien l'attira dans ses bras.

— J'ai droit à un baiser, quand même, implora-t-il. Mon ange, on ne va pas se quitter fâchés? Je t'aime de tout mon cœur et je veux que tu le saches, que tu t'en souviennes durant des années, si jamais on ne se revoit pas dans ce monde-ci.

— Tu es cruel de me dire des choses pareilles, Adrien. Moi aussi, je t'aime.

Il prit délicatement son joli visage entre ses deux mains larges et chaudes et il considéra ses traits d'un œil passionné. Enfin, du bout des doigts, il effleura son nez et le tracé gracieux de son menton.

— Je grave chaque détail de toi dans ma mémoire, déclara-t-il d'une voix tendre. Tes cheveux, je voudrais toujours pouvoir les caresser. Ils sont si doux, si soyeux, presque blonds, en fait.

Son beau regard bleu ciel brillant de larmes contenues, Abigaël fixa Adrien, bouleversée et l'air désespéré.

— Tu vivras pour me retrouver et pour que nous puissions nous aimer une longue nuit, affirma-t-elle. Je t'appartiens corps et âme. Sois sans crainte.

Ils s'étreignirent, conscients que le destin pouvait en décider autrement. Les lèvres dures d'Adrien meurtrirent un peu celles d'Abigaël, mais elle s'abandonna au jeu subtil de leurs deux bouches, à tel point que son cœur s'affola. L'éveil du désir qu'elle avait déjà ressenti la troubla sans l'effrayer une seconde. Il mit fin au baiser le premier, le souffle court.

— Maintenant, je suis certain de revenir et de te faire mienne pour de bon, ma petite chérie, mon ange, balbutia-t-il. Informe le prof de ma visite et excuse-moi auprès de lui. Tant pis, on se procurera une arme d'une autre manière. Je file. Tu vérifieras si je n'ai pas esquinté le mécanisme.

Abigaël grimpa sur ses talons les six marches menant à un étage ouvert, où Jacques Hitier avait disposé un divan. Un rideau cachait cette sorte de terrasse intérieure. Adrien ouvrit un placard situé au ras du sol, dont il poussa le fond.

— Bon, ça semble fonctionner, dit-il.

— Où débouche exactement le souterrain? interrogea-t-elle, fascinée par le passage voûté taillé dans le rocher qu'elle distinguait, d'où montait une odeur d'argile et d'eau souterraine en même temps qu'une haleine froide et minérale.

— Le prof ne t'a pas informée?

— Il m'a parlé d'une cave de la ville, quand il m'a révélé son existence, mais sans m'indiquer de quartier ni de rue.

— Je préfère que tu saches tout, au cas où tu aurais besoin de t'enfuir. Il y a deux issues à partir d'un embranchement que tu ne peux pas manquer. Béa, ton oncle, Lucas et moi, nous sortons toujours par la cave, creusée sous un habitat troglodyte. On déplace une trappe et on arrive au milieu de vieux tonneaux, de caisses et de cageots. On grimpe une échelle qui aboutit dans une pièce meublée sommairement. De là, on sort sans souci et on gravit un sentier qui rejoint un chemin à flanc de falaise. En le prenant sur la gauche, on se retrouve rue de Tivoli, pas loin du quartier de la Bussatte.

— D'accord, j'ai compris, approuva Abigaël gravement. Et la seconde sortie?

— D'après Hitier, et je le crois volontiers, elle permet d'atteindre une grotte naturelle abritant un lac qui serait située sous la cathédrale d'Angoulême. Je n'y suis pas allé. Attention, si tu dois emprunter le souterrain, prévois une lampe ou une lanterne, une bougie, des allumettes, et de bonnes chaussures. Au revoir, ma chérie. Ne prends pas ce passage si la situation ne l'exige pas.

Il l'embrassa encore en toute hâte, reprit sa lampe à pile et se glissa dans ce qui évoquait un gouffre obscur.

— Reviens vite! murmura Abigaël. Je t'aime tant! Je prierai pour toi et pour vous tous.

Il lui adressa un signe de la main. Le faisceau lumineux dansa un instant sur la paroi grisâtre. La jeune fille refermait quand on tambourina à la porte de la maison.

«Seigneur, pourvu que ce soit tantine! se dit-elle. Je me moque qu'elle me gronde, qu'elle me fasse des reproches, pourvu que ce soit bien elle, et personne d'autre.»

Abigaël replaça les piles de linge qui garnissaient le placard. Elle dévala les marches, car on frappait plus fort encore.

— Qui est là? demanda-t-elle.

— Ne fais pas l'idiote, tu te doutes que c'est moi, fit la voix aiguë de Marie Monteil. Ouvre immédiatement, tu entends?

La jeune fille s'empressa d'obéir. Sa tante la bouscula presque, tout en examinant l'ordonnance de ses vêtements. Elle scruta la pièce et s'enhardit jusqu'à jeter un coup d'œil dans la chambre du professeur Hitier.

— Si tu cherches Adrien, tantine, il n'est plus là, dit Abigaël gentiment.

— Dieu merci, j'ai cru… Oh! j'avais peur que tu…

— Tantine, je suis sérieuse! Je ne ferai pas ce que tu redoutes si fort!

— Mais lui, ce garçon, il aurait beau jeu de te forcer un peu. Seigneur, quand Cécile est arrivée sans toi, j'ai perdu la tête! Sais-tu ce qu'elle m'a dit à l'oreille, en plus?

— Non!

— «Oh! ils sont amoureux, ils voulaient se faire des baisers et je les dérangeais.» Voilà ce qu'elle m'a débité.

— Ma chère petite tante, je suis désolée de te causer autant de tracas, déplora Abigaël, soudain lasse.

Elle aurait souhaité une heure de solitude afin de songer à la brève visite d'Adrien, de revivre les minutes passées près de lui, de savourer le souvenir de leur dernier baiser qui la laissait rêveuse, envahie par des sensations confuses, mais délicieuses. Elle s'approcha de sa tante et se blottit contre son épaule.

— Quand j'étais petite, si j'avais peur, je me réfugiais dans tes bras et tu me consolais, dit-elle tout bas. C'était dans ces moments-là que je te suppliais de me permettre de t'appeler maman, mais tu refusais. J'ai toujours envie de prononcer ce mot, d'avoir une mère pour me conseiller et me guider... Tantine, toi aussi tu as changé. Parfois, tu me traites en ennemie.

— Pardonne-moi, Abigaël, tu dis sûrement vrai. Oh! je n'étais pas prête à endurer la vie ici. Admets que nous sommes allées de surprise en surprise. Au début, nous avons pris ce brave Yvon pour une brute et un mufle. Maintenant, il fait figure de héros à nos yeux. Et tu as vite fréquenté le professeur Hitier qui m'est très sympathique. J'avoue que je suis sur les nerfs du matin au soir et que je tremble sans cesse à cause de leurs activités de résistants.

Marie berçait sa nièce d'un mouvement lent et machinal, en la gardant tout contre elle.

— Je n'ai pas ton courage ni ta volonté, ma chérie, chuchota-t-elle à son oreille. Toi, tu suis ta voie, tu sauves un loup affamé, tu découvres la cachette de Claire Roy-Dumont, tu lui redonnes le goût de vivre et, hier, tu as ramené un malheureux réfugié et son enfant. Tu agis en véritable chrétienne, ceux des premiers temps, et je suis fière de toi.

— Merci, tantine. Mais je n'ai guère de mérite, car je ne peux pas m'empêcher d'aider ceux qui souffrent, vivants ou défunts. Il faudrait rentrer, à présent.

— Oui, Pélagie va ronchonner, si nous tardons.

— Il vaut mieux qu'elle ne sache pas, pour la visite d'Adrien.

— Seigneur, que de secrets, que de cachotteries! Enfin, c'est la guerre.

Réconciliées, elles revinrent vers la ferme bras dessus, bras dessous. Le soleil nimbait les bourgeons des arbres d'une buée dorée; les merles volaient d'un buisson à l'autre.

— J'espère que le printemps sera clément, murmura Abigaël en franchissant le portail de la ferme.

Elle songeait à Claire et à Sauvageon, cachés dans le château de Torsac. Elle avait promis à sa belle dame brune de faire un miracle.

«Bientôt, j'irai en ville, rue de l'Évêché, et rien ni personne ne m'en empêchera.»

—

Angoulême, place du Champ de foire, même jour, deux heures plus tard

Le professeur Jacques Hitier étudiait d'un œil perplexe la vaste caserne dont la façade s'offrait au soleil. La gendarmerie y avait son siège; elle y succédait à d'anciens régiments d'infanterie.

— La milice a obtenu trois salles flanquées d'un vestiaire, dit-il à Yvon, debout à ses côtés.

Les deux hommes venaient d'arriver place du Champ de foire, une immense esplanade située en pleine ville où se tenait un grand marché aux bestiaux avant la guerre.

— Tu m'attends ici, surtout. Si je suis persuasif, je devrais te rejoindre en compagnie de Patrick. Tu devras trouver de bons arguments pour le raisonner.

— Je suis son père. Je ferais mieux de parler moi-même au capitaine Dubreuil.

— Non, il sera plus conciliant à mon égard, crois-moi.

— Je vous fais confiance, professeur. Nom d'un chien, si je peux causer à mon fils, je vous promets qu'il ne remettra pas les pieds chez ces salauds de miliciens.

— Je l'espère, Yvon.

Hitier lui adressa un vague sourire et s'éloigna, très élégant dans son costume trois-pièces, avec sa canne à la main. Anxieux, le fermier tenta en vain de se calmer. Son cœur cognait fort dans sa poitrine et il avait la gorge serrée. «Mon Dieu, je ne vous prie pas souvent, mais, si vous pouviez nous aider un peu, là, ce ne serait pas de refus.»

Sur cette supplique muette, il se roula une cigarette et l'alluma.

Lionel Dubreuil reçut le visiteur dans un bureau assez petit, dont une cloison était constituée de vitres dépolies. Assis derrière une table, le capitaine de la milice angoumoisine faisait mine de consulter un registre. Il se décida à lever le nez quand Jacques Hitier poussa un soupir agacé.

— Ah! professeur! s'écria-t-il. Quel plaisir de vous revoir!

— Je ne suis pas mécontent non plus, comme chaque fois que je me trouve en face d'un ancien élève, rétorqua Hitier.

— Asseyez-vous donc! Vous avez besoin d'une canne? Je suppose que vos vieilles jambes vous jouent des tours.

La remarque était déplaisante, presque impolie. Le professeur en conçut une sourde angoisse. N'était-il pas venu se jeter dans la gueule du loup? L'image de Sauvageon lui traversa l'esprit et il compara son vis-à-vis à l'animal. «Ce type est plus dangereux et mauvais qu'une bête; je ne dois pas avoir peur, il le sentirait.»

— Que me vaut l'honneur de votre visite, professeur? s'étonna le capitaine.

— Patrick Mousnier, affirma Hitier sans hésiter. Un petit gars que j'instruisais à mes heures perdues, le fils de mon voisin. Il n'a pas la majorité, mais, à la suite d'une grosse querelle avec son père, il a intégré votre police.

— Hum, Mousnier, oui, je vois de qui il s'agit.

— Vous devez savoir que j'habite la vallée de l'Anguienne, le temps d'écrire un ouvrage sur les particularités archéologiques et historiques des lieux. Patrick me rendait service. Je le payais en contrepartie, bien sûr. Que voulez-vous, à mon âge, couper du bois, le fendre et le stocker, c'est épuisant. Pour être franc, je me suis attaché à ce gamin. J'ai été contrarié quand il a quitté la ferme familiale, furieux d'avoir reçu une correction. Depuis, sa mère se ronge les sangs. Mais si ce n'était que ça…

Dubreuil fixait d'un regard impassible son interlocuteur. Il s'empara d'un coupe-papier avec lequel il tapota le registre ouvert devant lui.

— Quoi d'autre? demanda-t-il d'une voix neutre.

— Patrick n'est pas sain, il pourrait vous attirer des ennuis.

— Du genre?

— Il a forcé une fille d'un village voisin, l'an dernier. Cet hiver, il a récidivé en violentant sa propre cousine. La milice tient à sa réputation. Elle est fidèle aux préceptes du maréchal Pétain, il me semble. Franchement, il serait préférable que ce garçon rentre au bercail.

— Son père vous envoie… Il ne pouvait pas venir lui-même?

— La timidité, la crainte des autorités en place, je suppose. Pourtant, Mousnier est un brave homme. Il fournit en lait et en légumes frais les soldats allemands qui surveillent la centrale électrique, à côté de sa ferme.

— Bien sûr, bien sûr, répéta le capitaine en se donnant des airs supérieurs. J'ai une question, professeur. Qui vous a renseigné?

— Pardon?

— Comment avez-vous appris que ce jeune homme était sous mes ordres?

Jacques Hitier avait tout prévu. Il continua à jouer son rôle, une expression soucieuse sur le visage.

— Les nouvelles circulent vite. Le docteur Gasté, qui me soigne depuis des années, a reconnu Patrick à bord d'un fourgon. Je l'ai consulté samedi et il m'en a parlé. Il vient dans la vallée au besoin. Il a guéri le garçon d'une mauvaise grippe, l'hiver précédent.

Le médecin était au courant et disposé à confirmer les dires du professeur.

Perplexe, Dubreuil hocha la tête. Il revivait les événements de la veille. Le matin, ils avaient arrêté un couple de communistes avérés dans une chambre minable d'une pension de famille tout aussi minable, rue de Bassau. Le jeune Mousnier, excité, avait cogné comme un fou sur l'homme. Après l'avoir à moitié assommé, il s'était jeté sur la femme, maintenue par deux autres miliciens. Le viol avait été bref et d'une rare brutalité, sous les rires exaltés de ses compagnons.

Lui, le capitaine, patientait sur le palier, aux aguets, renseigné sur les faits et gestes de ses sbires par les cris, les plaintes et les sanglots. Plus tard, il y avait eu l'exécution, en campagne, loin de témoins gênants. Là encore, Patrick Mousnier avait agi en affolé; il avait été incapable de tirer sur la femme, mais il avait blessé l'homme qu'on avait dû achever. C'était un garçon instable, mais une recrue qui l'intéressait à cause de sa hargne doublée d'une piètre intelligence.

Silencieux, concentré, il pesait le pour et le contre. Enfin, il se leva.

— Un instant, je vous prie, professeur, déclara-t-il.

Jacques Hitier se retrouva seul. Il respira profondément afin de garder son calme. Il était quand même dans le bureau du chef de la milice chargée de traquer les résistants et les Juifs.

«Ils paieront tous un jour, bientôt peut-être, si nos Alliés débarquent en Normandie. Les crimes ne resteront pas impunis. Dubreuil sera le premier sur notre liste.»

Le capitaine revint, suivi de Patrick, sanglé dans son uniforme noir, un béret sur le crâne.

— Je vous accorde une heure, professeur, ici ou dehors. Je laisse ce jeune homme décider. S'il nous quitte, qu'il revienne le signaler et récupérer ses vêtements civils. S'il reste, je pense en faire un bon élément en le formant personnellement.

Hitier s'était levé. Il couvrait Patrick d'un regard paternel et jovial. Il lui trouva une expression tourmentée, le teint livide et les yeux cernés.

— Eh bien, mon gars, allons nous balader. Ta mère se fait beaucoup de souci, tu sais

Il n'obtint pas de réponse, seulement un haussement d'épaules. Ils sortirent de la caserne sans avoir échangé un mot. Dehors, sous le soleil déjà chaud, la conversation s'amorça.

— Pourquoi vous ne me fichez pas la paix? aboya Patrick. Je remettrai pas les pieds à la maison, vous pouvez le dire à mon père.

— Dis-le-lui toi-même! répliqua le professeur.

Yvon accourait, les ayant vus franchir l'enceinte par le portail en fer forgé grand ouvert. Il s'arrêta à un mètre de son fils. L'émotion le terrassait de découvrir son enfant dans un uniforme qu'il maudissait. Patrick devint encore plus pâle. Il réprima un sanglot sec.

— Papa…

Les bons souvenirs affluaient, ceux des travaux des champs accomplis ensemble en sifflant, le front caressé par la brise printanière ou le vent chaud de juillet. Il évoqua les veillées d'hiver au coin de la cheminée. Sa mère tricotait, tandis qu'ils égrenaient du maïs ou écossaient des haricots.

— Fiston, marmonna Yvon, tu dois revenir à la maison, hein, tant que tu n'as pas de sang sur les mains. Je n'aurais pas dû te chasser, mais plutôt te mener la vie dure et t'avoir à l'œil. J'ai besoin de toi, fils.

Un débat intérieur ravageait Patrick. Hanté par des visions atroces, il avait à peine dormi durant la nuit. Le regard halluciné de ses victimes l'obsédait. Il revoyait sans arrêt la femme qui s'effondrait sur l'herbe du pré, une balle étoilant son front d'un point rouge vif. Il croyait entendre ses plaintes pathétiques quand il l'avait violée. Elle arborait un masque de pure terreur pendant qu'il la forçait, libérant ses instincts de jeune fauve en rut.

— Je reviendrai pas, articula-t-il péniblement, tête basse. J'ai déjà du sang sur les mains, papa. Vaut mieux que je reste là, avec le capitaine.

Le professeur Hitier cligna les paupières derrière ses lunettes. Il aurait voulu prier, mais sa foi battait de l'aile. Le fermier, lui, avança d'un pas. Il toisa son fils d'un regard dur.

— Tu m'obéiras, dit-il entre ses dents. J'ignore ce que tu as fait et je ne veux pas le savoir. Je t'ai donné la vie, Patrick, je suis responsable de toi, que tu sois une ordure ou un paumé. Tu vas rentrer avec nous. J'ai la certitude que la guerre finira plus vite que prévu et, quand nous serons libérés, les miliciens, les collabos, personne n'aura pitié d'eux. Je sauve ta peau en te ramenant à la maison. Comprends-tu ça, petit con?

Abasourdi, Patrick approuva sans réelle conviction. Soudain, il ôta son béret.

— D'accord, papa, si le capitaine est d'accord, je veux bien rentrer chez nous.

Bien que le cœur lourd et plein de mépris pour son propre enfant, Yvon eut le courage de lui tapoter la joue.

— Alors, on se dépêche, soupira-t-il. Je t'attends à la terrasse du café, là-bas. Merci, professeur, grand merci!

Hitier ne prit pas la peine de dissimuler sa tristesse et son dégoût. Il adressa un sourire amer au fermier et reprit la direction de la caserne, Patrick à ses côtés.

4

Les fantômes de la rue de l'Évêché

Ferme des Mousnier, mercredi 8 mars 1944

Pélagie chantonnait, penchée sur la grosse cuisinière à bois dont le foyer ronflait. Elle souleva le couvercle d'une marmite et huma, l'air satisfait, l'odeur potagère de la soupe. Un sourire flottait sur son visage ingrat, que la gaîté rendait plus avenant.

Il était sept heures du soir. Le crépuscule bleuissait les deux fenêtres de la cuisine. Occupée à un ouvrage de tricot, Abigaël s'abandonnait à d'intimes rêveries. Le petit Vicente jouait avec des bouts de bois taillés en cubes que lui avait fabriqués Yvon. Assise à la grande table, Cécile recopiait une poésie. Marie, quant à elle, raccommodait sa dernière paire de bas.

— Les hommes en mettent, du temps, pour traire! remarqua tout à coup la fermière. Il me faut du lait frais, pourtant.

— Je peux aller en chercher, ma tante, proposa Abigaël, avide d'air frais et de quelques minutes de solitude.

— Si tu veux, c'est gentil, ça! Tiens, prends une cruche, ça me suffira.

Grégoire fit un mouvement comme s'il voulait accompagner la jeune fille, mais il secoua la tête et se cala à nouveau sur sa chaise. Il se remit à caresser le chaton blanc, niché au creux de ses genoux.

— Je fais vite, affirma Abigaël.

— Prends un châle, conseilla Marie. Dehors, il y a du vent.

— Ce n'est pas la peine, tantine.

— Si tu tombes malade, il ne faudra pas te plaindre, insinua sa tante, alors que la porte claquait déjà.

Abigaël éprouva un précieux soulagement en marchant sans aucune hâte dans l'allée du jardin. Elle salua le sapin d'un sourire amical et observa les pousses de narcisses qui pointaient le long du mur. Elle passa le premier porche, encadré de colonnes en pierres coiffées d'un chapiteau carré, puis s'engagea dans la large cour sur laquelle donnaient les bâtiments de la ferme: la grange qui abritait deux vaches, deux chevaux et des moutons, un ancien chai, un hangar et les toits à cochon.

— Tiens, voilà la plus mignonne, plaisanta son oncle lorsqu'elle apparut, sa cruche à bout de bras.

La voix du fermier n'exprimait cependant aucune joie, mais une amertume secrète.

— Tante Pélagie a besoin de lait immédiatement, dit-elle en souriant. Elle s'impatientait.

— Eh oui, pour le repas du gosse, ronchonna-t-il. Si ça ne tenait qu'à moi, Patrick serait au pain et à l'eau.

Jorge Pérez distribuait du foin aux bêtes. Il adressa un regard navré à Abigaël. Il avait fallu expliquer brièvement la situation au réfugié espagnol.

— Mon fils devait réfléchir à sa conduite sous la tutelle de Flavie, ma belle-sœur, lui avait raconté Yvon. Il a fugué, cet idiot, et il traînait en ville, où il avait des fréquentations déplorables. J'ai pu le trouver et je l'ai ramené. Il ne sortira pas avant un mois, le temps que je lui mette du plomb dans la cervelle.

Pérez lui vouait une immense gratitude. Il avait aussitôt prétendu que c'était la meilleure solution. Abigaël, pour sa part, en doutait. «Combien de temps Patrick supportera-t-il d'être cloîtré dans sa chambre? Mon oncle a cloué une barre pour bloquer les volets et il vérifie la serrure trois fois par jour. Mais tante Pélagie est heureuse, son garçon est là, protégé de ses pires instincts et hors de danger.»

— Toi, tu as quelque chose à me demander, s'exclama le fermier qui avait noté son air pensif.

— Non, pas du tout, protesta-t-elle. Le dîner sera prêt dans dix minutes. Nous vous attendons.

Elle retourna vers la maison. La terre cuite de la cruche était tiède entre ses mains et le lait sentait bon.

«Je dois oublier la présence de Patrick, s'exhorta-t-elle. Il ne fait pas de bruit, d'après sa mère, il lit du matin au soir et réclame d'autres livres. Peut-être qu'il est soulagé d'être prisonnier de ses parents. En tous les cas, ça ne peut pas lui faire de mal de bouquiner. Il apprend à réfléchir.»

Pélagie l'accueillit en soupirant. Elle lui désigna le plateau qu'elle avait préparé, garni d'un grand bol de potage aux légumes, de deux œufs durs, de tranches de pain et d'un pot de pâté. Il n'y manquait que le verre de lait frais dont son fils avait toujours raffolé.

— Vérifie dans la poche de mon tablier si j'ai bien la clef, dit-elle à Abigaël. Tu n'as qu'à monter, toi aussi. Comme ça tu nous boucleras à double tour, Patrick et moi. Il est content si je reste avec lui pendant qu'il mange. Je taperai à la porte quand je serai prête à redescendre.

— Entendu, tante Pélagie, répondit-elle, très gênée.

Elle craignait d'apercevoir son cousin, ne fût-ce qu'une seconde. Marie accourut, les joues rouges d'indignation. Elle poussa sa nièce vers la table en lui ordonnant de mettre le couvert.

— Je remplacerai Abigaël, Pélagie. Vous pouvez sans doute comprendre qu'elle n'a aucune envie de s'approcher de cette chambre. Je crois qu'il serait préférable, à ce propos, de nous installer chez le professeur Hitier comme c'était prévu.

— Mais le gosse n'a pas l'idée de s'enfuir! Il n'est pas vaillant, Marie, il fait peine à voir, même! se récria la fermière.

— Je m'en moque. Allons-y, montons.

Abigaël disposa les assiettes. Cécile rangea vite son cahier et proposa de l'aider.

— Oui, tu es gentille, prends les verres et la carafe d'eau.

Les nerfs à vif, elle eut cependant un doux sourire pour la fillette. Sa courte balade dans le bleu du soir n'avait pas apaisé la tension qui la tourmentait. «Demain, je vais à Angoulême par le souterrain. J'ai trop tardé, déjà. Tantine a refusé de me laisser partir, hier, et mon oncle m'a priée de patienter quelques jours. Je ne veux plus attendre ni leur obéir. Claire, gardez courage, gardez la foi, je vous rapporterai une lettre. Au moins une!»

L'occasion se présentait et elle ne se renouvellerait pas de sitôt. Monsieur Hitier et Yvon avaient décidé de se rendre à Dirac, chez la sœur de Pélagie, afin d'obtenir des explications sur la fugue de Patrick et de l'entretenir des conséquences de son laxisme.

«J'ai ce qu'il faut dans un sac à bandoulière, une lampe, un briquet, deux bougies et des chaussures de rechange, se disait Abigaël en coupant des tranches de pain, un pain un peu rassis à la mie grisâtre. Tantine compte faire de la lessive. Je lui ai promis de la rincer, mais c'est tant pis, je serai déjà loin.»

Elle avait mûrement préparé son escapade. Le fameux sac qui lui servait de cartable en Touraine était dissimulé sous des fagots, au fond du hangar. Une heure après le départ de son oncle et du professeur, elle sortirait sous le prétexte de ramasser des œufs dans le poulailler, mais, très vite, elle irait discrètement jusqu'à la maison des falaises, sachant où Jacques Hitier cachait la clef.

«Une fois entrée, je passerai par la fenêtre pour remettre la clef sous l'escalier en ciment. Je refermerai les volets et la fenêtre, et je partirai. Béatrice a emprunté seule le souterrain, Adrien aussi et monsieur Hitier à l'occasion. Je n'ai pas peur, non. Demain, je pourrai enfin être utile, agir, et je réussirai rien que pour vous, ma belle dame brune.»

—

Souterrain de la vallée de l'Anguienne, jeudi 9 mars, dix heures du matin

Abigaël avait suivi chaque détail de son plan. Elle venait de repousser le faux fond du placard d'une main, tout en s'éclairant de l'autre. La senteur particulière du passage creusé dans le roc l'exaltait. Sous ses pieds, la terre argileuse était glissante, mais elle portait des godillots à semelle rainurée.

Son cœur battait si fort qu'elle ne se mit pas tout de suite en chemin.

— Je dois garder mon sang-froid, se dit-elle à mi-voix. Tantine sera furieuse, quand elle trouvera mon message. J'espère qu'elle n'aura pas eu le temps de s'inquiéter.

Elle esquissa un sourire navré. Si tout se déroulait selon son idée, ne la voyant pas revenir du poulailler, Marie irait jusqu'à l'enclos grillagé et verrait la boîte à œufs en aluminium posée sur le sol, où sa nièce avait glissé un bout de papier. Elle le prendrait et lirait ces lignes:

Je m'absente pour la journée; je n'ai pas le choix.
Que personne ne se fasse de souci.
Abigaël

— Je ferais mieux de filer, dit-elle encore. Tantine pourrait bien me chercher du côté de la fontaine.

Déterminée, elle fit face aux ténèbres. Le faisceau de sa lampe balaya un sentier en pente douce qui s'amorçait, une sorte d'étroit tunnel entre d'énormes masses rocheuses. La glaise avait conservé de nombreuses empreintes.

— J'avance sans penser à rien de précis, s'exhorta-t-elle tout bas. Droit devant vers Angoulême.

Malgré son courage et sa volonté farouche d'atteindre la ville, elle éprouva bientôt une pénible angoisse. De l'eau suintait des parois, souvent de la voûte au-dessus de sa tête. Chaque goutte qui tombait sur l'argile produisait un léger bruit doux et sec, amplifié par le silence oppressant du souterrain. D'autres sons lointains ne tardèrent pas à la faire tressaillir, des coups sourds dont elle ne s'expliquait pas l'origine. Les profondeurs de ce monde obscur semblaient résonner d'une mystérieuse activité qui lui fit concevoir des êtres surnaturels vivant là depuis des siècles.

Alors, prise d'une frayeur instinctive, elle marcha plus vite, au risque de glisser. Sur une dizaine de mètres, elle s'obstina à éclairer uniquement le sol, mais bientôt, prise de panique, car les chocs étouffés persistaient, elle imprima un mouvement circulaire à sa lampe. Des murs maçonnés l'entouraient, à présent, et la terre crissait sous ses semelles.

— Du sable, des graviers, et le plafond est moins irrégulier, constata-t-elle à mi-voix.

De toute son âme, elle souhaita avoir parcouru une distance suffisante. Assurément, elle allait déboucher prochainement dans la cave de l'habitat troglodyte. Au même moment, des battements d'ailes la firent sursauter. Dérangées par sa présence, des chauves-souris prenaient la fuite d'un vol irrégulier.

— Mon Dieu, Sainte Vierge Marie, protégez-moi! implora-t-elle, toute tremblante. Toi aussi, maman, je t'en prie!

L'évocation des puissances célestes et de sa mère qu'elle n'avait pourtant jamais connue parvint à la réconforter. Elle poursuivit sa progression en essayant de ne plus prêter attention aux bruits, de brider son imagination, également.

«Ce n'est qu'un passage taillé dans la pierre il y a des siècles. Les hommes ont aménagé une galerie en partant d'une grotte naturelle dans la falaise afin de rejoindre le plateau sur lequel est construite la ville, songeait-elle. Bien sûr, je serais plus rassurée si j'avais Sauvageon près de moi, mais il ne doit pas quitter Claire, il est son ami et son gardien. Au fait, que deviendra-t-il, si sa maîtresse quitte la France?»

La question l'accapara plusieurs minutes. Elle se remit à prier en suppliant Dieu de mettre fin à la guerre.

— Je sais, Seigneur, ça paraît prétentieux et stupide, une telle prière! murmura-t-elle. Vous avez laissé aux humains leur libre arbitre; hélas! ils n'en font rien de bon. Enfin, si nous pouvions revivre normalement, j'en serais si heureuse! Claire resterait là, elle et son frère

Matthieu reconstruiraient le Moulin du Loup et, moi, j'épouserais celui que j'aime, Cécile serait ma petite sœur.

Abigaël était tellement absorbée par ses rêves qu'elle faillit s'engager sur la gauche en arrivant à l'embranchement dont lui avait parlé Adrien. Elle s'immobilisa, soulagée.

— Je suis presque au bout de mes peines, conclut-elle.

Vite, elle s'élança dans le souterrain de droite, qui lui parut de nouveau très étroit, sous une voûte basse. Elle dut se pencher pour ne pas se cogner la tête.

— Merci, mon Dieu, merci! répéta-t-elle.

Sa joie ne dura pas. Elle dut avancer longtemps sans pouvoir se redresser, en pataugeant dans une boue visqueuse. La pile de sa lampe faiblissait. Or, elle n'en avait pas de rechange, dans le sac qu'elle portait en bandoulière.

— Pitié! J'ignore l'heure qu'il est, mais je voudrais revoir le soleil, gémit-elle.

Vingt mètres plus loin, elle heurta une marche. Un escalier rudimentaire se dressait devant elle. Un gros soupir lui échappa tandis qu'elle montait enfin vers la trappe tant espérée.

Angoulême, rue de l'Évêché, une heure et demie plus tard

Abigaël avait évité l'artère principale de la ville pour se rendre dans la rue de l'Évêché, qui menait à la cathédrale, comme le rempart Desaix qu'elle longeait à présent. Dans le but de jouer les jeunes filles en balade, elle s'arrêtait souvent pour admirer le vaste panorama qui s'étendait au pied d'Angoulême: la plaine que rayait d'un large trait la route de Bordeaux, les collines vers l'est et, sous les antiques murs de la cité, les toits de tuiles ocre en cascade hérissés de cheminées.

Avant de quitter l'unique pièce de l'habitat troglodyte, elle avait eu soin de mettre des mocassins propres et de changer de gilet. Elle s'était brossé les cheveux et les avait attachés en chignon, ayant emporté le nécessaire dans son sac. Mais, par prudence, elle avait laissé ses effets sur place et s'était munie d'une pochette en tissu brodé seulement, suffisamment grande pour contenir des enveloppes si elle pouvait en rapporter.

De la rue de Tivoli qu'elle avait trouvée après avoir pris un étroit chemin à flanc de falaise, elle s'était dirigée vers la place de la Bussatte pour emprunter la rue de Périgueux, sur laquelle se dressaient de nombreux magasins. Les citadins semblaient vaquer à leurs affaires comme si la guerre n'existait pas.

Du seuil de sa boutique, une commerçante l'avait saluée d'un gentil sourire, mais elle s'était montrée aussi aimable à l'égard de deux soldats allemands qui s'attardaient devant sa vitrine.

Il faisait soleil, l'air était doux, et Abigaël s'était sentie libre et forte, satisfaite de son apparence anodine, vêtue qu'elle était d'une jupe plissée beige, d'un gilet de même couleur et d'un corsage blanc. Elle avait changé d'itinéraire au carrefour de Lille, d'où on apercevait le clocher de l'église Saint-Martial et le beffroi gothique de l'hôtel de ville.

C'était une occasion aussi de parcourir des rues plus tranquilles, où se dressaient de hautes maisons bourgeoises à la façade d'un gris très clair percée de fenêtres aux vitres impeccables, qui laissaient deviner des rideaux de qualité et parfois le luisant d'un beau meuble ciré.

Elle s'était retrouvée derrière le théâtre, un magnifique monument dont l'architecture romantique l'avait charmée. Enfin, elle avait suivi la grande allée bordée d'arbres conduisant aux remparts, fascinée par la gigantesque statue du président Carnot, mort assassiné. «Comme tout est beau, ici! Comme tout est majestueux et élégant! avait-elle songé. Est-ce que Claire venait fréquemment à Angoulême? Il faudra que je le lui demande! Oh! j'ai tant de questions à lui poser, je voudrais tout savoir de sa vie!»

Claire Roy-Dumont occupait encore ses pensées alors qu'elle franchissait le seuil de la cathédrale. Lors de sa première expédition, elle avait passé timidement les doubles portes matelassées de cuir et, une fois à l'intérieur du sanctuaire, elle avait éprouvé un vrai émerveillement, doublé d'une ferveur intense. «J'ai prié, assise sur un des bancs, se souvint-elle en s'avançant d'un pas léger vers l'autel. Comment ne pas louer Dieu, dans un décor aussi sublime?»

En raison de son don de médium et de ses rencontres avec des âmes errantes, Abigaël était d'une infinie piété. Pour elle, bien qu'elle fût encore très jeune, la vie éternelle avait un sens, une réalité.

Elle retarda le moment de chercher un prêtre, prit place sur une chaise, ses grands yeux bleus fixés sur le Christ en croix, et récita le *Notre Père* à plusieurs reprises. Ses appréhensions la quittèrent. Elle fut envahie par un nouveau courage et une paix singulière.

Un bruit dans la travée voisine la fit se retourner. Un religieux en soutane noire marchait tête basse, les mains jointes. Il avait une expression douce et sereine. Vite, elle se leva et le rejoignit à l'instant où il s'apprêtait à se glisser dans la sacristie.

— Excusez-moi, mon père, dit-elle tout bas.

— Que voulez-vous, ma fille?

— Je suis déjà venue il y a deux semaines. J'ai discuté avec le sacristain. Il s'agit d'une affaire bien ennuyeuse.

— Si je peux vous conseiller, je le ferai. Parlez sans crainte.

— Un prêtre que vous devez connaître gardait la clef d'une maison de la rue de l'Évêché pour rendre service à des gens en séjour à l'étranger. Mais il a été arrêté.

— Le père Jonas, oui, en effet.

Il se signa, la mine attristée. Cependant, son regard gris scruta le visage d'Abigaël. Il semblait se méfier.

— Qui sont ces gens pour vous? De la famille?

— Je ne vous mentirai pas, mon père, je ne les ai jamais vus et je ne les connais pas. Seulement, ils sont liés à une personne qui m'est chère, que je voudrais aider. J'ai besoin de cette clef afin de récupérer quelque chose dans la maison.

Abigaël se tut, consciente de subir une sorte d'examen, car le prêtre la regardait attentivement. Il hésitait à poursuivre la conversation, mais les traits ravissants de la jeune fille, son air angélique et les vibrations de sa voix douce plaidèrent en sa faveur.

— Je vous crois sincère, mon enfant, et, si je le pouvais, je vous aiderais volontiers. Hélas, Dieu m'est témoin que nul ne m'a jamais entretenu de cette clef. J'ignore où elle peut être. Je sais de source sûre que le père Jonas logeait parfois chez sa sœur aînée, rue de Beaulieu. Elle avait hérité de la maison de ses parents, mais, d'après un de mes paroissiens, ce domicile a été mis à sac par la Gestapo.

— Est-ce que cette dame y habite toujours?

— Non, elle est décédée il y a un mois. Elle avait soixante et onze ans et le choc a été trop rude. De voir son frère frappé, molesté, emmené comme un criminel, cela a abrégé ses jours. Elle s'est éteinte à la suite d'une congestion cérébrale.

— Je comprends... Paix à son âme! murmura Abigaël en se signant. Je vous remercie, mon père. Je dois m'en aller.

— Rue de Beaulieu, sans doute?

— Oui, vous avez deviné. Peut-être que je pourrai entrer dans la maison en question et trouver la clef?

— Oh! vous pourrez entrer, la serrure de la porte est fracturée. Tout a été pillé. Mais, dans ce cas, au lieu de vous sauver si vite, demandez-moi le numéro civique, dit-il en souriant, l'air indulgent. Soyez prudente, mademoiselle! Vous semblez prendre votre démarche très à cœur. Des patrouilles allemandes sillonnent le quartier à heures régulières. N'attirez pas l'attention. Vous avez environ trente minutes devant vous. C'est le 11…, rue de Beaulieu, non loin de l'hospice.

— Merci encore, mon père!

— Que Dieu vous ait en sa sainte garde, mon enfant. Je lui sais gré, déjà, d'être venu par hasard chercher un bréviaire et de vous avoir rencontrée.

Troublée par ces paroles, Abigaël le salua respectueusement et sortit le plus vite possible. Elle avait étudié le plan de la ville chez monsieur Hitier, de sorte qu'elle se repéra sans problème.

Pourtant, en arrivant à la hauteur du numéro obtenu, elle éprouva une pénible angoisse sans raison précise. Le battant béant, peint en vert foncé, s'entrouvrait sur un corridor sombre jonché de morceaux de papier sales, jaunis et froissés. Un chat famélique était tapi dans un coin, le pelage miteux, les prunelles voilées.

Abigaël observa la rue. Une vieille femme en noir trottinait vers l'esplanade du lycée Guez de Balzac, lui tournant le dos. De l'autre côté, un cycliste d'environ douze ans approchait, une casquette enfoncée jusqu'aux sourcils. Il s'engagea dans une ruelle transversale.

Tremblante et la gorge nouée, elle se rua dans la maison. Les portes étaient ouvertes. Elle parcourut les pièces, un salon à droite, une salle à manger et une petite cuisine à gauche. Les contrevents étaient fermés, mais le soleil filtrait assez pour éclairer un décor sinistre. On avait dû emporter des bibelots, de la vaisselle et des meubles dans une telle précipitation que des débris de porcelaine et des bouteilles cassées gisaient sur le parquet. Au désordre s'ajoutait une odeur désagréable, mélange d'urine et de moisissure.

«Jamais je ne retrouverai une clef ici, il me faudrait davantage de lumière.» Elle avisa une fenêtre qui ne donnait pas sur la rue et ouvrit les volets. Un jardinet lui apparut, encore propre, entouré de murs palissés de rosiers. Un banc en fer forgé était disposé sous une petite tonnelle. «Qui viendra s'asseoir là, désormais? s'interrogea-t-elle, le cœur lourd. Seigneur, tant de vies gâchées, tant de souffrances…»

Elle fouilla méthodiquement un placard et les tiroirs d'un buffet. Elle luttait contre le découragement qui l'assaillait en évoquant le visage de Claire, en haut de la tour du château, quand elle se languissait de son frère et de ses enfants, quand elle lui parlait de sa fille Ludivine.

Reprise par une volonté farouche, elle souleva le panneau de fer ouvragé qui fermait la cheminée du salon, gratta les cendres, puis, en quête d'une cachette, effleura les cloisons en lambris.

— Mon Dieu, il n'y a plus rien. Que faire?

Il fallait monter à l'étage. De plus en plus oppressée, elle gravit les marches dans un état second. Parvenue sur le palier, elle eut très chaud. Ensuite, un froid terrible la prit et la fit claquer des dents. Ce n'était pas le malaise habituel qui lui indiquait la présence d'un défunt.

— Qu'est-ce que j'ai? Je dois résister, il le faut!

Mais, prise de vertige, elle dut s'asseoir sur un sommier éventré. La chambre où elle s'était aventurée d'une démarche incertaine donnait aussi sur le jardin. Il y faisait grand jour. La fenêtre aux carreaux brisés laissait entrer un air frais qui finit par la revigorer.

— Je suis stupide, se dit-elle. Je n'ai pas mangé de la matinée et j'ai oublié d'emporter du pain.

Abigaël se releva en rêvant d'acheter n'importe quel aliment comestible dès qu'elle serait dans le centre de la ville.

— Je vais visiter les autres chambres, chuchota-t-elle.

Là aussi, elle fut déçue. Hormis des sommiers dépouillés de leur matelas, des bois de lit, des armoires vides, aucun objet ne subsistait. À l'instant précis où elle allait regagner le palier, un bruit de moteur s'éleva de la rue. Elle entendit des pas cadencés qui résonnaient sur les pavés, assortis de cliquetis divers.

— La patrouille allemande!

Elle s'approcha d'une des fenêtres, dont les contrevents présentaient des fentes verticales. C'était suffisant. Elle vit passer les soldats, l'arme à l'épaule, en uniforme vert kaki. Un camion bâché de la même couleur roulait au ralenti derrière la troupe.

«Je pourrai m'en aller dès qu'ils se seront éloignés, se dit-elle. Mais j'irai rue de l'Évêché, malgré tout.»

Confusément, elle pensa à la pauvre femme morte un mois auparavant à la suite d'un choc émotif très violent. Elle tenta de l'imaginer dans la maison qui, sous sa gouverne, devait être bien tenue.

«Le père Jonas venait souvent. De quoi discutaient-ils, tous les deux? Est-ce là qu'il a caché des Juifs? Dans le grenier? La cave? Comment a-t-on découvert ses activités secrètes? On l'aura dénoncé… Le professeur Hitier affirme que les dénonciations sont courantes, même incessantes. Quelle honte!»

Révoltée, elle s'appuya au mur d'une main. Un mot s'imposa soudain à son esprit comme un refrain: *Grenier*.

— Bien sûr, je dois monter dans le grenier, murmura-t-elle.

On y accédait par une porte sur le palier. Elle gravit un escalier de bois clair qui n'avait jamais dû être encaustiqué. De la poussière s'entassait dans le coin des marches.

Le grenier, le grenier, lui répétait une petite voix intérieure qui lui paraissait étrangère. Elle découvrit un espace encombré de caisses et de malles. La charpente était envahie par d'innombrables toiles d'araignée grisâtres.

Abigaël éprouva la sensation inattendue de toucher au but et l'impression singulière de ne pas être vraiment seule. On l'avait guidée vers le grenier. Elle ne fouilla pas immédiatement les lieux, comme si elle guettait un autre message.

Son regard se porta soudain du côté gauche, à l'endroit où se dressait une statuette de la Vierge Marie sur une petite stèle en plâtre bruni. On distinguait à peine le bleu pâle de sa robe et le blanc de son voile; pourtant, la jeune fille la vit pareille à une parcelle de clarté divine dans le clair-obscur des combles. Son cœur se mit à battre plus vite. Elle s'en approcha en priant à voix haute.

— *Je vous salue, Marie, pleine de grâce, le Seigneur est avec vous. Vous êtes bénie entre toutes les femmes et Jésus, le fruit de vos entrailles, est béni. Sainte Marie, mère de Dieu, priez pour nous, pauvres pécheurs, maintenant, et à l'heure de notre mort. Amen.*

Elle se signa et tendit les mains en tremblant. Ses doigts saisirent la statuette avec un infini respect. Le souffle suspendu, elle la fit pivoter. La sculpture était creuse et une clef y était dissimulée, qui tomba sur le sol à la suite d'une infime secousse.

— Merci, Sainte Vierge Marie, merci, mon Dieu, je suis sûre que c'est la bonne clef! s'écria-t-elle en la ramassant.

Elle reposa l'objet saint sur la stèle et quitta le grenier d'un pas rapide. Sur le palier de l'étage, elle ajouta d'une voix pleine de gratitude et de douceur:

— Merci à vous, qui que vous soyez, merci de m'avoir aidée, chère âme envoyée par les anges. Si c'est toi, ma petite maman, merci mille fois. Je t'aime, maman!

Elle perçut une caresse sur sa joue, un effleurement léger, tel le frôlement d'une aile tiède. En retenant ses larmes, elle se rua au rez-de-chaussée où elle s'immobilisa au milieu du corridor. Le chat famélique avait disparu. Après un coup d'œil dans la rue de Beaulieu en apparence déserte, elle sortit, transportée d'une joie indicible.

Rue de l'Évêché, dix minutes plus tard

Abigaël marchait lentement, le temps de laisser la dépasser un groupe de religieuses qui venaient vers elle, sur le même trottoir. Il était plus de midi et, tenaillée par la faim, elle était allée place du Palais de Justice acheter le quart d'une baguette dure et insipide, sacrifiant un des précieux tickets de pain de sa tante qu'elle avait pris. Les restrictions s'aggravaient; les gens manquaient de tout. Yvon avait raconté, un soir, que certains cuisinaient des chats errants et n'importe quel volatile.

«J'ai la clef, mais, si les voisins me voient entrer dans la maison, qui est fermée depuis deux ans, ils peuvent prévenir les gendarmes.»

Elle attendit un peu en faisant mine de regarder dans sa pochette brodée.

«Tant pis, j'entre.»

Il lui sembla, en enfonçant la clef dans la serrure, que des dizaines de paires d'yeux curieux l'épiaient.

derrière les rideaux des fenêtres d'en face. Elle donna deux tours vers la droite avant d'atteindre la butée; un troisième dans le sens contraire permettait de retirer le loquet. La porte s'ouvrit. Vite, elle se glissa à l'intérieur et referma soigneusement. «J'ai réussi, merci, mon Dieu, merci, mes anges gardiens!»

Haletante, la bouche sèche tant elle était exaltée, elle se pencha sur la boîte aux lettres rivée au battant et souleva un petit panneau de bois fin. Il n'y avait aucune enveloppe.

— Oh! non, non! gémit-elle à mi-voix. Ils n'ont pas écrit.

Tout de suite, elle envisagea le pire. Un malheur était arrivé à Matthieu, le frère de Claire, à son épouse Faustine et à leurs enfants.

Bouleversée, elle s'avança vers le salon, plongé dans la pénombre. Ses jambes la soutenaient à peine.

— J'espérais tellement qu'il y aurait du courrier! dit-elle, prête à pleurer de déception. Tout ça pour rien!

Des draps blancs protégeaient les fauteuils, un grand canapé et un piano à queue. La jeune fille dut s'asseoir, vaincue par la cruauté du sort. Elle demeura abattue un moment, mais finit par observer le cadre qui l'entourait. La pièce était décorée de façon sobre, mais raffinée, de lourds doubles rideaux en velours bleu foncé, d'une tapisserie damassée de teinte claire, ivoire sans doute, et d'une abondance de tableaux anciens. La cheminée en marbre noir s'ornait de trois magnifiques vases chinois.

Sa curiosité s'éveilla. Elle décida de visiter au moins le rez-de-chaussée. De l'autre côté du vestibule au carrelage rouge se trouvait une salle à manger dotée d'un mobilier superbe en bois sombre, incrusté de motifs floraux en nacre. Une grande statue bigarrée de style insolite la stupéfia. «Monsieur Nadaud est archéologue, il a dû beaucoup voyager et rapporter des antiquités.»

Elle s'attarda ensuite devant une vitrine où étaient exposés des silex taillés, des bouts d'os et des fragments de céramique. Un bruit à l'étage supérieur la fit tressaillir. On aurait juré le grincement d'un gond rouillé. «Je suis trop nerveuse, se rassura-t-elle. Personne n'a pu entrer ici avant moi. Peut-être qu'une fenêtre a été forcée?»

Elle trottina sur la pointe des pieds jusqu'à la cuisine, la plus belle qu'elle ait jamais vue. Les murs étaient en partie recouverts de superbes carreaux en faïence. Une suspension en cuivre à abat-jour en opaline blanche surplombait une longue table aux pieds ouvragés. Une batterie de casseroles encore brillantes paraissaient prêtes à servir sur l'heure.

— J'espère que la maîtresse de maison, madame Blanche Dehedin, la sœur de Jean Dumont, reviendra. Assurément, c'est une femme qui a du goût et de l'argent.

Elle avisa alors une porte-fenêtre dont le volet à deux pans était replié. Intriguée, elle aperçut une cour remplie de plantes en pots, ainsi qu'une construction entièrement vitrée, aux armatures en fer, qui évoquait un atelier. Elle tourna la poignée en porcelaine et put sortir. «Ce n'est même pas fermé à clef!» constata-t-elle. En levant le nez, elle comprit pourquoi; à moins d'être un exceptionnel acrobate ou de savoir voler, qui aurait pu venir dans cette cour, un véritable puits carré, cerné de très hauts murs? L'un d'eux comptait six fenêtres, trois au premier étage et trois au second, dont les contrevents n'étaient pas fermés.

— Seigneur, ai-je rêvé? balbutia-t-elle, certaine d'avoir vu un visage blafard à travers un rideau. Il y aurait quelqu'un, ici?

Elle se réfugia dans l'atelier. Elle avait une soif terrible à cause du pain sec et de l'émotion qui broyait sa poitrine.

— Mon Dieu, ce visage! dit-elle tout bas.

Elle n'osait pas regarder de nouveau. Elle préféra examiner l'endroit où elle s'était précipitée. Le sol était cimenté. Dans un angle, il y avait un évier.

— Si je pouvais boire! J'ai si soif!

Le robinet résista un peu. Enfin, elle vit couler un filet de liquide couleur de rouille. Après quelques instants, ce fut de l'eau claire et fraîche, mais, par précaution, elle patienta. Quand elle put humecter ses lèvres et enfin se désaltérer, un contentement instinctif lui arracha un faible sourire. L'eau avait un goût de ferraille, mais elle se sentait mieux.

«Monsieur Nadaud devait travailler ici, songea-t-elle. Il reste des outils. Un burin, un marteau...»

Un plan en marbre était maculé de traînées ocre. Abigaël le frotta du bout des doigts, qu'elle porta à ses narines; elle reconnut l'odeur ténue de l'argile.

Elle aurait fait n'importe quoi pour oublier le terrible masque de détresse qu'elle avait cru voir derrière le rideau, celui d'une vieille femme blafarde aux cheveux blancs. Cependant, elle s'obligea à affronter la situation. «Si c'est une âme errante, pourquoi ne s'est-elle pas montrée à moi dans le salon ou la cuisine? Et le bruit, le grincement que j'ai entendu, c'était elle? Bon, je n'ai pas de malaise, mais, quand même, je ne me sens pas très bien depuis que je suis là.»

Elle se souvint alors d'un texte rédigé par sa mère qui traitait des fantômes. Pascaline nommait ainsi des esprits en perdition obsédés par le monde des vivants,

113

qui se manifestaient de manière souvent incohérente et refusaient de communiquer avec les médiums. Ils importunaient les habitants d'une maison par des bruits, des apparitions nébuleuses, des cris ou des pleurs.

Déterminée à résoudre l'énigme, elle prit le temps de réfléchir. «Victor Nadaud et son épouse ont soigneusement fermé leur domicile en repartant il y a deux ans pour l'Amérique du Sud, en compagnie de Matthieu Roy, de sa famille et de Ludivine, la fille de Claire, qui aura seize ans au mois d'août. Personne d'autre que le père Jonas n'avait la clef. Si j'avais affaire à un être vivant, j'aurais vu des traces. Pourtant, la porte donnant sur cette cour n'était pas fermée à clef et le visage m'est apparu à la seule fenêtre aux contrevents ouverts.»

Anxieuse, Abigaël quitta l'atelier. Elle se contraignit à lever la tête. Aucune figure livide ou fantomatique ne se montra derrière le rideau.

— Si c'était une hallucination? hasarda-t-elle d'une petite voix.

Tout à coup, elle décida de s'en aller, envahie par une peur insidieuse qu'elle avait rarement ressentie. À son retour dans la belle cuisine où régnait un ordre parfait, un détail l'arrêta, qui lui avait échappé auparavant: un placard entrebâillé et, en dessous, sur le carrelage, de la poudre d'un blanc jaunâtre éparpillée. Elle inspecta l'intérieur et découvrit un sachet éventré dont la farine s'était répandue sur l'étagère et par terre.

Sidérée, elle vit des bocaux de confiture, de miel, de sucre, des conserves de cornichons et, plus étonnant encore, du foie gras dans des terrines stérilisées. Pas une seconde, néanmoins, elle ne songea à dérober ces provisions de luxe. «Je vais garder la clef. Je reviendrai si Claire accepte que je lui rapporte de la confiture ou du foie gras, se dit-elle. Pourquoi n'en profiterait-elle pas? Blanche est toujours sa belle-sœur! Il n'y a pas de vol dans une famille.»

À cet instant précis, un bruit résonna à l'étage, un choc sourd. Abigaël toucha sa médaille de baptême et, renonçant à fuir, elle se dirigea vers le vestibule d'où partait un large escalier dont les marches étaient recouvertes d'un tapis rouge, maintenu par des barres en cuivre.

Elle retint son souffle, hésitant à appeler pour poser la question banale, un peu sotte:«Est-ce qu'il y a quelqu'un?» En fait, elle était persuadée qu'il s'agissait d'un revenant, un terme parfois employé par sa tante.

«La maison est très ancienne, des gens sont forcément morts entre ses murs, de maladie ou d'autre chose. Que m'arrive-t-il? Pourquoi ai-je eu aussi peur? Je dois aimer cette âme perdue et essayer de lui parler. Chaque enfant de Dieu a droit à la lumière de son amour, car il est notre Père à tous et, oui, il nous aime.»

Rassérénée par ce raisonnement, elle visita les quatre chambres du premier étage. Là aussi les sièges étaient drapés de blanc et les matelas étaient pliés. Elle tendait l'oreille, à l'affût du moindre craquement qui se serait produit au second, mais tout était silencieux. En revenant sur le palier, cependant, elle crut entendre un sanglot enfantin.

— Ne craignez rien! s'écria-t-elle en montant. Je peux vous aider, je suis une passeuse d'âmes comme ma mère l'était. Vous souffrez, vous errez dans une dimension inconnue, un univers gris, froid, hostile, mais je vais prier pour vous.

Extrêmement nerveuse, Abigaël parvint sur le deuxième palier. Elle n'éprouvait pas la pesanteur sur la nuque qu'elle ressentait habituellement et sa vision demeurait nette, mais elle le remarqua à peine.

— Où êtes-vous? Venez vers moi, dit-elle encore.

«Les rencontres avec les défunts ne doivent pas forcément se dérouler toujours de la même façon, songea-t-elle. Maman est partie si jeune! Elle n'a pas pu faire toutes les expériences dans ce domaine, et moi non plus.»

D'un pas hésitant, elle entra en premier dans la chambre que le soleil éclairait, à travers les rideaux en mousseline. Le mobilier était fort simple, un lit aux dosserets en bois, une armoire et deux chaises. Elle alla se poster à la fenêtre, d'où l'on voyait une partie de la cour et l'atelier.

— Pourquoi ne pas vous montrer à moi? insista-t-elle. Je suis une des rares personnes qui peut vous voir, vous guider vers la clarté divine, vers la paix éternelle.

Aucune forme ne se matérialisa, aucun son ne s'éleva, mais Abigaël eut la certitude qu'elle n'était pas seule. Vite, elle traversa le couloir et entra dans la chambre en vis-à-vis. Là, malgré la pénombre, elle distingua une silhouette blanche, blottie entre une commode et la cheminée, une forme féminine si frêle et menue qu'on aurait dit une fillette.

— Je vous en supplie, ne disparaissez pas, dit-elle d'un ton de voix très doux.

— Mais qui êtes-vous? lui répondit-on. Allez-vous-en, vous! Et comment voulez-vous que je disparaisse?

Jamais une enfant n'aurait parlé ainsi. D'ailleurs, la voix était celle d'une femme adulte. Tout à fait désemparée, Abigaël n'osait plus bouger. Elle en perdit tous ses moyens et balbutia:

— Est-ce que vous êtes vivante? C'est vous qui regardiez par la fenêtre, tout à l'heure?

— Bien sûr, et j'exige que vous quittiez cette maison sur-le-champ. J'y suis chez moi.

Ses yeux s'étant accoutumés à l'obscurité relative de la pièce, Abigaël reconnut le visage aperçu derrière le rideau.

— Je crois que vous n'êtes pas chez vous, madame, dit-elle. Ce sont Victor Nadaud et son épouse, les propriétaires. Mais, si vous ne causez aucun dégât et que vous ne savez pas où loger, je ne vous trahirai pas.

— Je répète ma question. Qui êtes-vous, mademoiselle?

Abigaël étudiait la physionomie de son soi-disant fantôme. Elle voyait à présent la masse frisée de la chevelure blanche et des traits d'une rare finesse. Elle devina qu'il s'agissait d'une personne accoutumée à commander et à être obéie.

— Oh! ça n'a pas d'importance, qui je suis.

— Si! Comment avez-vous pu entrer? Il fallait une clef.

— Nous pourrions en discuter dans l'autre pièce, là où il fait jour, madame.

— Non, je tiens à rester dans le noir. Je n'ai pas pu m'habiller ni me coiffer. Je suis affreuse.

— Ce n'est pas grave, je m'en moque. Surtout, je suis désolée, car, autant vous l'avouer, je vous ai prise pour un fantôme… enfin, une âme égarée.

— Moi, j'étais terrifiée par vos discours. Je vous ai prise pour une folle. Vous avez de la chance, je sais ce qu'est un médium. Je ne mets pas en doute certains dons pour le moins surprenants. Ma cousine voyait des formes floues. Elle était guérisseuse, aussi.

— Votre cousine?

— Eh bien, oui… Et vous, êtes-vous guérisseuse?

— Je m'y emploie. Les plantes me sont précieuses. Madame, comment s'appelle votre cousine?

— Je ne vous dirai pas son nom. Peu importe, elle est morte.

Sur ces mots, la femme réprima un sanglot désespéré. Quoique pleine de compassion, Abigaël fut incapable d'avancer. Son cœur battait au ralenti; ses coups retentissaient dans son corps sous l'effet du soupçon insensé qui lui était venu.

— Laissez-moi en paix, mademoiselle. Je vous assure que monsieur et madame Nadaud ne s'offusqueraient pas de ma présence sous leur toit. Je suis un peu de leur famille.

— Merci, mon Dieu, murmura alors Abigaël. Je sais qui vous êtes, madame.

— Par quel miracle? La divination? ironisa la femme.

— Il n'y a pas de miracle, la logique suffit. Vous êtes la cousine de Claire, Bertille, sa princesse. Elle refusait de vous croire morte. Elle va être tellement heureuse!

— Claire, ma Clairette, elle vit…

Bertille porta une main à sa bouche et bascula en avant. Elle s'était évanouie.

Ferme des Mousnier, une heure de l'après-midi

Marie Monteil ne décolérait pas depuis qu'elle avait trouvé le bref message de sa nièce, quatre heures plus tôt. Assise au coin de la cheminée, elle restait sourde aux arguments que lui débitait Pélagie. Après le déjeuner, les deux femmes avaient envoyé les trois enfants jouer dans le jardin.

— Vous vous tracassez pour rien, Marie, votre Abigaël n'est plus une gamine. Il y a fort à parier qu'elle se promène dans la campagne.

— Ne vous fatiguez pas, Pélagie. Vous êtes bien gentille de vouloir me rassurer. Je vous le dis, et je le redirai encore, je ne me fais plus aucune illusion. Hier, Adrien était dans la vallée. Ils ont prévu de se retrouver quelque part aujourd'hui. Abigaël me déçoit à un point inimaginable. Elle a osé prétendre qu'elle était une fille sérieuse! Un fameux mensonge! Elle court rejoindre le premier garçon qui lui a fait la cour.

— Vous n'avez pas de preuves…

— Où voulez-vous qu'elle soit allée, sans oser me prévenir? Au château de Torsac? Non, elle aurait pris le vélo.

— Peut-être qu'Yvon en sait davantage, hasarda la fermière, qui sirotait de la chicorée tiède agrémentée de lait. Finalement, elle l'aura suivi à Dirac. Et puis, au fond, même si Abigaël est partie rejoindre ce garçon, elle ne court guère de danger.

Marie haussa les épaules, l'air réprobateur.

— Cela dépend. Je ne citerai pas un danger précis qui menace les jeunes filles.

— Oh! C'est donc ça? Vous avez peur qu'elle jette sa vertu aux orties, qu'elle mette la charrue avant les bœufs, comme disait ma pauvre mère, s'écria Pélagie. Mais ce n'est pas le genre de votre nièce, Marie.

— Je le saurai quand elle reviendra et, croyez-moi, cette fois, je n'ai pas l'intention de lui pardonner son escapade.

Rue de l'Évêché, même jour, même heure

Une fois qu'elle fut parvenue à lui faire reprendre un tant soit peu ses esprits, Abigaël soutint Bertille et l'entraîna dans la chambre dont les contrevents étaient ouverts. Tout en lui murmurant des paroles de réconfort, elle la fit allonger sur le lit, persuadée que son malaise serait de courte durée.

— Reposez-vous, madame, je descends vous chercher quelque chose à boire, dit-elle d'une voix apaisante.

Bertille ne réagit pas. Abigaël toucha son front et tâta son pouls.

119

«Il faut que je lui frotte les tempes avec du vinaigre et qu'elle prenne un remontant.» Elle dévala les deux escaliers et se rua dans la cuisine. Soulagée d'avoir trouvé du vinaigre, elle prépara le plus vite possible une boisson de sa composition. Le robinet de l'évier fonctionnait; l'eau était limpide. Elle en remplit un verre et y ajouta du miel.

— Un peu d'alcool lui fera du bien!

Survoltée, elle courut jusqu'à la salle à manger et fouilla un buffet bas. Elle dénicha une bouteille de cognac à moitié vide, d'un cru renommé. La maison de l'archéologue Victor Nadaud recelait de vrais trésors, en ces temps de guerre et de privations. Elle remonta au pas de course, enchantée d'avoir retrouvé la cousine de Claire, sa princesse. Elle était tout autant éberluée par sa découverte.

— Madame? appela-t-elle lorsqu'elle fut de retour dans la chambre.

Mais Bertille n'avait pas ouvert les yeux. Elle demeurait inerte, la tête rejetée en arrière et le teint cireux. On aurait pu la croire morte. La clarté dorée du soleil qui inondait la pièce soulignait cruellement sa maigreur. Ses cheveux bouclés étaient d'un blanc de neige et ses os pointaient sous la peau aux poignets et aux chevilles. Vêtue d'une longue chemise de nuit en coton blanc, elle avait tout d'une vieille dame à l'agonie.

«C'était bien une sorte de fantôme que j'ai vu, songea Abigaël, le cœur serré. Le fantôme de la resplendissante jeune femme qui m'est apparue en rêve aux côtés de Claire, la belle princesse, celle que les paysans prenaient pour une fée. Elle n'est vraiment plus que l'ombre d'elle-même. D'où vient-elle? Que lui est-il arrivé?»

Compatissante et navrée, elle humecta son mouchoir de vinaigre et en frotta les tempes et le front de Bertille.

En lui relevant la tête, elle réussit à lui faire avaler sa préparation. Ensuite, assise au bord du lit, elle prit ses mains glacées dans les siennes en priant de toute son âme.

— Clairette faisait comme vous quand je me trouvais mal, entendit-elle soudain.

— Madame, vous êtes revenue à vous?

— J'ai repris conscience, je vous remercie. Oh! que vous êtes jolie! Un gardénia, un frais gardénia! Avez-vous déjà vu des gardénias? Bertrand m'en offrait à ma fête.

Bertille dévisageait la jeune fille avec attention. Abigaël fit de même, fascinée par les larges prunelles d'un gris brillant piqueté d'infimes points d'or brun. Les cils, longs et recourbés, étaient encore d'un blond foncé. Son regard, ardent, lumineux, effaçait à lui seul les marques des années.

— Je vous en prie, mademoiselle, faites de l'ombre! Je dois être affreuse!

— Non, ne pensez pas à ça, vous êtes là, vivante. Claire l'est aussi. Je suis tellement heureuse! J'ignore comment nous ferons, mais vous allez vous retrouver. Laissez-moi vous installer plus confortablement.

Abigaël se releva et, des chambres voisines, rapporta deux oreillers et une couverture en laine. Elle fut satisfaite en voyant Bertille assise, bien au chaud.

— Pourquoi rester si peu vêtue, madame? Le printemps n'est pas encore là et il fait froid, dans une maison toujours fermée. Vous étiez glacée.

— Rien de plus normal pour un fantôme, n'est-ce pas?

Il se passa alors un phénomène qui dérouta Abigaël. Un flux d'amour et de tendresse la submergea à l'égard de cette femme d'une soixantaine d'années dont elle ignorait encore les épreuves, mais qui était capable de plaisanter et de lui sourire. Sa voix était nette, bien timbrée, mélodieuse.

— Je vous demande pardon, j'aurais dû comprendre. Je n'avais pas ressenti de malaise. Les manifestations des défunts, c'est-à-dire des âmes errantes, en provoquent, du moins chez moi. Madame, que faites-vous ici? Pourquoi vous cachez-vous?

D'un geste élégant, Bertille s'empara du verre d'eau au miel, sur la table de chevet, et le but tout entier.

— Et vous? répliqua-t-elle en le reposant à sa place.

— Je venais essayer de récupérer des lettres pour Claire. Elle n'a pas de nouvelles de son frère depuis des mois. Matthieu...

— Il y en a trois, soupira Bertille. Je les ai lues, bien sûr. Mais je ne pouvais pas y répondre, puisque je m'interdisais de sortir et qu'on me l'avait déconseillé. Seigneur, j'ai passé six semaines en recluse! Je dois vous expliquer. Si l'on donne deux tours de clef, la porte principale est verrouillée, même de l'intérieur. Rien de plus stupide. La nuit, parfois, je m'imaginais ouvrant une fenêtre du rez-de-chaussée pour m'en aller par là et m'enfuir dans la rue. J'abandonnais l'idée pour ne pas causer d'ennuis à ce brave prêtre, le père Jonas. Il devait revenir, il avait la clef, mais je l'ai attendu en vain. Je suppose qu'il a été arrêté.

— Vous supposez bien, chère madame.

— Le malheureux! J'en étais sûre. J'avais d'autant plus peur de tenter l'aventure, de me retrouver libre. Alors, je suis restée là. Par chance, Blanche a la manie d'emmagasiner des provisions. Je n'ai pas eu faim. De toute façon, je mange si peu. J'ai lu une bonne partie des livres de la bibliothèque de Victor Nadaud. Je prenais l'air dans la cour. Il n'y a pas de vis-à-vis. C'est une vraie cour de prison. L'avez-vous remarqué?

— Oui, en effet, malgré l'état de panique où j'étais après avoir aperçu un visage au second étage, derrière le rideau.

— Je suis effrayante, voilà, c'est dit! enragea Bertille.

— Pas du tout et, à mon avis, l'apparence physique n'a pas grande importance, dans votre situation.

— Ce sont des choses qu'on pense à votre âge, quand on est ravissante. Savez-vous à quel point j'ai été terrifiée en entendant quelqu'un au rez-de-chaussée? Je cherchais une cachette. J'ai voulu entrer dans un placard. Dans ma nervosité, j'ai fait tomber une statue du palier. Certes, je vous avais observée, dans la cour. Vous n'aviez rien des sales types de la Gestapo, mais je me méfiais… Enfin, j'ai pensé que vous étiez peut-être envoyée par la sœur du père Jonas. Seulement, dans ce cas-là, vous ne m'auriez pas prise pour un fantôme.

Attendrie, Abigaël reprit les mains de Bertille, qui lui adressa un fin sourire tissé de détresse et de chagrin.

— Je serai franche, mademoiselle, j'avais envie de mourir parce que j'avais perdu presque tous ceux que j'aimais. Si Claire n'était plus de ce monde, la vie me pesait. Elle me semblait inutile. Pourtant, j'ai une fille de vingt-neuf ans, Clara, médecin à Paris. Dès que je suis arrivée en Charente, à la mi-janvier, grâce à Clara qui m'avait procuré de faux papiers, j'ai appris la tragédie du Moulin du Loup. «Le massacre!» chuchotait-on. J'avais besoin de détails. J'étais comme folle. Mon ancien notaire qui m'a accueillie le premier soir m'a affirmé que tous avaient été abattus et que notre cher moulin avait brûlé. J'avais déjà perdu Jakob. J'ai sombré. Un médecin de confiance m'a conduite chez le père

Jonas, qui m'a aidée à surmonter le choc et qui m'a dit de loger ici. La milice n'a pas tous les renseignements. Elle n'a pas fait le rapprochement entre Victor Nadaud et la famille Roy-Dumont.

— Je conçois votre douleur, madame, mais Claire a été sauvée. Son époux, Jean, l'a protégée de son corps et on l'a laissée pour morte.

Bertille étouffa une plainte horrifiée.

— Clairette a pu endurer la perte de Jean?

— L'épouvante de ces instants l'a d'abord rendue amnésique. Dieu a guidé Marie de Martignac sur son chemin et elle l'a emmenée en lieu sûr. C'est moi qui ai retrouvé Claire. Elle était plongée dans une léthargie artificielle. Pourtant, son esprit m'a appelée au secours. J'habite la vallée de l'Anguienne et, lorsque je contemplais les falaises, je croyais deviner une voix. Une dame m'apparaissait sans que j'aie à fermer les yeux. J'ai eu des visions de sa jeunesse pendant mon sommeil, du moulin, du vieux père Maraud, le guérisseur… Je vous ai vue également et j'ai été éblouie par votre beauté.

Bertille détourna son visage, comme s'il lui était intolérable d'avoir des rides et des cheveux blancs.

— Qui a survécu, hormis Claire?

— Louis de Martignac serait dans un camp, en Allemagne. Angéla, sa femme, a été tuée.

Abigaël raconta brièvement ce qu'elle savait en égrenant des noms dont l'évocation faisait trembler et pleurer Bertille: Janine, Léon, Anita, l'enfant blonde qu'ils protégeaient.

— Mon Dieu, quel chagrin auront Matthieu et Faustine! soupira l'ancienne dame du domaine de Ponriant. Et Ludivine! Elle adorait son père. Pauvre Jean, cher Jean! Mademoiselle, quand pourrai-je retrouver ma cousine, ma Clairette?

— J'ignore vraiment comment faire pour vous réunir. Elle se cache au château de Torsac.

— Chez cette vieille chouette d'Edmée?

Stupéfaite, Abigaël réprima un sourire. Elle ne s'attendait pas à de tels propos de la part de Bertille.

— Quel est votre prénom, mademoiselle? ajouta-t-elle.

— Abigaël.

— Ah! il vous convient. En hébreu, il signifie: *ma joie vient de Dieu*. N'est-ce pas?

— Ma tante Marie, elle, le traduit plutôt par *source de joie*. Je préfère votre version. Je suis très pieuse.

— Alors, je vous ai choquée en traitant Edmée de Martignac de vieille chouette! Tant pis! Mais une chose est certaine, je ne me présenterai pas au château dans l'état délabré où je suis. Claire ne me reconnaîtrait pas et Edmée jubilerait. Il faut m'aider, Abigaël. J'ai de l'argent, beaucoup d'argent. Mon passeport, un faux, est au nom de Catherine Dancourt, née Royer. Je ne pouvais pas mettre Roy, puisque Claire et Jean avaient créé un réseau de résistance très actif.

— Je ferais n'importe quoi pour vous aider, madame, mais, là, je dois rentrer au Lion de Saint-Marc, chez mon oncle. Je suis partie sans solliciter la permission et ma tante sera furieuse, si je reviens en fin de journée.

— Que c'est ennuyeux! Alors, donnez-moi la clef. La robe et la veste que je portais en janvier sont sales et déchirées. Je sortirai m'acheter une toilette correcte et je vais dénicher un salon de coiffure.

— Mais madame, vous ne pouvez pas, protesta Abigaël, affolée.

— Voyez-vous une autre solution? Blanche n'a pas emporté tous ses vêtements, mais elle est très forte. J'aurais l'air de quoi?

Sous les yeux ébahis de la jeune fille, Bertille Roy, deux fois mariée, liée plus récemment avec un certain Jakob, reprenait du haut de ses soixante-quatre ans des manies d'adolescente capricieuse, obsédée par son apparence.

— Ne me jugez pas! s'écria-t-elle. Je lis sur votre minois ce que vous pensez de moi et je m'en moque. Claire attend sa princesse, pas une épave échevelée qui n'a plus que la peau sur les os. J'ai passé plus d'un an à Drancy, Abigaël. Oui, autant en finir et vous dire ce qui s'est passé. Au début de la guerre, alors que j'étais en deuil de mon grand amour, mon mari Bertrand Giraud, Jakob Kern, un réfugié mosellan, a su me faire renaître à la vie et au bonheur. Pendant presque deux ans, nous avons vécu notre liaison en secret, au Moulin du Loup. Claire s'en réjouissait. Mais Jakob et ses parents étaient d'origine juive. Quelqu'un du pays les a dénoncés. En octobre 1942, on est venu les arrêter. J'ai crié que j'étais juive moi aussi pour ne pas le quitter, lui, mon amant.

— Claire m'a raconté cette scène, murmura Abigaël. Dès que je l'ai retrouvée, dans une habitation construite à même la falaise de Vœuil-et-Giget, en sortant de sa léthargie, c'est une des premières choses qu'elle m'a dite. Elle vous a même qualifiée de «petite folle».

— Le 8 octobre 1942, j'étais parmi les trois cent vingt-cinq juifs, hommes, femmes, enfants et vieillards, regroupés dans la salle philharmonique d'Angoulême[2]. Jakob, lui aussi, refusait mon sacrifice. Il ne comprenait pas. Il me suppliait de dire la vérité, de me faire libérer,

---

2. Fait authentique.

mais je ne le lâchais pas. Un peu plus tard, lorsque nous sommes partis pour le camp de Drancy, un avant-goût de l'enfer, nous avons été séparés.

Les traits durcis, Bertille se tut. Elle dit après un long silence:

— Je n'ai pas revu Jakob. Quelqu'un m'a parlé de trains qui conduisaient les hommes valides en Allemagne. Voilà.

Abigaël se signa. Le dernier mot résonnait dans sa tête, bref, incisif, amer: «Voilà.»

5

Un retour mouvementé

Ferme des Mousnier, même jour, six heures du soir

Essoufflée et la poitrine en feu, Abigaël s'arrêta près du puits et observa les silhouettes qui s'agitaient derrière les fenêtres de la cuisine. Elle vit passer sa tante Marie, suivie par Yvon qui levait les bras au ciel. Ensuite, le professeur Hitier déambula à son tour en hochant la tête.

«Quel accueil me réserve-t-on? se demanda-t-elle, plus agacée que craintive. Mais j'ai retrouvé Bertille et je me moque du reste.»

Pour revenir, elle n'avait pas emprunté le souterrain afin de ne pas s'attirer davantage de reproches. Après s'être changée dans l'habitat troglodyte du chemin de Tivoli, dans l'espoir d'arriver avant la nuit, elle avait effectué le trajet au pas de course, soit environ quatre kilomètres sur de petites routes empierrées.

— Allons-y, se dit-elle tout bas. Qu'est-ce que je vais raconter à tantine?

Il lui fallait mentir, du moins tant que Pélagie serait dans la pièce. Yvon tenait sa femme dans l'ignorance, notamment en ce qui concernait leurs activités dans la Résistance. La fermière n'avait pas été informée du court séjour de Claire Roy sous son toit, après Noël. Il était donc impossible de parler de Bertille en sa présence.

La jeune fille franchit les derniers mètres, frotta ses chaussures sur la grille en fer et entra dans le vestibule. Tout de suite, la porte de la cuisine s'ouvrit. Marie se rua sur elle en poussant un cri de colère mêlé de soulagement.

— Enfin! Sais-tu l'heure? hurla-t-elle. Abigaël, tu me déçois. Hier, j'avais repris espoir, je pensais que nous étions réconciliées et, ce matin, tu me plantes un couteau dans le dos!

— N'exagère pas, je t'en prie, tantine!

— Je t'interdis de m'appeler comme ça. Il me semble que tu joues les adultes. Alors, épargne-moi tes minauderies de gosse. Où étais-tu, toute la journée? Avec qui? Réponds!

Abigaël jeta un regard désemparé derrière l'épaule de sa tante, car Yvon et le professeur Hitier assistaient à la scène sans oser avancer ni prendre parti.

— Je t'expliquerai, répondit-elle. Ne sois pas fâchée, je n'ai rien fait de mal.

— Petite insolente! s'exclama Marie en giflant sa nièce à la volée. Monte dans la chambre! Inutile d'expliquer quoi que ce soit, surtout devant tout le monde.

Jamais la calme et douce Marie Monteil n'était ainsi sortie de ses gonds. Son coup d'éclat causa une véritable surprise. Un torchon à la main, Pélagie demeura figée et les enfants suspendirent leur souffle. Jorge Pérez, assis sur la pierre de l'âtre, piqua du nez, gêné. Mais Yvon intervint.

— Voyons, ma pauvre Marie, pas la peine de vous mettre dans un état pareil! Abigaël va manger la soupe avec nous, dans un premier temps. On dirait qu'elle revient de loin. Entre, petite.

La joue droite en feu, Abigaël rejoignit le fermier. Elle avait envie de se révolter, mais les larmes lui montaient aux yeux. Non sans raison, elle s'estimait humiliée en public et injustement traitée en coupable.

— Tu ne devrais pas me frapper sans savoir la vérité, tantine, dit-elle d'une voix tremblante.

— Ne blâme pas trop ta tante, mon enfant, intervint le professeur. Yvon et moi sommes rentrés ici vers trois heures de l'après-midi. Marie était malade d'angoisse et de peur. Admets qu'elle pouvait imaginer le pire, un accident, une mauvaise rencontre...

— Marie pensait surtout qu'elle avait couru retrouver votre petit-neveu, monsieur Hitier, dit Pélagie. Cécile l'a dit à Grégoire, Abigaël a vu son frère lundi. Sans doute qu'il avait congé, à l'usine où il travaille. Mais il n'est guère poli! Il aurait pu nous rendre visite!

C'était un des mensonges qu'on avait servis à Pélagie, à savoir qu'Adrien était ouvrier tourneur à Ruelle, près d'Angoulême, que Béatrice œuvrait comme secrétaire vers Jarnac, à une trentaine de kilomètres de la vallée, et que Lucas, son fiancé, était reparti en Allemagne, soumis au STO[3].

— Je ne le pensais pas, j'en étais certaine et je le suis encore, d'où ma colère bien compréhensible, trancha Marie. Alors, qu'as-tu à répondre, Abigaël, puisque nous devons laver notre linge sale devant témoins?

— Je n'aime pas ce genre d'expression, tantine. Je le répète, je n'ai rien fait de mal ni rien de répréhensible, et je n'étais pas avec Adrien. Si tu me considères comme une dévergondée, une fille perdue, tant pis!

Abigaël prit place à la table familiale. Yvon fit de même, bien qu'il restât perplexe. Pélagie en profita.

------

3. Service de travail obligatoire.

— Commencez à manger la soupe sans moi, conseilla-t-elle. Je monte son plateau à Patrick.

— Eh bien, moi, je vais au lit! Je n'ai aucun appétit, déclara Marie froidement. Bonsoir, professeur, bonsoir, Yvon!

— Je m'occuperai des enfants, tantine, affirma Abigaël. Oh! monsieur Pérez, pourriez-vous aller tirer un seau d'eau du puits pour leur toilette? Je les laverai après le dîner.

— Oui, mademoiselle, répliqua le réfugié, heureux de lui rendre service.

— Merci beaucoup. Mon oncle, si nous débouchions du cidre, ce soir? Venez me montrer une bouteille prête à déguster.

Jacques Hitier et le fermier échangèrent un coup d'œil avisé. Ils n'étaient pas dupes, Abigaël comptait leur parler. Ils la suivirent dans le cellier, tandis que Cécile racontait l'histoire du Chaperon rouge au petit Vic. Grégoire, lui, chantonnait en berçant le chat endormi sur ses genoux.

— Alors? interrogea Yvon. J'espère que tu avais une bonne raison de causer autant de soucis à ta tante! Tu aurais dû partir avec sa permission.

— Ou bien nous avertir, nous, de l'endroit où tu te rendais, gronda le professeur. Nous savons qu'Adrien n'est pas en cause, mais Marie était en droit d'imaginer que tu te conduisais en dépit du bon sens.

Exaspérée, Abigaël serra les poings. Elle les regarda tour à tour d'un œil impérieux.

— Nous avons si peu de temps, laissez-moi vous apprendre une grande nouvelle. J'ai retrouvé la clef de la maison, rue de l'Évêché. J'y suis entrée et…

— As-tu récupéré des lettres pour madame Claire? murmura son oncle, fébrile.

— Oui, je les lui porterai après-demain.

— Je t'accompagnerai, cette fois, trancha Yvon.

— C'était courir de gros risques pour du courrier, déplora Jacques Hitier.

— Mais quels risques, à la fin? s'enflamma-t-elle. Je ne suis pas recherchée et mes papiers sont en règle. Une fille de mon âge a quand même le droit de marcher dans les rues d'Angoulême.

— Pourquoi n'as-tu pas pris le vélo? s'étonna son oncle. Tu ne serais pas revenue aussi tard.

— Un pneu était dégonflé et je n'ai pas trouvé la pompe. Comme tantine n'avait pas l'intention de m'autoriser à aller en ville, je lui ai désobéi, Dieu merci! Claire sera tellement heureuse…

— Ne nous dis pas que tu as eu l'indiscrétion de lire des lettres qui lui étaient destinées! s'indigna le professeur.

— Jamais je n'aurais osé, monsieur, se défendit Abigaël. Mais ce n'est pas aux lettres que je faisais allusion. Sa cousine Bertille se cache là-bas, dans la maison des Nadaud.

— Bertille Giraud? marmonna Yvon, incrédule. En es-tu sûre? Il doit s'agir d'une autre femme qui t'a débité des boniments.

— Oh! mon oncle, je ne suis pas si sotte! C'est vraiment Bertille Giraud. Il suffit de l'écouter discuter pour ne pas se tromper. Elle disait Clairette en évoquant Claire. Elle m'a expliqué ce qui lui est arrivé depuis son arrestation en octobre 1942.

Le professeur passa une main lasse sur ses cheveux blancs coiffés en arrière, ôta ses lunettes rondes et les essuya à l'aide de son mouchoir. Il était fatigué.

— Bertille Roy…, marmonna-t-il. Ciel, je la croyais morte dans un camp, une femme si menue, si fragile! Comment a-t-elle pu s'en tirer? J'en suis très content, vraiment content.

— Vous la connaissez? murmura Abigaël.

— Disons que je l'ai croisée de temps à autre en ville, jadis, au bras de son époux, maître Giraud, brillant avocat, maire de Puymoyen par la suite, l'héritier du domaine de Ponriant. Elle était splendide, toujours d'une élégance admirable. La première fois que j'ai vu cette beauté blonde, un confrère du lycée m'a décliné son identité. Enfin, à quoi bon évoquer le passé? Pourtant, autant être franc, j'ai soixante-douze ans et je n'ai jamais oublié ce que j'ai ressenti ce jour-là.

On tambourina alors à la porte du cellier. La voix aiguë de Pélagie s'éleva, pendant qu'elle soulevait le loquet.

— Qu'est-ce que vous fichez là-dedans, tous les trois? Encore en train de comploter, je parie?

— Pas du tout, ma femme, nous grondions Abigaël, prétendit le fermier en prenant un air bourru. Ce n'était pas la peine de lui dire ses quatre vérités devant les gamins.

Pélagie approuva sans discuter. Peu après, ils se mirent à table. Jorge Pérez eut vite fait d'avaler sa soupe, épuisé par le travail qu'il fournissait afin de mériter ses repas et ceux de son fils.

— Au lit, Vic, dit-il sans prendre sa part de ragoût.

— Et sa toilette, monsieur? s'inquiéta la jeune fille.

— Il dort sur sa chaise. J'ai de quoi le laver dans le grenier. Je vous souhaite une bonne nuit à tous.

Le repas se termina rapidement. Distraite, Abigaël mangea peu elle aussi. Son esprit s'égarait des années en arrière, en ces temps bénits où Bertille jouait les princesses et où Claire, sa chère cousine, régnait par sa beauté et sa sagesse sur la maisonnée du Moulin du Loup.

Lorsqu'Abigaël monta coucher Cécile et Grégoire, sa tante dormait profondément. Elle en conçut des remords.

«La pauvre, elle a dû passer une très mauvaise journée à cause de moi! Depuis qu'Adrien est entré dans ma vie, tantine croit sans cesse que je vais agir en dépit du bon sens. Elle n'accepte pas, au fond, que je devienne adulte.»

— Ne faites pas de bruit, recommanda-t-elle.

— Mais tu nous lis une histoire? demanda Cécile très bas.

— Non, pas ce soir. Je dois descendre aider tante Pélagie à faire la vaisselle.

— Goire, vite dodo, lui, prétendit Grégoire. Fatigué, lui.

— Demain, je vous promets de ne pas vous quitter. Nous irons ramasser des pissenlits pour préparer une bonne salade et je vous lirai une histoire près du feu.

Cécile poussa un léger soupir en se pelotonnant au creux de son lit. Depuis la fin du mois de janvier, l'aménagement de la grande chambre avait changé. Marie et sa nièce disposaient du lit à deux places, mais Yvon s'était procuré chez un voisin un lit pliant en fer pour la fillette, qui couchait souvent à la ferme. Quant à Grégoire, il avait eu droit à un divan près de la fenêtre.

«J'aimerais bien avoir un endroit à moi, songea Abigaël, une fois sur le palier, une pièce même minuscule.»

Elle soupira, honteuse de son souhait. Les Mousnier leur avaient offert un toit et des repas, alors qu'elles n'avaient plus ni maison ni argent, sa tante et elle.

Pélagie la trouva immobile en haut de l'escalier. Les fermiers occupaient la chambre contiguë à la leur.

— Bonne nuit, lui dit la jeune fille.

— Eh, je ne me couche pas tout de suite, je vais voir mon fils. Nous faisons une partie de cartes, le soir. Ça le distrait. Je n'ai pas débarrassé la table. Tu t'en chargeras. De la vaisselle, aussi.

— Oui, ne vous inquiétez pas.

— Pardi, tu n'as rien fichu aujourd'hui! Je me suis dit que c'est normal que tu rendes un peu service.

— Tout à fait, tante Pélagie, vous avez raison.

Elle salua d'un signe de tête, soulagée de retrouver son oncle et le professeur, assis tous deux près de la cheminée. La mine songeuse, les deux hommes fumaient la pipe. Ils ne lui adressèrent pas tout de suite la parole. Elle se mit au travail, elle aussi perdue dans ses pensées.

Le bruit de la vaisselle manipulée, lavée et rincée ponctuait le silence. Enfin, Yvon l'appela.

— Viens donc là, avec nous!

— Je n'ai pas terminé, mon oncle. Je dois tout essuyer.

Il se retourna et considéra les assiettes à l'envers sur l'évier et les verres alignés.

— Bah, ça séchera! Nous avons à discuter.

Elle attira un tabouret entre leurs chaises et s'installa, les joues roses, le regard brillant d'un bonheur évident. Jacques Hitier se dit qu'elle était vraiment jolie. Yvon eut le cœur serré, car il croyait revoir Pascaline, sa belle-sœur.

— Il faut vite remettre son courrier à madame Claire, déclara-t-il d'une voix tendue. Je tiens à t'accompagner pour apporter au château des poules pondeuses, du grain et un jambon que j'avais caché dans le plancher à foin. Seulement, il n'y a plus qu'un vélo, ici. Demain j'irai demander sa calèche à un de nos voisins. Il me l'a déjà prêtée. En échange, je le fournis en lait et en betteraves. Nous serons plus rapides.

— Merci, mon oncle. J'ai tellement hâte d'annoncer la bonne nouvelle à Claire, pour sa cousine!

— Ne pourrais-tu pas l'appeler madame Claire, Abigaël, s'insurgea Jacques Hitier. Ce n'est pas une jeune personne de tes amies. Excuse-moi, chère petite, mais cela me choque un peu.

— Je suis désolée, monsieur. Je me sens si proche d'elle!

— Tu lui dois le respect, insista le professeur. Passons... Un problème se pose. Comment ces deux dames pourraient-elles se rencontrer, et où? Que vont-elles décider de faire?

— Monsieur Hitier, tout dépendra du contenu des lettres. Madame Bertille me les a remises sans prendre le temps de m'en informer. Elle m'a seulement dit, au moment où je prenais congé, qu'ils étaient tous en bonne santé: Matthieu Roy, son épouse Faustine, leurs trois enfants et Ludivine, la fille de Claire.

— Est-ce qu'ils sont revenus en France? s'alarma Yvon.

— Je vous le répète, je l'ignore, mon oncle. Cependant, je pense qu'il serait urgent de procurer de faux papiers à Claire, suggéra-t-elle tout bas. Madame Bertille affirme avoir beaucoup d'argent, grâce à sa fille Clara qui avait transféré des capitaux à Paris, chez un notaire. Je suis sûre qu'elles voudront vite s'en aller, en Angleterre ou en Suisse.

— Si tu nous racontais tout en détail! proposa soudain son oncle. Prof, une petite goutte de gnole?

— D'accord, ça me requinquera. Cette affaire me sidère.

—

Abigaël se tut. Elle avait narré son expédition par le détail, mais sans révéler qu'elle avait emprunté le souterrain, certaine qu'elle aurait été durement réprimandée si elle l'avait fait. Elle avait prétendu être montée à pied jusqu'au quartier de la Bussatte, par la rue de la Tourgarnier. De toute évidence, son oncle et le professeur étaient surtout intéressés par l'attitude de Bertille.

— Bon sang, combien de semaines encore comptait-elle rester enfermée dans la maison des Nadaud? s'étonna le fermier. Si elle se doutait que le prêtre ne reviendrait pas, elle n'avait qu'à sortir par une fenêtre.

— Je suis de cet avis, renchérit Jacques Hitier. Une dame de sa condition, fortunée de surcroît, pouvait prendre une chambre dans un hôtel de la ville. Elle n'est pas recherchée. Sa fille l'a aidée à sortir du camp de Drancy en toute légalité, d'après ton récit.

— Un sacré tour de force, concéda Yvon. Ça ne doit pas être fréquent, d'échapper à la déportation.

— Clara Giraud avait sollicité le secours d'un personnage haut placé. Il n'y a rien là d'aberrant. Mais ce n'est pas le plus important, mon oncle. Moi aussi, je me suis posé beaucoup de questions pendant le trajet du retour. Madame Bertille est dans un état de faiblesse nerveuse très grave, je vous l'assure. Comme je vous l'ai dit, elle n'avait plus envie de vivre. Même si le domicile des Nadaud regorge de provisions, j'ai la conviction qu'elle ne s'est guère alimentée. En fait, en se contentant d'une vie de recluse, elle voulait s'imposer un sort pénible, comme ceux qu'elle aime et qui ont disparu. Le pire, pour elle, c'était de croire que sa cousine adorée avait été tuée.

Le professeur Hitier approuva, non sans se montrer surpris. La jeune fille venait de proposer une solution qui dénotait une fine analyse de l'âme humaine confrontée au deuil.

— Je n'aurais pas dû la laisser seule, ajouta Abigaël. C'était pénible pour moi de rentrer sagement à la ferme. Si j'avais eu un moyen de vous prévenir, je serais restée au chevet de Bertille... pardon, de madame Bertille Giraud.

Sa façon d'appuyer sur les trois derniers mots frisait l'insolence. Yvon fronça les sourcils, mais le vieux professeur esquissa un sourire.

— Sous tes allures angéliques, chère petite, il me semble que tu dissimules une nature rebelle.

— Je voudrais être traitée en adulte, plaida-t-elle.

— Tu le mérites, car tu fais preuve d'une grande maturité, convint Hitier. Bien, à présent, procédons par ordre. Samedi, ton oncle et toi irez à Torsac. Inutile de vous recommander la prudence et la vigilance. Selon ce que vous dira madame Claire, nous aviserons au sujet de sa cousine. Tu lui as laissé la clef de la maison. Elle agira à sa guise, malgré ses nerfs malades et sa fatigue.

— Sans doute! J'espère qu'elle se reposera, comme je le lui ai conseillé. N'oubliez pas que je lui ai promis de revenir dimanche pour lui donner un message de Claire.

De plus en plus las, le professeur se leva. Il mit sa veste et son chapeau.

— Autre chose, demoiselle, lança-t-il d'un air triste. Tu sais que nous avons rendu visite à la sœur de Pélagie, aujourd'hui, pendant que tu menais la mission que tu t'étais fixée.

— Oui, et Flavie est formelle, ajouta Yvon, Patrick est parti de chez elle il y a trois semaines seulement. Je suis certain qu'il n'a pas eu l'occasion de commettre un acte criminel, étant une nouvelle recrue de la milice.

— Pourtant, il était sur les lieux de l'exécution, dimanche, murmura Abigaël.

— Il ne l'a pas nié, mais le fait d'être témoin d'une scène aussi atroce l'a rendu malade. Nous l'avons ramené ici avant qu'il ne soit trop tard, malgré ce qu'il a prétendu lundi matin, quand nous lui avons parlé place du Champ de foire.

— Qu'a-t-il dit, mon oncle?

— Il disait avoir du sang sur les mains, mais si tu l'avais vu! Il était pâle, agité, affolé.

— Garde-le enfermé comme prévu, Yvon, préconisa Hitier. Ton fils doit prouver sa bonne foi et accepter la punition que tu lui imposes. Sur ce, je rentre chez moi. J'ai grand besoin de repos.

Abigaël raccompagna le professeur jusqu'à la porte principale. Dans la pénombre du vestibule, il lui tapota l'épaule:

— Bravo, petite! Il y a des désobéissances qui ont du bon.

— Merci. Vous seriez gentil de le faire comprendre à ma tante. Elle a confiance en vous, monsieur Hitier.

— Tu me donnes une idée. Je l'invite à déjeuner, demain. Ça la détendra. Tu le lui diras.

— C'est promis, comptez sur moi, professeur.

Chez le professeur Hitier, le lendemain, vendredi 10 mars 1944

Marie Monteil avait accepté l'invitation de Jacques Hitier, mais sans manifester d'enthousiasme. Jusqu'à midi, elle s'était montrée froide et distante à l'égard d'Abigaël, lui adressant à peine la parole.

Lorsqu'elle entra chez le professeur, elle n'avait pas quitté son air soucieux, ce qu'il nota aussitôt.

— J'espère que vous n'êtes pas venue à contrecœur, Marie? lui demanda-t-il.

— Non, j'ai vu là une bonne occasion de discuter franchement avec vous. Il s'agit de ma nièce, comme vous vous en doutez.

— Eh bien, ce sera un agréable sujet de conversation, car Abigaël est vraiment une admirable jeune personne dont vous pouvez être fière.

Désemparée devant cette entrée en matière, Marie ôta sa veste en laine et prit place sur la chaise que lui présentait son hôte. Elle considéra la table où le couvert était mis.

— Vous vous êtes donné trop de mal, soupira-t-elle. Je n'ai guère d'appétit, ces temps-ci. Et, pour être franche, il nous faudra éviter, à l'avenir, de déjeuner ensemble, seuls. Quand j'ai quitté, Pélagie affichait un sourire moqueur dont je me serais bien passé.

Jacques Hitier souleva le couvercle d'une petite marmite et brassa son contenu à l'aide d'une louche. Il répondit enfin:

— Cette pauvre femme ignore nos activités. Elle croit encore à ce qu'on lui raconte. Pour elle, Adrien et Cécile sont mon petit-neveu et ma petite-nièce, alors que son fils Patrick jouait les voyous en ville. Évidemment, si je vous convie à un repas en tête-à-tête, elle s'imagine qu'il y a anguille sous roche entre nous. Cela ne saurait être le cas, n'est-ce pas?

Très gênée, Marie se servit un verre d'eau. Elle se détourna, vaguement déçue, car, depuis Noël, elle éprouvait des sensations et des émotions nouvelles chaque fois que le professeur Hitier venait à la ferme.

— Bien sûr, admit-elle néanmoins sans broncher.

— Un peu de vin, chère amie! proposa-t-il.

— Surtout pas! J'en bois rarement, et jamais à cette heure-ci.

— Marie, en dehors de nos soucis et de la conjoncture actuelle si difficile, je tiens à vous dire que je suis content de passer un moment avec vous, avoua Jacques en s'asseyant en face de son invitée.

Il coupa deux tranches de pain et lui tendit un pot de pâté. Elle refusa d'un non presque inaudible.

— Allons, protesta-t-il en souriant, c'est le dernier cadeau de ma sœur. Il est fameux. Rien ne nous empêche de faire un repas correct, du moins le temps de déguster ce pâté, car, dans la marmite, il n'y a que des pommes de terre et des carottes.

Marie se décida à le regarder bien en face. Il soutint l'examen, sans baisser ses yeux d'un bleu pâle derrière ses lunettes. Elle constata qu'il avait coiffé avec soin ses cheveux blancs, encore abondants et qui frôlaient sa nuque.

— J'ai confiance en vous, Jacques, et, si je n'avais pas un poids sur le cœur à cause de ma nièce, je serais heureuse de dîner avec vous, admit-elle. Règle générale, les hommes m'intimident, quand ils ne m'effraient pas. Autant vous le dire, Yvon m'a quasiment terrorisée, le jour où il est venu nous chercher à Soyaux, Abigaël et moi. Il m'a fait l'effet d'un rustre, d'un grossier personnage aussi hargneux que son épouse. J'étais loin de soupçonner son statut de résistant et sa générosité.

— Il croyait bien faire. De plus, je pense qu'il était troublé de vous revoir toutes les deux après tant d'années. Marie, soyez rassurée à propos d'Abigaël. Je n'ai pas de raison de vous cacher la vérité. Hier, votre nièce n'a pas couru retrouver Adrien, elle était obsédée par l'idée de réussir la mission qu'elle s'était fixée, entrer chez les Nadaud, rue de l'Évêché, afin de récupérer des lettres adressées à Claire Dumont.

— Vraiment?

— Pour Abigaël, c'était plus important que tous les garçons du monde. Je la sentais prête à braver les interdits dans ce seul but. Et figurez-vous qu'elle a fait mieux. J'en suis encore sidéré.

Rassérénée, Marie se décida à goûter le morceau de pâté que le professeur avait mis discrètement dans son assiette.

— Je vous écoute, Jacques.

— Elle a retrouvé la cousine de Claire, Bertille Giraud, qui se terrait dans la maison. Il paraît qu'elle ressemblait à un fantôme, très maigre, le teint blafard, à bout de résistance nerveuse, peut-être même déterminée à se laisser mourir parce qu'elle croyait Claire morte. Ces deux femmes d'exception étaient comme deux sœurs... enfin, on me les a dépeintes ainsi. Elles étaient très liées, même inséparables, en dépit de certains désaccords.

Marie Monteil approuva en silence, légèrement agacée par les mots «femmes d'exception». Elle n'avait jamais connu l'aiguillon de la jalousie et elle fut surprise d'en ressentir soudain l'acuité.

— Pourquoi Abigaël ne m'a-t-elle pas dit tout de suite où elle était allée?

— Si vous n'étiez pas montée dans votre chambre, vous l'auriez su en temps voulu. Il était hors de question d'en parler devant Pélagie. Nous devons sans cesse faire des apartés, vous l'avez sûrement remarqué, et cette situation devient fort pénible. Je l'ai signifié à Yvon. Il vaudrait mieux que son épouse soit au courant de tout.

— De tout? s'étonna Marie. Mais la malheureuse a déjà été molestée par les miliciens. Elle pourrait vous trahir, si l'on s'en prend de nouveau à elle.

Le professeur Hitier but une gorgée de vin. Les traits crispés, très grave, il déclara tout bas:

— Ma chère Marie, si la famille Mousnier, moi-même, Abigaël et vous devenions suspects aux yeux de la milice et surtout de leur capitaine, Dubreuil, les jeux seraient faits. Nous aurions beau protester et nier, ils nous remettraient à la Gestapo et, là, n'importe quelle femme avouerait n'importe quoi. Que Dieu nous garde! Je refuse de songer une seconde à une telle perspective. Mais nous avons pris certaines précautions, Yvon et moi.

Marie se sentit glacée. La gorge nouée, elle imagina Abigaël livrée à des barbares, à des brutes sans pitié.

— Seigneur, est-ce qu'il y a un danger de ce genre, Jacques? Si vous êtes démasqué et reconnu comme résistant, nous en paierons tous le prix! s'écria-t-elle. Je vous en supplie, arrêtez, pensez à nous, à Cécile, aux enfants, à ma nièce! Sinon, nous partirons, Abigaël et moi. Vous prenez tous des risques insensés pour une cause que je juge perdue.

Elle avait envie de pleurer, mais se dominait. Le professeur se leva et rapporta la marmite.

— J'ai un allié près d'ici, quelqu'un de sûr. À la moindre alarme, il m'avertira par un signal convenu entre nous. Aussitôt, nous vous mettrons à l'abri. Abigaël n'est plus une fillette, mais une adulte. Elle aura assez de sang-froid pour vous conduire dans le souterrain, Pélagie, les enfants et vous. Cela dit, à quoi bon trembler, tant que tout se passe bien? Je vous en prie, faites honneur à mon ragoût de légumes assaisonné au thym et au laurier.

— Une minuscule portion. Je ne suis pas sûre d'avaler une bouchée, après notre discussion.

Malgré ses appréhensions, Marie termina sa part. Elle accepta finalement un peu de vin, ce qui apaisa ses nerfs tourmentés. Comme Jacques Hitier se taisait, elle étudia d'un œil curieux l'agencement de la maison.

— Il était question que nous logions ici à cause du retour de Patrick, commenta-t-elle soudain. Nous aurions été à l'étroit. Hélas, je crains que nous finissions par vous envahir, Abigaël, Cécile et moi-même. De savoir ce vaurien près de ma nièce me rend malade.

— Tant qu'il est enfermé à double tour, il est inoffensif, affirma le professeur.

— Dieu merci, soupira Marie en se signant.

Ferme des Mousnier, même jour, une heure plus tard

Un tablier noué à la taille, Abigaël essuyait la vaisselle. Pélagie raccommodait des chaussettes, assise près d'une fenêtre d'où filtrait un franc soleil à travers les rideaux en dentelle. Yvon et Jorge Pérez hersaient la plus grande parcelle de la ferme, où ils sèmeraient de l'orge.

Grégoire, Cécile et le petit Vic jouaient devant la maison avec des balles en baudruche colorée que la fermière avait dénichées dans une caisse du grenier.

— Ils sont sages, les gosses, nota la fermière en levant le nez de son ouvrage.

— Je leur ai promis une balade sur le chemin avant l'heure du goûter, expliqua Abigaël. En plus, j'ai pu faire de la pâte à crêpes et ils le savent.

— Sans mon accord? s'indigna Pélagie. Tu sais les œufs, le lait et la farine que ça gaspille, quand même?

— J'ai coupé le lait d'eau, et je n'ai pris que deux œufs et un bol de farine.

— Dans ce cas, il n'y en aura pas pour tout le monde. J'aurais pu en porter à Patrick. Pauvre gamin, cloîtré par ce beau temps! Son père exagère. Tous les gars de la terre font des sottises, une fois en ville, s'ils ont de mauvaises fréquentations.

Furieuse, la jeune fille serra les dents. Pélagie semblait avoir oublié la tentative de viol dont elle avait été victime de la part de son cousin par alliance. Elle retint un mouvement de colère, mais rangea les assiettes de façon un peu brutale.

— Casse quelque chose, en plus, ça sera un comble! ronchonna la maîtresse des lieux.

— Tante Pélagie, ne me rendez pas responsable de la situation de votre fils. Malgré tout le respect que je vous dois, je dirais que vous avez la mémoire courte. Patrick a tenté de tuer le loup de madame Claire et, moi, il m'a… il m'a traitée comme…

Sa voix se brisa. Elle renonça à poursuivre. Chaque fois qu'elle évoquait la conduite odieuse de Patrick, dans une ancienne étable aménagée au creux de la falaise, le souffle lui manquait. Elle en tremblait.

— Sans Adrien, je serais déshonorée, parvint-elle à ajouter au prix d'un effort surhumain.

— C'est ce que tu as dit, mais on n'a pas de preuves, trancha Pélagie. Patrick t'a bousculée, ça, d'accord, il t'a cherché querelle, mais jamais il n'aurait osé faire ce que tu prétends.

Révoltée, Abigaël se rua à l'étage pour se changer. Elle retenait ses larmes. «Je vais emmener les enfants en promenade immédiatement, se disait-elle. Nous irons dans les bois, au bord du ruisseau, le plus loin possible de la ferme. J'ai besoin de respirer à mon aise, j'ai besoin d'air pur, d'espace, loin d'ici, ça oui!»

Elle enfila un gros gilet en tricot que lui avait donné son oncle et le pantalon qu'elle réservait aux marches à travers champs.

Alors qu'elle nouait un foulard autour de son cou, un bruit insolite l'intrigua. Impossible de s'y méprendre, il s'agissait de sanglots convulsifs. «Qui pleure aussi fort?» se demanda-t-elle. Mais, d'emblée, une seule réponse s'imposa à son esprit; l'unique personne présente à l'étage, c'était son cousin. Elle sortit sur le palier et colla son oreille à la porte de sa chambre, ce qui lui permit de distinguer des bribes de phrases.

— Je voulais pas, moi, j'aurais pas dû… Aidez-moi, mon Dieu! Si vous existez, faut m'aider.

Abigaël demeura interdite, touchée contre son gré par le désespoir qu'exprimait la voix hachée de Patrick. Elle crut entendre résonner dans son esprit des mots familiers, qui évoquaient le pardon des offenses. Sa main se posa sur la poignée de la porte. La clef était accrochée à un clou à mi-hauteur du chambranle. À la simple idée d'ouvrir et d'entrer, son cœur s'affola; pourtant, une force mystérieuse l'y poussait.

«Seigneur, si c'est une épreuve, je l'accepte en témoignage de ma gratitude pour les dons que vous m'avez accordés», murmura-t-elle.

Au moment de tourner la clef dans la serrure, cependant, elle songea à Pélagie. Si la fermière décidait de monter voir son fils, quelle conclusion tirerait-elle en trouvant Abigaël en sa compagnie? Mais, au même instant, elle perçut les crissements de ses sabots sur les graviers de la cour, ponctués par des rires d'enfants. «Ah! elle doit porter le seau de déchets aux cochons!» se dit-elle sans plus hésiter.

Patrick était assis au bord du lit. Les contrevents étant barrés et bien clos, une petite lampe restait allumée. Il eut un regard halluciné en reconnaissant Abigaël.

— Qu'est-ce que tu fiches là? gronda-t-il. Personne n'a le droit de venir, sauf les parents.

— Tu pleurais et j'ai eu pitié, déclara-t-elle sans l'approcher.

— J'en veux pas, de ta pitié. Va-t'en!

— Pourquoi as-tu noué deux cravates ensemble? interrogea-t-elle. Patrick, tu souffres, je le sais, je t'ai écouté parler. Mais il ne faut pas essayer de mourir.

— C'est n'importe quoi! Je m'occupais les doigts, balbutia-t-il d'un ton mal assuré. Fiche le camp! Tout est ta faute, en plus!

Abigaël respira profondément. Elle put dominer la répulsion que lui inspirait son cousin et s'asseoir en face de lui sur un tabouret.

— Tu sais bien que non. Ne m'accuse pas parce que tu as honte de tout ce que tu as fait. Patrick, si tu implores ton père de t'emmener à l'église et que tu te confesses, tu seras peut-être en paix et tu pourras changer de comportement.

Il la dévisagea d'un œil incrédule. La clarté jaune de la veilleuse sculptait ses traits rudes et accentuait la grimace de sa bouche.

— Tu ne piges rien! J'serai plus jamais en paix. J'ai du sang sur les mains, je leur ai dit, à papa et au prof. Ils m'ont ramené quand même. Valait mieux que je reste dans la milice.

— Au milieu de ces assassins, de ces traîtres à leur patrie? s'enflamma-t-elle.

— Bah, je ne vaux pas mieux, avoua-t-il, tête basse, comme fasciné par la longueur des deux cravates liées l'une à l'autre. J'ai que du mauvais en moi. Ça servirait à rien de me confesser.

— Si tu es capable de repentir, je crois que ce serait utile. Patrick, je t'ai vu dimanche dernier, entre Puymoyen et Dirac, dans le pré où un couple a été abattu par des miliciens. Je t'ai vu à l'arrière du fourgon bâché…

Il la fixa, terrifié, et se pencha en avant, bouche bée.

— Tu ne m'as pas vu en vrai, dit-il enfin. Ils sont venus te voir, lui et elle, une fois morts? C'est ça? L'homme t'a raconté que j'ai tiré, mais que je l'ai juste blessé, que le capitaine l'a achevé? Il n'y avait personne, là-bas. Ce sont eux, j'en suis sûr. Je ne peux pas éteindre la lumière, ils sont là tout le temps. Ils veulent se venger et ils me font peur. Dès que je dors, je les vois, elle surtout, quand...

Il perdit soudain patience et se leva, haletant.

— Sors d'ici et referme à clef. T'auras qu'à prier pour moi, hein, quand ce sera fini. Maman aura du chagrin, mais c'est tant pis! Je préfère qu'elle pleure un pendu qu'un assassin.

Prise de panique, Abigaël attrapa son cousin par le bras.

— Je t'en conjure, ne fais pas ça! De toute façon, tu ne peux pas, je suis là. Je t'en empêcherai. Patrick, c'est le poids de ton crime qui te rend fou. Je t'assure qu'il n'y a aucune âme errante ici, pas plus dans cette chambre que dans la maison. Tu n'es pas tout à fait responsable. Je suppose que ton capitaine a exigé que tu montres ta bonne volonté?

— Il m'a ordonné de tirer sur la femme. J'pouvais pas, elle me quittait pas des yeux. Alors, j'ai visé l'homme. Il saignait tant! Il se tordait sur l'herbe, c'était affreux!

Il éclata en gros sanglots spasmodiques. Abigaël le lâcha.

— Pourquoi j'ai le vice dans la peau, dis? marmonna-t-il. Si tu savais ce que je lui ai fait, à la femme, le matin... Papa me tuerait s'il l'apprenait.

Révulsée, Abigaël détourna la tête. Elle ignorait comment apaiser les remords, la honte brûlante qui rongeait Patrick. Surtout elle doutait du bien-fondé d'un pareil secours.

— Je te conseille de dire la vérité à ton père. Il trouvera peut-être un moyen de t'aider. Quant au suicide, c'est un acte de lâcheté, une fuite inutile. Tes fautes te poursuivront même après ta mort.

Elle sortit sans rien ajouter et referma à double tour. Pélagie arrivait sur le palier au même moment.

— Quoi? grogna-t-elle. Tu es entrée chez Patrick? Ne va pas te plaindre, après ça, s'il t'a fait des avances.

— Ma pauvre Pélagie, rétorqua-t-elle, votre fils n'était pas en état de jouer les séducteurs. Il sanglotait et j'ai eu pitié. Restez avec lui, je vous le conseille. Il avait en tête de se supprimer.

— Mon Dieu, qu'est-ce que tu inventes, encore?

— Je n'invente rien. Ne le quittez pas, je cours prévenir mon oncle.

Abigaël retrouva les trois enfants sur la bande de ciment qui courait le long de la maison. Ils étaient assis au soleil. Cécile leur chantait la comptine de la souris verte.

Je la montre à ces messieurs, ces messieurs me disent...

La fillette se tut et leva le nez vers elle. Grégoire grimaça, déçu, car il attendait la fin de la chansonnette.

— Encore, Cécile, gémit-il.

— Nous la chanterons tous ensemble pendant la balade, le rassura Abigaël. Venez, nous allons cueillir des pissenlits, ça fera une excellente salade, avec du pain frotté d'ail.

Les aveux de Patrick pesaient sur son cœur. Elle se sentait accablée et maussade, mais elle n'en montra rien à ses protégés. Bientôt, ils avançaient tous les quatre sur le large chemin qui menait à Dirac, à travers des champs labourés bordés de taillis d'aubépine et de sureaux. Les mésanges s'en donnaient à cœur joie parmi le fouillis verdoyant des haies. C'était un plaisir d'admirer leur plumage d'un bleu pur panaché de noir brillant qui se faisait jaune vif sur leur minuscule crâne.

— La campagne se prépare pour le printemps, dit-elle d'un ton rêveur. Regardez! Des violettes, là, au bord du talus.

Grégoire serrait fort la main d'Abigaël en riant tout bas. En même temps, il observait le petit Vicente qui, lui, faisait grise mine.

— Toujours pas content, Vic, bredouilla-t-il.

— Il est triste et il ne veut pas nous parler, expliqua Cécile. Monsieur Pérez dit qu'il pleure sa maman, la nuit. Je lui ai dit que, moi aussi, je n'ai plus de maman, mais il n'a pas compris, je crois.

— Je pense qu'il a compris. Seulement, ça ne le console pas, ma gentille Cécile, soupira Abigaël. Il faut être très patient avec lui.

Ils arrivèrent enfin près de la parcelle où travaillaient Yvon et le réfugié espagnol. Dès qu'il aperçut sa nièce, le fermier lui adressa un signe en soulevant sa casquette. Elle l'entendit ordonner au cheval de s'arrêter.

— Rien de grave? s'écria-t-il.

— Tante Pélagie a besoin de vous, mon oncle, répondit-elle en mettant ses mains en porte-voix.

— Pourquoi donc? répliqua-t-il en haussant le ton.

Abigaël recommanda aux trois enfants de ne pas bouger. Elle s'avança sur la jachère jusqu'à la limite de la terre labourée. Yvon la rejoignit en pestant d'avoir été dérangé. Il ravala ses jurons devant la mine soucieuse de la jeune fille.

— Allons bon, qu'est-ce qui se passe, encore?

— Vous devriez aller voir Patrick tout de suite et l'obliger à se confier à vous. Je ne vous dirai rien de plus. Je l'ai empêché de commettre un geste fatal.

Elle lui raconta tout bas ce dont elle avait été témoin.

— Tu sais autre chose, petite! insista-t-il.

— Oui, mais c'est à Patrick de vous en parler, je me refuse à vous le dire. Je vous en prie, mon oncle, restez calme. Ne lui faites pas de mal.

— Boudiou, tu prends sa défense, à présent?

— Non, pas du tout. Je pense juste que la violence appelle la violence et que ce ne sera pas une solution de le brutaliser.

Anxieux, Yvon se gratta la barbe. Il approuva néanmoins, puis courut jusqu'à l'attelage. Après une brève discussion avec Jorge Pérez, il se dirigea vers la maison en coupant à travers champs.

Ferme des Mousnier, le soir

Le dîner avait été morose, personne ne songeant à bavarder ni à commenter les plats servis. La salade de pissenlits terminée, Abigaël avait posé sur la table les crêpes qui restaient du goûter. Elle avait tenu parole et les enfants s'étaient régalés. Marie Monteil, qui était rentrée de chez le professeur en milieu d'après-midi, l'avait félicitée pour son initiative, tout en l'embrassant affectueusement.

— Je sais ce que tu as fait, hier, ma chérie, et pourquoi tu ne m'as rien dit à ton retour, avait-elle chuchoté à son oreille. Pardonne-moi. Désormais, je ne t'accuserai plus sans preuve.

Encline à l'indulgence, Abigaël avait souri en rendant son baiser à la femme qui l'avait élevée et qu'elle considérait comme sa mère. Si elles étaient à nouveau réconciliées, il n'en allait pas de même des Mousnier. Ils s'étaient chargés de traire les vaches et l'écho d'une vive querelle avait atteint la grande cuisine où la soupe mijotait.

Jorge Pérez avait fini seul de herser la parcelle. Fatigué, son fils sur les genoux, il s'était refermé sur lui-même, ne voulant rien entendre des éclats de voix qui retentissaient dans l'étable.

Marie avait réconforté Cécile et Grégoire. Elle s'apprêtait à monter les coucher.

— Bonne nuit, dit-elle doucement. Je ne redescendrai pas. Jacques Hitier m'a prêté un roman. Je vais lire.

— Bonne nuit, tantine, murmura Abigaël.

L'air renfrogné, Yvon grommela une vague politesse. Pélagie avait le bout du nez et les paupières rougis, tant elle avait pleuré. Au bout d'un moment à triturer son mouchoir, elle se leva et débarrassa la table.

— Patrick fichera le camp demain, déclara soudain le fermier. Je ne veux pas d'un assassin sous mon toit. On peut causer devant ma femme, à présent, je lui ai tout raconté.

— Tout, mon oncle, vraiment tout? s'étonna Abigaël.

— Ouais, gronda-t-il. Si c'est pas une honte! Il a obéi à Dubreuil, il a tiré sur un malheureux devant sa compagne.

Un sanglot étouffé secoua la malheureuse Pélagie, qui vidait de l'eau chaude dans une cuvette.

— J'étais obligé, déclara Yvon. Il fallait qu'elle comprenne.

— J'ai compris, marmonna son épouse. Ah! ça oui, j'ai compris qu'on va tous finir comme ces gens, sur la colline, abattus comme des chiens, même la gamine. Vous faites les malins, le vieux professeur et toi, mais, les Boches, y sont encore plus malins. La Gestapo, la milice, ils vont nous tomber dessus.

Le regard dilaté par la terreur, elle tremblait de tout son corps en parlant.

— Peut-être que, Patrick, il voyait juste, lui, en s'engageant chez les miliciens et, même s'il a tiré sur cet homme, ça devait être un de ces terroristes qui font tout sauter. Après, les Allemands, ils font des représailles sur les innocents, hein! Ils emmènent des otages et ils les fusillent.

Yvon bondit de sa chaise et marcha droit sur Pélagie. Il plaqua la paume de sa main droite en travers de son visage convulsé par la peur et la fureur.

— Tais-toi! Plus un mot, ou je te fiche dehors demain matin! Tu suivras ton fils, puisque tu l'aimes encore malgré ce qu'il a fait. Sûrement, tu le verras à l'œuvre s'il rendosse l'uniforme de ces saligauds de miliciens.

— Eh bien, tant mieux! s'égosilla alors la fermière. Oui, je m'en irai, si tu chasses Patrick! Je ne l'abandonnerai pas! Tiens, on s'en va même ce soir!

Réfugiée près de l'évier, Abigaël observait les époux, muette. Elle percevait la tension extrême qui les opposait sans juger ni l'un ni l'autre. Pélagie réagissait en mère, prête à tout pardonner à son enfant; Yvon luttait pour ses idées de justice et de loyauté à sa patrie. La jeune fille était certaine qu'il souffrait, lui aussi, au fond de son cœur de père. Mais elle avait également compris une chose, Patrick n'avait pas avoué les sévices qu'il disait avoir fait subir à la femme avant son exécution.

«Est-ce qu'il l'a torturée... ou violée, se demanda-t-elle. Il en est capable, hélas!»

Les joues cramoisies et les yeux brillants de détermination, Pélagie sortit de la cuisine en claquant la porte. Elle grimpa l'escalier d'un pas bruyant.

— Mais où veut-elle aller, mon oncle? osa demander Abigaël.

— Qu'elle aille au diable! Le traître, l'assassin que j'ai conçu également!

Il tapa sur la table et se servit un verre de vin qu'il but d'un trait.

— Votre femme vous manquera. Empêchez-la de partir, dit-elle d'une voix douce. Quant à Patrick, il y aurait une solution...

— Laquelle? S'il reste ici, je ne réponds plus de moi, car j'ai envie de lui tordre le cou! Tu prends sa défense, à lui qui a failli te déshonorer, qui t'a brutalisée?

— Je suis les enseignements du Christ, mon oncle. Je pense de plus qu'en rejetant votre fils, vous le condamnez à un sort terrible. Soit il mettra fin à ses jours, soit il retournera sous les ordres du capitaine Dubreuil qui le rendra fou et qui sera trop heureux d'en faire un monstre de cruauté. Son âme n'aura plus la moindre chance d'être sauvée.

Impressionné, Yvon dévisagea Abigaël. Elle resplendissait sous la clarté jaune du plafonnier. Ses cheveux châtain blond étaient répandus en souples ondulations sur ses épaules, alors que ses yeux très bleus exprimaient une vive compassion, une infinie tendresse.

— Que tu es jolie et généreuse! soupira-t-il. Aide-moi, petite, j'ai besoin de tes conseils.

— Déjà, il faut retenir votre épouse, il ne reste que deux heures avant le couvre-feu. Oh! dans la vallée, les patrouilles ne passent pas souvent, mais ce serait imprudent de la laisser partir. Montez discuter avec votre fils. Il a été poussé au crime et il a sincèrement horreur de lui-même. Le mieux est de le garder prisonnier. N'oubliez pas, mon oncle, que nous devons aller à Torsac demain matin annoncer à Claire que sa cousine est vivante. Ensuite, il faudra trouver un moyen de les réunir et de les aider à quitter la France. Vous n'aurez pas l'esprit tranquille si Patrick est libre, perdu, en proie au remords.

Elle se tut, haletante, sans se rendre compte à quel point elle avait mis de conviction dans ses paroles.

— Je vous accompagne, si vous le souhaitez...

— Oui, viens. Tu m'as évité de me conduire en imbécile, admit le fermier en lui caressant la joue. Demain matin, tu iras chercher le professeur. Je préfère qu'il soit là pendant notre absence.

— Vous avez raison. Ainsi, il pourra parler à Patrick, qui l'aime beaucoup.

Ils échangèrent un sourire, même s'ils ressentaient la même tristesse, profonde et poignante.

Ferme des Mousnier, le lendemain matin, samedi 11 mars 1944

À peine réveillée, Abigaël céda à un frémissement joyeux. Avant la fin de la matinée, elle se retrouverait à Torsac et elle reverrait Claire, sa belle dame brune. Allongée à ses côtés, Marie s'étira en réprimant un bâillement.

— Il est tôt encore, lui dit-elle. Je ne vois pas le jour à travers les fentes des contrevents.

— Il est six heures, tantine. Repose-toi. Moi, je vais aller aider mon oncle à la traite.

— Tu es gentille. Tant que les enfants dorment, je reste au lit. Sais-tu que Jacques Hitier t'admire beaucoup? J'étais très en colère, hier, en arrivant chez lui, mais il a su me raisonner.

La jeune fille esquissa un sourire attendri. Les intonations de sa tante trahissaient un vif intérêt à l'égard du professeur, malgré leurs vingt ans de différence.

— J'espère que monsieur Hitier saura aussi remettre en place les idées de Patrick. Il restera ici, pendant que nous serons au château. Mon cousin va mal.

— Ne l'appelle pas ton cousin, je t'en prie.

— Peu importe, je considère Yvon comme mon oncle. Ses enfants sont donc de ma famille par le cœur.

— Pas cette brute, pas ce voyou, Abigaël!

— Je t'expliquerai une autre fois pourquoi j'ai eu pitié de lui. Ne t'inquiète pas, il a changé. En plus, il va demeurer enfermé dans sa chambre environ deux semaines. Ensuite, il ira séjourner à l'abbaye Notre-Dame de Sablonceaux[4].

— C'est ton idée, car je doute qu'Yvon connaisse l'existence de maman Paule…

— Ce sera salutaire pour lui, j'en ai la certitude. Il doit ouvrir son cœur et se dévouer. Il n'y a rien de mieux qu'un orphelinat, pour ça. Nous en discuterons plus tard.

Sur ces mots, Abigaël fit un brin de toilette et s'habilla sans allumer la lampe. Une fois prête, elle descendit l'escalier et se dépêcha de faire du café. Elle était dans un état d'impatience presque fébrile, si bien qu'elle s'empressait aux tâches ménagères habituelles afin de gagner du temps. «Si tout est prêt, nous partirons plus tôt», se disait-elle, en tablier, les cheveux attachés sur la nuque.

Le fermier la trouva assise devant un bol de chicorée. Il lui adressa un signe de tête amical.

— Eh bien, le calme est rétabli, déclara-t-il. Pélagie a suivi tes recommandations. Elle a dormi dans la chambre de Patrick. Elle semble vraiment soulagée. Elle s'est emportée, hier soir, mais ça ne l'enchantait pas de plier bagage. Bah, elle comptait se réfugier chez sa sœur, comme toujours. Je te remercie encore, petite.

— Il ne faut pas, mon oncle. Je suis si contente d'avoir pu vous aider! Je vous laisse déjeuner, je vais commencer

---

4. Abbaye située en Charente-Maritime, département voisin qui, pendant la guerre, abritait un orphelinat dirigé par Paule Cornardeau, surnommée maman Paule.

à traire les vaches. Vous êtes certain que tante Pélagie ne quittera Patrick qu'au moment où le professeur la remplacera?

— Oui, j'ai donné mes consignes. Crois-moi, elle les respectera. File à l'étable, je parie que tu as hâte de te rendre à Torsac. Nourris la jument. Donne-lui un peu d'avoine avec son foin. Elle trottera mieux si elle a digéré.

— D'accord, mon oncle.

Abigaël se rua dans le jardin. Une pâle clarté irisée de rose et d'or se devinait à l'est. Le jour se levait, salué par les oiseaux qui nichaient dans le grand sapin.

«Claire va être tellement heureuse quand elle saura, pour sa cousine! Mon Dieu, veillez sur Bertille Giraud. Je retournerai la voir demain...»

L'esprit en fête, elle prit les bidons réservés au lait qu'elle avait lavés la veille et qui étaient posés à l'envers sur la margelle du puits. Elle pénétra dans la vaste grange, tout de suite accueillie par un concert de cris divers: les bêlements des six moutons, le meuglement rauque d'une des deux vaches, le hennissement bref de Fanou, la jument à la robe rousse. «Il manque Sauvageon, pensa-t-elle, le loup de Claire, mon ami... Mais il est avec sa maîtresse, sa vraie maîtresse. C'est mieux ainsi.»

—

Yvon sortait du hangar la calèche qu'il avait empruntée à un voisin sous les regards du même bleu limpide de Marie Monteil et du professeur. Cécile et Grégoire étaient là également, les yeux ravis, eux qui étaient avides de la moindre distraction.

En robe et veste de laine brune, un foulard sur les cheveux, Abigaël vérifiait le harnachement de Fanou, qu'elle tenait par les rênes. Des caquètements de poules s'élevaient d'une caisse grillagée posée près du portail, à côté d'une panière remplie de victuailles.

— Soyez prudents, recommanda Marie, secrètement exaltée par la perspective d'une journée en compagnie de Jacques Hitier.

Jorge Pérez, lui, était déjà au travail. Le petit Vicente sur ses talons, il nourrissait les cochons. Il irait ensuite bêcher un coin du potager.

Tout était en place, songerait un peu plus tard Abigaël, pour l'événement qui allait suivre.

D'abord, ils entendirent un bruit de moteur sur le chemin, puis une voiture noire équipée d'un gazogène leur apparut.

— Mais c'est un taxi! murmura le professeur Hitier, sidéré.

L'automobile entra dans la grande cour en roulant au ralenti. La première, Abigaël aperçut une femme assise sur la banquette arrière.

— Qui est-ce? grogna Yvon, à la fois inquiet et surpris. Des ennuis, à tous les coups.

Le chauffeur arrêta son véhicule à quelques mètres de la jument. Vite, il descendit et ouvrit la portière.

— Madame…

Sa passagère accepta la main qu'il lui tendait. Vêtue d'un tailleur en velours gris très ajusté, ce qui soulignait ses formes graciles, elle portait une toque noire à voilettes sur de lourdes boucles d'un blond platine. Ses mollets fuselés étaient gainés de bas de soie à couture. En dépit de ses escarpins à talons hauts, elle se dirigea d'un pas assuré droit vers Abigaël.

— Qu'est-ce que vous voulez, et qui êtes-vous? s'insurgea Yvon, furieux d'être dérangé.

— Je suis navrée, monsieur, je rends visite à cette ravissante demoiselle, votre nièce, je crois, répondit la femme d'une voix légère.

— Seigneur, marmonna soudain Jacques Hitier, mais...

Marie cherchait à comprendre ce qui se passait. Elle rejoignit Abigaël, dont les joues s'étaient empourprées.

— Bon sang, mais qui êtes-vous? insista le fermier.

L'inconnue lui fit face en relevant sa voilette. Chacun découvrit la finesse de ses traits, ses larges prunelles d'eau claire et sa bouche fardée de rose.

— Je me présente, puisque vous m'en priez, monsieur. Bertille Giraud... enfin, disons Catherine Dancourt tant que nous serons en guerre, la cousine de Claire Roy. J'arrive à temps. Ne croyez-vous pas que nous serons plus rapidement à Torsac en voiture?

Éblouie, Abigaël joignit les mains. Elle assistait à un miracle. Le professeur ôta son chapeau et s'inclina, bouleversé.

— Madame, je suis infiniment heureux de vous revoir, dit-il. Jacques Hitier, ancien enseignant au lycée Guez de Balzac.

Bertille répondit d'un sourire mondain. Gêné d'avoir été impoli, Yvon souleva sa casquette. Cécile s'avança alors, fascinée. D'un geste timide, la fillette effleura le velours de la jupe.

— Bonjour, madame, murmura-t-elle. Vous avez l'air d'une princesse, avec vos beaux habits.

Le cœur d'Abigaël bondit dans sa poitrine. L'enfant disait vrai, la princesse de Claire, la fée du Moulin du Loup, se tenait devant eux.

6

Des retrouvailles émues

Ferme des Mousnier, même jour, même heure

La voiture avait disparu. Il ne subsistait de son passage dans la cour de la ferme que l'odeur particulière, un peu désagréable, de l'échappement. Les traits tendus, le regard rêveur, Jacques Hitier restait figé sur place. Marie l'observait, le cœur serré. Elle avait la pénible impression de ne plus exister pour lui depuis l'apparition de Bertille Giraud.

Cécile et Grégoire gambadaient le long du poulailler en tenant le petit Vicente par la main. Pendant ce temps, Jorge Pérez rentrait la jument dans la grange.

— Si je m'attendais à pareil événement ce matin! commenta enfin le professeur d'une voix changée.

— C'est une grande surprise, en effet, répondit sèchement Marie. J'ai donc fait la connaissance d'une femme d'exception, la fameuse cousine de Claire Roy.

Intrigué par la remarque lancée d'un ton acerbe, Hitier se tourna vers elle.

— Pourquoi dites-vous ça, Marie?

— Je reprends vos paroles, Jacques. Hier, à midi, vous avez qualifié Claire et sa cousine de femmes d'exception.

— Peut-être! Je ne m'en souviens pas, mais je pourrais le répéter, surtout en ayant revu madame

Bertille Giraud, née Roy, je vous le rappelle. C'était la nièce du maître papetier Colin Roy. Il l'a recueillie quand elle avait quatorze ans, à l'époque où elle était infirme.

— Ciel! Vous en savez long sur cette personne!

— J'ai appris certains détails grâce à Yvon, qui allait à l'école de Puymoyen et qui entendait souvent parler des gens du Moulin du Loup.

— En tous les cas, je n'imaginais pas la cousine de Claire Roy ainsi. J'ignore son âge, mais elle m'a paru beaucoup trop fardée. En outre, ses manières manquent de naturel et de discrétion.

— Vous ignorez bien des choses, ma chère Marie, soupira-t-il, notamment l'état dans lequel votre nièce a trouvé Bertille jeudi. À mon avis, c'est bon signe de l'avoir vue élégante et maquillée, elle qui ressemblait à un fantôme, selon Abigaël. J'aurais donné cher pour assister aux retrouvailles, mais ce n'était pas à l'ordre du jour.

— J'en suis navrée pour vous, Jacques. Vous êtes obligé de subir notre compagnie au lieu d'aller au château de Torsac. Vous aurez sûrement l'occasion de revoir cette dame. Maintenant, excusez-moi, je vous laisse, car j'ai du travail. Je dois préparer un repas convenable pour cinq adultes et trois enfants, alors que les provisions diminuent de façon inquiétante.

Marie appela les enfants et se dirigea d'une démarche nerveuse vers le corps d'habitation. Elle se reprochait déjà sa verve dénuée d'amabilité. «Qu'est-ce que j'ai? se demanda-t-elle. Si le professeur est béat d'admiration devant Bertille Giraud, en quoi cela peut-il me blesser? Seigneur, je me suis ridiculisée et il va penser que je suis jalouse. Mais, en fait, je suis jalouse, c'est ça!»

Le constat lui fit honte. Escortée par Cécile et Grégoire, elle se retrouva avec soulagement dans la cuisine où régnait un désordre inaccoutumé. La table n'était pas débarrassée et le feu n'était plus qu'un lit de braises, personne n'ayant remis du bois.

— Allons, remettons de l'ordre, déclara-t-elle. Cécile, ramasse les bols et empile-les au bord de l'évier.

— Et Goire, y fait quoi? interrogea le garçon.

— Tu serais gentil de donner un coup de balai. Quand tu auras fini, tu pourras donner du lait au chat.

Tout fier d'être chargé d'une corvée, le garçon trépigna sur place. Il adorait Marie et il s'empressa d'obéir.

Sur la route de Torsac, même heure

Yvon était assis à l'avant de la voiture, à côté du chauffeur, un homme d'une quarantaine d'années d'une physionomie agréable qui arborait une moustache brune et portait des lunettes en verre fumé.

Bertille et Abigaël occupaient la banquette arrière. Pendant le premier kilomètre, elles avaient seulement échangé des sourires, laissant les deux hommes discuter agriculture et chevaux. Il fallut un nid-de-poule qui secoua les quatre passagers pour les sortir de leur mutisme.

— Fais donc attention, Maurice! s'écria Bertille.

— Vous le connaissez? demanda tout bas la jeune fille, stupéfaite d'entendre cette femme tutoyer le chauffeur.

— Mais oui, sinon je n'oserais pas. Ma chère petite, vous avez été mon bon ange, ma providence. En m'annonçant que Claire était vivante, vous m'avez redonné la vie ou presque. Après votre départ, jeudi, je ne tenais plus en place. J'ai fait une grande toilette et j'ai fouillé une armoire du second étage. Par chance, j'ai découvert ce superbe tailleur en velours gris. La coupe en était très démodée. Aussi, j'ai passé la soirée à l'arranger un peu. Mais l'ampleur de la jupe me ravissait. Mon ouvrage terminé, j'ai choisi un corsage en soie blanche, certes trop grand. Cependant, grâce à une ceinture, il faisait un effet de blouse. J'étais si fatiguée, après ces heures de couture que j'ai dormi comme je n'avais pas dormi depuis des semaines.

Abigaël buvait ses paroles en se gardant de l'interrompre. La suite l'étonna davantage.

— Le lendemain matin, hier matin, en somme, j'ai réussi à coiffer mes cheveux en chignon et j'ai mis la toque à voilettes. J'ai eu le courage de quitter la maison et de marcher dans la rue. Dieu merci, j'avais les bas et ces chaussures que ma fille m'avait achetées à Paris. Je cherchais un salon de coiffure, car il était impensable de revoir Claire avec ma tignasse blanche.

La voix était pointue et nette; le ton était ardent. Abigaël fixait le profil de camée de Bertille en essayant de l'associer au visage qui l'avait tant effrayée jeudi, derrière les rideaux.

— Vous n'êtes plus la même, madame, avoua-t-elle. Je ne vous aurais pas reconnue si je vous avais croisée en ville.

— C'était le but, trancha Bertille en souriant à nouveau. Enfin, revenons à mes cheveux. J'entre dans un premier petit salon, peu reluisant, et la patronne me dit qu'elle ne fait pas les colorations. Je pousse un gros soupir de contrariété. Son apprentie me souffle à l'oreille: «Allez plutôt chez Thérèse, rue de la Cloche Verte!» En entendant ce prénom, j'ai mal au cœur et je dois retenir mes larmes. Mais je me rends dans la rue indiquée, je pousse la porte d'une charmante boutique à la devanture vert clair et, là, Abigaël, je vois notre Thété qui court vers moi en étouffant un cri de stupeur. Je me retrouve dans ses bras. Mon Dieu, nous avons fondu en larmes. Par chance, il n'y avait encore aucune cliente.

Abigaël comprit aussitôt. Elle revoyait sur la place du village de Puymoyen le salon de coiffure à l'abandon dont l'enseigne affichait: *Chez Thérèse, coiffure pour dames.*

— C'est la sœur de Janine, murmura-t-elle. Mais l'épicière de Puymoyen prétend qu'elle a été arrêtée par la Gestapo et que son mari appartenait au réseau Sirius, celui de Jean Dumont.

Yvon et le chauffeur s'étaient tus; ils écoutaient. Bertille jeta un regard sidéré à la jeune fille.

— Vous en savez, des choses, demoiselle, nota-t-elle plus bas. Pauvre Janine! Thérèse m'a appris sa mort tragique.

— Paix à son âme, dit alors le fameux Maurice, les mains crispées sur le volant.

— Ils ont interrogé Thérèse, oui, uniquement parce qu'elle était la sœur de Janine, reprit Bertille. Maurice aussi a été interrogé, et roué de coups, le malheureux. Mais les Allemands sont soucieux de leur réputation. Comme ils n'avaient pas de preuves contre eux, ils les ont relâchés. Ah oui, je dois préciser. Maurice est le mari de Thérèse. Il travaillait au domaine de Ponriant, d'abord comme palefrenier, puis comme chauffeur.

— C'est mon frère aîné qui avait intégré le réseau de monsieur Jean, précisa l'homme d'une voix grave. Il a été arrêté le même jour que Janine. Ils l'ont torturé, mon pauvre Daniel, jusqu'à ce qu'il en meure. Son cœur a lâché.

— J'ai eu droit au récit de toutes ces atrocités hier, durant la journée, ajouta Bertille. Thérèse a fermé son salon et s'est occupée de moi, d'où ma blondeur retrouvée.

Ces derniers mots auraient pu paraître futiles après les propos de Maurice, mais personne ne fut dupe. La voix légère de la dame de Ponriant était tendue. Tous la sentaient prête à sangloter.

— Où en étais-je? soupira-t-elle. Notre Thété... eh oui, nous la surnommions ainsi quand elle était fillette. Elle a fait des miracles. Elle était tellement contente de me revoir et de prendre soin de moi! Mais quel paradoxe d'échanger d'amères confidences en brassant des bigoudis, des crèmes de soin, du maquillage! Au fil de la conversation, elle m'a annoncé que Maurice faisait le taxi grâce à l'argent que je leur avais donné. Il a pu acheter ce tacot et l'équiper d'un gazogène. Vous ai-je dit, Abigaël, que je conduis? J'ai mon permis.

— Madame a oublié d'expliquer comment nous avons pu nous installer en ville, intervint le conducteur. C'est toujours grâce à l'argent qu'elle nous a remis à la naissance de notre fils. Il a trois ans et demi. Une voisine le garde moyennant une somme raisonnable.

— Je ne pouvais pas prévoir que votre pécule vous serait aussi utile, à Thérèse et à toi, mon cher Maurice. Raconte-leur ce que j'ai fait lorsque tu es entré dans le salon de coiffure!

— Madame m'a sauté au cou et m'a embrassé sur les joues, déclara-t-il en riant. Elle s'est écriée: «Encore un ressuscité!» Pardi, elle me croyait mort comme les autres.

Abigaël se signa. Des images l'assaillaient, celles du jour de neige où, en compagnie d'Adrien et du loup, elle était allée au cimetière de Puymoyen. Elle revit la tombe de Jean Dumont ornée de bouquets de feuillage et de houx, mais aussi le visage du jeune violoniste, Arthur, un défunt au comportement insolite qui s'était manifesté dans l'église du bourg en jouant de l'harmonium. C'était lui également qui l'avait aidée à localiser le refuge de Claire.

— Nous arriverons bientôt, commenta alors Yvon, qui avait gardé un silence respectueux jusqu'à présent.

— Mon Dieu, j'ai le trac, gémit Bertille.

— Le trac? De quoi parlez-vous, madame? demanda Abigaël.

— J'ai peur, je suis émue, une sorte de panique propre aux comédiens, ma chère enfant.

Au même instant, alors que la voiture amorçait un virage, tous les quatre aperçurent l'avant d'un camion bâché. La carrosserie et la toile qui couvrait l'arrière étaient de ce vert kaki particulier à l'armée allemande. Des motos déboulèrent et un deuxième camion se profila, suivi d'un autre et d'un autre encore.

— Boudiou! marmonna le fermier. Une sacrée patrouille, ouais! Ça m'étonnerait qu'on ne soit pas contrôlés. Tout le monde a ses papiers en règle? Ça vaudrait mieux.

— Mais oui, assura Maurice. De toute façon, nous sommes libres de circuler, il n'y a plus de ligne de démarcation.

— Quand même, c'est inquiétant, dit Abigaël. Et s'ils venaient de Torsac! S'ils avaient arrêté Claire!

— Ne parle pas de malheur, petite! gronda Yvon.

— Oui, votre oncle a raison, il ne faut pas songer à ça, renchérit Bertille en prenant la main d'Abigaël et en l'étreignant.

Quatre camions et six motards les croisèrent sans leur prêter grande attention. Une voiture décapotable roulait au ralenti derrière la patrouille. Un officier allemand, sans doute un haut gradé, se dressa en hurlant un ordre qui fut répété de véhicule en véhicule. L'homme qui conduisait freina et s'arrêta à leur hauteur.

Deux soldats accoururent, armés, tandis que leur supérieur quittait son siège et faisait claquer ses bottes en s'approchant du taxi. Dès qu'il vit Bertille livide sous sa voilette et Abigaël dont les grands yeux bleus le fixaient, il effleura sa casquette ornée d'insignes en guise de salut. Il avait une peau laiteuse et des sourcils roux.

— Où allez-vous, mesdames et messieurs? demanda-t-il dans un français impeccable.

Yvon Mousnier scruta ses traits attentivement. Il se fendit alors d'un sourire cordial:

— Eh, *herr* commandant Schmidt! On ne s'est pas vus depuis un moment, s'écria-t-il avec bonhomie. Chaque fois que je livre à la feldkommandantur, j'ai affaire à votre lieutenant Krauss.

— Oh! monsieur Mousnier! On se promène, à présent? Et sans le cheval? répliqua l'Allemand.

— Une de mes cousines nous a rendu visite, improvisa le fermier. Elle vient de Tours. J'ai profité du taxi, ma nièce aussi. On a prévu un pique-nique du côté de Fouquebrune.

— Très jolie dame, jolie demoiselle, Mousnier. Bien, circulez, je me devais de contrôler, n'est-ce pas? Demain, je pars. Permission exceptionnelle!

L'homme lança un *heil Hitler* discret, le bras tendu. Maurice redémarra le plus lentement possible après avoir marmonné un au revoir. Bientôt, ils roulaient tranquillement sur la route, très droite et bordée de sous-bois.

— Un coup de bol, de tomber sur Schmidt, commenta alors le fermier. Il est commandant à Ortebise, où ils ont établi une feldkommandantur. C'est un amateur de chasse et de bon repas qui se languit de sa propriété en Bavière.

— Vous nourrissez l'ennemi, monsieur? s'étonna Bertille.

— Oui, madame, comme on nourrit une bête dangereuse pour l'amadouer et ne pas se faire mordre, rétorqua-t-il. Je n'ai pas eu le choix, on m'a ordonné d'apporter des légumes, des œufs et du lait à la feldkommandantur dès que toute la France a été occupée. J'ai accepté. Ça m'a permis de me faire bien voir. Ils ne sont pas tous si mauvais, les Boches. J'en connais qui offrent du chocolat à la petite fille du métayer d'Ortebise.

— Peut-être pas tous, mais une grande partie, répliqua-t-elle. Ici, à la campagne, vous n'êtes pas témoins de ce qui se passe au loin, autour de Paris, dans certaines grandes villes, des rafles de Juifs, même de Juifs français, femmes, vieillards, enfants… Et les conditions de vie des internés dans les camps, comme à Drancy, sont abominables.

Sa voix tremblait un peu. Le fermier se retourna et lui jeta un coup d'œil navré.

— Je comprends ce que vous ressentez, madame, affirma-t-il. Mais ça m'a souvent aidé, de passer pour le brave paysan qui se tient à carreau.

— Mon oncle et sa fille aînée sont dans la Résistance, ne l'oubliez pas, le professeur Hitier aussi, chuchota alors Abigaël.

— Je n'oublie rien, soupira Bertille. Rien… Nous ne sommes plus loin de Torsac, n'est-ce pas? J'ai cru apercevoir le clocher de l'église.

— Oui, nous arrivons, madame, répondit Maurice.

— Seigneur, je suis dans un état de nerf affreux, gémit-elle. Ma petite Abigaël, il faut m'aider. Je crains de perdre toute dignité en revoyant Claire. Je l'ai tant pleurée lorsque j'ai appris le massacre au Moulin du Loup! Et je vais me retrouver devant elle, ma Clairette…

La respiration saccadée, Bertille secoua la tête, en proie à une sorte d'affolement inattendu. Très vite, elle débita, haletante:

— Nous avons vécu tellement de choses, Claire et moi, des rêves, des joies innocentes, des chagrins innommables! Est-ce possible que nous puissions être ensemble?

— Mais oui, madame, je suis sûre que tout ira bien. Calmez-vous! recommanda gentiment Abigaël.

— Si elle était partie ou tombée malade? Mon Dieu, voilà le village! Nous y venions rendre visite à Edmée, Bertrand et moi. C'était mon mari, mon grand amour. Oh! ce château! Nous y avons de beaux souvenirs.

Abigaël éprouvait dans son propre corps la tension extrême de Bertille Giraud. Elle mit son bras sur ses épaules en espérant l'apaiser.

— Vous êtes très jolie, très élégante, et Claire aura une merveilleuse surprise, lui dit-elle à l'oreille. Mais je pense qu'il serait plus prudent de la prévenir. Si j'entrais la première? Je lui annoncerai que vous êtes là, bien vivante. De toute façon, je vais sonner, car la domestique a déjà eu affaire à moi. Elle m'ouvrira vite.

— Je préférerais entrer la voiture, dit Maurice. Si nous la laissons plusieurs heures sur la place, les gens du coin pourraient être intrigués.

— Oui, je suis de votre avis, convint Yvon. Autant être prudents, même si je ne pense pas que le coin soit surveillé.

Maurice immobilisa l'automobile en face du grand portail du château sans couper le moteur. Abigaël adressa un dernier regard d'encouragement à Bertille et descendit. En tirant la chaînette en métal, elle perçut le tintement de la cloche.

Elle formula une prière dans son for intérieur: «Seigneur, je vous rends grâce de m'avoir guidée vers Claire et sa cousine bien-aimée. Seigneur, ayez pitié de ces deux femmes, protégez-les!»

Son cœur cognait follement dans sa poitrine. Elle entendit enfin le pas traînant de la vieille femme, qui maugréait des jurons en patois.

— Qui c'est-y? demanda-t-elle.

— Abigaël Mousnier. Je suis déjà venue. Il faut ouvrir en grand, nous sommes en voiture. Nous apportons des poules pondeuses et des provisions.

— Comment ça, entrer une auto dans la cour? lui répondit la domestique en arrêtant net son geste, alors qu'elle tournait déjà la clef dans la serrure. Mademoiselle de Martignac laisse la sienne dehors.

— Je vous en supplie, nous y sommes obligés. Dépêchez-vous, Ursule, insista Abigaël. Je vais vous aider à pousser les battants.

— Vous vous arrangerez avec madame Edmée, hein! gronda la femme.

Au bout de trois longues minutes, Maurice put avancer sur les gravillons blancs de la vaste esplanade sur laquelle donnaient de nombreuses fenêtres à meneaux. Ursule assistait à la scène, les poings sur les hanches, la coiffe de travers, son visage sillonné de rides tendu par la réprobation.

Abigaël ne put s'empêcher d'observer la tour crénelée qui était le poste de garde de Claire. «A-t-elle vu la voiture approcher? Ou bien elle se trouve dans sa chambre, non, dans le salon, peut-être, avec madame de Martignac, se disait-elle. Bon, mon oncle et le chauffeur ont refermé le portail.»

Bertille était toujours assise sur la banquette arrière, sa voilette en tulle noir dissimulant ses traits. Elle semblait paralysée, privée d'énergie et de volonté. Pendant quelques secondes, Abigaël eut cette impression si particulière que le temps était soudain suspendu, que le monde autour d'elle était figé, étrangement silencieux. Saisie d'une inexplicable angoisse, elle retint son souffle.

Mais des bruits vinrent briser l'inquiétant enchantement. D'abord, ce fut le cri indigné d'Edmée de Martignac, debout dans l'entrebâillement d'une porte-fenêtre. Ensuite, le loup débula de nulle part en lançant un hurlement sourd et modulé. Il se jeta sur Abigaël et se dressa afin de poser ses pattes avant sur ses épaules. Enfin, une autre série d'exclamations déchirantes retentit:

—Mon Dieu! Mon Dieu!

C'était Claire. Elle bousculait Edmée pour s'élancer à travers la cour, mince et vive en robe noire, la chevelure nattée dans le dos.

— Princesse! appela-t-elle. Mon Dieu, merci! Ma princesse, ma Bertille, toi, toi!

Comme piquée par une baguette magique, Bertille sortit de l'automobile à une vitesse surprenante. Le soleil fit briller ses boucles d'or pâle et la sculpta tout entière. Elle releva sa voilette et courut à son tour d'une démarche vacillante. Les témoins de la scène demeuraient bouche bée, la gorge nouée tant ils étaient émus.

— Claire, Clairette, toi, merci, Seigneur!

Les deux cousines tombèrent dans les bras l'une de l'autre. Elles s'étreignirent passionnément en se balançant un peu et en s'embrassant sur les joues et le front. Abigaël, les larmes aux yeux, retenait Sauvageon qui voulait se ruer vers Bertille, sûrement pour la saluer à sa manière.

— Sage, sois sage, il faut les laisser tranquilles, lui dit-elle.

Embarrassé, Yvon se roula une cigarette en faisant mine de contempler la façade du château. Maurice prit discrètement son mouchoir et tamponna ses paupières humides.

— Le choc que j'ai eu en revoyant madame Claire! confia-t-il tout bas à la jeune fille. Thérèse et moi, nous ne pouvions pas croire qu'elle était morte.

Abigaël approuva d'un signe de tête. Elle savait qu'après l'heure bénie des retrouvailles viendrait celle, cruelle, de la séparation.

«Ma belle dame brune! pensa-t-elle. J'ai entendu son appel, je l'ai entrevue en rêve, car elle avait besoin de moi, ni vivante ni morte, assommée par les drogues que lui faisait prendre Marie de Martignac. Mais son esprit n'avait rien perdu de sa force. Si je l'ai ramenée à la vie, c'était sans aucun doute pour ces instants-là. Maintenant qu'elle est auprès de sa princesse, la terrible blessure de son cœur finira par cicatriser… Non, Claire ne peut pas guérir de la perte de Jean Dumont, seulement la supporter grâce à Bertille, à son frère, à sa fille et à tous ceux qu'elle aime.»

La châtelaine approchait à petits pas en s'appuyant sur sa canne. Elle fixait d'un œil sidéré la silhouette de Bertille.

— Seigneur, est-ce possible? murmura-t-elle. Madame Giraud?

Personne ne répondit. Le moment des explications attendrait. Claire s'écarta un peu de sa cousine pour l'admirer et lui sourire.

— Tu es là, princesse! C'est un vrai miracle! affirma-t-elle.

— Oui, et toi tu es là, je t'ai touchée, je t'ai embrassée, Clairette. Je voulais mourir parce que je te croyais morte.

Elles s'enlacèrent à nouveau, secouées de sanglots secs. Bientôt elles se mirent à rire sans cesser de pleurer, sans non plus tenter de discuter, de mettre des mots sur les peines, les peurs ou les disparus.

Seule Ursule gardait les pieds sur terre. Désemparée et soudain anxieuse de devoir servir quatre convives au déjeuner alors qu'elle disposait de si peu, elle réclama les poules qui caquetaient dans le coffre de la voiture. Yvon sauta sur l'occasion pour agir.

— Eh oui, les poules, ma brave femme! On va les installer, hein, parce qu'elles font du raffut. Où voulez-vous les emmener? Est-ce qu'il y a un enclos, au moins? Sinon, les fouines ou les renards les tueront avant que vous ayez eu un œuf à la coque.

— Venez, m'sieur, suivez-moi. Sûr qu'on a un enclos, et solide avec ça, s'enthousiasma la vieille domestique, toute contente de l'aubaine.

— Peut-on quand même me dire ce qui se passe? s'écria alors Edmée de Martignac.

— Mais ça me paraît évident, rétorqua Bertille sans quitter les bras de Claire. Je suis de retour au pays. Maurice, mon ancien chauffeur, m'a conduite jusqu'au château en compagnie d'un certain Yvon Mousnier et de sa nièce, Abigaël. Celle-là, je lui dois tout. Je vous raconterai ça pendant le repas.

— Ciel, vous n'avez pas changé, Bertille! s'offusqua Edmée.

— Vous ne pouvez pas me faire un plus charmant compliment, ma chère amie.

— Je vous avertis, en guise de repas, vous n'aurez qu'un brouet de navets et de carottes, annonça l'austère châtelaine.

— C'est mal me connaître. Je logeais chez Blanche Dehedin… pardon, madame Victor Nadaud. Ses placards débordaient de victuailles. J'en ai rempli une malle en osier. Maurice, aie la gentillesse de t'en occuper.

— Maurice! s'écria Claire, transfigurée, le teint rose, les lèvres colorées, ses doux yeux de velours noir étincelant. Mon ami, venez que je vous embrasse. Et Thérèse? Votre petit garçon?

— Ils se portent tous deux à merveille, madame, répondit le chauffeur en tendant sa joue après avoir eu soin d'ôter son chapeau.

— Pourtant, on m'avait dit que…

Claire se tut et haussa les épaules. Peu importaient les fausses informations et les rumeurs angoissantes.

— Princesse, répéta-t-elle d'une voix tendre, tu es là, mon Dieu! Quel bonheur! Abigaël, c'est grâce à vous, ma chérie. Vous m'aviez dit, dans la tour, que vous seriez mon miracle. Allons, approchez, je dois vous embrasser aussi.

— En plus, j'ai du courrier pour vous. Je suis tellement heureuse d'avoir pu entrer dans la maison de la rue de l'Évêché! J'ai trouvé votre cousine et vos lettres.

Claire l'attira contre elle et respira avec délice le parfum frais et jeune de ses cheveux. Elle murmura:

— Chère petite Abigaël, vous avez l'âge de Ludivine, mon enfant adorée. Laissez-moi, en ce jour fabuleux, vous considérer comme ma fille et vous offrir tout l'amour d'une mère.

— Si vous le souhaitez, j'en serai ravie, madame, et ce sera le plus beau cadeau de ma vie.

Edmée de Martignac leva les yeux au ciel. Elle leur tourna le dos et se dirigea vers le corps de logis.

— Je vous en prie, rentrons, dit-elle dans un soupir excédé.

Bertille s'empara de la main de Claire, qui prit celle d'Abigaël. Toutes trois suivirent la maîtresse des lieux dont la canne à bout ferré heurtait à petits coups secs les pavés d'une longue terrasse à balustres de pierre.

— Te souviens-tu, Clairette, du bal donné ici, le soir du mariage de Faustine et de Matthieu? demanda-t-elle tout bas.

— Si je me souviens, princesse! Nous ne mesurions pas, alors, comme nous étions heureuses et libres.

Abigaël, qui les écoutait en souriant, frissonna subitement. Elle sentait une présence à leurs côtés. Redoutant un malaise, elle respira avec avidité. Mais rien ne l'accabla, ni poids sur la nuque ni sensation de chaud et de froid. Cependant, elle perçut une voix au gré du vent, une voix d'homme grave et chaude.

— Merci pour elles, merci pour ma Câlinette...

Ferme des Mousnier, même jour, une heure de l'après-midi

Le déjeuner s'achevait. Il avait réuni Marie Monteil et Jacques Hitier, mais pas dans le climat de complicité et d'amabilité que tous deux espéraient le matin, avant l'apparition de Bertille Giraud.

— Je retourne au travail, déclara Jorge Pérez en pliant avec soin sa serviette de table. Madame Monteil, cela ne vous ennuie pas de garder Vicente?

— Non, pas du tout, je trouverai de quoi l'amuser. Cécile doit étudier et Grégoire sera sage.

— Oh! il est même très gentil pour Vic, ajouta le réfugié. Hier, il lui a montré son jouet mécanique et j'ai cru entendre mon petit gars murmurer deux ou trois mots.

Marie approuva, l'air compatissant. L'enfant ne parlait plus depuis le décès de sa mère.

— Ne vous faites pas de souci, Pérez, renchérit le professeur, Vicente a subi un gros choc émotionnel, mais, bien entouré, il se remettra. Ayez confiance.

Jorge enfila une veste et des sabots; il sortit après avoir embrassé son fils sur le front. Cécile commença à débarrasser. Elle avait hâte de voir la table propre et vide, car elle comptait dessiner afin d'illustrer la poésie qu'elle avait recopiée et qu'elle apprenait par cœur.

— Laisse le pain et le fromage, lui rappela Marie. Pélagie n'a pas encore mangé. Vous devriez monter la relayer, Jacques, comme c'était convenu.

— Je vais y aller, mais j'aimerais auparavant que vous me disiez ce que j'ai fait de mal. Enfin, Marie, vous si gracieuse d'habitude, si souriante, vous avez été morose et renfermée durant le repas et bien avant. Nous avons perdu une bonne occasion de discuter ensemble.

Le reproche atteignit Marie de plein fouet. Elle s'en voulait déjà de s'être montrée boudeuse et froide, mais elle était incapable de changer d'attitude. Vite, elle se pencha sur le fourneau et fit mine de brasser le reste de ragoût destiné à Pélagie.

— Vous vous faites des idées, Jacques, dit-elle. Je me tracasse au sujet d'Abigaël. Pour être franche, je me sentirai soulagée lorsque Claire Dumont et sa cousine seront loin. Ma nièce ferait n'importe quelle folie pour Claire et j'ai vu aussi comment elle regardait madame... Giraud. C'est bien son nom?

— Oui, en effet, répondit Jacques Hitier d'un ton évasif. Mais vous ne savez pas mentir, ma chère Marie.

Elle remua de plus belle le contenu de la marmite en lui tournant obstinément le dos.

— J'estime déplaisant que vous teniez de tels propos devant les enfants, s'indigna-t-elle.

— Mon frère m'a dit que c'est mal de mentir, s'écria Cécile. Heureusement que Marie ne sait pas le faire.

— Voilà une remarque dont je te félicite, ma mignonne, approuva la femme. Si tu emmenais Grégoire et Vicente dehors un quart d'heure! Vous pourrez jouer dans le jardin, au soleil.

— Est-ce qu'on peut cueillir des pâquerettes? s'enflamma la fillette. Il y en a beaucoup, tellement il fait bon!

— D'accord. Je te montrerai comment fabriquer une couronne.

Cécile se précipita vers le vestibule en prenant le petit garçon par la main. Grégoire les suivit en riant de joie anticipée. Le professeur Hitier se leva et s'approcha de Marie, toujours affairée du côté du gros fourneau en fonte.

— Maintenant que nous sommes seuls, si vous me disiez la vérité, ma chère, très chère amie! Vous étiez rayonnante quand je suis arrivé à la ferme. J'ai la certitude qu'Abigaël n'est pas en cause.

— Vous vous trompez, insista-t-elle. Je me tourmente sans cesse pour ma nièce. Je n'ai qu'elle au monde, Jacques. On me l'a confiée bébé. Je l'ai élevée et bercée, j'ai guidé ses premiers pas. Tout va de travers depuis que nous sommes ici. Il y a eu les appels mystérieux de la femme brune, puis Adrien dont elle s'est entichée immédiatement. N'en parlons plus, je vous prie, vous ne pouvez pas comprendre. Il est grand temps de libérer Pélagie. Surtout qu'Yvon compte sur votre aide pour raisonner Patrick.

— Je ferai mon possible, même si je n'ai guère d'espoir. Dites-moi en toute sincérité, ce ne serait pas la visite de Bertille Giraud qui vous aurait contrariée? Si c'est le cas, sachez que vous êtes également une personne admirable… et très jolie.

Les joues en feu, Marie parvint à atteindre l'évier en évitant de regarder Jacques Hitier. Il constata cependant qu'elle avait rougi fortement et qu'elle paraissait prête à pleurer.

— Je ne vois pas pourquoi je serais contrariée! C'est ridicule! Quant à vos compliments, on les croirait dictés par la pitié. Si vous me laissiez tranquille, à présent! J'ai la vaisselle à faire.

Dépité, le professeur renonça. Il sortit à son tour de la cuisine et gravit l'escalier. Tremblante, Marie fondit en larmes. «Il a deviné! Mon Dieu, que j'ai honte! Suis-je tombée amoureuse d'un homme? De Jacques? Non. J'appréciais nos relations amicales et nos conversations, rien d'autre.»

—

Pélagie ouvrit tout de suite la porte au professeur Hitier. Elle l'accueillit d'un sourire presque pathétique, les traits tendus par l'angoisse. Encombrée d'un plateau où trônaient une assiette et un bol vides de même qu'une serviette en boule, elle se glissa sur le palier.

— Si vous pouviez rester un long moment, monsieur Jacques…, dit-elle très bas. J'ai les bêtes à nourrir. Ça me fera du bien de prendre l'air.

— Il n'y a pas de souci, madame Mousnier, nous allons causer, Patrick et moi. Dites, il fait sombre, dans la chambre.

— Eh oui, il a éteint la lampe de chevet. Fiston, rallume donc! Tu as de la visite. Bon, j'obéis à mon mari. Je vous enferme à clef et je reviens dans une heure.

— Entendu, bougonna Hitier.

Allongé sur son lit, un bras sur le visage, le jeune homme ne fit pas un geste ni ne prononça le moindre bonjour. La pénombre gênait beaucoup le professeur, qui augurait mal de l'entretien prévu.

— Ce n'est pas gai, ma foi, de passer la journée ainsi, constata-t-il en avançant lentement à travers la pièce. Pourquoi tu n'allumes pas ta lampe? Ta mère te l'a demandé.

— Je veux bien que maman me voie, répondit Patrick, mais pas vous. Tout le monde sait ce que j'ai fait. Ça me rend fou.

— Qui ça, tout le monde? protesta Hitier en s'asseyant sur une chaise placée contre l'armoire. Ton père, ta mère, Abigaël et moi. Bon sang, quatre personnes, ce n'est pas un monde.

— Si Béa revient, elle sera au courant. Elle me méprisera.

— Ta sœur t'aimera quand même, à l'instar de tes parents. Allons, mon gars, nous ne sommes pas un tribunal! Je pense pour ma part que tu as été poussé au crime par ce diable de Dubreuil, la pire crapule de la région.

Un sanglot fit écho à ces derniers mots. Patrick pleurait en gémissant.

— Je veux que tu te rendes compte d'une chose importante, continua le professeur. La guerre réveille les mauvais instincts d'un grand nombre de gens, soit. Mais elle peut également offrir à quelqu'un la chance de prouver son courage et son désir de justice. Alors, dis-moi, pourquoi es-tu allé t'engager dans la milice? Tu aurais pu discuter avec ton père et moi, chercher une autre voie pour lutter, une voie noble où tu te serais battu contre les salauds qui soutiennent l'ennemi, qui rampent devant lui et qui sont devenus ses chiens de garde. Tu saisis?

— Vous causez des miliciens, là?

— Bien sûr.

— Papa m'avait fichu dehors. Il ne voulait plus me revoir ici à cause d'Abigaël. Je m'ennuyais, chez ma tante Flavie. En plus, elle me traitait en domestique. Un matin, j'ai filé, je suis arrivé en ville et, là, j'ai frappé chez un ancien camarade d'école. Il était dans la milice. Il m'a entraîné. J'étais fier qu'on me donne un fusil et un uniforme. Mais après… non, je ne pensais pas à ce qui allait se passer. Faut dire qu'on picolait à volonté.

Consterné, Jacques Hitier hocha la tête. Il songeait à d'autres garçons de l'âge de Patrick, désœuvrés, délinquants, rejetés par leurs proches qui, ne sachant plus quoi faire d'eux-mêmes, intégraient ce corps militaire.

— Nous ne pouvions pas te laisser là-bas. Dubreuil t'aurait manipulé. Il t'aurait forcé à tuer encore et encore. Je te le répète, si nous gagnons la guerre, les miliciens seront jugés et exécutés.

— J'ai compris. Jamais je n'y retournerai, prof.

Patrick bougea brusquement. Il alluma la lampe et se redressa.

— Enfin, on peut se regarder, soupira Hitier. Tiens, je vais en profiter pour fumer ma pipe. As-tu des cigarettes, toi?

— Je n'ai plus qu'un paquet.

Ils fumèrent en silence en s'observant d'un œil perplexe. Le professeur se demandait s'il devait suggérer au jeune homme d'entrer dans la Résistance. Patrick, lui, cachait soigneusement sa nervosité.

— Tu as eu dans l'idée de te supprimer, reprit son visiteur. Tu n'endurais plus tes remords, ta honte et le dégoût de ton crime?

— Oui. C'était pour me racheter. Prof, comment je pourrais faire? Il faut demander à papa de me libérer. Je rejoindrai le maquis. Hein, vous m'aiderez?

— Pas de précipitation, mon gars! D'abord, tu devrais prouver ta volonté de changer totalement de conduite. Reste encore ici deux semaines. Ensuite, va travailler à l'abbaye comme convenu. Nous irons te chercher en temps voulu si tu t'es comporté en pénitent.

Déçu, Patrick écrasa son mégot sur le marbre de la table de chevet et s'assit au bord du lit. Le professeur nota son teint blafard et son regard fiévreux.

— Non, ça sera trop long. Je veux me battre très vite, comme vous disiez tout à l'heure. Me battre contre l'ennemi, contre les Boches, en faire baver aux miliciens. Je vous assure que, si je tiens Dubreuil en face de moi et que j'ai une arme, je le tuerai.

Les mâchoires crispées, Patrick serra les poings et les porta à la hauteur de sa poitrine.

— J'en peux plus, prof, je vous le jure! Je fais des cauchemars quand j'arrive à dormir. Je ne suis pas si crétin et je suis presque sûr que vous connaissez des gens dans la Résistance, en ville, ou même plus près de chez nous. Peut-être bien que, ma sœur, elle fait autre chose que travailler dans un bureau… Dites-moi où elle est vraiment. Je la trouverai et elle m'aidera.

Extrêmement embarrassé, Jacques Hitier cherchait comment le décourager. Il était hors de question de lui révéler leurs activités, à Yvon et lui, ou l'implication de Béatrice Mousnier dans le réseau Bir Hacheim.

— Tu n'es pas assez stable de caractère, déplora-t-il. Je suppose qu'il y a des têtes brûlées de ton genre parmi les résistants, mais ton père ne prendra pas le risque. Je n'ai qu'un conseil à te donner, prouve ta bonne foi et ta volonté de t'amender.

Mais Patrick ne l'écoutait plus. Il bondit brusquement du lit et empoigna une sacoche en cuir dans laquelle il enfouit du linge de corps, une chemise et un tricot.

— Qu'est-ce que tu fabriques? s'étonna le professeur.

— J'ai besoin d'air, de mouvement. Je vais m'installer dans votre maison. Je couperai votre bois, je ferai le jardin… Je vais devenir fou, dans le noir du matin au soir. Maman ne sait plus quoi me raconter. Elle n'arrête pas de se plaindre. Faut m'emmener, prof!

— Mon garçon, tu n'habiteras pas chez moi sans la permission de ton père, tonna Hitier.

— C'est ce qu'on verra, rétorqua Patrick en chaussant de gros godillots en cuir brun maculés de terre.

D'un geste vif, il enfila sa canadienne et se coiffa d'un béret.

— Enfin, c'est n'importe quoi, protesta Hitier. Tu ferais mieux d'ôter ces vêtements et de t'asseoir, qu'on discute encore. Je suis tenu de te raisonner et toi tu agis en dépit du bon sens, comme toujours.

— Ah oui! Que voulez-vous, je suis un imbécile et un vicieux, gronda Patrick.

Tout en parlant, il reculait au fond de la chambre en se penchant en avant. Jacques Hitier devina son intention. Costaud et à bout de nerfs, le garçon allait enfoncer la porte. Vite, il se précipita pour couper son élan.

— Ne fais pas l'idiot, bon sang, hurla-t-il.

Patrick le bouscula rudement, sans considération pour leur différence d'âge, mais le professeur, pris de panique, s'accrocha à lui. Ils vacillèrent un instant.

— Fichez-moi la paix, vieux radoteur! Personne ne me retiendra ici! Demain, je serai un résistant. Je paierai ma dette!

Sur cette invective, il le repoussa avec violence en arrière. D'un seul coup d'épaule, il fit céder la serrure et la porte s'ouvrit dans un craquement sonore. Exalté, il dévala l'escalier.

Étourdi, Hitier gisait sur le parquet. La chute l'avait endolori des épaules aux reins. Il perçut le cri effrayé de Marie, au rez-de-chaussée. Deux minutes plus tard, elle entrait dans la chambre.

— Mon Dieu, Jacques, vous saignez! Jacques?

Elle se mit à genoux et examina la plaie qu'il avait en haut du front. Il parvint à se redresser sur un coude.

— Ne bougez pas, je vais vous soigner, balbutia-t-elle. C'est Patrick! Il vous a frappé, ce voyou!

— Non, j'ai heurté l'angle de l'armoire, murmura-t-il. Je me sens mal...

Sans réfléchir, Marie attira la tête du professeur sur ses cuisses et lui caressa les cheveux. Jamais elle n'avait été aussi proche d'un homme.

— Une plaie à cet endroit saigne beaucoup, mais c'est rarement grave, Jacques, chuchota-t-elle. Reposez-vous un peu.

Il poussa un profond soupir en guise de réponse. Sa position lui semblait fort agréable. Malgré la gravité de l'incident, il en profitait en évitant de parler, comme s'il était toujours à demi assommé.

— J'aurais dû monter avant, gémit Marie. Quand j'ai entendu Patrick crier, j'ai eu peur, mais je n'osais pas intervenir. Mon Dieu, il aurait pu vous tuer!

Elle ferma les yeux quelques secondes afin de savourer le contact du professeur. Sa tête pesait et réchauffait sa chair de femme. Elle eut envie de se pencher et de l'embrasser sur la bouche. «Je perds toute pudeur, toute sagesse! songea-t-elle. Tant pis, je suis bien. Tellement bien!»

De son côté, Hitier imaginait qu'il se levait aisément et qu'il la prenait dans ses bras. Aussitôt, il se trouva stupide. «J'ai vingt ans de plus qu'elle. À quoi bon céder à mes sentiments?»

— Mes lunettes sont tombées, dit-il d'une voix lasse. Si vous pouviez les récupérer… Je suis désolé, Marie, de vous causer du souci.

— Du souci? Oh! non! Enfin, Jacques, c'est la moindre des choses, de voler à votre secours.

— Je vous remercie, ma chère amie.

Il fit un gros effort pour s'asseoir et s'éloigner d'elle. Elle s'empressa de l'aider en le soutenant par la taille.

— Venez, installez-vous sur la chaise. Je reviens avec de l'eau tiède, de la teinture d'iode et un bandage.

Le cœur lourd, il suivit ses conseils. Veuf depuis une décennie, l'ancien professeur d'histoire avait tiré un trait sur la vie conjugale et meublé sa solitude d'études incessantes ainsi que de recherches archéologiques. Marie Monteil l'avait incité à reconsidérer son existence de célibataire par son intelligence, sa discrétion, sa douceur et son charme. «Nous pourrions être heureux, tous les deux, se dit-il, mais il y a cette maudite guerre, mon âge et sa piété redoutable. Je doute qu'elle pense à se marier un jour…»

L'irruption de Pélagie affolée le tira de sa morne rêverie. Les traits convulsés, la fermière gesticulait.

— J'ai vu mon gamin filer à travers les champs, son sac en cuir sur le dos, s'égosilla-t-elle. Misère, vous l'avez laissé se sauver!

— Ce gredin m'a bousculé et il a enfoncé la porte! Vous le voyez bien, madame Mousnier! s'insurgea Hitier.

— Il vous a cogné, aussi?

— Non, je me suis blessé en tombant contre l'armoire. Je suis navré, je n'ai pas pu le retenir.

— Malheur à nous! Mon mari va être furieux, ce soir, geignit-elle en agitant les bras. Mais qu'est-ce qui lui a pris, à Patrick? Il était nourri et je lui tenais compagnie.

Il me disait que ça le rassurait d'être enfermé, qu'il ne ferait plus de mal à personne. Là, où va-t-il, hein? Il va retourner chez les miliciens?

— Je ne crois pas, ma pauvre femme, marmonna Hitier. Il veut rejoindre sa sœur et entrer dans la Résistance.

Marie réapparut, une cuvette dans une main, un flacon et du linge dans l'autre.

— Votre fils a encore fait des siennes, Pélagie, commenta-t-elle d'un ton sévère. Autant vous l'avouer, je suis soulagée qu'il ne soit plus parmi nous.

— Ah oui! Et vous serez bien contents, tous, quand il se fera tuer! rétorqua la malheureuse mère. Je le lis sur votre figure, Marie! Alors, ne me rebattez plus les oreilles avec votre religion et vos prières.

— Si vous pouviez descendre, Pélagie, et surveiller les enfants. Je dois m'occuper de monsieur Hitier.

— Dans ce cas, conduisez-le dans votre chambre à vous; là, c'est chez mon fils! rugit la fermière, ivre de chagrin.

Marie ne demandait pas mieux. Elle prit le professeur par le bras et ils se dirigèrent à petits pas vers le palier.

Château de Torsac, même jour, une heure plus tard

Au désespoir de la vieille Ursule, le déjeuner avait été servi dans le grand salon. Consciente de la fatigue qu'un repas pour six personnes causerait à la domestique, Abigaël s'était chargée de mettre le couvert et de l'aider en cuisine. Elle avait manié avec une joie enfantine les produits de qualité en provenance de la rue de l'Évêché.

Elle éprouva un plaisir encore plus vif en servant Claire et Bertille, assises côte à côte, qui échangeaient à voix basse des confidences entre chaque bouchée.

Edmée de Martignac s'était amadouée et elle jouait à merveille son rôle d'hôtesse. Elle se montrait même aimable à l'égard de Maurice qui, lui, aurait préféré casser la croûte dehors, au soleil.

— Tu manges avec nous, ne discute pas, avait déclaré son ancienne patronne en lui dédiant un large sourire. Enfin, cher Maurice, tu as vécu avec nous durant des années!

Maintenant, chacun dégustait le café apporté par Yvon, qui semblait en avoir une provision inépuisable. Beaucoup moins gêné que le chauffeur, le fermier s'était régalé sans faire de commentaires ni chercher à discuter. Il se contentait d'observer d'un œil réjoui les deux cousines enfin réunies.

— Du café, du vrai café! s'écria Claire. Si vous saviez comme j'en rêvais, monsieur Mousnier!

— J'aimerais bien que ma fille Marie arrive. Elle apprécierait d'en boire une tasse, fit remarquer Edmée.

— Cette chère Marie! Est-elle mariée? s'enquit Bertille de sa voix la plus suave.

Elle resplendissait d'une vivacité retrouvée, réconfortée par le décor familier, le mobilier de prix, la flambée dans la haute cheminée ornée du blason de la famille…

— Non, et je le regrette, concéda la châtelaine.

Abigaël, qui avait débarrassé la grande table ovale drapée d'une nappe blanche, déambulait dans la pièce. Elle contemplait un des murs, opposé aux fenêtres, où avaient été peintes deux siècles auparavant de gracieuses fresques. Les couleurs pâlies par le temps la charmaient: du rose, du bleu, du doré et des pans d'ocre jaune le long des plinthes.

C'était aussi pour elle une façon de réfléchir à l'écart des conversations. Elle avait constaté que Claire tardait à lire les lettres tant espérées. «Pourquoi ne les a-t-elle pas lues tout de suite? se demandait-elle. Peut-être par crainte d'une mauvaise nouvelle!» Un autre point l'intriguait. Qui avait murmuré au gré du vent un remerciement pour une certaine Câlinette? «Jean Dumont, ou Bertrand Giraud? Ces hommes adoraient leur épouse. Ce message de l'au-delà s'adresse forcément à l'une des deux!»

Cependant, elle n'osait pas interroger la belle dame brune ni la princesse aux boucles blondes. «Je le saurai avant ce soir, se dit-elle. Mais je crois avoir deviné de qui il s'agit…»

7

Fugue et retour contrit

Château de Torsac, même jour

Claire venait de s'asseoir près de la cheminée, sur la banquette tapissée de velours rouge. Elle tenait entre ses mains les enveloppes qu'on lui avait remises. Personne ne songeait à se rapprocher d'elle. On comprenait. Elle désirait lire sa correspondance à l'écart, sans être interrogée ou dérangée.

Abigaël, qui avait repris sa place à table, l'observait à la dérobée, sensible au tableau touchant que sa belle dame brune composait, toute vêtue de noir, le visage éclairé par les flammes de l'âtre, Sauvageon couché à ses pieds.

— Je l'ai si souvent vue ainsi! lui confia Bertille à voix basse. Ma Clairette au coin de l'âtre, penchée sur un ouvrage de couture ou un livre, un loup à ses côtés. Oh! Seigneur, pouvoir remonter le temps, se retrouver là-bas, sous le toit du Moulin, parmi ceux qu'on aime!

— Qui ne le souhaiterait pas? renchérit Edmée de Martignac. Ce serait une bénédiction de revoir nos enfants à l'époque où nous pouvions veiller sur eux.

Yvon et Maurice approuvèrent gravement, mais ils se levèrent de concert.

— Si vous voulez bien nous excuser, mesdames, nous allons fumer dehors, prétexta le fermier.

Ils s'étaient compris d'un seul coup d'œil, le chauffeur et lui, tous deux avides de prendre l'air et de se dégourdir les jambes. En fait, ils ne se sentaient pas vraiment à l'aise, le repas terminé, en présence de l'austère châtelaine.

— Nous lassions ces messieurs, en déduit Bertille après qu'ils furent sortis. Je pense qu'ils sont moins sujets que nous à la nostalgie.

— Sans doute, répliqua Abigaël, toute songeuse. À propos du passé, puis-je savoir si votre époux vous donnait un surnom?

— Ciel, en voilà, une question!

— Une question fort indiscrète, en effet, nota Edmée, l'air pincé.

— Excusez-moi, plaida Abigaël. Je suis désolée si je vous mets dans l'embarras, madame.

— Ne soyez pas désolée, intervint Bertille. Mon mari m'appelait le plus souvent princesse, comme Claire, ou ma petite fée. C'était charmant, enfin, dans l'intimité. En société, il n'osait pas. Pour être franche, je préférais être surnommée princesse et non Câlinette, une invention de Jean en hommage à la douceur de Claire et à sa bonté. Ces dernières années, néanmoins, elle lui défendait de l'appeler ainsi.

Le cœur d'Abigaël cognait à grands coups dans sa poitrine. Elle avait raison, Jean Dumont s'était manifesté, de façon subtile et fugace, mais bouleversante.

— Pourquoi? demanda-t-elle dans un souffle.

— Ce n'est pas à moi de vous le dire, ma chère demoiselle.

Claire choisit ce moment pour abandonner son siège et les rejoindre d'un pas énergique. La réapparition de Bertille l'avait déjà transfigurée et, apparemment, la lecture de son courrier achevait de la ravir. Un sourire ineffable la rajeunissait. Ses traits semblaient plus nets, plus harmonieux encore.

— Ce sont d'excellentes nouvelles, annonça-t-elle. La dernière lettre de Matthieu date du mois de janvier. Je n'ai aucune raison de garder le secret. Ils ont loué un cottage dans le nord de l'Angleterre. Ma fille Ludivine suit des cours au collège le plus proche, Faustine travaille chez un pasteur. Elle enseigne le français à ses enfants. Mon frère a trouvé un *job* – c'est le mot qu'il emploie –, toujours en rapport avec l'imprimerie et l'édition.

— Et Isabelle, Pierre, Gabrielle? interrogea Bertille.

— Isabelle est restée en Amérique du Sud en compagnie de Victor et de sa femme, qui est malade. Pierre aide un fermier de la région et ma petite Gaby est infirmière. Matthieu précise qu'ils doivent beaucoup à la générosité de ma belle-sœur, Blanche. Sans l'argent qu'elle leur a donné, ils n'auraient pas pu se réfugier en Angleterre. Mon Dieu, je suis tellement heureuse! Je n'ai plus qu'un désir, les retrouver, pouvoir les serrer contre mon cœur et les embrasser.

— Et moi donc! s'exclama Bertille. Nous devons partir le plus vite possible, Claire. Nous devons te procurer de faux papiers et te grimer si nécessaire.

— Même si nous traversions la France en train, princesse, nous aurions du mal à nous embarquer pour les côtes britanniques.

— En effet, cela me paraît une expédition bien périlleuse, leur dit Edmée de Martignac.

— Le professeur Hitier trouvera une solution, affirma alors Abigaël. Vous êtes l'épouse d'un martyr de la Résistance, madame Claire, et nous savons tous que vous êtes en danger, ici. Vous reverrez bientôt votre famille.

Claire se pencha sur la jeune fille et la dévisagea, l'air ébloui. Elle lui caressa les joues et le front.

— Chère petite, il semble que vous pourriez surmonter toutes les difficultés grâce à votre foi et à votre volonté de bien faire. Je vous dois tant, déjà! Je ne voudrais mettre personne en danger, surtout pas vous, ni causer de graves ennuis à votre oncle ou à monsieur Hitier. Nous allons discuter, Bertille et moi, afin de nous débrouiller seules, pour une fois.

— Tout ce que je peux faire, ma Clairette, c'est de fournir les sommes indispensables. Pour le reste, je pense qu'Abigaël a raison, il vaut mieux être conseillées par des gens compétents en matière de voyage vers un pays étranger.

Bertille avait parlé d'une voix anxieuse. Elle mordillait un de ses ongles en suppliant sa cousine du regard.

— Je ne suis pas menacée, insista-t-elle. Pourtant, j'ai vécu dans l'angoisse. Je ne te quitterai plus, Claire, mais, je t'en prie, je veux que tu sois en sécurité près de ceux que nous aimons toutes les deux. Quand la guerre sera finie, car elle finira d'une façon ou d'une autre, nous reviendrons peut-être. Le domaine de Ponriant m'appartient toujours, la villa de Pontaillac aussi. Toi, tu pourras reprendre possession du Moulin du Loup. Il a brûlé, mais nous le ferons renaître de ses cendres.

— Non, cet endroit est maudit, protesta Claire d'un ton dur. La mort et le sang ont terni à jamais la maison où je suis née et que je chérissais. Je serais incapable de revivre là-bas, parmi mes plus beaux souvenirs, entourée de fantômes. Non, princesse, j'aspire à l'exil, à une autre terre, à de nouveaux paysages.

Elle tremblait, très pâle, à nouveau marquée par une infinie tristesse. Abigaël lui prit la main.

— Je vous comprends, madame, murmura-t-elle. Je voudrais de tout mon cœur pouvoir vous rencontrer souvent et découvrir les pages de votre existence, de la vôtre également, madame Bertille, mais je vous aime tellement! Je sais que vous devez partir loin d'ici.

Un flot de larmes la submergea. Attendrie, Claire la fit se lever et l'étreignit. Elle la berça sur sa poitrine comme sa propre enfant, Ludivine, lorsqu'elle avait du chagrin.

— Je vous écrirai, Abigaël; vous resterez liée à moi, je vous le promets.

Edmée de Martignac jugeait ces effusions impudiques; elle toussota. Son expression morose s'effaça cependant quelques secondes plus tard lorsqu'elle aperçut une silhouette féminine qui traversait la cour d'honneur. Bertille l'avait vue elle aussi et un sourire mélancolique se dessina sur ses lèvres.

— C'est votre fille, Edmée, constata-t-elle, la jolie Marie de Martignac.

La jeune institutrice n'entra pas seule dans le salon. Yvon et Maurice l'escortaient. Abigaël accueillit la nouvelle venue d'un bonjour discret, puis elle courut jusqu'aux cuisines préparer du café frais. Ursule se reposait, assise sur un tabouret.

— Mademoiselle est là, je parie, grommela la vieille domestique.

— Oui, mais ne bougez pas, je me charge de tout. Je servirai des biscuits, ceux aux amandes que madame Giraud a achetés en ville.

— Sans tickets?

— Je l'ignore et, franchement, je m'en moque, Ursule. J'ai le temps de m'occuper de vous. Je sens que vous souffrez et je peux vous soulager. Excusez-moi de me mêler de ce qui ne me regarde pas, mais il faudrait que madame de Martignac engage une personne… enfin, une personne plus…

— Plus jeune, c'est ça? Boudiou, ça me ferait de la peine! Je sers madame depuis son mariage. J'avais seize ans quand j'ai pris mon service au château. Maintenant, j'ai décidé de travailler pour elle tant que je tiendrai debout.

Abigaël retint un soupir résigné. Pendant que l'eau chauffait, elle se mit à genoux devant Ursule et posa ses paumes bien à plat sur ses mollets gonflés et déformés.

— Dites, ça m'ôte la douleur, mignonne, ce que vous m'faites, s'extasia la vieille femme. Faudra revenir me voir. Madame Claire m'avait guérie, à l'époque, mais je crois qu'elle ne veut plus soigner les gens.

— Un jour, elle recommencera, j'en suis sûre, dit rêveusement Abigaël. Je peux vous soulager, moi aussi. Soyez certaine que je reviendrai rien que pour vous, Ursule.

— Vous êtes gentille comme tout, mademoiselle, et bien belle, ça oui!

La domestique se tut. Après un moment de silence, elle adressa un clin d'œil à Abigaël en demandant:

— Vous m'en donneriez pas un, de vos biscuits?

— Bien sûr que si, et même deux. C'est fête, aujourd'hui!

—

Dans le salon, une discussion animée allait bon train entre Edmée, Marie de Martignac, Yvon et Bertille. Un plateau à bout de bras, Abigaël jeta un regard intrigué vers Claire, qui semblait indifférente à l'agitation générale. Sa belle dame brune se contentait de caresser Sauvageon, dont la grosse tête grise reposait sur ses genoux.

— Qui veut du café frais? demanda-t-elle. Et des biscuits?

— J'en prendrai une tasse, répondit Marie de Martignac d'un ton aimable. Je suis heureuse de vous revoir, mademoiselle. Depuis notre dernière rencontre, vous avez encore accompli un petit miracle en retrouvant madame Giraud.

— C'était un hasard, se défendit Abigaël.

— Il n'y a guère de hasard, à mon humble avis, insinua Claire d'une voix douce.

— Peut-être, trancha la châtelaine, mais ce n'est pas le propos. J'aimerais qu'on suive les conseils de ma fille, qui estime impossible votre départ précipité pour l'Angleterre.

Elle s'adressait à Claire et à Bertille. Cette dernière, agacée, leva les yeux au ciel.

— Enfin, Edmée, nous n'allons pas nous terrer dans quelque grotte de la région en attendant des jours meilleurs! Ma cousine doit retrouver son frère au plus vite, ainsi que Faustine, ses petits-enfants et sa fille. Ne comprenez-vous pas qu'elle souffre d'un terrible chagrin, enfermée ici de surcroît, sous la menace d'être arrêtée si quelqu'un s'aperçoit de sa présence dans votre château? Monsieur Mousnier, vous êtes de notre côté. Vous avez sûrement un plan. Expliquez-nous, par pitié!

Le fermier hésitait à parler devant tant de personnes, même si elles étaient toutes de confiance.

— Le professeur Hitier ne voudrait pas que je sois si bavard, dit-il en guise d'excuse. Nous sommes entre gens de valeur et je ne doute pas de vous, mademoiselle de Martignac, ni de vous, Maurice, puisque vous êtes tout dévoué à ces dames, mais…

— Mais quoi? s'exaspéra Bertille. Allons, n'ayez pas peur.

— Bon, d'accord, je crois que le prof aurait eu la même idée que moi.

Accoutumée à la loi du silence et aux infinies précautions que prenaient les résistants avant d'entreprendre la moindre action, Claire s'efforça d'apaiser les scrupules d'Yvon.

— Monsieur Mousnier, on peut considérer qu'aujourd'hui vous êtes entouré de gens désireux de lutter pour la liberté et la justice. Marie de Martignac aidait mon époux à lier contact avec un réseau de Montmoreau, alors que le frère de Maurice est mort torturé par la Gestapo. Quant à madame de Martignac, je réponds de son silence. Son fils aîné est prisonnier en Allemagne.

— Merci, Claire! Si je suis le sujet gênant, je me ferai un plaisir de monter dans ma chambre, rétorqua la châtelaine, un peu vexée.

Yvon hocha la tête. Abigaël lui tendit une tasse de café qu'il but à petites gorgées.

— Voilà! dit-il. On doit convoyer un aviateur britannique qui a atterri dans la forêt de Bois-Blanc. Il était blessé. Ma fille Béatrice, son fiancé et deux autres résistants ont comme mission de le conduire à Châteauneuf. Là, un avion viendra le récupérer, un appareil des Forces françaises libres qui l'emmènera à sa base située au nord de Londres. L'opération aura lieu mardi soir, ce qui nous laisse le temps de prévenir les Forces qu'il y aura deux passagères en plus. Je ne vous cache pas que l'opération est risquée. L'avion pourrait être pris en chasse et abattu… Il faudra aussi vous conduire sur le terrain en question.

— C'est de la folie, s'insurgea Marie de Martignac. Il serait plus sage de chercher à vous rendre en Suisse en prenant le train. Le voyage serait plus sûr, grâce aux faux papiers que je vous ai procurés, chère Claire. Si votre cousine en a également, vous pourriez passer la frontière sans encombre. Je suis prête à faire le trajet en votre compagnie, puisque je parviens à m'exprimer en allemand, maintenant.

Silencieuse, Abigaël assistait au débat sans oser donner son opinion. «Pourquoi ne resteraient-elles pas au château toutes les deux? songeait-elle. Elles sont plus en sécurité sous ce toit que partout ailleurs.»

Au même moment, Claire lui saisit la main et, tout en la dévisageant, elle l'interrogea.

— Qu'en pensez-vous, Abigaël? Que vous dit votre intuition?

— Oh! madame, comment vous répondre, moi qui aimerais tant continuer à vous rencontrer! Je sais une chose, et c'est la seule qui compte, vous souhaitez de toute votre âme retrouver votre famille. Je suppose donc qu'il vous faut tenter votre chance.

— Bien dit! décréta Bertille, fébrile. Clairette, si nous sommes encore en vie et que le destin nous a réunies, ça ne peut pas finir ainsi. Nous arriverons saines et sauves en Angleterre et nous soignerons nos deuils là-bas. Au printemps, il y aura des roses, de merveilleuses roses, et des agneaux blancs tout frisés comme sur cette gravure que tu appréciais tant, chez moi, à Ponriant.

— Notre décision est prise, monsieur Mousnier, affirma Claire en souriant. J'espère que notre présence imprévue ne mettra pas en danger la vie de cet aviateur. Je m'en voudrais tellement!

— Si tout se déroule sans anicroche, madame, il n'y a pas de raison pour que vous perturbiez l'opération. Je vais vous donner les détails nécessaires.

—

C'était la fin de l'après-midi, l'heure de se séparer. Maurice devait ramener Yvon et Abigaël à la ferme.

Après avoir pris congé, Marie de Martignac s'était retirée dans sa chambre. Edmée l'avait accompagnée dans son besoin forcené de veiller sur sa fille qui, selon elle, s'épuisait à mener de front ses emplois d'institutrice et de secrétaire de mairie, sans compter d'autres activités clandestines.

Le teint doré par le soleil déclinant, Claire tenait Bertille par la taille. Elles formaient un tableau fascinant, insolite cependant. En dépit des épreuves qu'elles avaient endurées, les marques de l'âge les avaient singulièrement épargnées. Si un témoin pointilleux les avait observées de très près, bien sûr, il aurait pu déceler d'inévitables rides, des traits moins fermes, des fils d'argent parmi les cheveux bruns de l'une et les boucles blondes de l'autre. Mais ces légers outrages du temps passaient inaperçus dès qu'elles parlaient ou souriaient, dès que leurs yeux brillaient d'une force mystérieuse invincible.

Abigaël en faisait le constat en les contemplant tour à tour, au moment cruel de leur dire au revoir.

— Rien ne m'empêchera d'être là, mardi, déclara-t-elle d'une voix tremblante. Ceci dit, je veux vous embrasser une dernière fois, mes très chères dames.

Les prunelles grises piquetées d'or de Bertille s'embuèrent de larmes. Elle étreignit la jeune fille.

— Encore merci, petit ange, murmura-t-elle à son oreille.

— Oui, merci de tout cœur, petite Abigaël, renchérit Claire en la prenant dans ses bras. Ce soir, nous penserons fort à vous, ma princesse et moi. Ma chambre est trop austère. Nous en choisirons une autre et nous ferons comme avant, n'est-ce pas, ma Bertille? Tu te mettras au lit, adossée à des oreillers, et nous allumerons une bougie. Je te ferai un peu de lecture ou je ferai semblant, car il me faudrait des lunettes, à présent… Oh! mais nous oublions mon Sauvageon, notre gardien!

Mon Dieu, nous n'avons pas pensé à ça! Même votre oncle n'y a pas fait allusion; pourtant, nous ne pouvons pas l'emmener en Angleterre, surtout pas en avion.

— Si, il le faut, vous ne pouvez pas l'abandonner, répliqua Abigaël. Je vais en discuter avec mon oncle, ne vous inquiétez pas.

Claire la retint encore en lui serrant les mains. Alors, Abigaël lui fit part tout bas du message qu'elle avait reçu de Jean Dumont, une manifestation furtive de son âme aimante.

— Jean veut que vous soyez heureuse. Il m'a remerciée, sans doute d'avoir retrouvé votre cousine.

— Quand, mon enfant? s'affola Claire.

— Avant le déjeuner, à l'instant où je traversais la cour pavée, tenez, à un mètre de là où nous sommes. J'ai entendu une voix me dire: «Merci pour ma Câlinette.»

— Seigneur, il est près de nous!

— Je vous en prie, Abigaël, protesta Bertille, n'usez pas de ce surnom. C'est moi qui vous l'ai appris, à la fin du repas.

— Oh! chère dame, ça n'a fait que me faire savoir qui m'avait parlé, car j'hésitais entre votre mari, monsieur Giraud, et Jean Dumont. Je n'osais pas poser la question à l'une de vous. Je suis désolée, mais je ne mens pas. Je n'ai aucune raison de mentir dans ce domaine. Vous me croyez, vous, madame?

En larmes, Claire lui baisa le front en lui caressant les cheveux.

— Oui, je vous crois, ma chère petite. Moi aussi, je vous remercie.

— Excusez-moi, Abigaël, s'écria Bertille. J'avais noté, en plus, que vous aviez une étrange expression lorsque j'ai prononcé le mot Câlinette…

— Chut! fit Claire. Sinon, je vais pleurer des heures et des heures. Un jour, je vous raconterai mon histoire et celle de ma famille, Abigaël, je vous le promets.

— Ce sera merveilleux. Merci!

Yvon et Maurice étaient déjà près de la voiture depuis un moment. Le fermier faisait de grands signes à sa nièce. La jeune fille recula, le cœur lourd, puis elle tourna le dos au château pour courir vers l'automobile.

Ferme des Mousnier, six heures du soir

Pendant la première moitié du trajet, Abigaël ne prononça pas un mot. Elle revivait chaque minute passée au château en se remémorant des gestes de Claire et de Bertille; elle évoquait la cuisine aux allures médiévales où officiait la vieille Ursule.

Maurice et son oncle parlaient entre eux en phrases courtes à peine marmonnées. Mais Yvon se tourna bientôt vers la banquette arrière, inquiet de son silence.

— Tu es fatiguée, petite?

— Non, je rêvais. C'est une belle journée, que nous avons vécue! Mais, mon oncle, il y a un souci. J'en ai discuté avec madame Claire, sur le perron. Est-ce que Sauvageon pourra partir lui aussi, par l'avion?

— Bon sang de bois, ça m'était sorti de la tête! s'exclama-t-il. Ce serait compliqué, quand même. Il faut le laisser à Torsac.

— Sûrement, insista le chauffeur. Un loup chez les Anglais, alors qu'il n'y en a plus depuis des siècles... J'ai lu ça quelque part.

— Nous allons trouver une solution, n'est-ce pas, mon oncle? Sauvageon sera malheureux, sans sa maîtresse.

Yvon haussa les épaules en esquissant une mimique perplexe.

— Abigaël, je préfère te causer en toute sincérité. Déjà, on a arrangé ce départ sans en discuter avec le professeur. Rien ne dit qu'il sera d'accord. Il nous reste deux jours pour arranger les choses. Je t'avoue que le problème du loup passe au second plan.

— Je comprends, soupira-t-elle.

«Peut-être que je le garderai, dans ce cas, se dit-elle, pleine d'espoir. Oui, évidemment, Claire me le confiera.»

Un quart d'heure plus tard, Maurice les déposa devant le portail de la ferme. Il tendit une carte de visite à Yvon.

— C'est le numéro de téléphone où vous pouvez me joindre, précisa-t-il. Si jamais vous avez besoin d'un taxi, pour vous, ce sera gratuit. Pour mademoiselle aussi.

— Merci bien. On se reverra un de ces jours, Maurice.

Les deux hommes échangèrent une énergique poignée de main. Abigaël, qui était sortie de la voiture la première, remercia également le chauffeur.

— Monsieur, ajouta-t-elle, dites à votre épouse Thérèse que le tableau de sa maman orne les murs de l'épicerie, à Puymoyen. Vous devriez le récupérer.

— Vraiment? Thérèse et moi, on pensait qu'il avait été volé ou jeté je ne sais où. Je m'en occuperai, mademoiselle. Ma femme sera contente.

L'automobile reprit aussitôt la direction du Lion de Saint-Marc. Yvon tendit l'oreille.

— Dis donc, petite, il n'y a pas un bruit dans la grange. C'est l'heure de la traite, pourtant.

Comme pour lui donner raison, une des vaches émit un meuglement plaintif. Il se dirigea vers le bâtiment dont il poussa la porte. Il y faisait sombre, mais il distingua de son œil exercé les pis gonflés de ses bêtes. Au bruit de ses pas, les moutons se mirent à bêler eux aussi.

— Boudiou! jura-t-il, on s'en va une journée et le boulot n'est pas fait!

— Je vais vous aider, mon oncle.

— Ce n'est pas de refus.

Abigaël ôta sa veste et ressortit pour la suspendre à un clou de la porte. Elle vit alors sa tante qui accourait, un châle sur le dos. Pélagie la suivait. Toutes deux arboraient une mine affolée.

— Eh bien, c'est pas trop tôt! plaisanta Yvon.

— Ah! mon homme, mon pauvre homme! se lamenta la fermière. Tu aurais dû rentrer plus tôt, misère!

Livide, Marie Monteil approuva d'un signe de tête véhément.

— Qu'est-ce qu'il y a, tantine? s'écria Abigaël.

— Patrick s'est sauvé, répondit Pélagie dans un sanglot. Il a enfoncé la porte et il est parti.

— En brutalisant le professeur Hitier, que j'ai trouvé à moitié assommé sur le parquet, le crâne en sang.

— Nom d'un chien! éructa Yvon, blême de colère. Il cachait bien son jeu, ce vaurien! Et toi, tu l'as aidé à s'enfuir, hein? Tu n'as pas pu respecter mes ordres, une fois de plus!

La cinglante invective était destinée à son épouse, qui recula, effrayée. Elle se défendit en hurlant plus fort que son mari.

— J'étais dehors avec les trois gosses, moi. Je faisais confiance à monsieur Hitier! Il devait rester une heure avec Patrick. Ça me donnait juste le temps de nourrir les cochons et de ramasser les œufs. C'est facile de m'accuser pendant que tu te baladais, que tu allais faire le malin dans un château! S'il arrive un malheur, ne viens pas me le mettre sur le dos! Je n'ai rien à me reprocher, moi!

À bout de nerfs, Pélagie éclata en sanglots. Elle jeta un regard à la fois haineux et désespéré à son mari.

— Arrête donc de chialer et va plutôt traire les vaches, rugit-il. Je vais voir le prof. Où est-il? Chez lui?

— Vous trouverez Jacques dans votre cuisine, répondit Marie d'un ton neutre. Ne le tourmentez pas, il souffre d'une forte migraine, ce qui n'a rien d'étonnant.

En dépit des circonstances, Abigaël perçut une note nouvelle dans la voix de sa tante, surtout lorsqu'elle prononça le prénom du professeur.

— Je suis désolée, tantine, dit-elle en lui prenant la main. Tu as dû passer une mauvaise journée.

— J'en ai connu de plus calmes, mais que veux-tu, c'est la vie, une succession de joies et de peines, prêcha Marie. Je rentre vite, la soupe est sur le feu.

— Oui, venez, proposa Yvon. Vous emmènerez les enfants à l'étage. Je dois causer tranquillement à Hitier.

— Je vais aider à la traite comme prévu, annonça Abigaël.

La jeune fille rejoignit la fermière qui pleurait en silence, appuyée au flanc de Blanchette, la vache la plus nerveuse.

— Faites attention, tante Pélagie, recommanda-t-elle. Ce n'est pas le moment de prendre un coup de patte.

— J'm'en fiche, marmonna la femme. Pour la vie que je mène, j'serais aussi bien six pieds sous terre.

Apitoyée par sa profonde détresse, Abigaël lui saisit le bras et l'attira à l'écart de la bête, dont les meuglements brefs trahissaient l'impatience.

— Laissez-moi faire, lui dit-elle gentiment. Vous êtes bien trop nerveuse.

Pélagie recula et s'affala sur une botte de paille placée contre l'une des cloisons en planches pour servir de banc. Elle observa les gestes de la jeune fille, assise sur le tabouret de traite à trois pieds, le front appuyé au ventre de Blanchette. Le lait gicla aussitôt dans le seau.

— J'aurais dû me méfier davantage, soupira la fermière. Hier, Patrick m'a posé plein de questions. J'ai répondu comme je pouvais, pardi! Il m'a demandé si sa sœur logeait toujours à la même adresse, en ville, et, moi, j'savais pas quoi dire à cause d'Yvon, qui m'avait raconté tout leur bazar de résistants.

— Vous pensez qu'il va essayer de voir Béatrice? demanda Abigaël en se retournant un peu.

— Sûrement. D'après le professeur, mon pauvre gamin veut prendre le maquis, lui aussi. Je sens que je le reverrai pas vivant, mon gosse. Pareil pour sa sœur, il a fallu qu'elle se mette dans la tête de faire de la résistance. Ah! Dieu m'est témoin que je vais mourir de chagrin!

— Tante Pélagie, ceux qui combattent dans l'ombre sont des héros. À l'instar des Alliés, ils luttent pour sauver la France. Vous devriez être fière de votre fille.

— Misère, fière de quoi? J'aurais préféré qu'elle se marie et qu'elle me fasse grand-mère.

— Cela viendra plus tard, j'en suis certaine.

La fermière haussa les épaules. Elle se leva, prit le second seau en zinc et s'installa pour traire la seconde vache. La discussion étant close, Abigaël put réfléchir à son aise. De temps en temps, un des moutons poussait un faible bêlement, mais elle n'y prêtait pas attention. La fugue de Patrick la tracassait. Il n'avait aucune chance de contacter un réseau de maquisards, surtout s'il errait dans Angoulême. Au pire, il serait récupéré par la milice, qui faisait des patrouilles le soir. «S'il ne s'y rend pas de son plein gré afin d'être logé et nourri… Non, j'en doute, il était sincèrement malheureux et honteux. Il doit vouloir effacer son crime par un acte de bravoure.»

Malgré l'angoisse qu'elle éprouvait en songeant à Patrick, ses pensées se concentrèrent de nouveau sur

Claire, dont la fine silhouette vêtue de noir l'obsédait. Elle revit aussi avec la même stupeur émerveillée l'apparition de Bertille Giraud dans la cour, le matin, complètement métamorphosée. Leur prochain départ la désolait; pourtant, elle savait qu'il ne pouvait en être autrement.

—

Une demi-heure plus tard, Abigaël rapportait deux bidons de lait soigneusement filtré par ses soins pour la consommation de la famille. L'excédent n'était pas gaspillé. Pélagie fabriquait du beurre de ménage et du fromage frais. Depuis un mois, Yvon en livrait une partie aux soldats allemands cantonnés près de la centrale électrique.

Le professeur Hitier, le teint blême, se chauffait près de la cheminée, les mains tendues vers les flammes. La mine grave, le fermier fumait sa pipe.

— Vous êtes seuls? s'étonna-t-elle.

— Oui, répliqua Yvon d'un ton bourru. Pérez est monté coucher son petit, alors que Marie garde Cécile et Grégoire à l'étage. Où est Pélagie?

— Elle donne du foin aux moutons, mon oncle. La pauvre me fait de la peine. Elle a beaucoup pleuré.

Jacques Hitier leva la tête et considéra Abigaël d'un œil navré. Il lui fit signe d'approcher.

— Tu ne sais pas tout, petite. Cet après-midi, je suis allé chez moi. J'avais besoin d'aspirine. Patrick a fait semblant de filer à travers champs, mais il a dû revenir peu après, car j'ai trouvé ma porte grande ouverte et mes placards pillés. Le plus grave, c'était l'entrée du souterrain, béante… Si quelqu'un avait eu la curiosité de visiter la maison, nous aurions perdu le passage le plus sûr que nous avons pour gagner la ville sans danger. Et encore, maintenant, je n'ai plus confiance. Ce voyou peut en parler ou se vanter de l'avoir emprunté.

Accablée, Abigaël prit place sur le banc.

— Ce n'est peut-être pas lui le coupable, hasarda-t-elle sans grande conviction.

— Penses-tu? gronda Yvon. Patrick connaissait la cachette de la clef. Il a joué les ignorants, mais il nous a tous dupés, depuis un moment. S'il a emprunté le souterrain, c'est forcément qu'il nous avait entendus en causer.

— Ou alors ta fille l'avait mis au courant, soupira le professeur. Qui a commis l'erreur, je l'ignore, mais j'ai eu tort, de mon côté.

— Pourquoi donc, prof? s'offusqua le fermier.

— J'ai exigé de tenir Patrick à l'écart de nos activités. Je le jugeais immature, trop instable, mais, si on lui avait accordé un petit rôle, il se serait senti valorisé et il n'aurait pas intégré la milice sur un coup de tête.

— Je ne suis pas d'accord, trancha Yvon. J'ai été le premier à soutenir votre décision. Patrick buvait en douce dès qu'il en avait l'occasion et il a violenté une fille de Dirac, il y a un an. Ensuite, par jalousie ou par vice, il s'est mal comporté avec ma nièce, et le mot est faible. Non, il nous aurait attiré des ennuis.

— Il risque d'en provoquer encore, ajouta Abigaël. Pélagie croit qu'il va chercher à rencontrer Béatrice.

Tous trois se regardèrent, saisis par la même anxiété. Hitier se leva soudain, l'air épuisé.

— Je rentre chez moi. J'ai fermé les contrevents et donné un tour de clef, mais si tu pouvais m'accompagner, Abigaël! Il faudrait remettre de l'ordre et je suis vraiment fatigué. Tu m'excuseras auprès de Marie, Yvon. Je lui avais dit que je dînerais ici, mais j'ai besoin de calme.

— Très bien, professeur, je vous suis. Avez-vous un plan, pour mardi soir?

— Ah! mardi soir, l'évacuation de Claire Roy et de sa cousine, murmura-t-il. Nous verrons ça demain.

Maison de la falaise, chez le professeur Hitier

En vingt minutes, Abigaël avait nettoyé et rangé la pièce principale qui servait de cuisine, de salle à manger et de bureau. Dans sa précipitation, Patrick avait renversé de la farine, cassé un bol et vidé les tiroirs du buffet. Jacques Hitier s'était aperçu qu'il manquait également de l'argent. Affalé dans son fauteuil, il soupira en s'adressant à Abigaël.

— Je te remercie, chère enfant. Je n'aurais pas eu l'énergie nécessaire pour m'atteler à la tâche. Je ne suis plus tout jeune. Hélas, je me ressens de la chute que j'ai faite.

— Laissez-moi vous soulager, monsieur. Vous souffrez du dos, surtout.

— Non, tu me l'as déjà proposé, mais je ne veux pas. Une fois au lit, je serai plus à mon aise.

— Dans ce cas, je vais vous préparer une bouillotte. Le feu ronfle, l'eau sera vite chaude.

— Petite, enchaîna-t-il à voix basse, j'avais une autre raison de te faire venir chez moi. D'une part, il est inutile de dire à Yvon que son fils m'a volé des sous, ça le rendrait malade. D'autre part, j'attends une visite. Adrien…

— Adrien? répéta-t-elle, tout de suite transportée de joie.

— Il ne sera pas seul. Il conduit jusqu'ici l'aviateur anglais. Je le cacherai et, surtout, il pourra être soigné plus convenablement. Un médecin de mes amis qui est des nôtres viendra demain soir. Je vais te confier encore du travail. Il faudrait préparer une couche propre pour le blessé. Ne t'inquiète pas, ton oncle est dans le secret.

La maison du professeur, bâtie contre la falaise, respectait son tracé. Ainsi, une sorte de mezzanine avait été aménagée sur un replat du rocher où se trouvait un divan, dissimulé par un rideau en tissu épais. Adrien avait souvent dormi là, sa sœur aussi.

Fébrile, Abigaël eut vite fait de changer les draps et la taie de l'oreiller, dûment secoué auparavant. Elle ajouta une couverture en guettant le moindre bruit en provenance des profondeurs de la terre.

— Savez-vous à quelle heure ils arrivent, professeur? demanda-t-elle enfin, pleine d'espoir.

— Non, et je ne serai rassuré que quand je les verrai devant moi, en sécurité. Ils peuvent être ici dans une heure ou vers minuit.

— Je voudrais attendre avec vous. En plus, je suis capable de m'occuper de cet homme. Je vous en prie, dites oui. J'irai chercher le nécessaire à la ferme et j'avertirai ma tante que je dîne chez vous. Elle ne refusera pas.

Hitier hésita un instant avant de lancer un non catégorique.

— Il vaut mieux que tu restes là-bas. Marie et Pélagie ont eu une mauvaise journée, Yvon est sur les nerfs. Tu seras plus utile en veillant sur les enfants.

— Mais, monsieur, je vous en supplie! Vous ne pouvez pas m'empêcher de revoir Adrien!

— Abigaël, ne complique pas les choses. Laisse-moi seul.

Révoltée et au bord des larmes, elle remit sa veste et son bonnet. L'attitude du professeur lui semblait incompréhensible, injuste de surcroît. Cependant, elle ne discuta pas davantage et sortit dans la nuit fraîche et humide au parfum de buis et d'eau vive.

Le paysage nocturne où régnaient les odeurs de la terre et de la roche lui fit songer à Claire. Elle se demanda ce qu'aurait fait sa belle dame brune en pareil cas, au même âge qu'elle. Il lui parut évident qu'elle devait se rebeller parfois et ne pas obéir aveuglément. «Je suis sûre qu'elle regimbait parfois et qu'elle ne supportait pas l'injustice. Oncle Yvon m'a laissé entendre, un soir où nous parlions de Claire, que sa mère, Hortense, était sévère et autoritaire. Je reviendrai ce soir, après le repas, car monsieur Hitier n'a pas tous les droits sur moi. Pourquoi veut-il m'empêcher de revoir Adrien?»

Abigaël quittait le jardinet où pointaient quelques fragiles narcisses lorsqu'une silhouette masculine se dressa devant elle. Malgré la pénombre, elle reconnut Patrick.

— Dieu merci, tu es là, s'écria-t-elle. Ta mère se désespérait.

Il la bouscula pour la dépasser, comme s'il ne l'avait pas vue. Il s'élança dans l'escalier de ciment.

— Le professeur est bien chez lui? maugréa-t-il. C'est grave! Faut qu'il m'écoute.

La curiosité autant que l'inquiétude retinrent Abigaël. Jacques Hitier entrebâilla sa porte. Il recula devant la mine tourmentée du garçon.

— Qu'est-ce qui se passe? gronda-t-il. Tu as le diable à tes trousses? Je te préviens, Patrick, pas de violence! Et des excuses, vite, pour le souk que tu as mis chez moi.

— Je vous en prie, m'sieur Hitier, écoutez! J'ai couru depuis le quartier de Tivoli pour vous avertir. Il y a eu un éboulement dans le souterrain, cet après-midi. J'ai entendu le bruit alors que j'en avais parcouru environ dix mètres. J'ai continué quand même et, en arrivant dans la petite bâtisse sous la ville, je suis tombé sur Adrien et un type blessé.

— Bon sang! jura le professeur, affolé. Il ne manquait plus que ça!

— Je leur ai dit de ne pas avoir peur, que j'étais de leur côté. Je les ai aidés, j'vous jure. On a marché un moment, mais le blessé n'en pouvait plus. Adrien et moi, on a essayé de déblayer les pierres et la terre, mais nous ne sommes pas parvenus à rétablir le passage. Il faut des outils et s'y mettre à plusieurs.

— Où sont-ils, à présent?

— Dans le souterrain, pardi! Ils attendent qu'on arrive.

Patrick avait repris son souffle. Il se retourna un instant et aperçut Abigaël, immobile sous le couvert d'un noisetier.

— Je parie qu'elle est au courant de tout, supposa-t-il. On lui fait confiance, à elle, pas à moi!

— Ce n'est vraiment pas le moment d'en discuter, trancha froidement Hitier. Nous devons amener cet homme en lieu sûr et le soigner. Abigaël, cours chercher ton oncle! Prenez des pioches et des pelles. Dis-lui que son fils est là, aussi, mais qu'il y a plus urgent que les règlements de comptes familiaux!

— D'accord, professeur, je me dépêche, promit-elle.

Malgré la situation délicate de l'aviateur anglais, Abigaël avait des ailes. Transportée de joie à l'idée de retrouver Adrien, elle courut sur le chemin.

—

Une heure plus tard, Yvon et Patrick travaillaient ensemble, courbés sous la voûte rocheuse. Tous deux maniaient la pioche, tandis qu'Abigaël rejetait les gravats en arrière à coups de pelle, puis les entassait à l'écart. Jorge Pérez était là également; il dégageait les plus gros blocs de roche à mains nues.

Deux lanternes à pétrole posées sur le sol les éclairaient. De temps à autre, une conversation brève s'élevait entre Adrien et le fermier, l'éboulement ayant laissé un espace libre d'environ un mètre de longueur sur trente centimètres de hauteur.

— Comment va le lieutenant Howard? demandait souvent Yvon.

— La fièvre ne baisse pas. Il somnole. Faites vite, répliquait le jeune résistant.

Les questions et les réponses ne variaient pas. C'était une sorte de refrain angoissé qui résonnait dans les profondeurs de la terre. Abigaël aurait voulu prononcer de bonnes paroles à l'intention du militaire britannique, mais elle se concentrait sur sa tâche, le front moite et les doigts en feu à force de pelleter.

Enfin, leurs efforts furent récompensés. Un étroit couloir était dégagé.

— Je ne comprends pas pourquoi ça s'est effondré, grogna Yvon en sueur.

— Monsieur Mousnier, regardez mieux le plafond à cet endroit, fit remarquer le réfugié espagnol. Ce n'est pas du rocher, mais une très vieille maçonnerie. Il a beaucoup plu, le mois dernier. L'eau a fait des dégâts.

— Je peux vous dire que ça a fait un sacré bruit, affirma Patrick, j'ai eu une de ces peurs!

— Tais-toi donc, rugit son père. On aura à causer, demain.

La menace fit son effet. Pendant ce temps, Abigaël avait rejoint Adrien. Ils se sourirent, puis se penchèrent sur l'aviateur, assis contre la paroi.

— Il a dû s'épuiser à venir jusqu'ici, dit-elle tout bas. Où est-il blessé?

— Les côtes et le ventre, je crois. Je le soutenais, mais il n'aurait jamais pu atteindre la maison des falaises. Là, il reste encore une rude distance à parcourir.

— Nous allons le transporter à tour de rôle, annonça Yvon, qui s'était approché. Pérez, on commence. Je vais le prendre par les aisselles. Vous, vous tiendrez ses chevilles. Adrien et Patrick feront leur part un peu plus loin. En attendant, les gars, tenez les lanternes. Allons, pressons-nous.

Aux intonations métalliques de sa voix, Abigaël sentait la colère sourde de son oncle. Son cousin ouvrant la marche, elle parvint à demeurer le plus près possible de son amoureux. Il lui dédia un coup d'œil plein de gratitude en profitant de l'obscurité qui se refermait derrière eux pour l'effleurer à tâtons d'un geste caressant.

— Je suis tellement heureuse d'être avec toi! murmura-t-elle à la faveur d'un coude du souterrain où ils ralentirent un peu.

— Je rêve de t'embrasser, chuchota-t-il à son oreille.

Une griserie inappropriée dans ces circonstances s'empara d'Abigaël. Elle n'éprouvait aucune crainte, certaine qu'elle serait en mesure d'apaiser les souffrances du blessé, une fois qu'il serait chez le professeur. L'expédition imprévue attisait dans son cœur une soif nouvelle d'aventure, de liberté absolue.

Le fermier ordonna une halte à mi-chemin. Patrick et Adrien prirent le relais. En dépit de maintes précautions, l'aviateur poussa une plainte lorsqu'ils le déposèrent un instant par terre.

— Il s'est évanoui, constata Pérez.

— Dépêchons-nous! s'écria Yvon.

Ils virent enfin un carré de lumière jaune se dessiner dans les ténèbres. Jacques Hitier avait laissé ouvert le fond du placard; il devait les guetter. Bientôt, ils distinguèrent sa tête couronnée de cheveux blancs dans le halo de la lampe à pile qu'il agitait.

—

Abigaël fut soulagée quand son oncle et le professeur installèrent le lieutenant Howard sur le divan. Elle posa aussitôt la paume de sa main gauche sur le front de l'homme, qui geignait doucement, ayant repris conscience.

— Ne craignez rien, dit-elle, vous êtes en sécurité. Je vais m'occuper de vous, monsieur.

— Tu ferais mieux de rentrer à la ferme, ma chère enfant, conseilla Hitier.

— Non, je veux l'examiner. Adrien, il me faudrait une cuvette d'eau tiède, je te prie, et ma sacoche en cuir. Sa chemise est poissée de sang. La plaie a dû s'infecter.

— Pourtant, Béatrice l'a nettoyée avec du Dakin, mentionna-t-il en affichant un air de doute.

— Petite, laisse-nous faire, intervint le fermier. Un docteur viendra demain. Va te coucher, ta tante doit se ronger les sangs.

— Mais je suis guérisseuse. J'ai apporté un baume à base de consoude et de plantain, ainsi que des bandages propres.

— Oui, restez, mademoiselle, dit soudain l'aviateur à la surprise générale.

— Je reste, monsieur, affirma-t-elle en lui touchant de nouveau le front du bout des doigts.

Le soldat anglais s'empara de sa main droite et l'étreignit. Il entrouvrit les paupières sur des prunelles d'un bleu saphir.

— *Please*[5], murmura-t-il.

Adrien observait la scène d'un œil perplexe. Lorsqu'Abigaël déboutonna la chemise de l'homme, il se décida à lui obéir et descendit les six marches menant à la cuisine.

Tête basse et le teint cramoisi, Patrick était assis sur un tabouret.

— On peut remercier ton fils, Yvon, déclara alors le professeur. S'il n'était pas venu à la course m'expliquer ce qui était arrivé, le lieutenant serait en grand danger. Tu vas habiter ici, mon garçon, et tu me rendras service, le cas échéant.

— Vraiment, m'sieur Hitier, vous me gardez? s'écria Patrick, ébahi.

— Oui, dorénavant, tu es sous ma responsabilité. Enfin, si ton père n'y voit pas d'inconvénient.

— Aucun, mais vous n'êtes pas rancunier, prof. Pour ma part, je préfère ça, en espérant que vous en viendrez à bout...

Toute dévouée au lieutenant anglais, Abigaël ne prêtait pas attention à la discussion. Elle examinait l'inflammation de la chair autour de la plaie qu'il avait sur le côté droit, tout en prenant son pouls. Sans hésiter, elle ausculta ensuite une balafre rougeâtre en dessous de son nombril. Adrien, de retour, s'offusqua.

— Je suis du même avis que ton oncle et monsieur Hitier, dit-il d'un ton bas et rapide. Un médecin serait plus indiqué.

— Qu'est-ce qui te gêne? demanda-t-elle en guise de réponse. J'ai déjà pansé un homme gravement blessé, pendant l'exode.

Adrien déposa la cuvette d'eau chaude et s'assit lui aussi au chevet de l'aviateur. Il fixait d'un air absent

---

5. S'il vous plaît.

la danse légère des doigts d'Abigaël, qui maniaient habilement deux linges, l'un humide, l'autre imbibé de teinture d'iode. Il semblait la surveiller et elle s'en irrita.

— Tu peux redescendre avec les autres, souffla-t-elle. Dès que j'aurai terminé, nous pourrons sortir un peu tous les deux. Mon oncle va s'en aller, sans doute. Je passerai la nuit ici, près de lui.

Elle désignait le soldat d'un gracieux mouvement de la tête. Elle ajouta:

— Demain, le docteur pourra lui faire une piqûre de pénicilline et le recoudre, mais il souffre et il a peur. Je ne dois pas le laisser seul.

Le lieutenant Howard entrouvrit encore une fois les paupières. Son regard très bleu scruta le fin profil de la jeune fille.

— Merci, mademoiselle, je me sens bien, *very well*[6].

Il la gratifia d'un faible sourire, qu'elle lui rendit aussitôt. Silencieuse et appliquée, elle pansa les plaies nettoyées et enduites de son baume.

— Voulez-vous boire de l'eau ou du thé? demanda-t-elle.

— De l'eau, *please*.

Adrien se chargea de lui apporter une carafe et un verre. Lui qui avait éprouvé admiration et respect pour l'aviateur le scrutait à présent d'un œil méfiant, même hostile. Il respira plus à son aise quand Abigaël abandonna enfin le chevet du blessé et descendit se laver les mains.

Son oncle et le professeur discutaient à voix basse en fumant. Elle entendit du bruit dans la chambre du rez-de-chaussée. Patrick en sortit bientôt.

— J'ai déplié le lit de camp, prof, dit-il doucement. Je suis éreinté, je vais dormir tout de suite.

---

6. Très bien.

Il avait quitté sa veste et ses chaussures. Son expression docile et son regard craintif faisaient peine à voir. Apitoyé, Jacques Hitier lui tendit un paquet de cigarettes.

— Va te reposer, mon gars. Tu nous as sauvé la mise, ce soir. Dors tranquille.

— Merci bien, prof, marmonna le jeune homme en disparaissant à nouveau dans la pièce voisine.

Adrien soupira de soulagement. Au prix d'un effort surhumain, il avait toléré la présence de Patrick Mousnier durant des heures parce qu'il ne pouvait faire autrement, mais il n'avait plus à présent qu'une idée, emmener Abigaël à l'extérieur. Elle le sentit et chercha comment tenir sa promesse.

— Mon oncle, si vous souhaitez rester encore ici avec le professeur, je ferais mieux d'aller rassurer tantine et… tante Pélagie. Je suis sûre qu'elles n'iront pas au lit sans avoir eu de nos nouvelles. Je leur dirai aussi que je passe la nuit près du lieutenant Howard.

— Oui, oui, vas-y, bougonna Yvon, nous n'avons pas fini de causer, le prof et moi. Mais ne traîne pas.

— Je l'accompagne, déclara Adrien d'un ton catégorique.

— Ah! ça, je l'aurais parié, dit Jacques Hitier entre ses dents. Filez et revenez vite.

—

C'était délicieux de se retrouver main dans la main sous le ciel étoilé d'un bleu profond. La campagne bruissait de sa vie nocturne autour des amoureux qui marchaient tout près l'un de l'autre, un vent frais caressant leur visage. Abigaël exultait, en accord parfait avec la nature, dans ce parfum tenace et obsédant que dégageaient les grands buis et les rochers perlés d'eau vive.

— Je suis heureuse que tu sois là, mon amour, murmura-t-elle.

— Si nous pouvions nous enfuir, partir loin de tout ça! répliqua-t-il en déposant sur ses lèvres un unique baiser, furtif et léger.

— Tout ça? Tu veux dire quoi? interrogea-t-elle en riant.

— La Résistance, la vallée, ton oncle, ta tante, le prof, tous ces gens à qui il faut obéir et rendre des comptes. Je suis sous les ordres de ta cousine Béatrice, à présent.

— Je comprends mieux pourquoi c'est toi qui as été chargé de conduire le lieutenant Howard ici. Béa savait que je serais folle de joie de te revoir.

— Crois-tu? Je n'ai pas vu les choses sous cet angle!

Il s'arrêta à une vingtaine de mètres du portail de la ferme et l'enlaça. Elle se blottit contre lui, ravie d'être captive de ses bras d'homme, troublée par le contact de son corps.

— Ma petite chérie, mon ange, chuchota-t-il à son oreille, je n'étais pas certain de te rencontrer, mais, grâce à l'éboulement dans le souterrain, nous sommes tous les deux. J'en remercie Dieu. Je voudrais te donner un gage de mon amour, Abigaël.

Elle approuva, intriguée, tandis qu'il sortait un petit écrin de la poche intérieure de sa canadienne. Il l'ouvrit et un bijou scintilla une seconde sous la pâle clarté des étoiles.

— La bague de fiançailles de ma grand-mère, expliqua-t-il d'une voix grave. Je voudrais que tu la portes jour et nuit, ma petite chérie. Ce sera un lien entre nous, un peu de moi qui ne te quittera pas et aussi la preuve de ma volonté de t'épouser dès que possible.

— Depuis quand as-tu cette bague sur toi? Est-ce qu'elle t'appartient vraiment? De toute façon, d'où qu'elle vienne, je ne peux pas l'accepter.

— Pourquoi? Tu te méfies? s'enflamma-t-il. Tu sais très bien que nous nous sommes enfuis d'Angoulême, Cécile et moi, alors que notre grand-mère venait de mourir. Elle m'avait donné ce bijou sur son lit de souffrance, ainsi qu'un collier en or que j'ai vendu aussitôt avec son accord pour avoir un peu d'argent. Mais, la bague, je l'ai gardée.

— D'accord, je te crois. Seulement, il me semble que ce serait à ta sœur de la porter un jour, pas à moi. J'aurais l'impression de voler Cécile en la prenant.

— Balivernes! Avoue plutôt que tu refuses de te fiancer.

— Oui, je préfère attendre ou bien en discuter avec ma tante et mon oncle. Que diraient-ils si j'avais ce joli bijou au doigt du jour au lendemain?

— Ils sauraient à quel point je suis sincère, et combien je t'aime. Abigaël, je t'en supplie, j'aurai tous les courages si nous sommes fiancés.

Attendrie, elle le regarda en souriant. Le clair-obscur sculptait ses traits anguleux et renforçait le dessin volontaire de ses lèvres.

— Je ne veux pas te faire de peine, mon amour, mais patientons encore un peu. Il y a une chose que je peux faire, c'est garder précieusement la bague dans son écrin. Tu aurais pu la perdre cent fois, pendant l'hiver.

— Sûrement pas. La poche intérieure de ma canadienne ferme très bien. Vérifie toi-même!

Il s'empara de sa main droite pour la glisser dans l'entrebâillement de la veste. Elle approuva, un peu gênée, car il avait ensuite dirigé ses doigts à la hauteur de son cœur.

— Tu sens comme il bat fort, souffla-t-il à son oreille. Il bat pour toi, ma petite chérie, mon ange!

— Je sais que tu m'aimes, Adrien, mais…

Il la fit taire d'un nouveau baiser beaucoup plus ardent, plein d'une fougue virile.

— Tu es à moi, rien qu'à moi, dit-il en reprenant son souffle. Alors, est-ce que tu mets la bague? Sais-tu, j'ai souffert le martyre, tout à l'heure, en te voyant soigner Howard. Tes jolies mains sur son torse et son ventre, c'était insoutenable.

Abigaël échappa à son étreinte passionnée. Elle avait eu le temps, cependant, de refermer l'écrin et de lui redonner.

— Tu dis des sottises, Adrien. Cet homme a sûrement souffert plus que toi, pendant que je désinfectais ses blessures. Tu ne peux pas être jaloux d'un brave soldat, un de nos alliés.

— C'était un peu trop à mon goût, gronda-t-il, après avoir passé la journée ou presque en compagnie de Patrick, ce porc qui a voulu te forcer. J'avais envie de le frapper dès qu'il me frôlait.

— Tu manques de délicatesse. J'étais si heureuse, il y a un instant! Pourquoi me rappeler ces moments épouvantables où j'ai été humiliée et frappée, où tu m'as vue sous lui, mes vêtements déchirés! Penses-tu que cela va m'incliner au romantisme? Non, c'est tout le contraire, j'ai envie de m'enfuir, de te fuir, toi que j'aime. Oui, mon cœur, mon âme t'appartiennent! Un jour, je serai toute à toi, je serai ta femme, mais ne sois pas jaloux, par pitié!

Elle s'éloigna au pas de course en direction de la ferme. Vexé et déçu, il demeura sur place.

Dix minutes plus tard, Abigaël revenait, un baluchon sous le bras. Il écrasa la cigarette qu'il fumait.

— Pardonne-moi, mon ange! s'écria-t-il lorsqu'elle le rejoignit.

— Je n'ai rien à te pardonner, j'essaie seulement de te rendre raisonnable, rétorqua-t-elle. Au fond, c'était préférable que tu ne me suives pas jusqu'à la maison. Tantine m'attendait. Elle sortait souvent sur le pas de la porte. J'ai pu la rassurer et réconforter tante Pélagie. Elle était vraiment contente, la pauvre, de savoir son fils de retour et confié à monsieur Hitier.

— Je la plains, moi, d'avoir un rejeton pareil, une sale engeance, oui…

— Peu importe, rentrons. Je voudrais faire boire une tisane au lieutenant. Tantine me l'a conseillé. J'en ai un sachet, là.

Adrien effleura de l'index le ballot de linge qu'elle tenait.

— Qu'est-ce que c'est? s'étonna-t-il.

— Des vêtements propres. Les miens sont maculés de boue. Tu n'avais pas remarqué?

La lune dessinait ses traits purs, dont le teint blanc semblait argenté. Elle était d'une beauté charmante, sous cette lumière fantasmagorique.

Adrien se pencha et, avec une infinie douceur, reprit sa bouche.

— Je ne mérite pas un trésor comme toi, dit-il. Ma petite chérie, ma bien-aimée, si tu refuses la bague, j'aurai le cœur brisé en repartant demain matin.

— Je ne veux pas te faire du mal, soupira-t-elle. Je te le répète, confie-moi l'écrin. Je le rangerai dans ma commode et j'en aurai grand soin. Je contemplerai ta bague matin et soir en pensant très fort à toi, mon fiancé, mon futur époux, le seul homme que j'aimerai, ma vie durant.

Comme pour sceller son serment, Abigaël glissa son bras libre autour du cou d'Adrien. Elle lui tendit ses lèvres, offerte, vite grisée par le jeu subtil d'un long baiser sensuel. Il dut contenir ses gestes afin de ne pas l'effaroucher, mais il implora le ciel de lui accorder le bonheur de la posséder au moins une fois, quitte à mourir ensuite au combat.

— Je t'attendrai, dit-elle, haletante. Je t'attendrai des années s'il le faut, mon amour.

8

Coups de feu dans la vallée

Maison dans la falaise, le lendemain,
dimanche 12 mars 1944

Une plainte du lieutenant Howard réveilla Abigaël à six heures du matin. Elle avait dormi enveloppée d'un plaid et installée tant bien que mal sur un fauteuil pliant en toile.

— Ne vous agitez pas, monsieur, le docteur ne tardera pas, fit la voix grave de Jacques Hitier, qui était penché sur le blessé.

La jeune fille se redressa, tout de suite alarmée. Elle prit la main de l'aviateur.

— Mon Dieu, il est brûlant! La fièvre était pourtant tombée, cette nuit, murmura-t-elle. Vous ne vous êtes pas couché, professeur?

— J'ai fait comme toi, ma chère enfant, j'ai somnolé dans mon fauteuil. Yvon et Adrien ont profité de mon lit. Veux-tu une tasse de chicorée? Je n'ai plus de café.

— Non, je vous remercie, je vais préparer une tisane pour le lieutenant. Il délire, je crois.

L'homme marmonnait des paroles indistinctes, en anglais. Son front luisait de sueur et il respirait vite. Pleine de compassion, Abigaël s'empressa de descendre chercher de l'eau fraîche, ainsi qu'un linge propre qu'elle humecta afin de le passer sur le visage du malade.

— Si son état ne s'améliore pas, dit-elle d'une voix anxieuse, nous ne pourrons pas le transporter mardi soir jusqu'au lieu du rendez-vous.

— Je m'en doute, soupira le professeur. Au fait, nous avons changé nos plans, ton oncle et moi. Patrick ira en vélo prendre contact avec Béatrice pour qu'elle nous rejoigne ici mardi matin, en possession de tout le nécessaire.

— Vous lui faites confiance à ce point? s'étonna-t-elle.

— Sa conscience le tourmente. Il a aussi prouvé qu'il peut agir de façon efficace. Il désire se racheter, réparer ses torts. Je lui en donne l'occasion.

— Mais Béa ignore ce qu'il a fait, son engagement dans la milice, son crime… Elle sera de plus très surprise de le voir, alors qu'elle attend Adrien!

— Sois tranquille! D'une part, Patrick passera inaperçu. On ne verra en lui qu'un brave gars de la campagne sur sa bicyclette, un cageot de légumes sur le porte-bagages. De plus, il aura un message codé à remettre à sa sœur. Elle aura les explications voulues. Quant à Adrien, il s'en ira seulement ce soir. Tu devrais t'en réjouir!

Gênée, Abigaël approuva en silence. Elle pensait aux baisers de son amoureux, la veille, et aux sensations voluptueuses qu'ils avaient fait naître dans sa jeune chair vierge, néanmoins avide de joie.

— Hélas, chuchota-t-elle, je ne pourrai pas rester ici toute la journée. Ma tante s'y opposerait.

Le professeur avait entendu cet aveu énoncé très bas. Il eut un vague sourire rêveur.

— Peut-être que tu auras une heure de liberté quand même, dit-il. Profite de la vie, petite, les années filent si vite! Un matin, on se découvre vieux et chenu dans le miroir et on regrette bien des choses.

Encore une fois, Abigaël se contenta d'acquiescer d'un signe de tête. Elle gardait ses mains posées sur la poitrine du blessé, qui se soulevait à un rythme affolant, tant il respirait fort et de façon saccadée. Inquiet, Jacques Hitier n'osait pas s'en aller. Il assista ainsi à un phénomène déroutant. Peu à peu, l'homme se calma et son souffle se fit plus régulier. Enfin, il balbutia dans son français hésitant:

— Mademoiselle me fait du bien, merci...

— Je ne vous quitte pas, monsieur, murmura-t-elle gentiment. Vous serez sauvé et vous retournerez chez vous, n'ayez crainte.

Le professeur fut chargé de préparer la tisane selon les indications d'Abigaël, déterminée à rester là, les paumes à plat sur le torse de l'aviateur. Il but le liquide chaud et sucré avec une satisfaction évidente.

— J'avais soif, avoua-t-il.

Un remue-ménage se fit peu après dans la cuisine. Yvon, son fils et Adrien étaient debout, manifestement affamés. Hitier les rejoignit.

«Je me demande pourquoi mon oncle a couché ici, songea Abigaël. Peut-être croyait-il utile de surveiller Patrick, ou bien il redoutait quelque chose. Oui, sûrement, il devait s'estimer indispensable, au cas où on serait venu pendant la nuit.»

Ce *on* représentait l'ennemi, une sorte d'entité nuisible qui englobait dans un cercle de terreur les miliciens français, la Gestapo et les militaires allemands préposés à la garde de la centrale électrique.

«Fallait-il pour autant laisser tantine, Pélagie et les enfants sans aucune protection? se dit-elle encore. Il y a monsieur Pérez, c'est vrai, mais il n'est pas de taille à défendre la ferme et il n'est pas capable de ruser... Enfin, je n'en sais rien, je suppose seulement.»

Le lieutenant Howard l'observait entre ses paupières mi-closes. Il la trouvait vraiment jolie et délicate, avec ses longs cheveux châtain blond sur les épaules et ses grands yeux bleus voilés par de mystérieuses pensées.

— Vous... très jeune? interrogea-t-il.

— J'ai seize ans, monsieur.

— Ma femme, Kate, a dix-neuf ans. Elle va avoir un bébé. J'espère revenir à temps.

Il cherchait ses mots, mais il souriait, totalement apaisé. Attendrie, Abigaël le fixa d'un œil confiant.

— Je prierai Dieu pour vous, monsieur. Il faut prier, vous aussi, et vous serez exaucé. Peut-être...

— *Yes*, vous dites vrai, peut-être, marmonna-t-il.

Adrien se tenait en bas des marches. Il les avait écoutés, déjà honteux de s'être montré jaloux, la veille. D'un pas discret, il monta sur la mezzanine.

— Abigaël, ton oncle est parti à la ferme. Il va rapporter du lait frais. En voudras-tu un bol?

— Oh! volontiers, mon chéri. Lieutenant, je vous présente mon fiancé. Il m'a offert cette ravissante bague.

Elle souleva sa main gauche et l'aigue-marine sertie dans un tour de brillants étincela une seconde à la faveur d'un rayon de soleil.

Bouleversé, le jeune résistant embrassa Abigaël sur le front.

— Félicitations, mademoiselle, et vous aussi, monsieur, dit très bas l'aviateur. Je vous souhaite beaucoup de bonheur malgré la guerre, malgré tout.

—

Le docteur frappa à la porte de la maison des falaises une heure plus tard. Il avait garé sa voiture à la croisée des chemins afin de ne pas gêner le passage. Le professeur le fit entrer en le saluant sur un ton jovial, comme si sa visite n'avait rien de particulier.

C'était un homme d'une quarantaine d'années, en costume sous un pardessus noir. Grand et coiffé de boucles d'un blond cendré, il jeta un regard brun amical sur ceux qui se tenaient dans la pièce principale, à savoir Patrick, Adrien et le fermier, après quoi il se débarrassa de son manteau et suivit le professeur jusqu'au chevet du malade.

— Vous pouvez nous laisser, à présent, mademoiselle, déclara-t-il à Abigaël.

— J'aimerais assister à votre examen, protesta-t-elle d'une voix ferme. Le lieutenant Howard s'agite dès que je ne suis pas à ses côtés.

— Mademoiselle, on m'a dit grand bien de vous et de votre don de guérisseuse. Cependant, je préfère m'occuper seul du blessé.

— Qui vous a parlé de moi?

— Marie de Martignac, de qui je suis très proche. Bien, êtes-vous rassurée? Je vous recommande d'aller déjeuner et prendre l'air.

Abigaël obtempéra, légèrement vexée de découvrir les cachotteries du professeur Hitier. Il lui avait précisé que le médecin appartenait à son réseau de résistance, mais pourquoi ne pas lui avoir dit qu'il était un familier de Marie de Martignac? «Leur fameuse loi du silence, sans doute, enragea-t-elle en dévalant les six marches. Ce n'est pas si prudent que ça! Il vaut mieux savoir à qui se fier, au fond.»

Adrien l'accueillit d'un large sourire heureux. Il était seul, assis à la table ronde.

— Ton oncle est retourné à la ferme. Il reste du lait dans le bidon.

— Et Patrick?

— Sa mère s'est ruée ici pour le voir et le cajoler. Ils marchent sur le chemin. Ensuite, ce jean-foutre part pour Angoulême. Je suis écœuré. Le professeur a perdu l'esprit, pour l'envoyer à la planque de Béatrice, dit-il d'une voix basse, à peine audible.

— Chut, il va t'entendre!

— Tant pis, je lui donnerai mon avis tout à l'heure, haut et fort.

— Viens, allons nous balader rien que nous deux. Si nous poussions jusqu'à la grotte où tu habitais avec Cécile? Nous serions bien, là-haut, loin de tout le monde. Attends-moi dehors, je fais un brin de toilette.

Enchanté, Adrien s'équipa en deux minutes à peine. Abigaël se lava le visage à l'eau froide et brossa ses cheveux. Elle savait qu'elle agissait en dépit du bon sens, qu'elle mécontenterait sa tante, mais son envie de liberté était trop forte. Cependant, avant de sortir, prise de scrupules, elle décida d'avertir le professeur de son escapade. «Et le lieutenant Howard aussi, se dit-elle, pour le cas où il me réclamerait.»

En la voyant apparaître, le docteur esquissa une grimace de contrariété. Jacques Hitier rejeta prestement le drap sur le corps entièrement nu du blessé.

— On vous a priée de rester à l'écart, mademoiselle, gronda le médecin.

— Je suis désolée, mais…

— Mais quoi? Un homme, même fiévreux et affaibli, a droit au respect des convenances. Notre malade avait une plaie qu'il refusait de vous montrer, dans un endroit qui aurait pu choquer votre pudeur. Alors, filez, je dois le recoudre. Je lui ai fait une injection de pénicilline et je vais également lui donner des calmants. Tout va bien.

— Tu devrais apprendre l'obéissance, Abigaël, bougonna le professeur. Bon sang, va te promener!

— C'est exactement ce que je compte faire, messieurs, répliqua-t-elle sur un ton sec. Je jugeais correct de vous prévenir.

L'aviateur la considérait d'un œil navré. Il lui adressa un petit sourire d'encouragement. Elle se sauva, réconfortée par ce signe d'amitié, discret mais évident.

Adrien la reçut dans ses bras lorsqu'elle se précipita vers lui en courant. Un franc soleil inondait la vallée. Au loin, un chien aboyait. Les amoureux disparurent dans un étroit sentier, entre les buis et les sureaux.

— Tu portes la bague de ma grand-mère. Si tu savais comme ça me fait plaisir! lui dit-il au bout de quelques mètres.

— J'ai décidé de la mettre à mon doigt ce matin. Je voulais te montrer que j'étais fière d'être à toi et que ton geste m'avait beaucoup touchée. Mais je n'ai pas changé d'avis, dès que je rentrerai à la ferme, je la rangerai dans le tiroir de la commode.

— N'en parlons plus pour l'instant, dit-il gaiement. Nous sommes tous les deux, rien d'autre ne compte.

Il l'entraîna à travers un petit pré. L'herbe était humide, si bien qu'elle eut vite les chaussures trempées. Cependant, ils atteignirent ainsi rapidement le bas de la falaise, envahi de ronciers.

— Le sentier est là. Je passe le premier. Tiens-moi la main.

Abigaël le suivit sur la pente escarpée. Les souvenirs affluaient; elle se revoyait grimpant la nuit vers Adrien et sa petite sœur, précédée du loup Sauvageon. Ils avaient élu domicile dans un des anciens habitats troglodytes aménagés des siècles auparavant par des ermites de religion chrétienne.

«Cécile avait peur quand son frère la laissait seule, le soir, se remémora-t-elle encore. Il cherchait de la nourriture, des noix, des châtaignes, des racines. J'étais tellement contente de leur apporter du lait, du pain et une couverture!»

Le jeune résistant devait également évoquer les mêmes images, car il murmura d'un ton rêveur:

— Il n'est pas si loin, hein, Abigaël, le temps où tu venais nous visiter, Cécile et moi.

— Tiens! je me disais justement que j'aimais vous apporter quelques gâteries, alors que vous viviez dans le plus complet dénuement.

— Nous t'attendions avec impatience! Tu entrais dans notre refuge, ton beau sourire sur le visage, et je pensais que tu ressemblais à un ange.

— Ne me compare pas à des créatures parfaites, investies de l'esprit divin, je t'en prie, protesta-t-elle. J'ai tant de défauts!

— Toi? Tu plaisantes? Je me demande lesquels, si tu dis vrai.

— Tu les découvriras quand nous serons mariés, répliqua-t-elle.

Adrien haussa les épaules. Ils étaient arrivés sur un étroit replat. Il serra plus fort la main d'Abigaël.

— Fais attention, la pierre est glissante. Plus que six pas et nous sommes à l'abri.

Ils franchirent enfin la porte creusée dans le rocher, que dissimulait un fouillis de clématites et de lierre. Une forme rousse détala, une fouine dont l'odeur forte stagna dans l'air un moment.

— C'est bizarre, ça me paraît sordide, à présent, s'étonna Adrien, qui balayait d'un regard sombre la caverne au sol jonché de feuilles mortes. Ah! le silo à grains… Au début, Cécile a cru que c'était une sorte de baignoire. Et voilà la niche où elle couchait. Je l'avais tapissée de fougères et d'herbes sèches.

— Elle faisait songer à une petite bête effrayée lorsque je l'ai trouvée là, un soir, ajouta Abigaël. C'est triste, je l'admets, mais c'était une excellente cachette. Tiens, il reste un bout de bougie.

Elle s'empara du moignon d'une chandelle, posé sur un pan de roche maculé de cire fondue. Adrien sortit son briquet et l'alluma.

— Nous avons un peu de feu, dit-il en esquissant une mimique ironique. Au moins, ici, personne ne nous dérangera. Ma petite chérie, nous sommes vraiment seuls.

Il l'attira contre lui et lissa de l'index une mèche de ses cheveux blonds décoiffés par le vent. Abigaël leva la tête et le contempla. Une idée confuse se précisait en elle tandis qu'il l'enlaçait. Elle l'aimait et n'aimerait jamais un autre que lui; tout son être en était conscient. À cette certitude se mêlait la réminiscence du trouble sensuel qu'elle avait ressenti la veille sous ses baisers et ses caresses. Son corps avait comme pétillé, submergé par des ondes de joie pure, des frissons, un désir de s'abandonner.

«Pourquoi ne pas lui accorder ce qu'il veut? se disait-elle. Si je ne le revois plus, s'il meurt loin de moi sans un adieu…»

Bouleversée, elle l'embrassa sur la bouche en glissant ses mains sous son pull en laine afin de percevoir à travers sa chemise la chaleur de sa peau. Tremblant, il lui écrasa les lèvres.

— Je t'aime, Adrien, chuchota-t-elle quand elle reprit sa respiration. Je veux devenir ta femme. Maintenant!

D'abord, il s'exalta, le ventre embrasé par son aveu, par le besoin de la prendre et de la faire sienne. Vite, tout en la fixant d'un regard fiévreux, il déboutonna son manteau, puis son gilet. Il entrouvrit son corsage en cotonnade, dont l'échancrure lui révéla la naissance de sa poitrine gainée de satin rose.

— Oh! tes seins, si menus, si beaux! balbutia-t-il. Abigaël, ma petite chérie, tu me rends fou.

Il se pencha et déposa une pluie de baisers sur la poitrine de la jeune fille. Elle ferma les yeux, envahie par un flot de sensations exquises, prête à s'offrir, pleine d'une soudaine audace.

— Je t'aime, dit-elle à nouveau, secouée par un long frisson.

— Moi aussi, je t'aime, répliqua-t-il en ôtant sa canadienne, qu'il déposa sur le sol sablonneux.

D'un geste impérieux, il la fit s'allonger et s'étendit à ses côtés. Ils s'embrassèrent encore et encore, jusqu'à oublier le lieu où ils se trouvaient. Les doigts d'Adrien caressaient de façon insistante les seins dénudés. Parfois, il se soulevait sur un coude et emprisonnait entre ses lèvres les mamelons d'un brun clair, durcis par la fraîcheur matinale. Il ne s'en lassait pas, en extase devant leur chair nacrée d'un velouté de soie.

— Es-tu heureuse, vraiment heureuse? demanda-t-il tout bas en commençant à retrousser sa jupe plissée.

— Oui, si tu l'es, toi.

— Il est temps d'arrêter, si tu es effrayée.

— Je ne suis pas du tout effrayée, affirma-t-elle d'une voix faible où vibrait une exaltation nouvelle.

Elle était sincère. Elle s'abandonna sans un mouvement de crainte quand il aventura une main entre ses cuisses en écartant le tissu qui le gênait.

— Ma petite femme toute neuve, toute douce! balbutia-t-il.

Très délicatement, il effleura un point précis de son intimité qu'il agaça et frotta d'un geste régulier. Elle poussa un gémissement de surprise, suivi d'une plainte joyeuse, puis elle céda au vertige de la volupté. Il lui devint bientôt impossible d'ordonner la moindre idée. Ses pensées se dispersaient, balayées par le plaisir qui la terrassait. Elle s'agitait et se cambrait, la respiration saccadée.

Fébrile, attentif, il luttait pour ne pas s'étendre sur elle, soucieux de la mener d'abord à la jouissance. Il épiait sur son visage les signes de sa joie et s'en rassasiait. Soudain, elle laissa échapper un petit cri égaré, tremblante d'un bonheur inconnu qui lui fit songer à la félicité absolue. Elle se sentait d'une légèreté rare, comme si elle s'envolait.

— Je t'aime, murmura-t-elle. Viens, je te veux, oui, en moi.

Jamais elle n'aurait cru qu'elle pourrait prononcer ce genre de paroles, montées à ses lèvres contre sa volonté.

Mais Adrien s'arrêta tout net. Il se redressa et s'assit, les bras croisés, les traits tendus et le regard humide.

— Je n'ai pas le droit, déclara-t-il. Je serais un rustre de profiter de l'état où tu es. En plus, tu pourrais tomber enceinte, même la première fois. Des camarades du lycée m'en ont parlé, un jour. Autre chose, je viens de penser à ma grand-mère, qui était une femme douce et honnête. Quand j'ai eu dix-huit ans, elle m'a recommandé de toujours respecter les filles, surtout si j'en étais amoureux. Cela peut te paraître naïf ou idiot, mais j'ai envie de lui obéir, parce que tu es plus importante que tout. Tu seras mon épouse ma vie durant si j'ai la chance de vivre longtemps.

Désemparée, Abigaël remettait de l'ordre dans sa tenue.

— Tu ne m'as pas obligée, dit-elle dans un souffle. Tu ne m'as pas manqué de respect, Adrien.

— Je me comprends, précisa-t-il en allumant une cigarette. C'est à moi, l'homme, de ne pas abuser de ta gentillesse et de la confiance que tu as en moi. En évoquant le respect, ma grand-mère restait pudique par délicatesse. Elle faisait allusion au déshonneur d'une jeune fille si un garçon brûlait les étapes…

— Chut, je vois exactement de quoi il s'agit, mais j'avais pris ma décision. C'est la guerre, Adrien. Peut-être que tu ne reviendras pas si une de tes missions échoue, si tu es arrêté. J'étais prête à assumer les conséquences de mon abandon, je t'assure. Si j'avais porté un enfant de toi, je n'aurais pas eu honte, non, j'aurais été fière et heureuse de l'élever, même seule.

— Tais-toi, par pitié, la coupa-t-il. Viens près de moi, je préfère te câliner tant que nous sommes tous les deux, mon ange.

Elle se blottit contre lui, à la fois soulagée et un peu déçue. Il enfouit sa joue dans ses cheveux.

— Si nous rêvions à notre avenir? chuchota-t-il à son oreille.

— Je t'écoute.

— La guerre est finie, cette maudite guerre! Je reviens en héros de la Résistance, là, dans la vallée de l'Anguienne où tu as espéré mon retour. Il fait beau, les prés sont pleins de fleurs sauvages et, dès que tu m'aperçois, tu cours vers moi. Le soir, je demande ta main à ta tante Marie. Elle est émue, mais elle dit oui, bien sûr.

Abigaël souriait, charmée par l'intonation douce de la voix d'Adrien.

— Nous nous marions le plus vite possible, reprit-il. Je suppose que tu voudras une noce à l'église?

— Oui, évidemment.

— Malgré mon peu de religion, je ferai un effort pour enfin t'emmener chez nous. Pendant la publication des bans, nous aurons déniché une maisonnette par ici. Tout sera prêt et je te ferai passer le seuil en te portant dans mes bras.

— Tu oublies le banquet et tu n'as pas décrit ma robe, plaisanta-t-elle au bord des larmes, tant ce rêve la touchait.

— Zut, c'est vrai, il faut un repas de noces. Nous irons au restaurant n'importe où en ville. Ta robe? En dentelle blanche! Tu auras un voile très fin et une couronne de fleurs d'oranger, symbole de ta pureté, ma petite chérie.

Il la serra très fort et l'embrassa sur les lèvres tendrement, mais sans ardeur ni fébrilité.

— Maintenant, à toi, dit-il. Dépeins notre maison, la cuisine, la chambre…

Rieuse, Abigaël approuva d'un signe de tête en faisant mine de réfléchir.

— Je voudrais un jardin, surtout, où nous aurions un banc sous une tonnelle et…

Des bruits insolites en provenance de la vallée la firent taire. Adrien avait entendu. Il s'était crispé. Il l'aida à se relever.

— Ce sont des coups de feu, affirma-t-il.

— Il n'y a que les soldats allemands, les gendarmes et les miliciens qui peuvent circuler armés, nota-t-elle, saisie d'une vive anxiété. Mon Dieu, s'ils étaient en train d'arrêter le professeur, mon oncle et le lieutenant Howard?

— Viens, il faut aller voir ce qui se passe, la pressa Adrien. Inutile d'imaginer le pire.

Ils dévalèrent la pente en se tenant par la main. Deux fois, Abigaël trébucha, mais, d'une poigne ferme, le jeune homme l'empêcha de tomber. Ils traversèrent le pré à la course.

Par prudence, ils s'immobilisèrent à une cinquantaine de mètres de la maison du professeur, en face de la fontaine, en ayant eu soin de se dissimuler derrière une haie de buis. Ils avaient tous deux le cœur serré, le même masque de terreur à peine contenue.

— Tout semble calme, chuchota enfin Adrien. Attends-moi ici, j'y vais seul.

— Non, je t'accompagne.

— Même s'ils ont été exécutés?

Tremblante, Abigaël se cramponna au bras de son compagnon. Elle voulait se persuader qu'il ne s'était rien passé, qu'il ne pouvait en être autrement.

— Ils ne sont pas morts, protesta-t-elle tout bas. Je le sentirais, là, en moi. Avançons l'air de rien comme si nous rentrions d'une balade.

— Non, peut-être que des Boches ou les miliciens sont embusqués. Tu ne dois courir aucun risque. Si ça tourne mal, ne retourne pas à la ferme, sauve-toi.

— Je ne ferai jamais ça! Tu me penses capable de laisser ma tante et les enfants?

— Excuse-moi, j'ai peur. Je me demande ce qui est arrivé. Pourtant, tout est calme, à présent, trop calme.

Elle approuva, l'air désespéré. Ils auraient patienté encore quelques instants si Jacques Hitier n'était pas apparu au détour du chemin, escorté du médecin venu soigner l'aviateur anglais. Les deux hommes discutaient et, au ton de leur voix comme à leur attitude, ils eurent la conviction qu'aucun drame n'avait eu lieu, du moins à proximité.

— Allons-y, Abigaël! On dirait qu'ils reviennent du hameau.

Le professeur tressaillit en les voyant surgir des buissons. Il fit un signe explicite pour leur conseiller d'être discrets. Ensuite, d'un mouvement de tête, il désigna son jardinet. Bientôt, ils pénétraient tous les quatre dans la maison de la falaise, où régnait un profond silence. Hitier ferma la porte à clef derrière eux, toujours sans prononcer un mot.

— Vous êtes allés vous renseigner, à propos des coups de feu? s'enquit Adrien, impatient d'obtenir une explication rassurante.

— Oui, mais parle moins fort, je te prie, le lieutenant Howard se repose. Le docteur a préféré ne pas lui administrer de calmant, au cas où nous serions obligés de regagner le souterrain en urgence.

— Et mon oncle? Où est-il? interrogea Abigaël en chuchotant.

— Yvon nous a tirés d'un fichu mauvais pas, avoua le professeur. Un officier allemand et deux S.S. ont frappé chez moi un quart d'heure après votre départ. Ils cherchaient un des soldats cantonnés près de la centrale électrique, Franz Muller.

Abigaël revit aussitôt le visage sympathique du soldat en question, qui s'exprimait correctement en français et venait le lundi prendre du lait à la ferme en échange de cigarettes et de chocolat.

— Pourquoi? Où était-il? s'étonna-t-elle.

— Il aurait déserté hier soir. Yvon, qui comprend l'allemand et parvient à aligner quelques mots, les a emmenés en direction du chemin de Puymoyen. Nous avions vite fait une mise en scène. J'étais le malade, presque inanimé, et le docteur m'auscultait. Ils ne sont pas entrés.

— Mais les détonations? insista Adrien.

Le médecin soupira, tandis que le professeur regardait dans le vague, ses yeux bleu pâle voilés par la tristesse.

— Je suppose qu'ils ont repéré leur déserteur ou un autre individu qui n'a pas tenu compte de leurs sommations. On a entendu des cris, puis trois coups de feu. Nous en saurons plus quand Yvon sera de retour.

— Et Patrick? s'enquit-il encore.

— Il est parti en ville. Abigaël, tu devrais aller réconforter ta tante et Pélagie. Elles doivent être très inquiètes. Si tu croises une patrouille, ne t'affole pas, sois naturelle. Toi, Adrien, tiens-toi prêt à filer si besoin est.

— D'accord, prof, je vais me préparer. Au revoir, Abigaël.

— Au revoir, Adrien.

Elle sortit en lui adressant un timide sourire, mais elle avait les larmes aux yeux.

———

Ferme des Mousnier, dix minutes plus tard

Marie Monteil étreignait Abigaël avec tendresse et passion. Elle éprouvait un immense soulagement en serrant sa nièce dans ses bras. Assise au coin du feu, Pélagie les observait d'un œil morne.

— Tantine, calme-toi, enfin! Je vais bien, répétait la jeune fille.

— Mon Dieu, quand il y a eu ces coups de feu, j'ai cru que mon cœur s'arrêtait de battre, répondit sa tante. Je vis dans la peur depuis que tu es toute dévouée au professeur et à Yvon. Ma petite Abigaël, je n'ai que toi sur terre.

— Où sont les enfants?

— Monsieur Pérez les a vite conduits dans le grenier. Grégoire claquait des dents et Cécile pleurait.

Pélagie, un foulard gris sur ses cheveux ternes, se signa. Elle déclara en haussant les épaules:

— Moi aussi, je me ronge les sangs, et personne ne me console! Patrick venait juste de passer me dire au revoir avant de filer sur le vélo. Peut-être bien qu'ils me l'ont tué, mon gamin. D'abord, qu'est-ce qu'il fabrique, Yvon? Pourquoi il n'est pas là pour nous protéger, au moins?

— Nous ne sommes pas en danger, tante Pélagie, trancha Abigaël d'une voix nette. Selon le professeur Hitier, les Allemands traquaient un déserteur, un des soldats de la centrale.

— Le malheureux! murmura Marie. Nous devons prier pour lui, ma chérie. Un homme qui fuit la guerre, qui refuse la violence, a forcément une âme pure.

— Oui, tantine. Nous prierons lorsque nous en saurons davantage.

Abigaël se sentit assoiffée. Elle se versa de l'eau et en but deux verres. Immédiatement, elle eut la nausée.

— Excuse-moi, balbutia-t-elle en se ruant dans le vestibule, en direction du cabinet d'aisances installé au fond du couloir.

Son corps était pesant, sa démarche, hésitante. La nuque raide et le souffle court, elle reconnut le malaise qui la terrassait. Elle ne se trompa pas une seconde: quelqu'un allait se manifester; une présence venait à sa rencontre.

Elle dut s'appuyer au mur pour ne pas tomber. Franz Muller se tenait à un mètre de l'escalier, en uniforme, mais sans son casque. Ses cheveux blonds s'accordaient au sourire surpris qui naissait sur son visage aux traits agréables. Un halo lumineux le nimbait, dont la couleur évanescente rendait flous les détails du décor autour de lui. «Je n'avais pas remarqué à quel point ses yeux étaient clairs, d'un vert très clair», se dit-elle, l'esprit confus.

Le jeune soldat bougea les lèvres et formula une question, mais en allemand. Cependant, Abigaël le comprit.

— Pourquoi je suis ici, mademoiselle? Je n'ai pas le droit.

— Vous avez tous les droits, maintenant, répliqua-t-elle. Franz, il ne fallait pas déserter. C'est puni de mort.

— Mais je dois rentrer à la maison, ma mère est très malade. Elle me réclame, ma petite mère. Je me moque de leur guerre. Qu'est-ce qui m'est arrivé? Je courais sur la colline, et je suis là, avec vous...

Abigaël retrouvait son énergie. Elle fixait intensément Franz Muller, sans voir sa tante Marie qui, du seuil de la cuisine, assistait à la scène.

— Allez la rejoindre, dit-elle au soldat. Priez le Seigneur de tout votre cœur. Pensez très fort à votre maman et vous serez peut-être à son chevet dans quelques minutes. Franz, vous avez quitté le monde terrestre et ses cruautés. Le Ciel et ses anges vous accueilleront. Ils vous guideront vers la vie éternelle. Moi aussi, je peux vous aider par mes prières. N'ayez pas peur, Dieu est avec vous.

Le jeune Allemand eut une expression de stupeur, sans cesser de sourire vaguement. Soudain, il fit oui d'un signe de tête et la lumière autour de lui s'accentua, pareille à un drap d'or pâle qui l'enveloppait. Enfin, il disparut, laissant de son bref passage dans le couloir un léger parfum fleuri, délicat et subtil.

— Soyez en paix, Franz, murmura Abigaël, bouleversée.

Elle respirait mieux. Paupières mi-closes, elle récita le *Notre Père* à trois reprises. Ensuite, elle prononça d'une voix sourde l'incantation que lui avait transmise par écrit sa mère Pascaline.

Marie Monteil eut soin de ne pas la déranger. Elle pria à son tour, les doigts serrés autour de la croix en argent qu'elle portait au cou depuis des années.

En faisant irruption brusquement, Yvon les vit ainsi, toutes deux recueillies et silencieuses.

— Eh bien, que faites-vous? demanda-t-il d'un ton rude.

Abigaël sursauta et se tourna vers lui. Elle était d'une pâleur anormale et son regard brillait de larmes.

— Mon oncle, ils ont abattu le pauvre Franz Muller, n'est-ce pas? s'écria-t-elle.

— Comment le sais-tu? maugréa-t-il.

— Je l'ai vu, à l'instant. Quelle injustice! C'était un brave garçon.

— Ouais, tu ignores à quel point, soupira le fermier. Allons, ne pleure pas. Il a gagné son paradis, aujourd'hui.

Très émue, Marie annonça tout bas qu'elle montait rassurer les enfants et Jorge Pérez. Abigaël s'approcha de son oncle, qui lui tendit les bras. Elle se réfugia contre sa large poitrine pour y sangloter à son aise.

— S'il s'est enfui hier soir, comme a dit le professeur, que faisait-il dans la vallée, ce matin?

— Il n'a pas eu de chance, voilà tout, petite. Muller était de notre côté. Les meurtres de Léon Casta, de sa femme et de la fillette blonde, au mois d'août, l'avaient révolté et indigné, même si c'était l'œuvre des miliciens. Sans vraiment intégrer le maquis, il voulait m'aider. Il me fournissait de précieux renseignements, prêt à m'avertir en cas de grabuge dans le coin. Le pauvre gars a reçu une lettre il y a une semaine. Sa mère était mourante. Il m'a annoncé qu'il désertait et m'a supplié de faciliter son départ. Ce matin, le docteur faisait coup double. Il soignait l'Anglais en apportant de faux papiers et des vêtements civils à Franz. C'était ça qu'il attendait, planqué là-haut, dans la grotte située en face de la ferme que je t'ai indiquée une fois. Il ne pensait pas qu'une patrouille viendrait de si bonne heure afin d'interroger les autres types de la centrale. Un soldat l'a aperçu. Il a tenté de prendre le large et ils l'ont abattu, ouais, comme un chien!

Abigaël sentit le solide corps de son oncle frémir de chagrin et de colère.

— Dis-moi, marmonna-t-il, il y avait un bon bout de temps que tu n'avais pas vu de fantôme?

Elle désapprouvait ce terme, souvent galvaudé, à son avis, mais elle ne songea pas à en discuter.

— Oui, personne ne s'était manifesté depuis Noël. Enfin…

— Enfin quoi?

— Parfois, je fais des rêves insolites. En me réveillant, je suis sûre que des esprits m'ont rendu visite par le biais de ces rêves. Il m'arrive aussi d'avoir des impressions particulières, comme celle de ne pas être vraiment seule.

— Pascaline m'a expliqué un peu la même chose, un soir où je l'interrogeais sur ses expériences de médium.

Yvon étreignit brièvement sa nièce. Elle tenta d'imaginer sa mère et cet homme, des années auparavant, peut-être assis près d'une cheminée et s'entretenant à voix basse.

— C'était une femme si douce! ajouta-t-il. Et tellement jolie! J'avais une grande affection pour elle.

Abigaël supposait à raison que son oncle avait éprouvé des sentiments plus profonds pour sa ravissante belle-sœur. Grâce aux confidences de Pélagie, sa tante Marie en avait eu la confirmation, mais elle s'était efforcée de garder le secret. Malgré ses précautions, certaines insinuations, notamment venant de sa cousine Béatrice, avaient renseigné la jeune fille.

— J'aurais voulu la connaître, déplora-t-elle. Mais elle veille sur moi. Elle veille sur nous tous.

— Pierre aussi, du moins je l'espère, bougonna Yvon.

— Oh! oui, je n'en doute pas.

— Dis-moi, petite, puisque tu vois des défunts… enfin, des âmes errantes, tu n'as jamais revu tes parents?

— Jamais, et c'est un mystère qui me tourmente. Quand je me pose des questions sur ce point, je me console en pensant qu'ils sont devenus des anges et qu'ils sont trop occupés pour se montrer à leur unique enfant.

— Tu veux mon avis? Ça ne m'étonnerait pas! Ne sois pas triste, je serai un père pour toi, à l'avenir. Eh! serais-tu d'accord?

— Je vous ai déjà dit cet hiver que j'ai l'impression d'avoir un papa en vivant près de vous.

— Alors, je suis satisfait. Si je commençais par t'octroyer une chambre! Une demoiselle de ton âge doit bénéficier d'un peu d'intimité. Prends la chambre de Patrick. Tu la nettoies, tu te débarrasses de ses affaires et tu t'installes. Si tu veux donner un coup de peinture, il me reste des pots dans la remise à bois.

La proposition enchanta Abigaël, mais elle eut aussi-tôt des scrupules.

— Si votre fils en avait besoin, un jour?

— Patrick ira traîner ses guêtres où il voudra, pas sous mon toit. Le prof le prend sous sa protection. Il compte en tirer quelque chose de bon. Libre à lui! Tu peux disposer de cette pièce, petite, ce n'est que justice. Ta tante ne s'en plaindra pas. Vous êtes quand même à l'étroit, avec Grégoire et Cécile.

C'était vrai. Si le benjamin des Mousnier couchait sur un divan, la fillette dormait entre Abigaël et Marie.

— Mais tantine va peut-être être vexée! Ces temps-ci, elle me semble morose. Elle est souvent de mauvaise humeur.

— Vas-tu cesser, avec tes si et ton souci des autres? gronda son oncle. Est-ce que ça te plaît, oui ou non?

— Je suis ravie. Ça me fait très plaisir, avoua Abigaël. J'y avais songé sans oser en parler. Vous essayez de me consoler, vous aussi. La mort de Franz Muller me peine beaucoup, même si nous avons échangé seulement quelques paroles, lui et moi. En plus, il vous aidait... Où sera-t-il inhumé, mon oncle?

— Je l'ignore. Ils vont emporter son corps. Bah, c'est la guerre, petite. Tu vas prier pour lui, j'en suis certain.

— Franz s'est élevé et il est dans la lumière divine, mon cœur me le dit, déclara-t-elle dans un souffle.

— Je le souhaite. Monte donc avertir ta tante, au sujet de la chambre. Ça te changera les idées.

—

À la surprise d'Abigaël, Marie Monteil se montra indifférente à ce nouvel arrangement. Elle parut réfléchir, tout en continuant à plier du linge, secondée par Cécile, tandis que Grégoire faisait courir sur le parquet l'âne mécanique en métal coloré qu'il avait eu à Noël.

— Très bien, nous nous en soucierons tout à l'heure, affirma-t-elle, l'air impassible. Yvon a oublié un détail, il doit déclouer les planches qui bloquent les contrevents. Il faudra bien aérer la chambre où ce voyou fumait du matin au soir.

— Ne le traite pas de voyou, tantine, lui reprocha-t-elle.

— Je n'ai pas d'expression appropriée pour définir ce répugnant personnage. Il n'a que dix-sept ans. Quel homme deviendra-t-il?

— Monsieur Hitier croit qu'il a un bon fond et il lui a donné une chance de le prouver.

Abigaël jeta un regard vers Grégoire. Il les écoutait, une ombre inquiète dans ses yeux.

— Moi, j'aime grand frère, bredouilla-t-il, conscient d'avoir attiré l'attention de la jeune fille.

— Tu as raison, dit-elle. Grégoire, je sais que tu aimes Patrick et Béatrice. Tes parents aussi.

— Moi aime toi et Marie, Cécile, petit Vic.

Attendrie, Abigaël se pencha sur lui et l'embrassa. Il éclata de rire et reprit son jeu. L'air distrait, Marie s'assit au bord du grand lit.

— Nous devrions prévoir ton installation dans l'autre chambre mercredi, annonça-t-elle d'une voix neutre. Maintenant que je suis au courant des activités de ton oncle et du professeur, je prévois ce qui se passera mardi. Ils vont aller chercher Claire Roy et sa cousine. De toute évidence, tu vas faire partie de l'expédition afin de leur faire tes adieux.

— Je l'espère, tantine. Mais pourquoi ne pas s'en occuper demain, lundi? Ou bien dès cet après-midi? Je me charge du nettoyage et du rangement.

— Après tout, agis à ta guise, concéda sa tante sèchement. Mon Dieu, comme notre vie a changé! Nous sommes dimanche et, hélas! nous n'allons plus à la messe. Je n'ai pas pu me confesser depuis un mois ni communier.

— Je te promets que nous irons à Pâques. Ne sois pas triste.

Marie haussa les épaules. Le tragique incident qui venait de se produire l'avait choquée. Les détonations avaient résonné douloureusement dans son cœur et elle avait été terrifiée, car sa nièce pouvait être prise à partie, comme Yvon, comme Jacques Hitier.

— Tu n'as pas dû commettre de péchés graves, plaisanta Abigaël sans joie.

— Lis-tu dans ma tête et dans mon âme, ma pauvre enfant? J'ai de très mauvaises pensées... Cécile, Grégoire, nous descendons. Je dois éplucher des topinambours et c'est assez fastidieux.

— Dans ce cas, nous allons tous t'aider, tantine.

Elle reçut comme réponse un coup d'œil inquisiteur assorti d'une mimique navrée. Marie Monteil souffrait encore parce que sa nièce ne s'était pas confiée à elle.

— Tu n'as rien à me raconter? hasarda-t-elle. Tout à l'heure, au rez-de-chaussée, tu as vu quelqu'un, n'est-ce pas?

— Mais qui? s'écria Cécile. Mon frère est venu et il n'est pas monté me faire la bise, alors?

— Non, non, ce n'était pas Adrien. Grégoire, prends la main de Cécile et passez devant. Nous vous rejoignons, tantine et moi.

Les enfants sortirent sagement sans protester. Dépitée, Abigaël secoua la tête.

— Comment aurais-je pu t'en parler en leur présence? Mais tu étais là et tu me surveillais!

— J'ai eu un pressentiment quand je t'ai vue appuyée au mur, presque tétanisée.

— C'était Franz Muller. Il a vite compris que le destin avait frappé. Il n'est pas resté une minute près de nous, les vivants.

— As-tu prié pour lui? Dois-je allumer de l'encens? J'en ai encore une dizaine de cônes.

— Il nous suffira de prier, toi et moi. C'était un garçon au cœur d'or. Il est inutile, désormais, de procéder à la cérémonie que maman recommandait dans son cahier, surtout si le défunt révèle une grande âme.

Abigaël avait donné ces précisions d'un ton recueilli, le visage illuminé d'un léger sourire. Marie eut un geste de dépit.

— Eh bien, tu es la mieux placée pour juger de ce qui est bon ou néfaste. Mais Pascaline insistait cependant sur les dangers de ces rencontres. Je préférerais que tu suives encore ses conseils.

— Je te le promets, tantine.

—

Le repas de midi se déroula dans une ambiance morose, chacun étant singulièrement silencieux. Pélagie affichait une mine chagrine en mangeant du bout des lèvres. Jorge Pérez ne valait guère mieux. Il se contenta d'une part de ragoût qu'il partagea avec son petit garçon, assis sur ses genoux.

Abigaël était perdue dans ses pensées, obsédée par le regard vert de Franz Muller. Elle se remémorait leurs brefs entretiens, soit dans l'étable à l'heure de la traite, soit près du baraquement militaire à côté de la centrale électrique. Le soldat allemand s'était toujours montré poli, aimable et serviable.

Quant à Marie, elle revivait une courte scène de la veille, à savoir le moment où elle avait conduit Jacques Hitier jusqu'à sa chambre pour le soigner. Sans réfléchir, elle le tenait par le bras. Ils étaient épaule contre épaule, très proches. Le professeur avait pris place sur une chaise et elle avait soigneusement désinfecté la plaie à son front. Elle s'était appliquée à nouer un bandage autour de sa tête. Soudain, il s'était emparé de ses mains en la fixant avec une expression gênante. Elle avait perçu d'instinct qu'il la désirait, à cet instant précis. Au lieu d'être choquée et de s'éloigner vivement, elle était restée figée, fascinée. Maintenant, un mélange de honte et de joie la torturait.

— La journée a mal débuté, constata Yvon lorsque Marie servit en dessert du fromage frais confectionné par ses soins. Mais ça ne doit pas nous empêcher de causer, bon sang!

— Causer de quoi? glapit Pélagie. Misère, ça ne finira donc jamais? Tout va sens dessus dessous. Les Boches tuent un des leurs et mon gamin change de camp comme de chemise. Moi, j'en ai ma claque. Sais-tu, Yvon, je vais aller chez ma sœur passer trois ou quatre jours… Flavie, au moins, elle est de ma famille. On se comprend, toutes les deux.

— Si ça te soulage, vas-y donc, rétorqua le fermier. Je peux atteler Fanou et t'y conduire. Ce sera plus vite qu'à pied.

Touchée par cette marque de gentillesse, Pélagie fondit en larmes. Elle était profondément meurtrie. Apitoyée, Abigaël se leva de table et alla l'embrasser.

— Je suis désolée, tante Pélagie. Vous avez eu peur, ce matin, comme nous tous. Si ça vous procure du soulagement, vous devez quitter la ferme. Nous nous occuperons des bêtes et du ménage.

— Faudra le dire à Patrick, où je suis, hein? S'il veut me retrouver, il connaît le chemin. Tu es bien brave, de me cajoler, alors que je débite des sottises. Bien sûr que vous êtes de la famille, Marie et toi, mais, une sœur, eh! c'est pas pareil. On se serre les coudes, on blague, même le cœur lourd.

Abigaël approuva d'un doux sourire. Elle avait souvent rêvé d'avoir un frère ou une sœur et, pour compenser ce manque, elle s'était liée d'amitié facilement, au lycée. La guerre l'avait séparée de ses camarades comme elle avait brisé des couples, comme elle avait jeté sur les routes des orphelins, ainsi que des vieillards privés du soutien de leurs enfants.

— Partez tranquille, Pélagie, renchérit Marie. Ma nièce dit vrai, nous veillerons sur la maisonnée.

—

Maison dans la falaise, une heure plus tard
Abigaël venait de frapper à la porte du professeur Hitier. Elle éprouva une angoisse rétrospective en songeant qu'un officier allemand, le matin, avait fait le même geste qu'elle. «Le lieutenant Howard était couché sur le divan, derrière le rideau. Au fond, heureusement que nous sommes partis, Adrien et moi, sinon nous aurions dû nous cacher... Enfin, lui surtout.»

Jacques Hitier lui ouvrit, l'index en travers de la bouche pour lui signifier de ne pas faire de bruit. Elle se glissa à l'intérieur en l'interrogeant du regard. Il referma et tourna le verrou.

— Notre blessé dort bien, chuchota-t-il. Il récupère. La fièvre a baissé. Je ne m'attendais pas à ta visite, petite.

— Et Adrien? demanda-t-elle tout bas.

— Il est parti. C'était prévu. Un peu plus tôt, un peu plus tard... Béatrice et les gars qui participent à l'opération ont besoin de renfort. J'attends le retour de Patrick.

Elle dissimula vaillamment sa déception. Le logement lui parut sombre et sinistre, sans son amoureux.

— Je vous dérange, professeur, souffla-t-elle. Je retourne à la ferme. Tantine est seule avec les trois enfants. Mon oncle a pris la calèche pour conduire son épouse à Dirac, chez sa sœur, et monsieur Pérez nettoie le poulailler. Nous sommes tous affligés par la mort de Franz Muller, n'est-ce pas?

— Oui, son aide était précieuse, bien qu'au début j'étais réticent à le considérer comme un allié. Des préjugés stupides. Dieu merci, certains Allemands désertent et entrent dans la Résistance aux côtés des Français. Puisque tu es là, Abigaël, organisons la journée de demain. J'ai décidé d'un nouveau plan et tu es concernée.

— Je vous écoute.

— Tu rejoindras Claire et Bertille au château à la fin de l'après-midi. Ce sera à toi de réceptionner les vêtements qui serviront à leur fuite. Un de nos hommes les apportera là-bas, à la tombée de la nuit. S'il y a des raccords à faire ou des détails à arranger, tu t'en chargeras. Autre point, le loup.

Un vide subit creusa la poitrine d'Abigaël. Elle appréhendait la suite. Toujours à voix très basse, Jacques Hitier continua d'un ton ferme.

— Tu devras préparer Claire à l'inévitable. Elle n'a pas le choix de laisser Sauvageon. Marie de Martignac acceptera sûrement de le tenir captif dans les communs du château.

Le professeur lut sans peine dans les grands yeux bleus de la jeune fille ce qu'elle espérait.

— Il est hors de question de le ramener ici, Abigaël, affirma-t-il. La situation est de plus en plus tendue. Le médecin aurait pu être arrêté, aujourd'hui, si l'officier avait été plus perspicace. Tu veux avoir mon avis? Nous avons eu une chance insensée. Dubreuil, le chef de la milice, aurait fouiné davantage, il se serait méfié dix fois plus. J'en suis encore malade. Si un S.S. ou un milicien avait trouvé sur le docteur les faux papiers destinés à Muller, nous étions fichus.

— Ce n'est pas arrivé, murmura-t-elle en souriant faiblement. Hélas! par malheur, Franz a fui notre monde chaotique. En son nom, nous devons croire en la divine Providence et lutter pour la liberté et la justice.

— Le combat n'est pas gagné, ma pauvre enfant. Si nous voulons remporter quelques menues victoires, il faut mettre tous les atouts dans notre jeu. Le loup de Claire est un élément à risque; peux-tu l'admettre?

— Oui, je l'admets, professeur.

— C'est triste à dire, mais Sauvageon a rempli sa mission, il t'a guidée vers Claire. Quelque part, il a sauvé sa maîtresse. Yvon sera d'accord, on devra s'en débarrasser, mais Claire Roy devra croire que l'animal est vivant et qu'il demeurera à Torsac ou ici. Je t'en prie, Abigaël, pour le bien de Claire, il faut mentir sur le sort du loup, la rassurer, inventer une histoire.

Très pâle, la jeune fille considéra Jacques Hitier en affichant un air hébété. Il lui demandait l'impossible.

— Si vous tenez vraiment à éliminer Sauvageon, monsieur, il ne fallait pas me confier votre plan. Je trouverai une solution, mais personne ne fera de mal au loup de Claire, ni vous, ni mon oncle, ni vos hommes.

La gorge nouée, Abigaël traversa la pièce et grimpa les six marches menant à la mezzanine. Elle voulait revoir l'aviateur et s'assurer elle-même qu'il était en bonne voie de guérison.

Howard cligna les paupières en entendant son pas léger sur le sol. Malgré les précautions du professeur, l'écho étouffé de leur discussion l'avait réveillé.

— Bonjour, mademoiselle, dit-il dans son français laborieux et guttural.

— Bonjour.

Partagée entre la colère et l'indignation, Abigaël prit place à son chevet. D'un geste naturel, doux et amical, elle saisit une main de l'homme et l'étreignit entre ses doigts. La peau était tiède et sèche.

— Vous reverrez bientôt votre Kate, lieutenant, déclara-t-elle à mi-voix, prête à pleurer. Vous serez près d'elle à la naissance de votre bébé. Je penserai souvent à vous. Je prierai pour vous trois.

— Merci, Abigaël. Je connais votre prénom, je l'ai entendu hier soir. Vous êtes triste?

— Un peu. Mon fiancé est parti et je n'ai pas pu lui dire au revoir ni l'embrasser.

— Il reviendra rien que pour vous.

Ce fut au tour de l'Anglais de serrer les doigts de la jeune fille, comme pour la réconforter et lui insuffler du courage.

— Peut-être que ce sont des mensonges, ce que vous me dites aussi bien que ce que je vous dis, moi, mais ça fait du bien, soupira-t-il. Sans la foi, nous serions trop fragiles, trop malheureux!

Ils se sourirent. Abigaël se releva à regret.

— Au revoir, lieutenant, je dois m'en aller. Reposez-vous.

Debout près de la porte, Jacques Hitier arborait un air contrarié. Il toisa sa visiteuse sans aucune compassion ni aménité.

— Ne soyez pas fâché, professeur, lui dit-elle. Vous avez commis l'erreur de me prévenir au sujet de Sauvageon et ce n'est pas un hasard.

— Ah! pourquoi?

— Un esprit bienveillant vous a fait parler pour sauver le loup, car, sachez-le, si vous aviez été responsable de sa mort, je ne vous aurais jamais pardonné de m'avoir causé un tel chagrin. Tantine non plus.

Sur ces mots Abigaël sortit, vive et déterminée. Le professeur la regarda s'éloigner. Il était éberlué et mal à l'aise, car il devinait qu'elle avait raison, qu'elle lui disait la vérité.

— Je ne suis pas de taille à m'opposer à ces dames, ronchonna-t-il en claquant la porte. Qu'il en soit ainsi, si Dieu le veut…

9

L'impossible sacrifice

Château de Torsac, lundi 13 mars 1944

Dans le grand salon cher à Edmée de Martignac, le dîner s'achevait sous la clarté douce du lustre aux pampilles de cristal. Une élégante pendulette, placée sur une commode en marqueterie, venait de sonner neuf coups à la sonorité métallique.

Claire Roy-Dumont adressa un regard anxieux à Abigaël, assise en face d'elle. Les cheveux cachés par un foulard en coton brun, la jeune fille semblait se recueillir avant de passer à l'action. Dans un quart d'heure, elle devrait ouvrir le portail de la cour d'honneur et récupérer un colis que lui remettrait un résistant.

La châtelaine paraissait la plus nerveuse des cinq femmes attablées. Bertille Giraud discutait avec Marie de Martignac en adoptant le ton détaché des dames de la haute société. Pourtant, le sujet de la conversation n'inclinait pas à la frivolité. Il était question du sort des Juifs emmenés en Allemagne. Des informations avaient filtré au cours des années de guerre et l'on évoquait des camps de prisonniers où les conditions de vie étaient, semblait-il, épouvantables.

— Je pense à mon ami Jakob Kern, déclara Bertille après un silence. C'est un homme robuste, une force de la nature. J'espère de tout mon cœur qu'il endurera son calvaire et qu'il reviendra un jour, si la guerre s'achève.

— Nous gagnerons la guerre, j'en ai la certitude répondit Marie de Martignac sur un ton passionné. Le nombre des maquis ne cesse d'augmenter et les actions de la Résistance freinent celles de nos ennemis.

— Puisses-tu dire vrai, ma chère enfant, soupira Edmée, la main crispée sur le pommeau en ivoire de sa canne. Si nous parlions de choses agréables! C'est la dernière soirée où nous avons la compagnie de Claire et de notre amie Bertille.

— Je serais incapable d'énoncer des futilités, mère, trancha sa fille.

Songeuse, Abigaël observait en silence le loup couché devant la cheminée. Elle était arrivée à Torsac vers cinq heures du soir seulement en poussant son vélo, le pneu arrière ayant crevé à deux kilomètres du village. «J'étais impatiente de revoir ma belle dame brune, heureuse aussi de passer la soirée en compagnie de sa cousine et d'elle, mais j'ai à peine pu leur parler. Edmée et Marie de Martignac les ont accaparées en ne m'accordant guère d'attention.»

On avait même trouvé tout naturel qu'elle se dévoue comme préposée aux cuisines afin d'aider la vieille Ursule, toujours prête à récriminer s'il y avait des invités. Aussi, le dîner, quoiqu'excellent, lui laissait un goût amer. Elle était en outre hantée par le problème que posait Sauvageon et qu'elle n'avait pas encore abordé.

— Vous me semblez bien rêveuse, demoiselle! lui dit soudain Claire de sa voix douce.

— Excusez-moi, j'admirais votre loup. Il a belle allure, allongé sur les dalles de l'âtre. Les flammes ne l'effraient pas.

— Les loups de Claire ont toujours eu la manie de monopoliser la chaleur du feu, fit remarquer Bertille. Ma louve Lilas faisait ainsi, au domaine. Elle était d'une taille moins imposante que Sauvageon et son pelage était gris clair.

Abigaël recueillit ce précieux renseignement avec gratitude. Elle eut un sourire un peu triste en pensant qu'elle n'aurait jamais le temps d'en savoir davantage sur l'existence des deux cousines.

— Je dois y aller, dit-elle. Je vais attendre dans la cour. Selon le professeur, l'homme viendra en fourgon.

— Je vous accompagne, déclara Claire en se levant vivement.

Le loup bondit aussitôt et trottina vers sa maîtresse. Elle le caressa, hésitante.

— Je l'emmène. Il souffre d'être enfermé du matin au soir. Je le promène la nuit dans le parc du château, mais jamais assez longtemps.

— Est-ce prudent que vous sortiez, Claire? s'inquiéta Edmée.

— Il n'y a aucun danger, s'empressa de préciser Abigaël, toute contente de l'opportunité. Nous serons vite de retour.

La nuit était fraîche et, dans le ciel d'un bleu profond, la lune brillait, encore ronde et nimbée d'un halo jaunâtre. Abigaël marchait le nez en l'air, une expression ravie sur les traits, fidèle à son habitude de contempler la voûte céleste piquée d'étoiles.

— Quand j'étais jeune fille, je faisais comme vous, chuchota Claire. J'aimais tellement la nuit et la liberté qu'elle m'offrait! Je l'aime encore. Savez-vous comment j'occupais mes soirées, avant le fabuleux retour de

Bertille? Je grimpais dans la tour où je vous ai conduite la dernière fois et je priais sans quitter des yeux la lune ou les nuages, ou encore le clocher de l'église.

— Vous devez être heureuse de revoir bientôt votre famille?

— J'ignore si je pourrai encore être vraiment heureuse, à l'avenir. Peut-être. Mais vous avez raison, quand je tiendrai contre mon cœur ma fille Ludivine, le chagrin que j'éprouve sera adouci. Cela, c'est si nous atteignons saines et sauves la terre anglaise, Bertille et moi.

— Il le faut, affirma Abigaël. Dieu et ses anges veilleront sur vous et sur le lieutenant Howard, l'aviateur blessé qui voyagera avec vous. Son épouse va bientôt accoucher. Il voudrait être à ses côtés.

— Parfois, même en temps de paix, les jeunes femmes mettent un bébé au monde sans la présence rassurante du père, seules, dans la peur, mais armées du courage qu'ont les mamans.

Abigaël approuva, enchantée de la présence de Claire à ses côtés, tout en constatant qu'elle tenait le loup par son collier.

— Je ne dis pas ça par hasard, chère petite. Je me souviens de Faustine, ma belle-sœur, que j'ai élevée. Il lui a pris l'idée insensée de monter jusqu'à la grotte aux fées alors qu'elle approchait de son terme. Isabelle est née là. Sa mère a déchiré son jupon pour y prélever un carré de tissu et c'est ce torchon qui a accueilli l'enfant sur cette terre. Nous, au Moulin, nous cherchions Faustine partout. Matthieu en devenait fou d'inquiétude. Par chance, Moïse l'a retrouvée, mon brave Moïse! Elle lui a attaché au cou un lambeau de sa robe bleue et il a accompli sa mission. Il est rentré et nous l'avons suivi. Seigneur, qui croirait à cette histoire? C'est digne d'un roman!

Elles étaient parvenues au pied du haut portail en bois. Aucun bruit de moteur ne troublait le silence.

— Je vous remercie de m'avoir raconté cette anecdote, dit tout bas Abigaël. Mon oncle m'a expliqué un soir que vous aviez toujours eu des loups, au Moulin.

— Oui, une vraie lignée: le premier Sauvageon, puis Moïse, Tristan ensuite et ma Lilas. Ils grandissaient parmi les humains et se montraient une fois adultes plus dociles et affectueux que bien des chiens. Enfin, celui-ci fait exception. Ludivine l'a découvert blessé dans la fameuse grotte aux fées. Il avait déjà quatre mois. Un chasseur avait tué sa mère. Si vous saviez les ruses qu'a déployées ma fille de onze ans pour le cacher et le ramener au Moulin! Elle a pris un remède dans mon herboristerie pour l'endormir. Mon Dieu, comme ça me paraît loin! Pourtant, c'était au début de la guerre, le soir où Bertrand Giraud est mort d'une crise cardiaque.

Abigaël buvait les paroles de Claire, qui s'était adossée au pilier en pierre, ses minces épaules envelop-pées dans un châle noir.

— Ce chasseur, je l'ai su récemment, est à présent le chef de la milice. Il n'a plus d'animal à abattre, mainte-nant, il exécute ses semblables, ses compatriotes. Le maudit Dubreuil! Il avait juré la perte de Jean! Voyez-vous, mon mari allait à la rencontre de Ludivine qui rentrait de l'école par un sentier sur le plateau qui surplombe les falaises. Son fusil à la main, le chasseur menaçait notre petite fille. Jean l'a frappé et l'homme lui a débité tout son passé. Il savait des détails surprenants sur sa jeunesse. Je ne m'en étonne plus, à présent, ce monstre sangui-naire est le neveu d'un policier qui s'était acharné à traquer mon amour… mon Jean, mon époux.

Tremblante, Abigaël se signa. Claire réprima un sanglot en avouant dans un souffle:

— J'ai du mal à prononcer son prénom. Un prénom commun et très fréquent, mais que je ne peux plus entendre sans sentir mon cœur se briser encore et encore.

— Madame, vous êtes si triste! J'en suis désolée. Je ressens votre douleur en moi. Elle me brise également.

— Non, je vous en prie, ne prenez pas mes infortunes sur vos épaules. Après mon départ, promettez-moi d'être heureuse, de vivre et d'aimer à votre tour.

Claire lui ouvrit les bras. Abigaël s'y réfugia et étreignit doucement sa belle dame brune.

— J'aime un jeune résistant, confessa-t-elle d'une voix ténue. Je n'aimerai jamais que lui.

— Que le Seigneur vous accorde un grand bonheur à tous les deux, mon enfant!

Les lèvres de Claire effleurèrent le front d'Abigaël à l'instant où le ronronnement d'un moteur résonnait dans la campagne endormie. Elles se figèrent, tous leurs sens aux aguets. Peu après, un véhicule se garait devant l'entrée du château. Une portière s'ouvrit et quelqu'un se mit à siffler le refrain d'une célèbre complainte: *Le temps des cerises*. Sauvageon grogna, mais Claire le fit taire d'un geste. Les nerfs à vif, Abigaël attendait le mot de passe qui devait être prononcé après la musique.

«Si c'était un piège? se dit-elle. Imaginons que l'homme chargé de venir ici ait été arrêté et torturé? Il aurait donné l'air à siffler et le mot de passe... Non, je suis folle de douter.»

— *Une bouteille à la mer*, souffla l'inconnu derrière les deux battants.

C'était le bon mot de passe. Abigaël hocha la tête et entreprit d'ouvrir. Une silhouette trapue coiffée d'un chapeau à larges bords lui tendit aussitôt un paquet.

— Demain, à dix-huit heures, nous viendrons à bord d'une ambulance, murmura-t-il. Soyez prêtes. Bonsoir.

Il les salua et grimpa dans le fourgon dont le moteur tournait au ralenti. Claire referma le portail à clef.

— Savez-vous ce que contient ce paquet? demanda-t-elle.

— Les vêtements nécessaires à votre évasion, madame.

— Vous avez entendu, il sifflait *Le temps des cerises!* C'était la chanson préférée de Basile, mon cher ami Basile. Les enfants du moulin le chérissaient. Il était comme un grand-père pour eux, pour Jean et pour moi. Ma petite Abigaël, je voudrais tant rendre hommage à tous les gens de bien qui ont croisé mon chemin ou qui ont vécu près de moi! Basile était instituteur. C'était un anarchiste notoire, un ancien communard.

— Madame, si nous allions dans votre chambre essayer ces habits avec votre cousine! proposa Abigaël. J'irai en cuisine préparer du café et du thé. Il n'est pas si tard et, pour être franche, je pourrais vous écouter jusqu'au milieu de la nuit.

— Mais oui, faisons une veillée, toutes les trois. Edmée et Marie se couchent tôt.

Étonnée d'éprouver une bouffée de joie, Claire eut un sourire timide. Elles coururent presque en retournant au château.

— Tout s'est bien passé, annonça Abigaël.

Bertille se redressa sur sa chaise. Ses boucles blondes luisaient sous la clarté argentée du lustre. Elle jeta un coup d'œil curieux sur le paquet. Marie de Martignac, qui fumait une cigarette en dépit des regards outrés de la châtelaine, coupa l'effet de surprise.

— Ce sont des tenues de religieuses, annonça-t-elle. Beaucoup de sœurs se dévouent sous l'égide de la Croix-Rouge. Vous serez crédibles, dans une ambulance, auprès du lieutenant Howard qui, la tête entourée d'un pansement, aura toutes les apparences d'un blessé grave. Mais vous ne faites pas partie du convoi, Abigaël. On m'a informée que vous le souhaitiez, mais votre oncle et le professeur refusent que vous couriez le moindre danger. Je suis de leur avis.

Sidérée, Abigaël devint livide. On lui avait ordonné de mentir à Claire quant au sort fatal réservé à Sauvageon et, de surcroît, on l'écartait d'une mission qui avait une importance capitale pour elle.

— Pourquoi me traiter ainsi? s'écria-t-elle, des sanglots dans la voix. Je voulais tant dire adieu à madame Claire et à madame Bertille! Je voulais voir l'avion décoller! Excusez-moi d'être aussi directe, mais c'est une injustice.

— Je suis du même avis, s'enflamma Bertille. Enfin, cette jeune personne m'a délivrée de ma prison, une prison où je m'étais enfermée moi-même, soit, mais pour la simple raison que je croyais ma cousine morte et enterrée. J'avais peur et j'étais à deux doigts de perdre l'esprit. Abigaël m'a sauvée, comme elle a tiré Claire de vos griffes, Marie!

— De mes griffes? répéta la jeune femme, offusquée.

— Seigneur, Bertille, modérez vos paroles, s'indigna Edmée à son tour. Ma fille n'avait guère le choix, Claire ayant perdu la mémoire. Il fallait la cacher et c'était risqué. Ma pauvre Marie, tu es mal récompensée de ton dévouement.

Affligée par la querelle, Claire secoua la tête.

— Je vous en prie, mesdames! Ma chère Marie, je vous serai toujours reconnaissante de m'avoir abritée et soignée. Vous avez agi au mieux dans une situation alarmante. On peut imaginer les sévices que j'aurais subis si j'étais tombée aux mains de la Gestapo ou des miliciens. Ils n'auraient pas cru une seconde à mon amnésie et j'aurais été torturée, puis exécutée. Cependant, je comprends la terrible déception d'Abigaël. Elle ne mérite pas d'être mise à l'écart après le courage et la détermination dont elle a fait preuve en plusieurs occasions. Marie, je vous en supplie, ne gâchez pas mes adieux à la terre de France, demain soir. Je serais sincèrement heureuse que notre jeune amie soit là, à nos côtés.

— Ne soyez pas aussi sentimentale, ma chère Claire, marmonna Edmée, l'air pincé. Enfin, je n'ai pas mon mot à dire, puisque je suis le plus souvent dans l'ignorance de ce qui se trame sous mon toit. Bonsoir! Je préfère me retirer, je suis fatiguée.

— Bonne nuit, mère, murmura Marie de Martignac. J'aimerais vous épargner toutes ces discussions, mais, ce soir, je devais être présente afin de préparer l'opération en cours.

Abigaël restait debout, immobile, pareille à une condamnée en attente du verdict. Elle étudiait les traits agréables de Marie en espérant y lire un début de fléchissement. Mais la fille de la châtelaine semblait pétrie d'une froideur insolite et d'un détachement hautain. «Pourtant, elle a été une fillette très malade, ici, au château, et Claire lui a sauvé la vie. Elle serait proche du médecin que j'ai rencontré dimanche. Sont-ils amants?»

Elle tenta de se représenter la jeune institutrice alanguie par des baisers dans les bras du docteur. Ce fut en vain. «Je la verrais plutôt religieuse ou célibataire, toute dévouée à l'enseignement, se dit-elle. Que je suis sotte! Elle doit être pudique et habile à dissimuler ses émotions.»

Marie de Martignac se leva au même instant et désigna le paquet toujours posé au bout de la table.

— Très bien, j'en prends la responsabilité, déclarat-elle. Nous ne trouverons pas un troisième vêtement religieux dans un si court délai, mais je prêterai une blouse blanche et une coiffe d'infirmière à Abigaël.

— Vous avez encore une fois toute ma gratitude, Marie, s'écria Claire. Oui, merci de m'accorder cette faveur.

— Une faveur? Le terme ne convient pas. C'est plutôt une idiotie de ma part, qui serait parfaitement mise en évidence s'il arrivait malheur à cette jeune fille. Le professeur et son oncle ne me le pardonneraient jamais.

— Il ne m'arrivera rien, protesta Abigaël, transportée de joie et de soulagement. Je ne peux pas expliquer pourquoi j'en ai la conviction, mais c'est ainsi.

— Souhaitons-le! dit Bertille, alarmée par le ton grave de Marie. Quant à Sauvageon, est-ce que tu l'emmènes, Clairette?

— C'est impossible, s'empressa de dire Marie. Un loup en Angleterre! Même apprivoisé, il n'y a pas sa place. Je pensais que c'était une évidence. Pendant le trajet, déjà, il pourrait nous trahir.

Abigaël croisa son regard, où elle lut la sentence prononcée par Jacques Hitier.

— J'espérais le garder, déclara Claire d'un ton amer, mais je suis consciente des problèmes qu'il poserait.

— Madame, je veillerai sur lui, affirma Abigaël. Nous sommes de bons amis, tous les deux. Il n'a que cinq ans. Si vous rentrez un jour en France, vous le retrouverez.

— Merci, chère petite, merci! J'avais envisagé cette solution, mais je craignais un refus de votre oncle.

— Personne ne m'empêchera de m'occuper de votre loup.

Excédée, Marie de Martignac fit les cent pas autour de la grande table.

— Dubreuil tirera vite des conclusions s'il voit cette bête dans la vallée de l'Anguienne! s'exclama-t-elle. Vous pourriez causer la perte du professeur, qui est un membre actif de notre réseau, sans parler de votre oncle et de vos proches. Tout ça pour un loup?

Claire devint livide. Ses sens exacerbés et son intuition d'une rare acuité la renseignèrent sur le sort promis à Sauvageon.

— Mon Dieu, avez-vous l'intention de l'abattre dès que je serai partie? s'enquit-elle d'une voix tremblante.

— Oui, madame, ils ont prévu cet acte odieux, inacceptable, renchérit Abigaël. Je m'y suis opposée et, je vous le promets, ça ne se produira pas.

Nerveuse, Bertille alluma une cigarette. Elle évitait de se mêler du débat, sachant sa cousine capable d'imposer sa volonté. Mais Marie de Martignac, outrée, se lança dans un discours véhément.

— Comment pouvez-vous attacher une telle importance à un animal alors que des milliers de Juifs ont été arrêtés et conduits dans des camps, alors que des résistants luttent contre l'ennemi? Dois-je vous rappeler les pertes humaines durant l'exode, les tortures et les exécutions sommaires? Allez-vous pleurer les chevaux réquisitionnés et les chiens abandonnés? Enfin, vous, Claire, qui avez perdu votre époux et vos amis, pourquoi tenez-vous tant à votre Sauvageon?

La diatribe, basée sur des arguments cohérents, avait eu le don d'irriter Bertille. Elle décocha un coup d'œil plein de rancœur à la jeune femme et sa voix se fit cinglante.

— Vous devriez le comprendre, Marie. Et c'est cruel d'évoquer devant Claire les pertes tragiques dont elle souffre. Mais êtes-vous stupide, ou sans cœur? Claire demeure fidèle à ce qu'elle est et à ce qu'elle a toujours été, une partisane de la vie, de la justice, de l'amour. Cet amour, ma cousine l'a offert à la moindre créature vivante, les chats, les chiens, les chevaux et les loups.

Si quelqu'un de votre fichu réseau compte faire du mal à Sauvageon, nous ne partons pas, voilà. J'ai assez d'argent et de bijoux à vendre pour dénicher un refuge autre que votre vieux château, même si cela vous paraît une ineptie.

Superbe de colère, l'ancienne dame de Ponriant repoussa sa chaise en se levant.

— Tu es d'accord, Clairette? dit-elle de sa voix pointue.

— Princesse, tu vas trop loin. J'ai appris à me résigner et à faire la part des choses. Tout est prévu pour notre départ. Je tiens à retrouver mon frère, ma fille et ma chère Faustine. Marie m'a confié hier soir que Matthieu est averti de mon arrivée grâce à un message qu'on lui a transmis en urgence. Mais...

Abigaël écoutait en retenant sa respiration. Dans la fougue de ses seize ans, elle désirait presque entendre sa belle dame brune soutenir les propos hardis de Bertille.

— Mais oui, je serais d'accord pour renoncer à partir, reprit Claire, si Sauvageon doit être tué comme prix de mon sauvetage.

— Seigneur, je ne peux pas le croire, déplora Marie de Martignac. Que dois-je décider, dans ce cas? Vous restez, mesdames?

— Ce serait dangereux! s'écria Abigaël. Madame Claire, n'ayez pas peur, je m'occuperai de votre loup. Je sais où le cacher durant le jour. Il y a des grottes dans les falaises de la vallée et mon oncle possède un abri aménagé, très difficile d'accès. Peut-être aussi que nous exagérons le problème que pose Sauvageon. Même si le chef de la milice le voyait avec moi, je pourrais dire que je l'ai recueilli, qu'il errait dans la campagne et que je l'ai pris pour un chien.

Les trois femmes la regardèrent attentivement. Elle était si jolie et si fraîche, ses yeux bleus exprimaient une telle foi qu'elles eurent le sentiment soudain d'être apaisées et protégées par sa seule présence. Son visage de madone resplendissait, alors qu'un doux sourire se dessinait sur ses lèvres.

— Petit ange! chuchota Claire en allant l'embrasser. Je vous regretterai, une fois loin de mon pays. Oui, vous me manquerez, même si nous n'avons guère eu le temps de faire connaissance. Jamais je n'oublierai votre gentillesse et votre ferveur. Merci.

Lasse et excédée par cette scène, Marie de Martignac prit congé. Bertille se précipita à son tour vers Abigaël et l'étreignit.

— Je vous remercie, moi aussi, belle demoiselle, souffla-t-elle à son oreille.

— Maintenant, proposa Claire, montons essayer nos toilettes de nonnes. Princesse, j'ai hâte de te voir en sœur de charité.

— Si tu te moques…

Abigaël était surprise de voir les deux cousines plaisanter; cependant, elle en fut ravie. La soirée qu'elles s'étaient promise commençait. Par-delà le temps, le souvenir de leur veille garderait le parfum âcre du café et la saveur du thé à la bergamote. Chaque moment s'en graverait dans leur esprit, puissant et précieux viatique contre la peur et le chagrin durant les années à venir.

—

Château de Torsac, le lendemain, mardi 14 mars 1944

La cloche de l'église sonnait à la volée. L'air tiède du matin répercutait les sons graves et profonds qui appelaient les fidèles du village à la messe. Abigaël se frotta les yeux et regarda la montre-bracelet que sa tante lui avait prêtée.

Elle s'étonna d'avoir dormi aussi tard, car il était dix heures, mais aussitôt le souvenir de la nuit passée en compagnie de Claire et de Bertille lui fournit une explication. «Nous nous sommes couchées à l'aube.»

Cependant, elle ne regrettait pas d'avoir veillé aussi tard. Elle était riche, désormais, de maintes confidences, d'évocations imagées, de détails amusants, de récits tragiques. Sa belle dame brune pouvait s'envoler vers l'étranger, Abigaël se sentirait toujours proche d'elle, liée à son destin qui lui semblait exceptionnel, fascinant.

Bertille Giraud avait apporté sa touche personnelle aux échanges en reprenant souvent sa cousine pour préciser certains points, en ajoutant une précision ou en racontant une anecdote.

«Comme je suis heureuse qu'elles soient réunies, songea-t-elle. Claire a retrouvé son beau sourire. Sans sa princesse à ses côtés, elle n'aurait pas été aussi gaie. Je suis sûre qu'un ange du Ciel m'a guidée, le jour où j'ai cherché la clef de la rue de l'Évêché. Peut-être maman...»

Abigaël se leva précipitamment. Elle avait couché dans une chambre du premier étage attribuée jadis à Louis de Martignac et dorénavant réservée, pendant les vacances scolaires, à son fils Quentin.

— Un garçon de mon âge, murmura-t-elle en se coiffant devant le miroir de l'armoire de style Louis XV.

Elle pensa, attristée, qu'il avait perdu sa mère Angéla, peintre de grand talent, tuée auprès de Jean Dumont lors du massacre du réseau Sirius.

«Louis de Martignac est prisonnier en Allemagne, non, en enfer, un enfer créé par les S.S., là-bas. Reviendra-t-il? Je devrais recommencer l'expérience des photographies. Demain, j'en parlerai au professeur Hitier. S'il n'est pas d'accord, je m'arrangerai toute seule. Je sais où sont dissimulés les clichés qu'il m'a montrés.»

Elle se sentait d'humeur rebelle, prête à imposer ses idées et sa volonté à cause des menaces qui avaient pesé sur le loup, inspirée également par l'exemple de Claire jeune fille.

Les cheveux nattés et cachés sous un foulard, en jupe plissée et veste de laine grise, Abigaël longea le large couloir sur lequel donnaient une douzaine de portes doubles aux poignées de cuivre. Devant la pièce où logeaient les deux cousines, elle tendit l'oreille. Pas un bruit!

— Il vaut mieux qu'elles dorment encore, se dit-elle tout bas en décidant de descendre saluer Ursule dans les cuisines.

Mais la vieille domestique se tenait endimanchée en bas du grand escalier intérieur, dont la pierre couleur ivoire reflétait la clarté du soleil.

Edmée de Martignac sortit au même instant du salon, sa canne à la main, très élégante. Une mantille de dentelle noire couvrait sa tête au port altier et une cape de fourrure drapait ses épaules menues.

— Nous allons à la messe, mademoiselle Mousnier, annonça la châtelaine. Voulez-vous nous accompagner?

— J'aurais bien aimé, madame, mais ce serait imprudent. Il est préférable que je ne me montre pas aujourd'hui. Je pourrais préparer le déjeuner, Ursule. Ça vous soulagera.

— Prenez point cette peine, récrimina la vieille femme, c'est mon travail. J'ai mis de la viande à cuire sur le coin du fourneau.

— Distrayez-vous autrement, mademoiselle, lança Edmée avec un léger rictus où se lisait du mépris à son égard.

La froide aristocrate la traitait de haut; elle en fut consciente et, étonnamment, elle en souffrit. D'ordinaire, elle se serait inclinée devant cette manifestation d'antipathie, mais elle ne put laisser passer, cette fois.

— En quoi vous ai-je déplu, madame? Je voulais me rendre utile, rien d'autre.

— Ne soyez pas insolente, je vous prie, dit la châtelaine d'un ton sec. Venez, Ursule, le curé doit m'attendre.

Désemparée, Abigaël assista à leur départ. Elle décida de faire du café, certaine que Claire en aurait envie dès son réveil. La lumière entrait à flots dans la vaste cuisine exposée à l'est. Il y régnait un désordre navrant et une saleté alarmante.

— Rien n'a vraiment changé ici depuis des années, soupira-t-elle à mi-voix. Claire en avait été effrayée quand elle est venue ici la première fois pour soigner Marie de Martignac, atteinte de paratyphoïde.

Soucieuse de ne pas vexer Ursule, elle évita de ranger et de nettoyer.

«Pourtant, il y a eu des temps meilleurs, ensuite, se dit-elle en faisant bouillir de l'eau sur un réchaud. Bertille a très bien dépeint l'époque où Edmée, de nouveau fortunée, a engagé du personnel et fait des travaux de restauration, même dans l'office. Il n'en reste guère de traces.»

Cinq minutes plus tard, une tasse de café à la main, elle ouvrait la porte communiquant avec une cour pavée. Les poules offertes par son oncle se mirent aussitôt à caqueter derrière le grillage de leur enclos.

Des pigeons s'envolèrent du toit d'une remise. En les suivant des yeux, Abigaël vit les hauts murs du château et la tour d'angle crénelée, une vision qui l'oppressa.

— Je ne voudrais pas habiter cet endroit, constata-t-elle à mi-voix.

Elle s'assit au soleil, sur le rebord d'un bac en pierre encombré de seaux en fer cabossés et de chiffons humides. Marie de Martignac la découvrit ainsi.

— Que faites-vous là? s'exclama-t-elle. Cette cour empeste, le poulailler aussi. Vous auriez dû vous installer dans le salon ou la salle à manger!

Elle portait une robe de chambre en satin rouge et des chaussons. Ses boucles brunes étaient maintenues par un bandeau. Elle paraissait plus jeune, plus détendue.

— Je n'osais pas, étant seule, répliqua Abigaël. Je craignais de déplaire davantage à votre maman.

— Lui déplaire? Qu'allez-vous imaginer? Mère vous voit à peine. Elle se moque éperdument de vous, je vous assure. En fait, elle n'est plus elle-même, ces derniers mois. Elle éprouve de la colère envers tous et le chagrin la ronge. Quand je dis tous, je fais allusion autant à l'occupant qu'au maréchal Pétain, aux résistants et aux miliciens. Elle adorait Louis, mon grand frère.

— Mais vous êtes là, vous…

— Oh! moi, ce n'est pas la même chose. Les femmes vouent souvent un véritable culte à un fils unique, surtout s'il est beau, charmeur, capricieux. Avant d'épouser Angéla, Louis en faisait voir de toutes les couleurs à notre malheureuse mère. Il avait en partie dilapidé notre maigre fortune et il courtisait les jolies filles. J'ai tenté d'avoir des renseignements sur lui, en vain.

— Il a été arrêté et déporté, n'est-ce pas?

— Oui. Je n'ai guère d'espoir à son sujet. Maman se consume en prières et en crises de larmes, la nuit.

Marie rentra un moment dans la cuisine et en ressortit une tasse fumante entre les doigts.

— Je suppose que Claire et Bertille ont essayé leur tenue de religieuse, s'enquit-elle. Tout à l'heure, je vous donnerai la blouse et la coiffe d'infirmière. Fallait-il des retouches?

— Elles sont si minces, toutes les deux! J'ai cousu des pinces à la taille, sinon c'était parfait. Le voile qui couvre une partie du front les rend vraiment méconnaissables. Madame Bertille a eu un fou rire nerveux.

— La dame de Ponriant en sœur de charité! persifla Marie. Le spectacle doit être frappant, en effet. Maintenant, Abigaël, je dois vous parler du loup encore une fois. Je n'ai pas pu dire ce que je savais, hier soir, afin de ménager la sensibilité de Claire. Mais nous avons un réel souci.

— Lequel? demanda Abigaël, exaspérée.

— Le chef de la milice d'Angoulême, Dubreuil, il ne va pas tarder à faire une visite au Lion de Saint-Marc. Sans doute va-t-il interroger votre oncle, parce qu'il vient de découvrir, après avoir étudié certains documents de la gendarmerie, le lien qui existait entre Léon Casta et le Moulin du Loup. Il a ordonné l'exécution de ce pauvre homme, de son épouse et de la fillette qu'ils gardaient, mais il n'était pas sur les lieux et il ignorait leur identité. Il ne lâchera pas l'affaire, il doit même jubiler en se disant qu'il touche au but. Et, son but, c'est Claire Roy-Dumont.

Livide et glacée, Abigaël se leva. Son cœur cognait à grands coups.

— Comment êtes-vous au courant? demanda-t-elle.

— Un policier d'Angoulême appartient au réseau mis en place par le professeur. C'est un cousin du médecin que vous avez rencontré. Il nous fournit des indications importantes. Abigaël, si vous ramenez

Sauvageon dans les environs de la ferme, vous faites courir un danger terrible à votre famille et à Jacques Hitier. Attention, Dubreuil n'a aucune preuve contre Yvon Mousnier; hélas, il n'hésitera pas à obtenir des aveux par la menace et, admettez-le, les gens de la vallée de l'Anguienne ont forcément aperçu le loup, cet hiver, lorsque vous l'avez recueilli.

— C'est probable, en effet, murmura Abigaël d'une petite voix.

— Il lui suffira d'une présomption. Ce type ira jusqu'au bout de sa vengeance. Ce soir, l'opération prévue devrait se dérouler sans problème, puisque nous prenons une route qui contourne la ville et ses faubourgs. Mais demain, si vous rentrez à la ferme le loup sur vos talons, vous vous retrouverez peut-être nez à nez avec Dubreuil.

Marie de Martignac prit un flacon dans la poche de sa robe de chambre.

— De l'arsenic, dit-elle très bas. Comme il est inenvisageable d'emmener Sauvageon dans l'ambulance, vous l'enfermerez dans l'écurie avant votre départ. Vous lui donnerez de l'eau et une gamelle de nourriture. Telle que je la connais, Claire lui aura déjà fait ses adieux. Elle ne le saura jamais.

— Mais, moi, j'aurai ce poids sur la conscience. Si par bonheur la guerre s'achève et que Claire revient, je devrai encore lui mentir.

— Dans ce cas, vous raconterez n'importe quoi, répliqua la jeune femme, irritée. Vous pourrez dire qu'il s'est échappé et qu'un chasseur l'a tué, ou vous inventerez une maladie. Je vous en supplie, ne vous obstinez pas. Vous redoutez d'avoir ce poids sur votre conscience, mais quel poids dix fois, cent fois plus lourd et odieux auriez-vous à supporter si plusieurs personnes étaient massacrées par la milice ou la Gestapo à cause de vos scrupules?

La mort dans l'âme, Abigaël s'empara du flacon. Elle revoyait l'adorable frimousse de Cécile, le sourire naïf de Grégoire et le doux regard inquiet de sa tante. «J'ai promis à Adrien de protéger sa sœur, songea-t-elle. Il y a aussi mon oncle, le professeur, tante Pélagie, Béa... sans compter Adrien. Je n'ai pas le droit de les condamner pour sauver un animal.»

Une vision récente s'imposa à son esprit torturé. Elle était de nouveau allongée dans le fossé, à l'orée du pré où un couple avait été abattu sans pitié. La face aigrie et le regard froid du chef de la milice se dessinaient nettement dans sa mémoire, ravivant l'impression atroce qu'elle avait ressentie. «Un démon, un serviteur du Mal, un être pétri de haine!»

— Je monte m'habiller, dit Marie de Martignac. Vous le ferez? Je peux compter sur vous, Abigaël, sur votre intelligence?

— Vous pouvez, répondit-elle, brisée, aveuglée par les larmes.

—

La journée s'écoula beaucoup trop rapidement au goût de la jeune fille. Elle avait réussi à faire bonne figure pendant le repas de midi, mais elle s'était ensuite réfugiée dans sa chambre sous le prétexte de dormir une heure ou deux. Alarmée par son mutisme et son expression morose, Claire l'avait accompagnée jusqu'à l'étage.

— Qu'avez-vous, ma chère petite? s'était-elle écriée. Nous étions pourtant joyeuses, cette nuit, même moi, malgré ma peine et mon angoisse de quitter ma terre natale!

— Je suis très anxieuse également, madame, et tellement triste de vous quitter! avait répondu Abigaël. Je vais me reposer.

Claire lui avait caressé la joue en la contemplant de son beau regard de velours noir.

— Vous aurez le meilleur ami du monde en Sauvageon. Il vous aime. Il vous sera fidèle.

C'en était trop pour Abigaël. Elle s'était jetée au cou de sa belle dame brune en pleurant.

— Je l'aime, moi aussi. Je veillerai sur lui.

La courte scène lui revint, précise et intolérable, lorsqu'elle se réveilla à quatre heures de l'après-midi, la tête lourde, un point douloureux au plexus. «Mon Dieu, j'ai dormi trop longtemps», se dit-elle, affolée.

Ses doigts se glissèrent dans la poche de sa veste et effleurèrent le flacon de poison. Elle frissonna, écœurée, désespérée. «Sauvageon va souffrir, il va avoir peur, il va se sentir mourir pendant son agonie, trahi par les humains en qui il a confiance, surtout en moi qui l'aime si fort!»

Elle sanglota, une main sur sa bouche pour ne pas faire de bruit. Puis, comme égarée, elle se laissa glisser sur le parquet où elle se mit à genoux pour prier. «Seigneur, Dieu de bonté, Jésus notre sauveur, aidez-moi. Sainte Vierge Marie, venez à mon secours, je ne peux pas tuer une bête innocente, non, je ne peux pas. Maman, pitié! Maman, aide-moi!»

En proie à d'affreux tremblements, elle n'était plus que ferveur implorante. Elle enchaînait tout bas une litanie de supplications tout en récitant le *Notre Père* dans un murmure à intervalles réguliers. Malgré sa dévotion et sa foi dans les puissances célestes, aucune solution ne lui apparut, aucune non plus ne lui fut chuchotée à l'oreille.

«Je ferais mieux de me calmer. Si Claire me voit dans cet état, elle aura des soupçons.»

Haletante, elle remit de l'ordre dans ses vêtements et se lava le visage à l'eau froide. On devinerait qu'elle avait beaucoup pleuré, mais elle pourrait prétendre qu'elle avait peur et qu'elle redoutait la séparation.

Dix minutes plus tard, la voix flûtée de Bertille se fit entendre derrière sa porte.

— Abigaël, nous avons besoin de vous.

— Entrez, madame, je suis presque prête.

Lorsque sa visiteuse poussa le battant, elle feignit de plier sa chemise de nuit et de refermer sa trousse de toilette.

— Je viens. Avez-vous fait une sieste, vous aussi, madame?

— J'en serais incapable. Je suis malade d'anxiété. Claire, sous son air paisible, c'est encore pire, d'autant plus que nous appréhendons toutes les deux le voyage en avion. J'ai encore six cachets d'un sédatif que ma fille Clara, qui est médecin, m'avait prescrit, à Paris. Nous en avalerons un chacune, Claire et moi, sinon nous passerons des heures abominables, la nuit, en plein vol.

— Un sédatif! répéta Abigaël.

— Oh, rien de dangereux! Le dosage est léger, de l'avis de Clara.

— J'en prendrais bien un ce soir quand je reviendrai chez mon oncle. Je crains de ne pas pouvoir dormir, surtout si je pense à vous, en route vers l'Angleterre.

— Bien sûr. D'ailleurs, vous avez mauvaise mine, mon chou. Je les ai sur moi, par précaution, pour ne pas les oublier.

Mon chou! Le terme affectueux arracha un sourire à la jeune fille, qui venait d'être exaucée. Toujours en tailleur, Bertille extirpa un tube métallique de sa poche de droite et le lui tendit.

— Servez-vous. Je vous avertis, demoiselle, avalez-le en vous couchant, pas avant, surtout; sinon, vous risquez de sombrer immédiatement.

— D'accord, merci, madame...

— Il faudrait me dire «merci, ma sœur», en prévision de notre expédition en ambulance. Abigaël, est-ce que je peux vous embrasser, là, tout de suite, loin des regards indiscrets?

Elle l'étreignit, manifestement bouleversée. Elle déposa trois baisers sur ses joues avant de reculer enfin.

— Je ne vous oublierai jamais, affirma-t-elle. Vous, gardez mes conseils de grande amoureuse dans un coin secret de votre jeune cœur encore pur et vaillant.

— Je n'y manquerai pas, murmura Abigaël, émue.

Elles se sourirent en se remémorant le quart d'heure pendant lequel Claire s'était absentée pendant leur veillée et où Bertille s'était empressée d'évoquer la joie d'aimer et de s'offrir à un homme.

— C'est de la magie, avait-elle dit. Moi qui avais soixante ans quand Jakob Kern m'a soulevée de terre pour m'emmener dans la grange à foin, en juin 40, j'ai retrouvé la fièvre et la fougue de mes vingt ans. Il n'y a rien de plus merveilleux que l'extase amoureuse.

Pour l'instant, Abigaël se souciait peu de l'amour charnel. Elle exultait, ayant prévu de donner le sédatif au loup plutôt que l'arsenic.

«Il n'en mourra pas, il va somnoler ce soir et cette nuit. Je m'arrangerai pour revenir ici demain matin et je le conduirai en lieu sûr. Il sera prisonnier, mais bien vivant.»

Le ciel s'était couvert de gros nuages lourds. Il serait bientôt dix-huit heures. Le vent sentait la pluie, qui ne tarderait pas à ruisseler sur la campagne. Un singulier attroupement était réuni dans la grande cour du château, composé de deux religieuses en longue toilette d'un gris foncé, un voile entourant leur visage livide, d'Abigaël en blouse blanche et coiffe assortie ornée de l'emblème de la Croix-Rouge, qui regardait sans arrêt la montre-bracelet de sa tante, et de Marie de Martignac, également habillée en infirmière, qui tenait la main de sa mère.

— Que le Seigneur vous protège toutes, souhaita la châtelaine, les traits tirés et ses yeux d'un bleu très clair noyés de larmes. Quand donc serons-nous en paix?

— Nous luttons dans ce but, maman, répliqua sa fille.

Le terme familier fit trembler Edmée. Claire se pencha sur le loup, qui restait debout près d'elle, le flanc plaqué contre ses jambes.

— Je crois qu'il est temps de l'enfermer, Abigaël. L'ambulance va arriver d'une minute à l'autre. Nous devrons être prêtes.

— Je l'emmène, madame.

— Au revoir, mon Sauvageon! Je donnerai de tes nouvelles à Ludivine. Enfin… si Dieu le veut. Au revoir, mon beau, mon doux ami. Sois bien sage. Tu auras Abigaël comme amie, désormais.

Sensible à l'émotion qui vibrait dans la voix de sa maîtresse, l'animal poussa un gémissement.

— Ne vous tourmentez pas, dit la jeune fille. J'ai préparé une gamelle et de l'eau pour lui. J'ai étalé de la paille par terre. L'écurie sera fermée et je garde la clef sur moi. Il s'ennuiera un peu jusqu'à demain, mais c'est un moindre mal.

— Mais oui, et le bâtiment est vaste. Il pourra se dégourdir les pattes, renchérit Marie de Martignac d'un ton insistant.

— Mais si elle se met à hurler à la mort, vot'bête? supposa Ursule, qui venait de sortir du château. Les voisins, y se poseront des questions.

— Nous leur raconterons que nous avons hébergé un chien de chasse, dit Edmée.

— Sauvageon n'a jamais hurlé, protesta Abigaël, ni dans le cabanon du professeur Hitier ni dans le toit à cochons chez mon oncle. Les loups chantent pour appeler leurs semblables, pour communiquer ensemble. Là, il sera silencieux.

— C'est vrai, confirma Claire, attendrie par la véhémence de la jeune fille. Eh bien, finissons-en.

— Exactement, il est l'heure, s'impatienta Marie. Ah, écoutez! Un bruit de moteur.

Abigaël entraîna Sauvageon par son collier. Elle sentait le regard sombre de Claire sur elle et le loup. Elle remercia la divine Providence de lui avoir envoyé Bertille et son sédatif. Une fois dans la pénombre de l'écurie, elle fit avaler le cachet à l'animal, en l'ayant enrobé d'un morceau de pâté dérobé dans la cuisine un peu plus tôt.

— Mange bien ta gamelle, dit-elle tout bas.

Sauvageon ne se fit pas prier, car il avait rarement une si bonne nourriture: du pain trempé de lait, un œuf cru et du vermicelle.

— Je reviens demain, promis, chuchota-t-elle avant de sortir et de donner un tour de clef.

Marie de Martignac avait déjà ouvert le portail. Le fourgon beige flanqué de croix rouges pénétrait dans la cour. Tout avait été réfléchi et soigneusement planifié.

Les deux fausses religieuses monteraient à bord du véhicule à l'abri des murailles du château. Ainsi, les possibles curieux ne sauraient pas si elles étaient à bord auparavant. Quant au blessé, sous le drap et le visage bandé, il serait censé avoir séjourné là, chez Edmée, depuis des semaines.

— Si on nous interroge, on parlera d'un neveu d'Ursule, un maçon qui travaillait pour nous et qui a fait une très grave chute, avait expliqué la jeune femme la veille.

Maintenant, elle dirigeait par gestes l'installation de Claire et de Bertille, qui se retrouvèrent assises au chevet d'une forme humaine dont la tête était drapée de linges jaunis par la teinture d'iode. Abigaël se cala de son mieux sur un rebord en fer de l'habitacle. «Mon Dieu, c'est le lieutenant Howard, se dit-elle en fixant le corps apparemment inerte. Je voudrais lui prendre la main, il doit être aussi anxieux que nous tous.»

Edmée et Ursule devaient refermer le portail dès le départ de l'ambulance. Marie, sur le siège du passager, se retourna et jeta un coup d'œil inquiet à sa mère toute en noir, digne et figée, ainsi que sur la vieille domestique courbée par l'âge. Dans la clarté blême du crépuscule, elles paraissaient fragiles et démunies.

Abigaël avait reconnu le chauffeur. Il s'agissait du médecin qui était venu soigner l'aviateur et qui, selon ses propres dires, était très proche de Marie de Martignac. «Sont-ils amants? se demanda-t-elle à nouveau, intriguée. Pourquoi ai-je une telle pensée quand je pense à eux ensemble? Même si c'est le cas, ils se marieront sans doute un jour.»

Son éducation stricte et l'atmosphère de piété intense dans laquelle elle avait baigné enfant la poussaient à se faire de pareilles remarques. Pour la jeune fille, les relations amoureuses aboutissaient forcément à une union religieuse. Si elle s'était offerte à Adrien, d'ailleurs, c'était avec la profonde certitude de l'épouser dès que possible.

— Vous êtes bien songeuse, Abigaël! nota Claire à voix basse.

— Je suis désolée, madame, je m'interrogeais sur l'expédition qui nous attend.

— Nous roulons, ça y est, dit Bertille d'une voix nette. J'espère de toute mon âme que nous ne croiserons aucune patrouille allemande.

— Je l'espère aussi, murmura le blessé à travers ses pansements.

— Lieutenant Howard, vous ne dormez pas? chuchota Abigaël en lui étreignant la main sous le drap. Comment allez-vous? Avez-vous encore de la fièvre?

— Je vais bien, mademoiselle, répliqua-t-il dans un souffle.

— Bonsoir, monsieur, dit Claire tout bas. Souffrez-vous?

— Oui, mais ce n'est pas important, madame.

Bertille poussa un bref soupir, tout en ajustant le voile qui enserrait son front.

— Jouons nos rôles, même si nous sommes à l'abri des oreilles indiscrètes, déclara-t-elle. En plus, peut-être que miss Marie de Martignac nous entend malgré la cloison qui nous sépare. Elle nous observe par le hublot vitré, de surcroît. Bonsoir, lieutenant. Je suis sœur Geneviève et ma compagne se nomme sœur Anne. Notre jeune infirmière se prénomme Alice. Et vous, Louis, car vous êtes le neveu d'une vieille domestique.

— Compris, dit l'aviateur.

— Dans l'incapacité de parler, précisa Claire, à cause d'une terrible chute du haut d'un mur. Vous êtes dans le coma.

— *My God*[7], laissa échapper Howard.

Une plainte sourde suivit son exclamation. Abigaël serra plus fort les doigts du blessé, mais Claire, elle, posa ses paumes sur sa poitrine. Paupières mi-closes, la dame du Moulin du Loup adopta une expression d'intense concentration.

En dépit des cahots de la route et des trépidations du fourgon lancé à vive allure, elle resta impassible, les bras tendus.

— Ciel, deux guérisseuses rien que pour vous, Louis, pérora Bertille à voix basse.

— Tais-toi, princesse, ordonna Claire.

— Oh! je me tais.

Elle n'était guère à son aise. Elle avait dû renoncer à se maquiller et il lui en avait coûté de plier son unique tailleur un peu chic dans une petite valise, où sa cousine avait rangé une robe en laine noire. Quant à ses bijoux et à son argent, elle les transportait dans son sac à main, accroché à une ceinture sous ses vêtements de religieuse.

— J'ai aperçu un panneau indiquant Mouthiers, dit-elle encore, sans tenir compte de l'exigence de Claire.

— Oui, ensuite, nous prendrons la route de Claix, qui est peu fréquentée, murmura Abigaël. Si nous traversons sans encombre la grande route de Bordeaux à Angoulême où nous pouvons croiser une patrouille allemande, il n'y aura plus trop de danger jusqu'à Châteauneuf.

— C'est Marie de Martignac qui vous a confié le détail du trajet? s'étonna Bertille.

— Non, le professeur Hitier. Il m'a montré une carte de la région. Si nous sommes contrôlés, nous devrons

---

7. Mon Dieu.

aller en direction d'Angoulême, puisque nous emmenons un blessé grave à l'hôpital. Mais, si ça se produit, au carrefour suivant, nous trouverons une autre route qui rejoint Châteauneuf.

— J'ai peur, Abigaël, avoua-t-elle. Clairette, est-ce que tu as peur?

— Oui, bien sûr. J'ai peur depuis le début de la guerre.

— Il faut avoir confiance, marmonna le lieutenant Howard. Je souffre beaucoup moins. Merci, madame, merci mademoiselle.

— Je suis heureuse d'avoir pu vous soulager, monsieur, dit Claire. Reposez-vous, à présent.

— Essayez de dormir, renchérit Abigaël.

Le voyage se poursuivit. Chacun se tut, perdu dans ses pensées, livré à ses doutes, à ses espérances et à ses regrets. Lorsque Marie frappa à la lucarne qui lui permettait de surveiller l'habitacle du fourgon, Claire sursauta et jeta un regard alarmé à Bertille.

— Nous arrivons sur la route nationale, indiqua Abigaël. Mon Dieu, vous avez entendu?

Un puissant bruit de moteur leur parvenait, ainsi que des ordres hurlés en allemand. Il faisait à peine nuit. Cependant, des phares dirigés droit sur l'ambulance renforçaient la pénombre bleuâtre qu'on distinguait par les vitres arrière. Une patrouille les interceptait. Claire exhorta ses compagnes à rester calmes.

Le lieutenant Howard n'avait pas frémi sous son drap. Les voix au rude accent germanique se rapprochèrent. Le docteur entrouvrit sa portière et débita un discours dans un allemand approximatif, en brandissant un *ausweis*[8] en bonne et due forme.

---

8. Laissez-passer délivré à certaines personnes par l'armée allemande.

Abigaël ne put s'empêcher de prier. Elle s'arrêta quand on ouvrit les portes du fourgon. Deux soldats, des lampes-torches à la main, examinèrent en silence les religieuses à la mine grave et compassée qui les saluèrent en se signant. Ils éblouirent un peu la jeune infirmière, dont le ravissant visage se tournait vers eux, pétri d'innocence et de sérénité.

Enfin, ils étudièrent d'un œil perplexe, mais vaguement apitoyé, le corps immobile du blessé et les pansements sales qui ne laissaient voir qu'un menton et des yeux clos. Ce fut tout. La scène avait été assez convaincante.

«Nous sommes sauvés, se dit Abigaël. Ils referment les portes et disent au docteur de repartir. Merci, mon Dieu!»

Ils reprirent la route vers Angoulême, mais, trois kilomètres plus loin, le médecin tourna sur une voie étroite mal goudronnée qui serpentait entre des vignobles. Les ornières abondaient, de sorte que le véhicule brinquebalait, grinçait et oscillait.

— J'ai la nausée, se plaignit Bertille. Je n'en peux plus. Est-ce qu'il n'y a vraiment plus de danger?

— Souhaitons-le, répondit Claire. J'ai cru que mon cœur allait exploser pendant qu'ils nous observaient avec leur lampe.

— Pourquoi Marie ne conseille-t-elle pas au chauffeur de faire une halte? se plaignit encore sa cousine.

— Il ne faut pas rater l'avion, dit Abigaël. Il doit se poser à neuf heures et décoller aussitôt que vous serez à bord. Des feux de paille seront allumés au moment où on l'entendra dans le ciel. Nous aurons à peine le temps de nous dire adieu.

10

Des adieux porteurs d'espoir

**Commune de Châteauneuf-sur-Charente, même soir,
dix minutes plus tard**

Après un soubresaut du moteur surchauffé, le fourgon maquillé en ambulance venait de s'arrêter en bordure d'un vaste pré. En se levant, Claire tendit ses mains à Abigaël par-dessus le corps du lieutenant Howard.

— Venez près de moi, ma chère enfant, dit-elle. Nous aurons le temps de nous dire adieu.

— Oui, madame, mais… il faudrait sortir, on nous attend.

Elle désigna d'un mouvement de tête des silhouettes qui se ruaient vers le véhicule immobilisé, phares éteints. Dans la pénombre, il était difficile d'identifier les hommes en train de se regrouper.

— Je vais pleurer, avoua Claire. Ne nous donnons pas en spectacle, de grâce! Venez un instant, que je vous serre sur mon cœur, ma douce Abigaël.

Bertille s'écarta pour laisser passer la jeune fille, mais elle eut soin de l'embrasser sur les joues en lui caressant le front.

— Merci, mon bel ange, chuchota-t-elle. Nous nous reverrons un jour, il ne peut en être autrement.

Sur ces mots, l'ancienne dame de Ponriant rejeta son voile de nonne, ébouriffa d'un doigt ses boucles blondes et ouvrit la porte arrière.

— Je descends la première, annonça-t-elle. Courage, Clairette, je sais que tu es triste de quitter la France, mais tu seras bientôt hors de danger.

— Et entourée de votre famille, ajouta Abigaël, qui se retrouva blottie dans les bras de sa belle dame brune, dont l'étreinte avait la tendresse maternelle qui lui avait tant manqué.

— Pour moi, souffla Claire à son oreille, vous avez été la messagère des anges gardiens ou esprits bienveillants chargés de nous guider et d'atténuer nos plus cruels chagrins en nous montrant qu'il y a un au-delà lumineux où ceux qui se sont aimés restent unis. Ma Janine chérie que j'ai élevée vous est apparue. Elle est venue chercher l'enfant blonde qu'elle adorait, Marie, en réalité Astrid, m'avez-vous confié. Et Jean, mon amour, mon héros sacrifié, vous a parlé, de même que mon frère Arthur. N'est-ce pas fabuleux? Arthur vous a aidée à me rejoindre. Il jouait du violon pour vous signaler sa présence…

— Oui, c'est fabuleux, admit Abigaël dans un sanglot. J'ai déploré, fillette, d'être médium. Maintenant j'en suis comblée, car, comme vous l'avez dit, je reçois des messages des anges du Ciel.

— Dieu vous bénisse encore et encore, petite, car il vous a déjà gratifiée d'un don unique si précieux.

— Au revoir, madame, ma belle dame brune! Je peux bien vous le dire, ce soir, je vous appelle ainsi quand je pense à vous.

— J'étais une belle femme brune, mais ce n'est plus le cas. Je vous remercie tout de même, ma chère petite Abigaël.

— Vous êtes toujours très belle.

Marie de Martignac monta dans l'habitacle au même instant. Elle fronça les sourcils devant Claire et Abigaël enlacées, qui pleuraient sans bruit.

— Comment va le blessé? Nous devons le transporter à l'extérieur, déclara-t-elle d'un ton sec. L'avion ne doit pas être loin, nous allumerons les feux de paille dès que nous entendrons le moteur.

— Le lieutenant s'est endormi malgré les soubresauts, précisa Abigaël. Il ne souffrait plus et il était sûrement très fatigué.

— Ah! fit Marie, l'air intrigué. Tant mieux, c'est sûrement un bon signe. Le docteur va l'examiner une dernière fois.

Mais le soldat anglais s'agita. Il se redressa même sur un coude.

— *Please*, mesdames, pouvez-vous enlever ces pansements? implora-t-il. Je peux montrer mon visage, *now*[9]?

Exalté à la perspective toute proche de regagner son pays, il en oubliait de parler exclusivement français. Abigaël s'empressa de lui donner satisfaction. Il la gratifia d'un fin sourire plein de sympathie.

— On s'écrira, mademoiselle, si la guerre finit.

— Je vous le promets, monsieur. Vous m'enverrez des photos de votre bébé, un jour.

Claire se débarrassa elle aussi de son voile de religieuse. Elle descendit de l'ambulance et chercha sa cousine des yeux. Abigaël, qui la suivait, reconnut le professeur, qui discutait avec Bertille. «Monsieur Hitier ne devait pas être là, s'étonna-t-elle en son for intérieur. Oh! il y a Patrick, Béatrice, Lucas et Adrien!»

---

9. À présent.

Elle courut vers son amoureux, debout près d'une automobile grise. Elle était heureuse de le revoir et impatiente de le présenter à Claire et à Bertille. Il la reçut à bras ouverts.

— J'ai eu peur pour toi, ma chérie, lui dit-il. La partie la plus risquée de l'opération, c'était le trajet du château jusqu'ici. Tu es là! Je respire enfin à mon aise. Tout est prêt. Les tas de paille sont disposés sur des lignes formant un triangle. Nous avons chacun un briquet.

— Viens, je t'en prie, je voudrais que tu fasses la connaissance de Claire Roy-Dumont, une grande résistante. Il y a aussi sa cousine Bertille, qui a été internée au camp de Drancy.

— Le professeur nous a raconté tout ce qu'a fait madame Roy-Dumont. Elle a aidé des Juifs à passer en zone libre et en a caché chez elle. Il paraît aussi qu'elle a sauvé la vie à deux soldats anglais parachutés en forêt de Bois-Blanc. Du coup, je suis intimidé.

— Tu n'as pas à l'être, c'est ma belle dame brune dont je rêvais sans cesse et qui m'appelait. Elle est d'une extrême simplicité et très gentille.

Elle prit sa main et ils se mêlèrent au groupe que formaient Béatrice et son frère, Lucas et le professeur Hitier. Marie de Martignac et le médecin se tenaient à l'écart; ils discutaient à voix basse autour de la civière du lieutenant Howard.

Bertille remarqua le jeune homme la première et adressa un sourire complice à Claire.

— Mon fiancé, ou presque, déclara Abigaël.

— Enchantée, monsieur, dirent les cousines en chœur. Vous avez beaucoup de chance d'être aimé d'une demoiselle dotée de si grandes qualités, et aussi jolie, dit Claire. Prenez bien soin d'elle.

— Je vous le promets, madame, répondit Adrien. C'est vrai que j'ai une sacrée chance.

Un bruit dans le ciel mit fin aux diverses conversations, un léger grondement de moteur encore lointain. Immédiatement, les résistants se séparèrent et coururent allumer les tas de paille.

— Seigneur, c'est maintenant, soupira Claire, secouée par un tremblement nerveux. Princesse, tu as notre valise et l'argent?

— Oui, j'ai tout, même le cœur qui bat à se rompre.

— N'ayez pas peur, je vous en supplie, s'écria Abigaël.

Elle prit Bertille dans ses bras et l'étreignit, puis ce fut le tour de Claire.

— Adieu, mes très chères dames… Non, au revoir, nous nous retrouverons un jour. Je prierai pour vous ce soir et toute la nuit s'il le faut.

— Occupez-vous bien de Sauvageon, recommanda Claire.

— Je vous en fais le serment solennel, dit Abigaël d'un ton passionné.

La paille avait pris feu. Les ténèbres bleutées reculèrent, tandis que de l'herbe rase et des mottes de terre se dessinaient dans la clarté des flammes d'un jaune éblouissant.

— L'avion! Je le vois, annonça Bertille. Le lieutenant, il faudra le monter à bord en premier, surtout. C'est un soldat!

Le professeur, qui s'approchait, surprit son exclamation.

— Ne vous inquiétez pas, madame Giraud, nous allons faire au plus vite.

Il évita de préciser qu'un appareil étranger survolant la région avait pu être repéré par l'armée allemande, fort bien équipée en matériel de détection. Chaque minute compterait quand l'avion aurait atterri.

Abigaël scrutait le ciel d'un bleu presque noir où brillaient quelques étoiles entre des nuages denses. Le bruit du moteur se rapprochait, assorti d'une sorte de glissement d'air.

— Le voilà, annonça Adrien en prenant la jeune fille par la taille.

Elle constata qu'il tenait un fusil dans sa main libre. Béatrice, Lucas et Patrick, postés au bord du chemin, étaient également armés. Même le professeur Hitier avait un fusil à la main.

— Béa ne m'a pas dit un mot, déplora-t-elle.

— Sans doute qu'elle te parlera tout à l'heure, après l'opération. On ne peut pas se réjouir tant que l'avion n'aura pas redécollé.

— Que craignez-vous?

— Les Boches, bien sûr. Ils peuvent débouler d'un moment à l'autre, dix fois plus armés que nous et vingt fois plus nombreux. Abigaël, je t'en conjure, s'ils arrivaient, sauve-toi, cours vers le bois, là-bas, cache-toi. Si nous tirons pour protéger l'avion au décollage, ils tireront sur nous. Les chefs S.S. tiennent à faire des prisonniers afin d'obtenir d'autres noms de maquisards, mais, parfois, personne n'en réchappe. Alors, jure-le-moi, tu pars en courant et tu t'allonges sous les arbres.

— Quand vous serez tous massacrés, je fais quoi? demanda-t-elle en le fixant, l'air effaré. Autant mourir près de toi.

— Tu n'as pas le droit. Pense à Cécile! Je te la confie.

— Adrien, l'avion, regarde, dit-elle en guise de réponse. Il descend... il se pose.

Malgré les sombres propos de son amoureux, Abigaël admira la scène avec un sourire involontaire. En pensée, elle compara le gros appareil dont les hélices tournaient au ralenti à un insecte géant, de couleur indistincte, mais d'allure bienveillante. Déjà, les feux s'éteignaient et ne se devinaient plus qu'à de fugaces flammèches orangées.

Claire et Bertille s'avancèrent vers le côté de l'avion que le professeur leur désignait.

— Vite, vite, par là, mesdames! criait-il.

La porte métallique s'ouvrait au flanc de la carlingue. Par la vitre, le pilote faisait de grands signes. Un homme en uniforme, mais coiffé d'un casque en cuir, sauta sur le sol et tira un escalier en fer.

— Le blessé d'abord, qu'on puisse installer la civière le mieux possible!

Abigaël songea qu'il s'exprimait dans un excellent français. Il devait même être français. Mais Claire, au son de sa voix, s'était élancée, le visage illuminé d'une joie incrédule.

— Matthieu? appela-t-elle. Seigneur, c'est toi, Matthieu?

Il se redressa et fit face à la femme en tenue de religieuse qui courait vers lui.

— Claire, ma Clairette! Enfin, je te revois!

Sous le regard ébahi de Bertille, le frère et la sœur tombèrent dans les bras l'un de l'autre. Marie de Martignac, qui dirigeait le transport du lieutenant Howard, eut un geste excédé.

— Vous aurez bien le temps, pendant le vol, cria-t-elle. Montez donc, Claire! Vous aussi, madame Giraud!

Mais Claire ne tint pas compte de ses ordres. Elle entraîna Matthieu par le coude en direction d'Abigaël.

— Ma chère petite, mon ange gardien, voici Matthieu, mon frère adoré. Matthieu, si je suis là ce soir, près de toi, c'est grâce à cette jeune fille.

— Mademoiselle, vous avez mon infinie gratitude. Maintenant, j'ai le regret de vous dire au revoir. J'ai obtenu de mes relations à Londres de venir chercher ma sœur. Je veux la ramener saine et sauve à ceux qui l'attendent et qui la chérissent.

— Partez vite, oui, dit Abigaël, fascinée par les traits virils de Matthieu Roy.

Sa ressemblance avec Claire la frappait. Brun comme sa sœur, à quarante-six ans, il était bel homme. Il la salua d'un large sourire et, l'instant d'après, il aidait sa sœur retrouvée à grimper les trois marches branlantes. Bertille l'attira à l'intérieur, puis tous trois disparurent et la porte se referma, une fois l'escalier replié par Matthieu.

Deux minutes plus tard, l'appareil se mit à avancer doucement dans le bruit plus prononcé de son moteur. Tout s'était déroulé à une vitesse surprenante. Alignés près de l'ambulance, le professeur Hitier, Béatrice, Lucas et Patrick gardaient leur arme à bout de bras.

— Voilà, c'est fini, annonça Adrien.

Il disait vrai. L'avion décollait, ses hélices brassant l'air nocturne dans un vrombissement régulier. Claire volait vers un autre pays, où elle serait entourée des siens et où elle reverrait sa fille Ludivine.

— Que Dieu vous protège, chuchota Abigaël en se signant.

— Vite, il faut décamper! ordonna le professeur Hitier d'une voix inhabituellement forte. On fait comme prévu. Béatrice, Lucas, Adrien, vous grimpez à l'arrière de l'ambulance. Le docteur et Marie vous conduiront jusqu'à une planque dans les bois de Ronsenac, après quoi ils rentreront à Torsac. Patrick et Abigaël, vous venez avec moi. Si nous sommes contrôlés, je dirai que vous avez travaillé une semaine dans le coin et que je vous ramène chez vos parents. C'est l'époque où l'on taille la vigne. Il reste peu de temps avant le couvre-feu. On se dépêche!

Adrien approuva d'un signe de tête. Il attira Abigaël contre lui et, sans se soucier des témoins, l'embrassa sur la bouche. Elle en éprouva une joie amère; ils se séparaient encore une fois.

— Salut, cousine, murmura Béatrice en courant déposer un léger baiser sur sa joue. Je suis désolée qu'on n'ait pas pu faire la causette, mais on se rattrapera après la guerre. Tu donneras le bonjour à papa. Il me manque! Je croyais qu'il serait là, ce soir.

Yvon Mousnier avait légué à l'aînée de ses enfants sa vitalité, ses cheveux bruns et drus et son visage énergique. Abigaël mesura à cet instant à quel point Béatrice comptait pour elle.

— J'ai hâte que tu viennes séjourner à la ferme, lui dit-elle en la couvant d'un chaud regard. Je t'admire, tu sais, d'être toujours en train de lutter pour notre liberté à tous.

— Béa, trêve de bavardages, la coupa Marie de Martignac qui, en blouse blanche et coiffe d'infirmière, s'apprêtait à monter dans le fourgon maquillé en ambulance.

Deux minutes plus tard, le véhicule s'éloignait. Le professeur désigna l'automobile noire garée au bord du pré.

— On file, nous aussi, ordonna-t-il. Patrick, qu'est-ce que tu as?

— J'aurais préféré partir avec eux, voilà, rétorqua-t-il. Enfin, quand je dis avec eux, je parle surtout de ma sœur. J'me serais rendu utile, dans leur planque.

— Tu dois apprendre à m'obéir, et même à obéir tout court, mon garçon! Je t'accorde une deuxième chance. Ne la gâche pas!

Sous le choc du départ de Claire et de Bertille, Abigaël se dirigea sans discuter vers la voiture. Elle concentra ses pensées sur Sauvageon afin de ne pas céder au chagrin.

«Quelque chose cloche, pourtant, songea-t-elle. Marie devait me ramener au château. Mon vélo est resté là-bas. Peut-être qu'ils ont changé leur plan au dernier instant, le professeur et elle.»

Une boule d'angoisse la suffoqua. N'ayant aucune envie d'être assise près de Patrick, elle prit place sur le siège du passager, à l'avant. Plus jamais elle n'aurait confiance en lui.

— J'ai eu peur, avoua Hitier tout bas. Enfin, nous avons réussi; le lieutenant Howard, madame Dumont et sa cousine devraient atteindre l'Angleterre dans quelques heures, si rien ne se produit pendant le vol. Le pilote a fait plusieurs voyages sans incident, mais…

— Que voulez-vous dire? s'inquiéta Abigaël.

— L'avion pourrait être repéré par les Allemands.

— Non, c'est impossible, professeur. Claire a suffi-samment souffert. Elle arrivera à bon port. Déjà, son frère est venu la chercher. C'était une merveilleuse surprise.

— Sans doute, répliqua-t-il d'un ton neutre.

Jacques Hitier avait perdu sa bonhomie, son côté rassurant de grand-père érudit plein de sagesse et de compréhension. Abigaël attribua son humeur morose au poids qui pesait sur ses épaules de septuagénaire à la tête d'un petit réseau de résistants.

— Un détail me tracasse, hasarda-t-elle, soudain déterminée. Marie de Martignac m'avait dit qu'elle me ramènerait à Torsac à cause de ma bicyclette et de Sauvageon.

— Je sais, admit le professeur, mais nous avons voulu t'éviter une triste besogne. Avais-tu vraiment besoin de voir le cadavre du loup de Claire? Le docteur s'en occupera. Il dort au château. Il pourra l'enterrer.

— Pourquoi dormirait-il là-bas? Et l'ambulance? Elle risque d'attirer l'attention des gens du village. De toute façon, j'ai oublié de redonner la clef de l'écurie à mademoiselle Marie.

Patrick émit un sifflement ironique. Il fumait une cigarette dont l'odeur âcre incommodait la jeune fille.

— Tu n'as pas remarqué, cousine, que le toubib et miss l'aristo étaient pressés de se retrouver au lit? jeta-t-il.

Irrité par le commentaire, Hitier lança un regard furibond à Patrick dans le rétroviseur.

— Encore une parole de ce genre, mon garçon, et tu passeras le printemps à couper du bois et à agrandir le cabanon de mon jardin. Je me suis engagé à te remettre sur le droit chemin. Alors, surveille ton langage! Mademoiselle de Martignac a l'âge d'agir comme bon lui semble. Ça ne te concerne pas. Tu es grossier et je le déplore.

— J'vous demande pardon, prof, marmonna Patrick. C'était pour rire un peu.

— Il faut perdre tes manières de voyou, si tu veux prouver ta bonne foi. Quant à toi, Abigaël, je croyais t'avoir expliqué qu'il fallait cacher le fourgon au château. Ce n'est pas la première fois. Nous le garons au fond de la grange en le dissimulant sous une bâche. Tu as gardé la clef, tant pis! Je suppose que Marie en possède un double. Maintenant, assez causé. J'ai la migraine.

La tirade du professeur consterna Abigaël. Elle devait réfléchir, trouver une solution rapidement. Afin de reprendre courage et espoir, elle joignit les mains sur ses genoux et ferma les yeux pour évoquer Claire retrouvant son frère Matthieu, une scène magnifique qu'elle ne pourrait jamais oublier.

«Ma belle dame brune est tout là-haut, parmi les nuages de la nuit, se dit-elle. Je suis certaine qu'elle veille sur le lieutenant Howard, mais, souvent, elle doit cajoler Bertille et discuter avec son frère. Ils ont tant à se raconter!»

En pensée, elle s'accordait le droit d'appeler les deux femmes par leur prénom, car il lui avait coûté en leur présence d'ajouter le mot madame, malgré l'infini respect qu'elle éprouvait pour elles.

«Mon Dieu, faites qu'il n'y ait aucun accident et que l'avion atterrisse vite, implora-t-elle. Oh! oui, Seigneur, ne les abandonnez pas. Aidez-moi aussi, par pitié.»

Sa courte prière achevée, elle se tourna vers Jacques Hitier, qui fixait la route étroite et sinueuse. Les phares éclairaient un revêtement grisâtre fendillé à maints endroits.

— J'ai une idée, dit-elle d'une voix douce, mais ferme. Si vous connaissez l'itinéraire qu'emprunteront le docteur et Marie après être allés à Ronsenac, nous pourrions les attendre. Je n'exigerai plus rien ensuite, professeur, mais je tiens à revoir Sauvageon, même s'il est mort. J'ai trahi le serment fait à Claire en suivant vos consignes. Vous ne pouvez pas me refuser ça. Je l'envelopperai d'un tissu propre et je cueillerai des fleurs pour lui, demain, à l'aube. Soyez gentil, c'est très important pour moi.

Il y avait une telle persuasion dans son intonation, doublée d'une nuance de reproche, que Jacques Hitier en fut troublé. Il s'efforça d'imaginer les sentiments d'Abigaël. En plus d'être triste d'avoir quitté Claire Dumont et Bertille, elle ressentait de la honte du fait d'avoir menti à propos du loup.

— Si tu y tiens, on peut s'arranger, admit-il. L'essentiel, c'est que vous ignoriez le chemin menant à la planque. On n'a pas le choix, au cas où...

Les jeunes gens comprirent le sous-entendu. Bien des aveux avaient été arrachés à des hommes par la torture.

— Merci, professeur, dit sobrement Abigaël. Je savais que vous aviez du cœur.

— Un peu trop, hélas, rétorqua-t-il.

Il songeait à son engouement pour Marie Monteil.

Ferme des Mousnier, une heure plus tard

Yvon était assis au coin de la cheminée. De temps en temps, il tisonnait les braises, les sourcils froncés. Installée en face de lui, Marie tricotait. Tous les deux, du même mouvement de tête, regardaient la pendule à intervalles réguliers. L'atmosphère aurait pu être paisible. La maison était calme. Les enfants dormaient, ainsi que Jorge Pérez, souvent épuisé après une journée de travail dans les champs.

— Ils ne devraient pas tarder, déclara le fermier. Il est presque dix heures. Vous vous faites du mauvais sang, Marie?

— Bien sûr! Comment ne pas avoir peur, Yvon? Je suis malade d'anxiété et j'ai beaucoup de peine. Abigaël est partie hier matin en m'embrassant distraitement. Elle devait emménager dans la chambre de Patrick, mais plus rien ne comptait, hormis filer vers Torsac et Claire Roy-Dumont, son idole.

— Allons, allons! Ça, vous ne pouvez pas le lui reprocher!

— Je ne devrais pas, en effet. Mais autant parler en toute franchise, Yvon. Dès notre arrivée ici, ma nièce a subi l'influence de cette femme au point de se mettre en danger. La preuve, ce soir encore, elle participait à une opération périlleuse où sa présence n'était pas indispensable. Enfin, je ne peux pas l'enfermer! Croyez-moi, je n'ai pas cessé de prier en préparant le repas, en lavant la vaisselle et...

— Et en tricotant, je suppose, la coupa-t-il en esquissant un sourire apitoyé. Je me tracasse aussi. J'aurais préféré qu'elle reste ici, la petite. Je m'y suis attaché, vous savez.

Marie posa son ouvrage sur ses genoux et contempla le feu sans répondre. Soudain, elle retint son souffle en levant une main.

— Oh! écoutez, des pas dehors, murmura-t-elle.

Le fermier bondit de sa chaise et se rua dans le vestibule au moment où l'on frappait trois légers coups à la porte. Marie le rejoignit, tremblante.

— C'est Jacques, fit une voix étouffée.

Yvon tourna le verrou et ouvrit. Le professeur entra.

— Vous êtes seul? s'affola Marie. Où est Abigaël? Seigneur, parlez donc, vite!

— Tout s'est bien passé... Si vous aviez une goutte d'alcool et un morceau de pain! Je suis éreinté.

Malgré la lumière tamisée de la grande cuisine, ils virent à quel point le visiteur était livide et avait les traits tirés.

— Excusez-moi, tout ceci n'est plus trop de mon âge, plaida-t-il une fois assis à la table. Enfin, Claire, sa cousine et Howard ont été évacués sans problème. L'avion était à l'heure. Reste à savoir s'il ne sera pas abattu avant d'atteindre les côtes anglaises.

Effarée, Marie se signa. Elle n'avait pas pensé à pareille éventualité. Le professeur lui adressa un coup d'œil insistant.

— Je suis navré, chère amie. J'aurais aimé vous ramener Abigaël, mais elle en a décidé autrement. Marie de Martignac l'héberge au château cette nuit.

— Mais pourquoi?

— Oui, pourquoi? Ce n'était pas prévu, renchérit Yvon. Le loup?

— Le loup, exactement, soupira Hitier. Je ne suis pas fier de moi. Hélas, c'était la seule solution possible. Abigaël tenait à le revoir et à l'enterrer elle-même. Le docteur l'aidera demain matin. Il fallait sacrifier cette pauvre bête.

Marie approuva en silence, sans montrer son soulagement. Claire Roy-Dumont et sa fantasque cousine étaient déjà loin; le loup ne causerait plus d'ennuis. Elle se prit à rêver de quelques journées paisibles en compagnie de sa nièce, dans le proche voisinage du professeur dont les yeux bleu pâle ne la quittaient pas, comme rivés à elle, à son doux visage et à son corps de femme.

—

Château de Torsac, même soir, même heure

Abigaël s'était allongée contre le corps inerte de Sauvageon, une main posée sur son flanc afin de guetter le faible mouvement de ses côtes quand l'animal respirait. Elle avait eu de la chance. Une fois l'ambulance garée au fond de la grange, Marie de Martignac n'avait pas daigné entrer dans l'écurie.

— Je vais préparer une chambre pour toi, avait-elle dit au médecin, qui semblait harassé.

Il lui avait souri, un sourire tendre et impatient dont le sens était évident. Les amants avaient hâte de se retrouver seuls. «Est-ce qu'ils donnent le change à madame de Martignac? se demandait encore Abigaël. Peut-être qu'ils se rejoignent en cachette et se blottissent au creux du même lit.»

Les baisers et les caresses d'Adrien avaient éveillé sa sensualité. Elle rêvait de devenir une femme, de connaître la suavité des corps nus entre des draps chauds. «Bientôt! se promit-elle. Dès que Sauvageon sera en sécurité, je reverrai mon amour et je serai à lui. Si ce n'était pas la guerre, j'attendrais d'être mariée, mais, là…»

Elle caressa le loup tendrement. Près de l'animal, elle avait l'impression de rester liée à Claire et de lutter pour elle.

— Tu es sauvé, chuchota-t-elle. Si Dieu le veut, tu retrouveras ta maîtresse un jour.

Le docteur s'était laissé prendre à sa mise en scène. Quand il s'était approché de Sauvageon qui, couché sur une litière de paille, avait l'apparence d'une bête agonisante, elle était tombée à genoux et, penchée sur lui, elle avait fait semblant de l'examiner.

— Il est en train de mourir! s'était-elle écriée. Le pauvre!

— Il devrait être mort, avait-il marmonné, agacé. Vous n'avez pas dû lui donner toute la dose de poison, mademoiselle, mais il n'en a plus pour longtemps.

— Je suis désolée, j'ai renversé un peu de liquide en préparant la nourriture. Je vais attendre, monsieur. Allez vous reposer. Le professeur vous l'a expliqué, tout à l'heure, je suis revenue pour lui. C'est tellement triste d'en arriver là. En plus, j'ai trahi la confiance de madame Dumont.

— Ne soyez donc pas si sentimentale! avait déploré le médecin d'une voix lasse.

Dans sa hâte de rejoindre Marie, il était ressorti aussitôt. Tous deux, ils risquaient leur vie au quotidien, combattants de l'ombre obstinés, habitués à ruser et à dissimuler, mais également à jouir des moindres moments d'accalmie, comme les heures de la nuit où ils pouvaient s'aimer avec passion.

—

Ce soir-là encore, Marie de Martignac l'avait accueilli à bras ouverts, vêtue d'une légère combinaison noire qui moulait ses formes ravissantes, douces et rondes. Après un rapide passage dans la chambre où il était censé dormir, le docteur avait longé le couloir du premier étage pour pousser une autre porte.

Ils n'avaient pas échangé un mot, immédiatement enlacés, bouche contre bouche, se livrant l'un à l'autre dans un long baiser voluptueux. Plus leur désir s'éveillait, plus ils oubliaient la peur omniprésente, les amis torturés, les compagnons morts fusillés.

Abigaël ne se trompait pas en les imaginant grisés par une étreinte fébrile, vite réfugiés au creux du grand lit à baldaquin, vestige de la splendeur passée d'une riche famille aristocratique réduite à néant ou presque. Pendant qu'elle veillait sur le loup, Marie s'offrait, entièrement nue, maintenant. Le médecin savourait sa chair drue de femme faite, ses seins un peu lourds aux mamelons bruns, son ventre lisse, ses cuisses à la peau soyeuse… Néanmoins, il demeurait grave, soucieux non seulement de prendre son plaisir, mais de lui en donner.

La châtelaine, dont la chambre se trouvait à l'extrémité du large couloir, n'entendait ni leurs gémissements rauques ni les grincements du sommier, mais elle savait et se désolait. Sa fille recevait un homme, un de ces terroristes acharnés qui, souvent, causaient la perte d'otages innocents. Aussi, elle priait encore et encore, son chapelet entre les doigts, écœurée à l'idée du manque de moralité du couple illégitime, car le docteur était marié. Les larmes aux yeux, elle se lamentait en silence, confrontée à la ruine de ses principes comme à la décrépitude de son château.

— Au moins, si Louis revenait, suppliait-elle. Seigneur, dans votre immense bonté, ramenez-moi mon fils, mon cher Louis, que mes petits-enfants retrouvent leur père! Je vous en prie, mon Dieu, faites cesser cette guerre.

Elle aussi hantée par la disparition de son frère aîné, Marie sombrait à quelques mètres de là dans une bienheureuse extase. Son amant multipliait les assauts vigoureux, tandis qu'elle nouait ses jambes autour de sa taille et se cambrait, haletante, pour mieux s'ouvrir et le recevoir en elle. Plus rien n'existait, hormis la jouissance fulgurante de leur corps. Ils avaient chaud, mais ils s'entêtaient à ne faire qu'un, à se mordiller, à s'embrasser et à se caresser.

Un peu plus tard, enfin apaisés, ils s'accordèrent un regard comblé, puis, harassés, ils se séparèrent.

En appui sur un coude, le médecin attrapa son paquet de cigarettes sur la table de chevet. Il en alluma une et en glissa une autre entre les lèvres meurtries de Marie.

— Il faut dormir, après ça, dit-il, paupières mi-closes. Je veux me lever à l'aube.

— Je te montrerai où enterrer le loup, répliqua-t-elle d'une voix étouffée.

— J'expédierai la besogne. On vient me chercher à neuf heures.

— Dommage! soupira-t-elle en expirant de la fumée. Je t'aurais bien gardé au lit jusqu'à midi!

Il eut un sourire mélancolique. Leur relation était née de leurs activités de résistants, mais une épouse et deux enfants mettaient un obstacle insurmontable à une possible union.

— Tiens-toi tranquille une semaine, conseilla-t-il. Nous avons réussi une opération mise au point en quelques jours, mais il ne faut pas défier le sort. Au fait, comment rentrera-t-elle au bercail, la gamine que le professeur nous a imposée hier soir? Je ne peux pas la raccompagner chez son oncle.

— En vélo ou à pied, peu importe, répondit Marie, somnolente.

— D'accord. Dors, ma belle!

—

Dans les bois de l'Angole, près de Torsac,
trois heures du matin

Le loup était sorti de sa léthargie vers minuit, sans pouvoir soulever sa tête. Malgré la pénombre, Abigaël avait saisi l'éclat ambré de ses prunelles, où elle était certaine de lire une totale incompréhension.

— C'est un moindre mal, lui disait-elle en le caressant. Tu vas boire et manger un peu. Tu vas te sentir mieux.

Elle s'adressait à lui comme à un être humain, à un ami, comme Claire et sa fille Ludivine le faisaient. Grâce aux mains d'Abigaël posées tour à tour sur son crâne et son cœur, Sauvageon retrouvait une partie de son énergie.

— Nous devons partir, mon beau, répétait-elle. D'abord, je vais te cacher dans la grange où s'abritaient Jorge Pérez et son petit garçon. Plus tard, je viendrai te chercher.

L'animal l'écoutait, encore apathique, mais plein de bonne volonté. Il la suivit quand elle quitta l'écurie en longeant les murs pour ne pas marcher sous la clarté de la lune. Le grand portail était flanqué d'une porte étroite qui se verrouillait de l'intérieur uniquement. Elle fut vite sur la place de l'église, au milieu du village endormi. Le loup avançait d'un pas hésitant, mais il demeurait sur ses talons. Petit à petit, l'air frais de la nuit le revigora. Il commença à humer la terre au bord du chemin, puis à gambader. Abigaël en éprouvait une joie enfantine. «Nous nous promenons tous les deux, seuls, mais libres! Claire s'en allait ainsi dans la vallée des Eaux-Claires avec Moïse, le premier loup de la lignée.»

Elle avait fort à faire, cependant. Le plus difficile, ce fut de retrouver au milieu du bois le sentier qui conduisait à la cachette du réfugié espagnol. Pourtant, grâce à son sens inné de l'orientation, elle parvint rapidement au but. L'ancienne grange couverte de tôles rouillées lui apparut.

— Tu dois m'attendre ici, Sauvageon, déclara-t-elle. Et je suis obligée de t'attacher.

D'un geste vif, elle passa sous le collier du loup une solide ficelle, qu'elle noua à une poutre gisant sur le sol de terre battue.

— Je t'en prie, ne bouge pas et ne hurle pas. Je fais le plus vite possible.

Prête à s'éloigner au pas de course, elle fut retenue par une sensation de malaise. Soudain glacée, elle se mit à trembler en murmurant:

— Qui est là?

Même si elle reconnaissait à coup sûr les symptômes dont elle souffrait avant de rencontrer une âme errante, il lui arrivait de douter, de croire qu'une personne bien vivante rôdait aux alentours. Mais une silhouette lumineuse se dessina au fond du vieux bâtiment.

— Madame Pérez? Inès? dit-elle tout bas.

Les traits de l'apparition se précisèrent. La clarté s'atténua et l'épouse de Jorge Pérez eut l'apparence d'une femme en chair et en os, le teint hâlé, les cheveux d'un blond foncé répandus sur les épaules. Elle portait la robe dans laquelle on l'avait inhumée. Ses lèvres remuèrent, mais aucun son ne fut perceptible, excepté pour Abigaël qui répondit:

— Vous cherchez votre mari et votre enfant. Je comprends, madame. Ne vous inquiétez pas, votre petit Vic dort au chaud et mange à sa faim. Vous n'avez rien à craindre pour lui, pour votre mari non plus. Vous pouvez monter vers le Ciel, dans la lumière divine qui vous baigne déjà.

— J'ai tellement dormi avant de revenir ici! Et ils n'étaient plus là! murmura Inès Pérez de sa voix inaudible au commun des mortels. Où sont-ils partis?

— Mon oncle les a hébergés. Votre époux travaille à la ferme. Vic peut jouer avec une fillette du nom de Cécile et un autre garçon. Soyez en paix. Je vais prier pour vous de toute mon âme, de tout mon cœur.

La jeune défunte aux traits ravissants approuva d'un signe de tête. Elle souriait, songeuse, et, à la grande surprise d'Abigaël, elle regarda attentivement le loup qui, d'une parfaite immobilité, la fixait, fasciné.

— Je voudrais veiller sur lui un petit peu, dit-elle. J'avais un chien, en Espagne, un beau chien. Je l'ai perdu... J'aurais tant voulu passer encore des années avec Vicente et Jorge!

— Vous êtes tombée malade, madame, très malade. Je suis désolée pour vous. Je veillerai le plus longtemps possible sur votre fils et sur son père.

D'un geste solennel, Inès indiqua le sentier qui menait à la route. Désemparée, Abigaël s'y engagea, non sans se retourner plusieurs fois. Sauvageon ne bougeait pas, sous l'emprise de la belle défunte dont la silhouette luisait à présent dans la pénombre.

«Encore une nouvelle expérience! songeait la jeune fille. Des âmes errantes, souffrantes ou apaisées, sont là, autour de nous, et il faut une personne comme moi pour leur ouvrir une sorte de porte invisible par laquelle ils peuvent rejoindre un moment le monde des vivants.» Le constat la bouleversait, car jamais sa mère n'avait noté de tels faits dans son cahier. «Maman, ai-je un don plus puissant que le tien? Ou bien les temps sont-ils si troublés à cause de la guerre que cela change quelque chose? Mais quoi?»

La question tourmenta Abigaël jusqu'au château. Sa montre-bracelet indiquait cinq heures. Elle se faufila dans la cour et inspecta les fenêtres de la façade. Aucune n'était éclairée. «Je dois me dépêcher», se dit-elle, exaltée.

Plus tard, elle se souviendrait souvent de cette nuit du mois de mars comme d'un seuil entre son enfance et l'âge adulte. Son obstination à sauver la vie du loup de Claire et sa volonté de lutter contre une injustice manifeste avaient paru ridicules à Marie de Martignac et au professeur Hitier. Le médecin lui avait reproché d'être trop sentimentale. C'était la fillette éprise de bonté et pétrie d'amour qui s'était opposée au sacrifice de Sauvageon.

Cependant, même si elle s'estimait imprudente, coupable de désobéissance, elle ne regrettait rien; il lui aurait été intolérable de commencer son existence de femme et d'amante avec un tel poids sur la conscience. Elle se refusait à trahir Claire, à lui mentir si elle la revoyait.

Durant les heures qu'elle avait passées en compagnie de cette dame et de sa cousine, une force singulière lui avait été insufflée, un courage quasiment insensé, une détermination nouvelle. Les précieux souvenirs dont elle avait hérité, tel un legs spirituel, lui serviraient désormais de guide, de modèle. «Je n'aurai plus peur de déplaire à quiconque, songeait-elle en creusant le sol meuble du parc. Je n'aurai plus peur de l'amour, de la passion. Puisque Dieu est amour, je me battrai pour l'amour et la vie. Qu'on se moque de moi si j'ai pitié de la moindre créature animale! Je saurai quoi répondre.»

L'esprit pétillant d'une saine révolte, Abigaël pelletait fébrilement. Le jour allait se lever quand elle ensevelit une bûche de bonne taille enveloppée d'une vétuste couverture. Les mains brûlantes, elle jeta sur son leurre des fleurs à peine écloses, des narcisses et des crocus, auxquelles elle ajouta une branche d'aubépine. Ensuite, elle remit de la terre et planta une croix faite de brindilles entremêlées.

— Voilà la tombe de Sauvageon. Ils n'iront pas vérifier si le corps du loup est bien là!

Le docteur la surprit en train de prier devant le monticule où elle avait planté une touffe de pâquerette. Il poussa un cri agacé.

— Vous avez enterré cette bête toute seule? Vous ne pouviez pas m'attendre?

— Non, le loup est mort vers une heure du matin. J'ai préféré me mettre au travail. Maintenant, je dois rentrer à la ferme. Ma tante se fera du souci, si je tarde. J'espère que mademoiselle Marie m'autorisera à venir de temps en temps porter des fleurs.

— Bon sang, vous n'êtes vraiment qu'une gamine! enragea-t-il. Je me demande ce que vous faites dans le réseau du professeur. Eh bien, je n'ai plus qu'à rentrer boire un café! En voulez-vous?

— Sans façon, monsieur, les gamines n'ont pas droit au café. Je vous ferai seulement remarquer que j'ai retrouvé Claire Roy grâce au lien qui s'est créé entre nous dès mon arrivée chez mon oncle. Je lui ai redonné le goût de vivre, mais vous avez raison, c'est le propre des gamins...

Sidéré par cette tirade ironique, le médecin observa mieux Abigaël. Dans la luminosité rose de l'aube, elle le toisait d'un œil arrogant qui n'avait rien de puéril. Il fut étonné par sa beauté radieuse, la pureté de son visage et le dessin exquis de sa bouche. Ses grands yeux d'un bleu pur étincelaient, ourlés de cils d'un brun doré.

— Excusez-moi! soupira-t-il. Je suis sur les nerfs, surtout au réveil. En effet, vous n'êtes plus une gamine, mais une fort jolie jeune femme. Il paraît que vous êtes médium?

— Je n'apprécie pas trop ce terme. Claire Roy a dit que je suis une messagère des anges. C'est plus agréable à entendre.

— Je m'en souviendrai. Eh bien, bon retour! Je pense que nous serons appelés à nous revoir.

— Merci, monsieur. Saluez mademoiselle Marie de ma part, je m'en vais.

Elle reprit son vélo, dont elle avait réparé la roue la veille. Les oiseaux chantaient dans les arbres et les buissons, comme s'ils exprimaient leur gratitude de revoir poindre le soleil. Une fouine traversa l'étroite route et sauta dans le fossé hérissé de roseaux.

— Mon Dieu, faites que Claire, Bertille et le lieutenant Howard soient en sécurité, en Angleterre! dit-elle à voix haute. Seigneur, préservez-les!

Elle parvint rapidement à l'entrée du sentier qui serpentait sous les chênes et les châtaigniers. Elle s'y engagea après avoir couché sa bécane dans l'herbe haute. Le clocher de Torsac sonna sept coups. Le village se réveillait.

— Qu'il est tard! gémit-elle en courant vers l'ancienne grange.

Le loup dormait, couché en boule. Il se réveilla à son approche. Inès Pérez avait disparu. Tout était calme. Pourtant, Abigaël perçut une délicate senteur florale, une odeur d'une rare suavité qui lui donna envie de pleurer de joie. Souvent, les âmes égarées, comme preuve de leur passage, laissaient derrière elles ce parfum ineffable.

— Soyez en paix, madame! chuchota-t-elle. Ce soir, je prierai pour vous et j'embrasserai bien fort votre gentil petit garçon.

Elle poussa un léger soupir, se pencha sur l'animal et le détacha.

— Viens, mon Sauvageon! Nous avons encore du chemin à faire et personne ne doit nous voir. Viens!

Le loup s'étira avant de bondir sur ses pattes. Il semblait avoir éliminé le sédatif; il avait à nouveau l'œil vif et des mouvements souples. Abigaël s'accorda quelques instants pour le câliner, infiniment heureuse de sentir sa chaleur et sa vitalité.

— Tu es sauvé, murmura-t-elle. Tant pis si j'en paye le prix très bientôt...

—

Ferme des Mousnier, trois heures plus tard

Marie Monteil se sentait lasse. Elle s'affairait depuis le lever du jour; elle avait fait le ménage, rangé la vaisselle et nourri les moutons. Yvon et Jorge Pérez travaillaient aux champs. Seule avec Cécile, Grégoire et Vicente, elle avait dû les surveiller sans cesse.

— Dieu soit loué, te voilà enfin! s'écria-t-elle en voyant entrer Abigaël dans la cuisine. Je n'en peux plus!

— Pardonne-moi, tantine! Je m'absenterai moins, désormais, plaida sa nièce en l'embrassant affectueusement.

— Je l'espère, surtout si Pélagie s'attarde chez sa sœur. Alors, ça y est? Je parle du loup... Ma pauvre mignonne, tu dois être triste!

— Oui, j'ai besoin de m'occuper l'esprit et les mains. Laisse-moi préparer le repas. Toi, repose-toi. Où sont les enfants?

— Je les ai envoyés dans ma chambre chercher le livre de lecture et le vieil album d'images que m'a donné Béatrice au jour de l'An. Tiens, ils descendent.

Une galopade dans l'escalier ponctua sa remarque. Cécile fit irruption la première, ses boucles brunes ébouriffées parsemées de brins de foin.

— Abigaël, tu es là! se réjouit-elle. Dis, tu vas rester un peu avec nous?

— Bien sûr, Cécile, et, pour fêter mon retour, nous mangerons des crêpes au goûter. C'est l'avantage d'habiter une ferme. Même pendant la guerre, il y a du lait, des œufs et du saindoux.

— N'oublie pas la farine, plaisanta Marie, toute contente de retrouver sa nièce, de surcroît de bonne humeur. Le professeur Hitier viendra déjeuner. Il s'inquiétait beaucoup. Tu en comprends la raison?

Marie ne voulait pas évoquer le sort fatal de l'animal devant les trois enfants. Abigaël hocha la tête en adoptant un air complice. Elle peinait à dissimuler son exaltation et son soulagement d'avoir gardé Sauvageon en vie. Le loup était enfermé dans la maisonnette où il s'était réfugié au début de l'hiver, sur le lieu d'une atroce exécution. Malgré ses réticences, la jeune fille n'avait pas trouvé d'endroit plus sûr à une prudente distance de la ferme et de la maison de Jacques Hitier.

«Les miliciens ont tué Léon Casta, son épouse et la petite Astrid là-bas, songea-t-elle, mais j'ai tant prié pour eux! Ils se sont élevés tous les trois. Demain, j'emporterai de l'encens et je dirai la prière de purification de maman.»

Grégoire se serra contre elle à l'instant précis où elle revoyait le fin visage émacié de la fillette abattue sans pitié. Le garçon avait joué un rôle épouvantable dans cette tragédie. Simple d'esprit, il avait livré ces pauvres gens sans avoir conscience de son geste. «S'en souvient-il? se demanda-t-elle. Jamais il n'a été aussi câlin avec moi… Je suis sotte! Il ne peut pas lire dans mes pensées.»

Elle l'étreignit, caressa sa joue et y déposa un baiser. Cécile s'était assise à la table et feuilletait le livre de lecture. Marie contempla les enfants et Abigaël.

— Nous allons passer une journée paisible, déclara-t-elle. À midi, nous ferons une omelette et une salade des pissenlits que j'ai cueillis hier.

— D'accord, tantine.

Le petit Vic, frappé de mutisme depuis la mort de sa mère, tira alors sur le tablier de Marie. Il montrait du doigt la cruche de lait.

— Je veux ça pour le chat, ânonna-t-il.

— Seigneur, tu parles, Vic! s'exclama la femme. C'est un miracle! Son père va être tellement heureux!

Le cœur débordant de gratitude, Abigaël s'empressa de donner une tasse de lait au garçonnet. Elle avait la conviction que l'amour d'une mère, même depuis l'au-delà, était assez fort pour faire ce genre de petit miracle. Avant de rejoindre la lumière divine, Inès Pérez avait su offrir à son fils de cinq ans la paix infinie qu'elle avait enfin trouvée.

— Oui, ma chère tantine, il parle, notre Vic.

Touchée par le sourire ébloui de sa nièce, Marie lui ouvrit les bras. Elles en discuteraient plus tard, le soir au coin du feu, ou dans le clair-obscur d'une chambre, à l'heure du coucher. En dépit des querelles et des silences mensongers, elles s'aimaient de toute leur âme et vouaient toutes deux une foi inébranlable en la bonté des puissances célestes.

11

La haine personnifiée

Ferme des Mousnier, vendredi 17 mars 1944

Depuis deux jours, Abigaël disposait de sa propre chambre. C'était pour elle un sincère ravissement. Son installation, retardée par le départ de Claire, l'avait distraite de la peine qu'elle ne pouvait s'empêcher d'éprouver.

De transformer l'ancien domaine de Patrick en un lieu propre et agréable avait nécessité des heures de travail. Marie, Yvon et Jorge Pérez s'étaient acquittés du plus dur; ils avaient lessivé les lambris et débarrassé les meubles de leur contenu. «Que c'était gentil à eux trois! songeait la jeune fille en observant le décor qui l'entourait. Et je leur mens à tous!»

Elle se levait avant le jour pour rendre visite au loup et lui porter de la nourriture qu'elle dérobait dans le cellier. L'aller et le retour lui prenaient presque une heure, si bien qu'en arrivant elle rejoignait son oncle qui commençait à traire les deux vaches.

— Tu es matinale, dis donc, marmonnait-il, le front appuyé au flanc d'une des bêtes.

Malgré son soulagement et sa joie d'avoir déjoué les plans du professeur et de Marie de Martignac, Abigaël s'inquiétait. Jamais le loup ne pourrait demeurer enfermé encore une semaine. Elle le laissait attaché, de surcroît, et l'animal était de plus en plus nerveux.

La misérable bicoque empestait. Même si elle accordait à Sauvageon une courte promenade, il était hors de question de le libérer et de le laisser divaguer.

«Si seulement nous n'habitions pas si près de monsieur Hitier! se désola-t-elle. Je suis sûre que mon oncle serait disposé à garder le loup ici.»

Un sourire doux-amer sur les lèvres, Abigaël effleura de l'index la petite statuette que lui avait donnée Béatrice à Noël. Le bibelot en ivoire représentait un angelot jouant de la flûte, dont les ailes étaient peintes en doré. Il trônait au centre de la commode en bois sombre que sa tante avait soigneusement encaustiquée. Soudain, elle s'en empara et la contempla de très près. Elle la porta à ses lèvres et y posa un léger baiser. «Mon cher petit papa de qui je n'ai aucun souvenir l'a offerte à ma cousine alors qu'il agonisait. Maintenant, elle m'appartient. Je n'ai pas assez remercié Béa… Tant pis si nous n'avons aucun lien de sang, je la considère comme ma grande sœur. Je me demande d'où papa tenait ce minuscule objet, qui doit valoir cher.»

Ce matin-là, une foule de questions tournaient dans son esprit. Elle en ressentait un début d'angoisse. Son regard bleu azur ourlé de cils d'or sombre voleta d'un détail à l'autre. D'abord, il se posa sur les rideaux en macramé de couleur écrue, puis il se fixa sur la courte-pointe rouge bordée de volants. Il y avait aussi une carpette aux motifs chamarrés au pied du lit, ainsi qu'une malle descendue du grenier sur laquelle elle s'était assise un instant.

«Est-ce que Claire, Bertille et le lieutenant sont sains et saufs? s'interrogea-t-elle en y prenant place à nouveau. Quand aurons-nous des nouvelles? Et Sauvageon? Que vais-je faire de lui? Si Adrien savait que j'ai trahi la confiance du professeur, il m'en voudrait. Adrien... Ils sont encore dans la planque, vers Ronsenac, sans doute, Béatrice, Lucas et lui. Que font-ils toute la journée et le soir?»

Nerveuse, elle se leva pour aller se rasseoir à une petite table près de la fenêtre sur laquelle elle avait mis le portrait de sa mère, une bouteille d'encre et son porte-plume.

— Maman, tu pourrais peut-être m'expliquer, toi, pourquoi nos défunts les plus chers ne se montrent jamais! murmura-t-elle à la photographie. Des âmes errantes m'apparaissent sous l'apparence qu'elles avaient, incarnées dans un corps, mais, au fond, ce sont le plus souvent des inconnus. J'aime à penser que vous êtes parmi les anges, dans la paix divine, et aussi que je dois me débrouiller seule.

On toqua à la porte. Sans attendre de réponse, Marie Monteil ouvrit et s'avança un peu.

— J'ai besoin de toi, ma chérie, déclara-t-elle. Au menu de midi, ce sont des topinambours et c'est vraiment fastidieux à éplucher.

— J'arrive.

— Te plais-tu, dans ta chambre? En tous les cas, moi, je dors plus à l'aise, à présent.

— Et moi donc! Un matelas pour moi toute seule, quel luxe!

Abigaël courut vers Marie et l'embrassa sur la joue. Leur affectueuse complicité s'était rétablie, depuis deux jours qu'ils passaient tranquilles à la maison.

— Tantine, crois-tu que maman savait, au sujet de la naissance de mon père?

— Que veux-tu dire?

— Il lui a sûrement raconté qu'il avait été adopté par les Mousnier.

— Elle aura gardé la chose secrète, alors. J'ai été la première surprise en apprenant que Pierre était un enfant abandonné. Est-ce tellement important?

— Quand j'y réfléchis, je trouve cela particulier d'imaginer que j'ai peut-être une autre famille du côté de papa. S'il avait survécu à la maladie, il aurait quarante-sept ans. Ce n'est pas très vieux. Ses vrais parents sont peut-être encore en vie.

— Tu n'as aucune chance de les retrouver, ma petite chérie.

Abigaël approuva d'un signe de tête résigné. Après un dernier regard à sa chambre, elle suivit Marie.

—

Le professeur Hitier frappa au logis au moment où Marie et Abigaël débarrassaient la table. Le déjeuner était terminé et Jorge Pérez était déjà reparti aux champs. Yvon accueillit son voisin d'un large sourire.

— Vous allez boire la chicorée avec nous, prof, proposa-t-il.

— J'aurais volontiers mangé avec vous, mais j'ai ton fils à la maison. Je lui remets du plomb dans la cervelle et ce n'est pas une mince affaire.

— Je vous souhaite du courage, grommela le fermier. Patrick ne tiendra pas longtemps sous votre coupe.

— Mais si, ne sois pas pessimiste… Je devais t'avertir, Yvon, on m'a prévenu ce matin. Dubreuil, qui se prend pour je ne sais quel grand général de la milice, a traîné dans le hameau, hier. Il avait trois hommes comme escorte. J'ignore ce que les gens ont dit sur ta ferme et sur moi. S'il débarque cet après-midi, il faut jouer la comédie à ce salaud, paraître ce que nous sommes censés être. Tu as compris, petite?

Il tapota l'épaule de Cécile, qui essuyait la vaisselle. Elle considéra d'un œil surpris son prétendu grand-oncle.

— Tu as dit un vilain mot, lui reprocha-t-elle.

— Excuse-moi, mignonne. Marie, Abigaël, je voudrais votre avis. Il vaudrait mieux que j'emmène Cécile, puisqu'elle devrait loger chez moi, en fait.

Abigaël éprouva un choc sourd au creux de la poitrine. Chaque fois qu'on prononçait en sa présence le patronyme de Dubreuil, elle revoyait le chef de la milice dans le pré, le matin de l'exécution du couple de soi-disant communistes.

— Professeur, avez-vous vraiment effacé toute trace du séjour du lieutenant Howard? s'enquit-elle d'une voix tendue. En plus, le linge de Cécile est rangé là-haut. Sa poupée aussi.

— Ne cédons pas à la panique, trancha Marie, le teint coloré par l'émotion. Autant servir à ce Dubreuil une explication logique, Jacques. Je veille sur Cécile et lui donne des leçons, l'école étant trop éloignée. Sans oublier qu'elle est la camarade de Grégoire.

— Ouais, grogna Yvon, perplexe. Vous voilà bien brave, soudain, Marie, vous si craintive, d'habitude!

— Ce n'est pas que je n'ai plus peur, mais je n'ai pas le choix de faire avec les dangers qui nous menacent. Là, Dubreuil n'aura aucune raison de douter de ma bonne foi, puisque je ne mentirai pas, au fond. Quant à vous, Jacques, le médecin vous a rendu visite la semaine dernière. Prétextez des ennuis de santé qui vous ont poussé à me confier l'enfant.

— Effectivement, vu sous cet angle, ça se tient, concéda Hitier. Ne craignez rien, donc, et restez calmes. Ce type n'a aucune preuve contre nous.

Seul Yvon remarqua la pâleur alarmante d'Abigaël, qui avait dû s'appuyer au mur le plus proche. Il la rejoignit et scruta ses traits altérés par un sentiment bien reconnaissable, la peur.

— Allons, petite, tu tiendras le coup?

— Je préférerais m'en aller, mon oncle. Si je partais dans les bois jusqu'à ce soir?

— Non, ce serait imprudent. Les voisins du Lion de Saint-Marc t'ont vue. Tout le monde doit rester ici et vaquer à ses travaux habituels. Si vraiment tu te sens mal, sors avec les gamins dès que Dubreuil aura contrôlé tes papiers d'identité.

— Merci, mon oncle.

Marie servait de la chicorée à Jacques Hitier. Il nota la teinte claire du breuvage, qu'il coupa de lait.

— J'irai bientôt à Angoulême. Ma sœur aura du café pour moi, dit-il. Ah! j'ai quelque chose à vous dire. Ça te donnera sûrement du courage, Abigaël. Claire Dumont, sa cousine et Howard sont arrivés à bon port.

— Dieu soit loué! murmura la jeune fille en joignant les mains, transfigurée par un bonheur infini. Mais comment l'avez-vous appris, professeur?

— Un message codé a été diffusé à la radio hier soir. Celui qui m'a averti au milieu de la nuit des projets de la milice m'apportait également cette nouvelle.

Yvon poussa un soupir de contentement. Marie elle-même afficha une sincère satisfaction. Elle se réjouissait pour sa nièce, ayant deviné l'anxiété qui la rongeait.

— Il n'aurait pas fallu tuer son loup, à madame Claire, déplora le fermier d'un ton rude. Une femme comme elle, la duper, lui faire croire des histoires, ça me débecte. J'espère qu'elle finira ses jours en Angleterre et qu'elle ne saura jamais la vérité.

Excédé, Hitier haussa les épaules. Il n'était pas fier de sa décision. Pourtant, il protesta.

— On ne revient pas là-dessus, Yvon. Surtout avec Dubreuil dans les parages.

— Oui, réfléchis, Abigaël, insista Marie, l'air grave. Si vous aviez gardé cet animal en vie, il aurait fallu le tenir enfermé du matin au soir. Quelle existence pour une bête accoutumée à la liberté!

Taciturne, Yvon inspecta la pièce et vérifia le contenu des placards ainsi que du cellier. Il revint se planter derrière la chaise de Grégoire, occupé à gratter de l'ongle un défaut du bois de la table.

— Bon sang! éructa-t-il, mon pauvre gosse, ça risque de lui causer un choc s'il se retrouve confronté aux miliciens. Il les a vus malmener sa mère. Les uniformes noirs lui rappelleront ce maudit jour du mois d'août.

— Il faut qu'il monte faire la sieste, suggéra Marie, affolée, quitte à le droguer. Jacques, vous aviez bien des cachets pour dormir?

— C'est une très mauvaise idée, s'indigna Abigaël.

L'innocent leva brusquement la tête, les yeux agrandis par une frayeur subite. Avait-il compris les paroles de son père? Chacun le supposa.

— Goire fatigué, Goire dodo, bredouilla-t-il en agitant les pieds.

— Il est une heure, intervint le professeur. Abigaël, cours chez moi. Les cachets sont dans ma chambre, une boîte en fer-blanc sur l'étagère près de mon lit.

— Mais… il y a Patrick, s'alarma-t-elle, livide. Je vous en prie, je ne peux pas. Je serai seule avec lui. Non, non!

— J'y vais, résolut Marie en ôtant son tablier. Abigaël, conduis Grégoire là-haut. Prends une carafe d'eau.

La jeune fille obéit en arborant une mine furieuse. En grimpant les marches, pourtant, elle se souvint de

Sauvageon qui, sans les sédatifs de Bertille, serait mort empoisonné. C'était l'unique solution pour protéger le garçon de lui-même.

— Viens, dit-elle doucement. Cécile, fais un dessin à Vicente.

Le petit Vic, comme ils le surnommaient tous, se réfugia près de la fillette, flattée de se rendre utile. Elle percevait la tension des adultes et souhaitait les aider de son mieux.

Abigaël déshabilla Grégoire en ne lui laissant que son caleçon long et son gilet de corps. Il se glissa entre les draps, une grimace sur le visage et le regard fixe.

— N'aie pas peur, je suis là. Personne ne te fera de mal.

Elle lissa du bout des doigts ses cheveux roux, mais il tremblait de tout son corps.

— Veux maman, moi, balbutia-t-il. Pourquoi pas là, maman?

Dès qu'il perdait la maîtrise de ses nerfs, le garçon parlait avec difficulté. Désireuse de l'apaiser, Abigaël parvint à lui saisir la main droite, qu'elle étreignit.

— Les méchants... tout noirs, y vont tuer maman, encore... jeta-t-il.

— Ta maman est vivante, Grégoire. Elle reviendra bientôt. Tante Marie va te chanter une comptine, tu vas dormir et tu ne verras pas les méchants.

Il semblait indifférent à ses paroles. Cependant, il pleurait de grosses larmes silencieuses. À cet instant, la jeune fille eut la certitude que le malheureux enfant, malgré son retard mental, se souvenait des tragiques événements de l'été précédent.

— Peur, moi, ânonna-t-il encore, bien que réconforté par des gestes tendres.

Elle demeura à son chevet jusqu'à l'irruption de sa tante, tout essoufflée d'avoir couru.

— J'ai ce qu'il faut, annonça-t-elle. Tu peux nous laisser, ma chérie.

— Fais attention, tantine, n'en donne pas trop.

— Un cachet suffira. Va rejoindre ton oncle et le professeur.

— Si je pouvais avaler un comprimé, moi aussi, et dormir! avoua Abigaël. Je me sens mal. Je suis oppressée.

Marie lui décocha un regard anxieux, car sa sœur Pascaline avait souvent des pressentiments qui s'avéraient fondés, ensuite.

— Ma chérie, as-tu l'impression qu'un malheur nous menace? s'enquit-elle à voix basse.

— Je n'en sais rien, c'est confus. Je descends. Ne crains rien, je suis seulement nerveuse. Au revoir, Grégoire! À tout à l'heure pour le goûter.

Une fois qu'elle fut dans le vestibule, son malaise ne fit que croître. Saisie d'une envie instinctive de s'enfuir, elle contempla la porte qui donnait sur l'arrière de la maison. Elle avait la conviction qu'elle était en danger, mais sa prémonition ne concernait qu'elle seule, alors que les autres n'avaient rien à craindre. Son cœur se serrait.

Jacques Hitier s'apprêtait à rentrer chez lui. Il la trouva ainsi, immobile, le teint couleur de craie.

— Eh bien, petite, que t'arrive-t-il? Si Dubreuil te voyait, il en déduirait que tu es coupable de quelque chose. Je t'en prie, va boire une goutte d'alcool. Remets-toi.

— Oui, professeur, je suivrai votre conseil. Mais cet homme me terrifie depuis que je l'ai vu à l'œuvre, il y a douze jours à peine. Comment aurais-je effacé de ma mémoire la scène atroce qui s'est déroulée sous mes yeux?

— Fais un effort, sinon tu pourrais tous nous perdre. Comprends-tu, à présent, pourquoi il fallait sacrifier le loup de Claire?

— Je sais surtout qu'au début de la guerre, Dubreuil n'était qu'un chasseur employé par la mairie. Ludivine, la fille de Claire qui avait onze ans, l'a empêché de tirer sur Sauvageon, âgé de quatre mois environ, et Jean Dumont, excédé par le comportement de cet homme, l'a frappé. Il y a pire: le milicien est le petit-neveu d'un policier, Aristide Dubreuil, acharné à perdre Jean, jadis. En fait, selon Claire, elle et les siens ont été victimes de la haine d'un répugnant personnage, une vieille haine.

Sidéré, Hitier hocha la tête et remit son chapeau. Il ignorait tout cela.

— Dans ce cas, Dubreuil finira par nous démasquer. Tu me donnes matière à réfléchir, Abigaël. J'agirai en conséquence.

— Bien causé, prof, intervint Yvon, qui s'était approché et qui les écoutait depuis le seuil de la grande cuisine.

Les deux résistants échangèrent un regard explicite dans lequel la jeune fille lut l'arrêt de mort du milicien. Elle en fut épouvantée. Tremblante et de plus en plus pâle, elle tendit les mains vers eux.

— Il ne faut pas, je vous en prie! La mort appelle la mort, le sang appelle le sang. Oh! pitié! Je n'en peux plus de tant de violence, de tant de chaos. La guerre nous corrompra si nous décidons de tuer à notre tour.

— Ne t'en mêle pas, ma pauvre enfant, répliqua Jacques Hitier. J'estime qu'il est grand temps de te tenir à l'écart de nos actions. Tu as déjà fait beaucoup en retrouvant Claire et en nous aidant à l'envoyer en lieu sûr. À l'avenir, reste ici avec ta tante. Nous ne te demanderons plus rien. Au revoir! Tenez-vous prêts à donner le change à Dubreuil.

Le professeur allait sortir quand une voiture s'arrêta dans la cour de la ferme, dans un crissement de freins. Des portières claquèrent, puis ils entendirent des bruits de pas énergiques.

— Trop tard, prof, marmonna Yvon. Abigaël, débarrasse la table et lave la vaisselle. Moi, tiens, je vais prendre du bois dans le cellier. Ces saligauds viennent souvent avant ou après le déjeuner, ils sont sûrs de trouver les gens chez eux.

Au même instant, trois silhouettes noires passèrent devant les fenêtres et les miliciens entrèrent sans avoir frappé. Son calot sur le crâne et sanglé dans son uniforme, Dubreuil marqua un temps de surprise en reconnaissant Jacques Hitier.

— Tiens, vous êtes là, vous! s'écria-t-il.

— Pardi, je suis le plus proche voisin de monsieur Mousnier. J'ai bu une chicorée et je m'apprêtais à prendre congé.

Yvon remarqua le regard insistant que Dubreuil posait sur Abigaël. Elle avait murmuré un mot discret pour saluer les nouveaux venus en continuant à empiler les assiettes sur le coin de l'évier.

— La Gestapo recherche toujours une dangereuse terroriste, Claire Dumont, débita Dubreuil d'un ton froid. On m'a confié le soin de la retrouver, morte ou vivante, car il y a des chances que son cadavre pourrisse quelque part au fond d'un bois. Si elle a réchappé à la destruction du réseau Sirius, on suppose qu'elle était blessée, alors…

L'air perplexe, Hitier et Yvon approuvèrent poliment.

— On n'a vu personne dans le coin, répondit le fermier. Vous savez, c'est tranquille par ici, et puis on a les soldats allemands pas loin, ceux qui gardent la centrale électrique. Moi, pardi, j'ai de bons rapports avec l'occupant, même que je livre des œufs et du lait à la feldkommandantur d'Ortebise.

Abigaël nota le ton obséquieux qu'adoptait son oncle. Elle pensa qu'il prenait un risque en voulant jouer le brave paysan favorable à l'ennemi. Inquiète, elle s'obstina à fixer uniquement sa vaisselle en priant en silence.

— Oui, bien sûr, comme tout le monde, vous n'avez rien à vous reprocher, ironisa Dubreuil. Qui est cette gamine? Et l'autre marmot?

— Ma petite-nièce, précisa le professeur. Ses parents sont décédés et je l'ai accueillie. Vicente est le fils de l'ouvrier agricole de monsieur Mousnier.

— Un réfugié espagnol veuf depuis peu à qui j'ai offert du travail, s'empressa de dire le fermier.

— Ses papiers! exigea le capitaine, les traits durcis. Ceux de la demoiselle aussi.

— Je vais les chercher, monsieur, déclara Abigaël. Cécile dort ici en ce moment, car le professeur Hitier a été bien souffrant.

Dubreuil déambula dans la pièce. Il ouvrit un des tiroirs du buffet et souleva le tissu qui dissimulait la paillasse sous l'escalier. Malgré le ménage scrupuleux que faisait Marie Monteil, il y restait des poils gris pris dans la cotonnade.

— La vieille du hameau disait vrai, commenta-t-il, vous aviez un chien, un gros chien. On a souvent vu mademoiselle se balader avec.

— Et alors? s'étonna Yvon. C'est interdit d'avoir un chien, de nos jours? Vous parlez d'une affaire! Une bête errante qu'on a nourrie une semaine au début de l'hiver. Mais elle m'a fait des dégâts dans le poulailler. J'avais idée de l'empoisonner, mais elle a filé dès que j'ai essayé de l'enfermer dans un toit à cochons.

Il donnait cette version en forçant son accent paysan et en hochant la tête pour se donner l'air un peu niais.

— Au fait, intervint le professeur Hitier, ce brave homme est le père de Patrick Mousnier, la recrue dont vous n'étiez pas content.

— Ah! je m'en doutais, maugréa Dubreuil.

Marie descendit à ce moment précis, une pochette en carton à la main. Elle se tint dans le vestibule. Ayant entendu la requête du milicien, elle apportait les papiers d'identité. Dubreuil les prit et les tendit aussitôt à un de ses hommes, qui les examina.

— Ils sont en règle, capitaine, annonça-t-il.

— Bien, on pourrait donc s'en aller, hein, et laisser ces braves gens à leurs occupations, pérora Dubreuil en guettant les moindres gestes d'Abigaël. Mais je dois poser quelques questions à mademoiselle.

— Abigaël Mousnier, ma nièce, la présenta Yvon d'une voix dure. La fille de mon frère Pierre. Nous avons combattu tous les deux à Verdun pour notre patrie, capitaine.

Il avait mis dans le mot capitaine une nuance de mépris qui fit trembler Marie Monteil, campée près de la cheminée. Cécile, elle, faisait semblant de lire son recueil de contes. Cependant, effrayée par les visiteurs, elle était incapable de se concentrer sur le moindre mot. Abigaël s'aperçut alors, après avoir jeté un coup d'œil à la fillette, qu'on ne lui avait fait aucune recommandation à propos du loup, une grave erreur qui pouvait se révéler lourde de conséquences.

Elle s'essuya les mains, accrocha le torchon à un clou et fit face au chef de la milice.

— Je vous écoute, monsieur, dit-elle en lui présentant un visage paisible où brillaient ses grands yeux d'un bleu limpide.

— Je serai bref. Claire Dumont était connue dans le pays pour être souvent flanquée d'un loup, ou de plusieurs. Si elle est encore vivante, je pense qu'un animal lui appartenant pourrait rôder dans la vallée de Puymoyen ou dans cette vallée-ci. J'ai mené une petite enquête, ces deux derniers jours. Aussi, je voudrais savoir quelle sorte de chien vous avez soi-disant trouvé.

— Il n'y a pas de soi-disant, monsieur, rétorqua Abigaël, soudain submergée par un immense courage.

Le mal à l'état pur, la haine incarnée, se dressait devant elle. Il fallait vaincre le sinistre individu en lui opposant la pureté et l'innocence.

— Monsieur… pardon, capitaine, c'était un chien-loup gris et beige, très craintif la première fois que je l'ai vu. Je lui ai donné à manger et il s'est amadoué, mais il demeurait méfiant. Comme mon oncle vient de vous le dire, il a fait des dégâts. En plus, il se montrait parfois menaçant. Peu de temps après, il s'est enfui quand on a voulu l'enfermer. Nous ne l'avons eu ici que trois semaines, vers la période de Noël.

Dubreuil la fixait d'un œil moqueur, sans répondre.

— Menaçant, vraiment? s'écria-t-il brusquement. Ah! dans ce cas, il vous a pourchassée jusqu'au bourg de Puymoyen. Arrêtez de me mener en bateau! Une vieille vous a observée derrière ses rideaux. Votre chien-loup se laissait caresser et il vous suivait, même qu'il a grimpé sans crainte dans la voiture de l'employée de mairie, Marie de Martignac.

— Il était plus confiant en ma compagnie, dit Abigaël avec aplomb. Je ne nie pas être allée à Puymoyen, j'ai le droit de me promener.

— Le souci, c'est que la vieille en question affirme qu'il s'agissait d'un loup, pas d'un chien. Des loups, elle en avait vu de près, étant gamine, sans compter ceux du moulin des Roy qui divaguaient et causaient des dégâts, eux aussi.

Le professeur leva les bras au ciel en souriant.

— Dis-moi, Lionel, as-tu eu le grade de capitaine dans la milice pour traquer les chiens errants?

— Je vous prie de me vouvoyer, Hitier! Je ne suis plus votre élève et j'obéis aux ordres de la Gestapo!

— Si c'était un loup, monsieur, reprit Abigaël, le cœur battant, je l'ignorais. Il était apprivoisé, alors? Mais il aurait pu m'attaquer!

Elle jouait la jeune fille ébahie à merveille, bouche entrouverte, le regard dilaté. Elle remarqua néanmoins que le professeur avait pris Cécile par les épaules. L'enfant comprendrait-elle qu'elle ne devait rien dire sur l'animal, surtout pas prononcer son nom?

— Peut-être ben que c'était le loup de Claire Dumont, hasarda Yvon. Comment le savoir? Tout le monde la connaissait, dans le pays. Moi, gosse, j'allais à l'école de Puymoyen et je la voyais de temps à autre, cette femme.

Les deux hommes de Dubreuil semblaient s'impatienter. Ils devaient se demander pourquoi leur capitaine s'acharnait à retrouver la trace d'une bête égarée, sûrement morte de faim pendant l'hiver.

— Eh bien, j'espère que vous ne l'avez pas revue récemment, Claire Dumont, pas plus que ce fichu chien-loup. La femme est activement recherchée. S'il revenait traîner autour de la ferme, arrangez-vous pour le capturer. Je tiens à l'examiner et à lui tirer moi-même une balle dans le crâne. Vous, ajouta Dubreuil à l'adresse de ses sbires, fouillez la maison. Où est votre femme, Mousnier?

— Elle a rendu visite à sa sœur qui habite Dirac, capitaine.

— Et votre fils?

— Je l'ai engagé comme factotum, indiqua Jacques Hitier. Je vous l'avais dit lors de notre entretien à Angoulême.

— Nous irons le saluer. Il sera peut-être plus bavard au sujet de la bête qui m'intéresse.

Sur ces mots, Dubreuil refit le tour de la cuisine. Il stoppa net à la hauteur de Marie Monteil, qu'il dévisagea d'un œil dédaigneux, car elle avait son chapelet entre les doigts.

— Une bigote, je parie! aboya-t-il.

— Je m'en remets à Dieu en toutes choses, monsieur, dit sobrement Marie. Lui seul nous juge à la juste mesure.

Dubreuil l'aurait volontiers giflée. Elle n'avait pas parlé sans une intention manifeste de le narguer. D'instinct, Jacques Hitier se rapprocha d'elle. Des pas lourds résonnaient à l'étage; des portes claquaient. Le petit Vicente se mit à pleurer. Cécile n'était pas loin de l'imiter. Enfin, les militaires descendirent et firent leur rapport.

— Rien de particulier, capitaine. Il y a un gamin qui dort dans une des chambres. Il a l'air malade.

— Vous ne l'avez pas réveillé, au moins? s'enquit Yvon. C'est mon plus jeune fils, Grégoire. Il est handicapé mental et il est malade, en effet.

Le sort voulut qu'un des soldats en noir, la face rougeaude, ait été un des miliciens qui, l'été précédent, avait exécuté Léon Casta, le fidèle domestique de Jean Dumont, son épouse Anita et l'enfant recueillie par Janine, leur fille, pendant l'exode.

— Ouais, marmonna-t-il, c'est le simplet qui nous a conduits sur la colline, là où se cachaient les résistants.

— Fort bien, nota Dubreuil. Évidemment, Mousnier, vous ignoriez quelle vermine se terrait si près de chez vous!

— J'ai déjà été interrogé sur ce point, capitaine. Relisez ma déposition, elle doit être encore à la gendarmerie.

Il peinait à contenir sa rage impuissante, son envie de cogner.

— Bon, ça suffit, on va faire un tour avec le professeur Hitier, à présent, s'écria Lionel Dubreuil. Je reviendrai sûrement très bientôt.

Le souffle court, les résidants les virent sortir et, par une des fenêtres, marcher dans le jardin. Entouré par les trois robustes miliciens, le professeur avait tout l'air d'un condamné qu'on emmenait.

— Pauvre Jacques! chuchota Marie en se signant.

— Pourvu que mon crétin de fils débite le même discours que nous sur le loup, grogna le fermier. On ne lui a pas fait la leçon. Je crains le pire. Enfin, ça ne s'est pas trop mal passé. Dubreuil a gobé notre version, on dirait…

Cécile éclata en sanglots, la frimousse chiffonnée par une grimace de terreur rétrospective.

— Là, là, c'est fini, lui souffla Abigaël à l'oreille. Tu as été très courageuse.

— J'ai deviné, il fallait pas causer de Sauvageon, balbutia la fillette.

— Oui, et je te félicite, ma chérie. Allons, ne pleure plus.

Elle serra la petite dans ses bras, réconfortée par son corps mince ainsi que son odeur de savon et de linge propre. Elle cajola également Vicente. Livide, Marie s'était assise.

— Excuse-moi de te dire ça, Abigaël, murmura-t-elle, mais Dieu soit loué, le loup est mort et enterré! Notre salut à tous en dépendait, il me semble.

Bouleversée et honteuse, la jeune fille baissa les yeux. Elle prenait conscience du côté égoïste et enfantin de son acte. «Je ne peux plus mettre en danger la vie de ma famille et de ces enfants, songea-t-elle. Je vais conduire Sauvageon à des kilomètres de la ferme et le libérer. Je donnerai comme prétexte une visite au château de Torsac, ou bien je partirai sans prévenir personne. Je vais l'attacher à un arbre dans les bois. Il va réussir à ronger sa corde et à reprendre son errance. Si, par malheur, il revient, je lui donnerai du poison.»

Des larmes de dépit et d'horreur coulèrent sur ses joues à cette perspective.

— Je t'en prie, tantine, j'ai besoin de prendre l'air, gémit-elle. Je vais faire un tour dehors. Je reviens vite.

— Ce n'est pas le moment, argua son oncle d'une voix rude.

— Laissez-la, Yvon, ça va lui redonner des couleurs, plaida Marie.

Dix minutes plus tard, sans attendre des nouvelles du professeur et de Patrick, Abigaël se dirigeait à travers champs vers la colline.

Lionel Dubreuil était déçu. Sa mauvaise humeur virait à la rage contenue, ce qui le rendait hargneux et encore plus autoritaire. Patrick Mousnier, hormis quelques précisions de son cru, avait appuyé les déclarations de sa famille.

— Ben oui, on a recueilli un chien-loup au début de l'hiver, une sale bestiole qui n'était pas toujours commode, avait-il dit aux miliciens. Moi, il me montrait les dents. Une fois, j'ai essayé de l'assommer parce qu'il me faisait peur. On ne le voit plus dans le coin.

Le professeur Hitier s'était senti soulagé d'un gros poids. De toute évidence, le fils du fermier voulait vraiment changer; il s'était rangé de leur côté. Dès qu'ils s'étaient retrouvés seuls dans la petite maison des falaises, Patrick avait expliqué:

— Béatrice a eu le temps de me raconter, pour Sauvageon, enfin, qu'il était à madame Claire Dumont et qu'il avait fallu le tuer. Et puis, quand j'étais sous les ordres de Dubreuil, il causait souvent du réseau Sirius. Même qu'il se vantait; il prétendait qu'il n'avait pas fini son boulot, qu'il devait aussi trouver Claire Roy et son loup.

— Je te félicite d'avoir si bien réagi et je te remercie, Patrick, avait gravement déclaré Hitier. Tu nous as sauvé la mise. Je le dirai à ton père.

Touché et flatté, le jeune homme avait poussé un grand soupir heureux. En revoyant le chef de la milice, ses traits anguleux et durs, son regard haineux, il avait été submergé par le remords et par les images odieuses qui le hantaient encore. Le professeur avait deviné son trouble et lui avait gentiment tapoté l'épaule. C'était bon d'être apaisé, de s'asseoir près de la cuisinière à bois, au chaud, de se promettre aussi de ne plus jamais céder à ses pires instincts.

Mais Dubreuil, pendant ce temps, ruminait sa déconvenue. Installé sur le siège du passager à l'avant de la lourde voiture noire dont disposait la milice, il hurlait presque des ordres au chauffeur, tout en scrutant les champs labourés, les prés et le pan de colline parsemé de petits chênes et de genévriers, qui s'élevait en pente douce vers le plateau de Soyaux. Soudain, il poussa un cri sourd et sortit précipitamment la paire de jumelles dont il se servait souvent.

— Bon sang, où va-t-elle? bougonna-t-il. On dirait qu'elle a le diable à ses trousses.

Il suivait des yeux une frêle silhouette féminine en veste de laine marron, un foulard sur les cheveux. Il avait reconnu la jeune fille de la ferme.

— Un rendez-vous amoureux, suggéra le plus jeune de ses hommes en riant tout bas.

— Juste après notre visite? Je crois qu'on s'est fichu de moi, gronda Dubreuil.

Chasseur depuis l'adolescence, le milicien était doté d'un instinct infaillible, d'où son insistance à observer Abigaël dans la cuisine, une demi-heure plus tôt. Il avait perçu sa peur et son envie de le fuir. S'il avait gardé le silence sur son impression, il s'était promis de revenir au Lion de Saint-Marc pour un autre face à face avec la nièce du fermier.

— Antoine, prends ce chemin, là, ordonna-t-il. Avance tant que c'est possible, mais pas question d'endommager la voiture.

— Capitaine, ça mène à l'espèce de bicoque où se planquaient le couple de résistants et la petite gosse, marmonna-t-il.

— Tu y étais? demanda Dubreuil d'un ton neutre.

— Oui, capitaine.

— Eh bien, répète-toi que, ce jour-là, tu as travaillé pour la France de demain, une France propre, nettoyée de sa vermine terroriste.

Le dénommé Antoine approuva d'un énergique signe de tête, même s'il avait mis des semaines avant de retrouver le sommeil après l'exécution de la fillette blonde.

— Je sais qu'il y avait une enfant, ajouta Dubreuil. Seulement, on lui a rendu service. Elle aurait fini par crever de faim dans un camp, au Vernet ou à Drancy. Arrête-toi là et coupe le moteur.

L'automobile peinait à gravir le chemin creusé d'ornières. Une fois qu'elle fut immobilisée, de la vapeur sortit du capot. Tous trois descendirent; le capitaine sortit son revolver de son étui et le garda à la main.

— Prenez vos fusils, murmura-t-il. Guide-nous, Antoine. Si mon idée est la bonne, on peut rapporter du gros gibier à la Gestapo.

Abigaël entra dans la masure en poussant les planches qu'elle avait dressées devant la porte en guise de barrière. Attaché par une corde à un pied du sommier éventré, Sauvageon bondit sur ses pattes. Il lança un bref hurlement, son regard ambré dirigé vers les arbres, le ciel et la liberté.

— Je suis désolée, dit-elle, des sanglots dans la voix, tu ne peux pas rester avec moi. Tiens, mange un peu.

Elle avait réussi à subtiliser un morceau de lard et du pain. Le loup se jeta sur la nourriture.

— Je dois t'emmener le plus loin possible d'ici, continua-t-elle dans un murmure. Je t'ai sauvé la vie, mais à quoi bon?

L'animal avait déjà englouti la viande. Elle le sentait nerveux, avide de mouvement. Sans un mot, cette fois, elle le détacha, ramassa le quignon de pain qu'il avait dédaigné et l'enfouit dans sa poche.

«Je ne serai pas de retour ce soir, peut-être demain soir. Ma pauvre tantine va encore s'inquiéter, mon oncle aussi. Tant pis, je n'ai pas le choix. C'est pour vous, Claire, tout ce que j'ai fait et ce que je veux faire encore, songeait-elle. Mais vous avez échappé au démon pétri de haine qui a détruit votre vie et votre chère maison, à celui qui a brisé votre amour.»

À la simple évocation du visage du chef de la milice, un frisson la parcourut. Ce terme de démon lui était venu à l'esprit pendant que Dubreuil la toisait de ses yeux froids, comme opaques, sans le moindre reflet d'une âme chrétienne.

— Dépêchons-nous, Sauvageon.

Le loup l'entraîna hors de la petite bâtisse avec une telle fougue qu'elle trébucha sur les planches.

— Doucement, enfin, se plaignit-elle, prête à le retenir de toutes ses forces.

Mais Sauvageon se figea brusquement et huma le vent. Abigaël vit les poils de son dos se hérisser. Elle pensa tout d'abord à la présence d'un chien ou d'un renard, puis il lui sembla entendre des bruits de pas dans les feuilles mortes. Le souffle coupé, elle n'osa plus bouger. Une galopade résonna et Dubreuil surgit au coin de la masure. Il braquait son arme sur elle.

— Alors, tu vas encore me raconter que tu n'as pas vu cette bête depuis trois mois? hurla-t-il. Et ne me débite pas d'âneries, ce n'est pas un chien! Je sais faire la différence!

Les deux autres miliciens firent glisser leur fusil de l'épaule. Abigaël fit un effort surhumain pour ne pas crier de terreur. Si elle cédait à la panique, elle était perdue. En apparence très calme, elle considéra le loup d'un œil triste. Il fallait ruser, jouer l'innocence pour protéger le réseau du professeur Hitier.

— Je vous demande pardon, monsieur, j'ai menti. Mais mon oncle, et surtout sa femme, ils m'avaient interdit de le garder. Je ne savais pas que c'était un loup ni qu'il appartenait à cette dame du moulin, je vous le jure. Il rôdait depuis deux semaines sous les falaises. Je lui ai porté à manger. Il est si gentil! Je suis sûre qu'il est revenu pour moi. Mais il n'aimait ni mon cousin Patrick ni ma tante.

Elle était convaincante en jeune fille effrayée désireuse de s'approprier un animal errant. Lionel Dubreuil baissa son revolver en plissant les paupières. L'histoire se tenait.

— Je dis la vérité, monsieur, insista Abigaël, tremblante. Je n'ai jamais pu avoir de chien. Je l'avais enfermé dans la cabane, là, et je venais le voir tous les jours. Il faut bien qu'il mange!

Durant ce court laps de temps, Sauvageon avait grogné sans cesse en exhibant des crocs de bonne taille.

— Tu n'auras plus à mentir ni à traîner dans les bois, ironisa Dubreuil, un mauvais sourire sur le visage. Antoine, assomme cette saleté de loup que je puisse l'examiner.

— Non! s'écria Abigaël. Je vous en prie, ne lui faites pas de mal!

— Pas de mal? tonna le milicien. Quand je lui brûlerai la cervelle, ça oui, il n'aura pas mal longtemps.

L'irrémédiable allait se produire, Abigaël le savait, mais elle ne pouvait pas l'accepter. Elle tomba à genoux et noua ses bras autour du cou de Sauvageon dans une tentative dérisoire pour le protéger.

Une amère réminiscence s'imposa à l'esprit retors de Dubreuil. Il revit une fillette brune d'une dizaine d'années qui l'affrontait vaillamment et lui signifiait de quitter la grotte aux fées où, il en était sûr, un louveteau s'était réfugié ce soir-là. Il avait tué la louve et blessé son petit. Il voulait toucher les primes versées par la mairie d'Angoulême, mais Ludivine Dumont lui barrait le passage en prétendant que le lieu était privé. Peu après, Jean Dumont avait surgi, vindicatif, pour l'insulter, l'humilier, le menacer et le frapper en pleine face. «Bon sang! ça m'a coûté deux dents et j'ai eu la mâchoire fêlée!» se souvint-il, submergé par une fureur rétrospective.

Il avait juré de se venger des gens du Moulin du Loup et, au long de ces quatre années de guerre, il s'était forgé une personnalité différente, surveillant son langage jadis grossier, se débarrassant de son accent paysan pour endosser l'uniforme de la gendarmerie. On l'avait engagé en mémoire des états de service de son grand-oncle, Aristide Dubreuil, le policier qui avait traqué le forçat Jean Dumont.

«Maintenant, j'ai la loi du plus fort avec moi, pensait-il, la loi des Boches, du gouvernement de Vichy. Dumont pourrit sous la terre, lui, et sa femme aussi, sans doute, peut-être même au fond d'une grotte comme une moins que rien.»

Claire Roy faisait partie des ennemis à abattre depuis qu'elle l'avait regardé d'un œil méprisant, juchée sur sa jument bai, au carrefour de la route de Ponriant et du moulin. Le loup la suivait, la jeune bête blessée qu'il n'avait pas pu achever.

— Antoine, s'égosilla-t-il, qu'est-ce que tu attends pour obéir?

Son subalterne se dirigea vers Abigaël et Sauvageon. Mal à l'aise, il constata que la fille et l'animal se trouvaient à l'endroit où l'enfant blonde s'était écroulée, touchée à la poitrine par une balle.

— Mademoiselle, levez-vous, dit-il assez bas.

Abigaël était consciente qu'elle avait intérêt à se montrer docile et, le cas échéant, à supplier encore. Il n'eût servi à rien de se révolter. Cela n'aurait pu que causer d'épouvantables ennuis à sa famille. Mais elle ne pouvait pas se résigner à livrer Sauvageon à Dubreuil. D'un geste discret, en faisant semblant de le caresser pour l'apaiser, car il grognait de plus en plus fort, elle défit la boucle du collier. Enfin, elle l'implora de s'enfuir en espérant contre toute logique qu'il recevait son message.

C'était sans compter l'impatience du chef de la milice. Irrité devant le manque de détermination d'Antoine, il le bouscula, attrapa vivement Abigaël par le bras et la mit debout sans ménagement. Elle serra les dents pour ne pas crier de douleur.

— Tu te lèves, quand on te le dit! éructa-t-il. J'en ai ma claque, de tes jérémiades!

Sauvageon poussa un terrible grognement et bondit sur Dubreuil, la gueule ouverte. Le troisième milicien se précipita et, de la crosse de son fusil, le frappa au milieu du crâne. Le loup retomba en arrière, étourdi.

Une immense colère eut alors raison des sages résolutions d'Abigaël. Une vague brûlante déferla en elle et la ravagea.

— Assassin, clama-t-elle. Vous n'êtes qu'un assassin, et vous autres aussi qui rampez devant lui.

Elle se débattit et griffa la main cramponnée à son bras. Furieux, Dubreuil la gifla à la volée quatre fois de suite. Prise de vertige, suffoquée, elle parvint à crier:

— Dieu m'est témoin que votre âme n'aura jamais de repos! Vous saccagez ce monde! Vous tuez sans pitié les enfants et les bêtes qui n'ont rien à voir avec votre maudite guerre!

— Lisez ça, capitaine, marmonna Antoine, le collier à la main. Il y a un nom gravé à l'envers du cuir: Moïse.

— Ah! j'avais raison! C'est le loup de Claire Roy.

— Et alors? dit Abigaël, les joues en feu et la tête lourde. Si sa maîtresse est morte, il est normal qu'il ait erré dans le pays. Qu'est-ce que j'ai fait de si grave en le nourrissant et en l'aimant? Je vous en prie, laissez-le tranquille.

— Embarquez-la dans la voiture, ordonna Dubreuil en guise de réponse. Moi, je m'occupe du loup.

Abigaël vivait un cauchemar. Les miliciens l'emmenaient. Ses pieds frôlaient à peine le sol, car ils avaient passé leur bras sous ses aisselles. Lorsqu'elle perçut un déclic métallique, elle ferma les yeux.

«Mon Dieu, Seigneur Jésus, vous, le Christ ressuscité, aidez-moi, aidez une de vos créatures innocentes!»

Une détonation retentit, brisant le silence des sous-bois. Des corneilles s'envolèrent dans un bruyant concert de battements d'ailes et de cris rauques. En larmes, déchirée par le chagrin et la souffrance, Abigaël sombra.

Elle sentit vaguement qu'on la faisait asseoir sur une banquette et qu'un moteur démarrait. Des portières claquèrent. La voix de Dubreuil lui parvint, étouffée.

— Vite, j'ai un rendez-vous en ville. Recule, Antoine. Et ne nous fiche pas dans le fossé.

«Un fou! Cet homme est fou! se dit Abigaël. Il a tué Sauvageon. Il pourrait me tuer, moi aussi»

12

Cauchemars éveillés

Ferme des Mousnier, sept heures du soir, même jour

Marie Monteil ne quittait pas l'appui de la fenêtre donnant sur le jardin. Elle attendait, le cœur lourd, le retour de sa nièce. Yvon et Jorge Pérez étaient à la traite. Elle avait pour unique compagnie Cécile et le petit Vic, qui s'amusaient avec le chaton blanc, âgé de neuf mois. L'animal avait presque atteint sa taille adulte, mais il restait très joueur et très câlin, surtout à l'égard de Grégoire.

Le garçon, pour l'instant, dormait toujours profondément à l'étage.

— Seigneur, où est Abigaël? murmura-t-elle, en proie à une terrible inquiétude.

Une fois de plus, elle soupçonnait la jeune fille d'être allée rejoindre Adrien dans une des grottes de la falaise au milieu de l'après-midi. Maintenant, elle en doutait et, envahie par un mauvais pressentiment, elle espérait même que c'était le cas.

— Si seulement je pouvais demander son avis au professeur! dit-elle tout haut.

— Vas-y, Marie, s'écria Cécile. Je peux m'occuper de Vic.

— Non, tu es gentille, mais je ne peux pas vous laisser, protesta-t-elle.

— Mais monsieur Yvon aura bientôt fini de traire les vaches. Si j'ai un souci, j'irai le chercher.

L'argument eut raison des réticences de Marie.

— D'accord! Tu es mignonne. Je me dépêche. Peut-être que je trouverai Abigaël là-bas.

Elle s'enveloppa d'un châle et sortit. Le soleil se couchait au bout de la vallée, dans une symphonie de teintes pourpres et or dont les reflets incendiaient une cohorte de nuages bas, ronds et duveteux.

«Que le monde est beau! se dit-elle. Pourquoi les hommes font-ils la guerre?»

Jacques Hitier fut stupéfait de la voir frapper au carreau de sa fenêtre. Il remarqua son expression angoissée et le désordre de sa coiffure d'ordinaire impeccable.

— Entrez vite, Marie! s'exclama-t-il en lui ouvrant la porte. L'air fraîchit, le soir, et vous n'êtes guère couverte.

— Oh! ça m'est égal! Abigaël est-elle chez vous? J'ai songé un instant que vous l'aviez envoyée en mission quelque part sans m'en informer.

— Non, je ne l'ai pas vue. Quand est-elle sortie?

— Un quart d'heure à peine après les miliciens et vous, contre les conseils d'Yvon et, hélas! avec ma permission.

Elle aperçut Patrick dans la chambre du rez-de-chaussée. Il était en bras de chemise, une carte topographique à la main.

— Je l'envoie rejoindre Béatrice, Lucas et Adrien là où ils se trouvent, expliqua le professeur.

— Abigaël connaît-elle l'endroit? s'affola-t-elle. Peut-être qu'elle a voulu rendre visite à ce garçon, celui dont elle est amoureuse.

— Impossible! trancha Hitier, l'air soucieux. Marie, il y a eu un coup de feu en début d'après-midi. Vous avez dû l'entendre, Yvon et vous?

Elle ouvrit de grands yeux effrayés. Patrick s'approcha et la salua d'un signe de tête.

— Bien sûr, nous l'avons entendu, les enfants et moi. J'ai cru que cela provenait de la centrale électrique, car les soldats allemands s'exercent au tir, certains jours.

— Qu'en pense Yvon?

— Il n'était pas là. Il réparait une stalle dans l'étable. Monsieur Pérez, lui, était dans le potager. Ils ne m'ont pas parlé avant d'aller traire les vaches. Jacques, qu'est-ce que vous avancez? On aurait tué ma nièce?

Livide, Marie regarda tour à tour Patrick et le professeur. Les poings serrés à la hauteur de sa poitrine, elle tremblait de tout son corps.

— Mais non, enfin, je n'ai jamais envisagé une chose pareille, ma pauvre amie, s'indigna Hitier.

— Alors, pourquoi me parler de ce coup de feu au moment précis où je vous dis que je m'inquiète de ma nièce? Avouez que vous faisiez le rapport! Seigneur tout-puissant, il est arrivé un malheur.

Les jambes coupées par la peur, elle chercha un appui. Soudain, ses joues se colorèrent et elle se jeta sur le professeur pour le secouer par le col de sa grosse veste en lainage.

— C'est votre faute! Vous vous êtes servi d'elle, de sa jeunesse, de sa naïveté, de sa foi en votre combat! Un combat inutile, mon Dieu! Ne vaut-il pas mieux courber le dos, survivre à l'abri des conflits, des exécutions, de la mort? Vous aspirez à quelle gloire posthume en résistant à nos ennemis? La France est occupée et vaincue. Il serait plus prudent de se résigner. Les Allemands et les miliciens sont plus forts que nous; ils ont des armes, ils peuvent disposer de nos vies à leur guise. Si je perds Abigaël à cause de votre lutte stupide, je vous maudirai, Jacques!

Il reçut la menace en plein cœur, si bien qu'il recula d'un pas, désemparé devant cette femme au bord de la crise de nerfs.

— Calmez-vous donc, intervint Patrick. Monsieur Hitier n'y est pour rien si Abigaël vadrouille à son idée. Elle doit déjà être rentrée à la ferme.

— Toi, je t'interdis de prononcer un mot sur ma nièce, hurla Marie. Jacques, ce vaurien est-il resté sans cesse sous vos yeux? Qui sait, il a pu terminer ce qu'il a commencé cet hiver, s'en prendre à ma petite et la déshonorer!

Les images que lui suscitait sa propre suggestion terrassèrent Marie. Elle poussa une plainte et éclata en sanglots.

— Madame, je n'ai pas mis un pied dehors, s'insurgea Patrick. Le prof pourra vous le dire. Hein, prof?

— Il dit la vérité, confirma Hitier en se précipitant pour prendre Marie par les épaules et la faire asseoir.

— Donne-moi la bouteille d'eau-de-vie, Patrick, ordonna-t-il d'un ton navré.

L'alcool fut salutaire. Marie n'en buvait jamais. Elle ressentit un choc au creux de l'estomac et ses larmes s'apaisèrent.

— Venez, je vous raccompagne, déclara le professeur. Ainsi, nous saurons si Abigaël est de retour et nous en discuterons avec Yvon. Allons, n'imaginez pas le pire.

Peu après, ils marchaient tous les deux sur le chemin; Hitier soutenait Marie par la taille. Dans son désarroi, elle appréciait le contact de son bras d'homme au milieu de son dos et la pression de ses doigts pour le cas où elle trébucherait. Il lui parlait tout bas gentiment.

— Vous êtes très nerveuse, en ce moment, ma chère amie, ma si chère amie. Même si elle s'éloigne, Abigaël ne court pas de danger. Je l'ai sentie perturbée, lors de la visite de Dubreuil. Elle avait sans doute besoin de faire une longue balade. Voyez, la nuit tombe. Votre nièce ne tardera plus.

— Justement, Jacques, elle était plus que perturbée. J'ai lu de la terreur dans son regard lorsqu'elle était confrontée à cet homme abject. Elle semblait privée de volonté, de sa détermination habituelle à affronter les difficultés.

— Abigaël a réagi ainsi à cause de l'exécution dont elle a été témoin, un crime orchestré par ce salaud. Nous avons eu de la chance qu'il reparte sans avoir la moindre preuve contre nous. Je n'en menais pas large, moi non plus, Marie. Ce genre de type peut décider d'abattre un suspect s'il estime qu'il ment ou qu'il ruse afin de le tromper.

Marie se serra davantage contre le professeur. Elle scruta ses traits en s'écriant:

— Mais il y a encore des lois, dans ce pays! Même les officiers allemands se basent sur des faits accomplis pour condamner un terroriste ou un maquisard.

— Je me demande si Dubreuil n'abuse pas de sa position dans la milice, avoua Hitier. Il est évident qu'il règle ses comptes. Il n'est pas le seul à se conduire ainsi. On m'a raconté des actes odieux commis sur la foi de simples commérages des uns et des autres.

— Je voudrais que la guerre soit finie! Je voudrais vivre en paix, gémit Marie en appuyant son front contre la joue du professeur.

Bouleversé, il se tourna un peu. Leurs lèvres s'effleurèrent, un contact comme accidentel qui ne dura même pas trois secondes.

— Excusez-moi, dit-il aussitôt.

— Je suis confuse, murmura-t-elle.

Ils arrivaient devant la grande cour de la ferme. Le vaste bâtiment qui servait d'étable, de grange et de bergerie était fermé. Marie aperçut Jorge Pérez qui longeait l'enclos du poulailler, un seau à la main.

— Tout semble si tranquille! soupira-t-elle.

Ils trouvèrent Yvon Mousnier assis au coin de la cheminée, le petit Vic sur ses genoux. Cécile avait déjà mis le couvert.

— Tiens, prof, ça fait la troisième visite aujourd'hui. Rien de neuf?

— Abigaël est-elle là? interrogea Marie d'une voix faible.

— Non.

— Elle a pu monter dans sa chambre, supposa Hitier.

— Je l'aurais vue passer, quand même, affirma Cécile. Pourtant, il fait nuit. Elle devrait se dépêcher.

Le fermier adressa un coup d'œil perplexe au professeur Hitier qui osait à peine regarder Marie, reprise de tremblements.

— Abigaël a disparu, dit sa tante. Je vous en prie, il faut se mettre à sa recherche. Si elle a grimpé en haut des falaises, elle a pu tomber et se casser un membre!

— Bon sang de bois! tonna Yvon. Elle appellerait au secours, si c'était ça.

— Sauf si elle a une fracture du crâne, renchérit Marie, le teint blafard. Pitié, Yvon, faites quelque chose, explorez les environs de la ferme avec monsieur Pérez... et votre fils s'il le faut. Vous avez une lampe à pile et des lanternes!

Pelotonnée dans son châle et les yeux noyés de larmes, elle offrait l'image d'une détresse immense.

— Vous en faites une tragédie, Marie, s'emporta le fermier, mais il fallait m'écouter et l'empêcher de sortir d'ici.

Submergé par l'inquiétude et la contrariété, il tapa du poing sur la table. «Ces fumiers de miliciens l'ont peut-être guettée pour prendre du bon temps avec elle… songea-t-il un instant. Mais, non, ils ne peuvent pas tout s'autoriser. Ou bien Dubreuil nous a menés en bateau et il nous soupçonne.»

Yvon évoqua Béatrice, sa fille aînée qu'il chérissait. Elle pouvait se retrouver dans les griffes de la milice ou de la Gestapo et payer cher son engagement.

— On y va, résolut-il soudain. Si Abigaël arrivait entre-temps, placez une lanterne à la fenêtre du palier. On la verra depuis la colline et les falaises.

— Passe avertir Patrick, Yvon, recommanda Hitier. Il peut se rendre très utile. Il connaît mieux le terrain que Pérez. Traite-le comme un de mes gars, nous n'avons pas le choix. Moi, je reste là. Marie, je ne vous quitte pas.

———

Angoulême, local de la milice, même soir, même heure

Abigaël était enfermée dans une petite pièce munie d'une étroite fenêtre à barreaux qui servait de cellule provisoire aux miliciens. La porte disposait d'un guichet vitré par lequel la jeune fille apercevait parfois la silhouette vêtue de noir d'un des hommes préposés à sa surveillance.

Assise sur un banc, elle n'avait pas bougé depuis qu'on l'avait enfermée là sans une explication. Elle était incapable de pleurer ou de protester, hantée par la gravité de sa faute. Les mêmes pensées tournaient dans son esprit, harassantes, obsédantes.

«J'ai désobéi au professeur et à Marie de Martignac pour sauver Sauvageon. Il est mort quand même et, à

345

présent, que va-t-il se passer? Dubreuil a dû retourner à la ferme interroger tantine et mon oncle. Ils seront arrêtés par ma faute.»

Elle avait la bouche sèche; elle souffrait de la faim et de la soif, mais elle ne songeait pas à réclamer à boire ou à manger. Consciente d'avoir trahi, de s'être comportée de façon puérile, elle aurait voulu tout endosser et attirer les représailles sur elle seule.

Peut-être aurait-elle été rassurée de savoir que Lionel Dubreuil se préparait à dîner dans un des meilleurs restaurants de la haute ville en compagnie de sa maîtresse Sylviane et de trois officiers allemands.

«Tantine doit être malade d'inquiétude, se dit-elle. Au fond, ça ne change rien. Si j'étais partie avec Sauvageon aussi loin qu'il le fallait, je ne serais pas de retour à la maison.»

Le bruit d'une clef qu'on glissait dans la serrure la fit sursauter. Le dénommé Antoine entra et alluma le plafonnier.

— Je vous apporte de l'eau, marmonna-t-il.

— Merci.

— La nourriture, c'est défendu, ajouta-t-il, gêné.

— Je n'en ai pas besoin, monsieur.

Une main serrée autour de sa médaille de baptême, elle ne lui accorda pas un regard.

Le milicien sortit, impressionné de la voir aussi calme et digne. Abigaël l'entendit frotter une allumette, puis elle perçut une odeur de fumée de cigarette. Un autre militaire devait se tenir dans la pièce voisine, car elle entendit qu'on discutait à voix basse. Elle tendit l'oreille afin d'essayer de saisir des bribes de la conversation.

— Tu me diras ce que tu veux, cette histoire de loup, ça m'a paru louche, disait Antoine à son acolyte, Marcel. Enfin, à mon avis, ça ne tient pas debout.

— Pourquoi? La bête appartenait à la femme de Jean Dumont, le capitaine en est sûr.

— Et alors? Le réseau Sirius a été détruit l'été dernier. La fille dit forcément la vérité. L'animal rôdait dans la région. Comme il était apprivoisé, elle a pu le prendre pour un chien-loup. Toi, tu en as déjà vu, de vrais loups?

— Non, mais je fais confiance au capitaine. Fais gaffe, mon vieux, tu n'étais pas performant, aujourd'hui.

— Bah, ça m'a remué les tripes de retourner là-bas. Si tu avais vu la gamine mourir, la poitrine pleine de sang, tu ferais moins le malin.

Abigaël tressaillit. Elle était si silencieuse qu'elle entendait la majorité des mots, malgré les intonations qui baissaient en fin de phrase.

— Tiens, je me demande ce que le chef va en faire, de cette fille, reprit Antoine plus fort. Il n'a aucune raison de la garder.

— Elle l'a insulté et lui a menti. Bon, de toute façon, ce ne sont pas nos affaires. Viens, on ferait mieux de casser la croûte.

Ils s'éloignèrent. Abigaël fixa avec envie la carafe d'eau, mais elle préférait éviter de boire. Un souci tout naturel la tourmentait, qui risquerait de s'aggraver.

«Jamais je ne pourrai demander à aller aux toilettes, ça jamais. J'aurais trop honte. Il n'y a même pas de seau et je suis là depuis des heures! Pourquoi ne m'ont-ils pas envoyée dans une vraie prison?»

Mal à l'aise, elle luttait contre son corps, en plus d'éprouver un chagrin infini en songeant à la mort de Sauvageon. Elle n'avait pas tenu la promesse muette faite à Claire. Pire encore, elle venait de provoquer une catastrophe. Tremblante, elle imagina des scènes épouvantables, Yvon fusillé, le professeur torturé...

«Non, ça ne se produira pas. Je ferai l'impossible pour convaincre Dubreuil que ma famille ignorait tout du loup.»

Elle ferma les yeux et reprit la maîtrise de ses nerfs grâce à la prière. Deux heures s'écoulèrent ainsi.

—

Vallée de l'Anguienne, même soir

Yvon, Jorge Pérez et Patrick arpentaient le bas des falaises, les prés autour de la ferme et les sentiers menant vers les collines. Ils appelaient à tour de rôle la jeune fille, sans jamais obtenir de réponse.

— Bon sang de bois, ça fait presque deux heures qu'on cherche! gronda le fermier. Si vous voulez mon avis, Abigaël est loin d'ici, ou alors…

— Vous croyez qu'il lui est arrivé malheur, patron? demanda le réfugié espagnol en se signant.

Pérez usait et abusait de ce terme de patron. D'ordinaire, Yvon s'en plaignait, mais, là, il n'y prêta aucune attention.

— J'en sais fichtre rien!

— J'vous dis qu'elle a essayé de rejoindre son amoureux, affirma Patrick.

— Tais-toi, crétin! glapit son père. On continue tant que la pile éclaire assez. Pérez, éteins ta lanterne pour le moment. On va grimper dans le bois d'en face. Faut économiser le pétrole. J'aurai du mal à me réapprovisionner.

Les trois hommes traversèrent en file indienne un champ labouré, jusqu'à la pente douce faisant face aux falaises. Ils firent fuir un chevreuil.

— Il surveille mon blé, misère! ronchonna Yvon. Tu parles d'une engeance!

— Papa, s'écria soudain Patrick, d'accord, je suis un crétin, mais pourquoi tu me crois pas? Le prof allait m'envoyer à la planque de Ronsenac. Il m'a indiqué le chemin. Je devrais partir tout de suite. Je parie que je trouverai Abigaël là-bas, avec Adrien.

Le fermier s'arrêta net et braqua sa lampe sur le visage de son fils.

— Abigaël est une fille sérieuse et raisonnable. Si elle avait décidé d'aller retrouver Adrien, elle nous aurait prévenus et surtout, triple crétin, elle aurait eu besoin de connaître le lieu exact de leur planque. Il y a eu autre chose.

— Le coup de feu? interrogea Patrick. Tu n'as pas osé dire à madame Marie que tu l'avais entendu?

— On ne s'est pas trop posé de questions, expliqua Jorge Pérez. Les soldats de la centrale ont tiré sur des lapins, avant-hier.

— Ouais, le coup de feu, approuva Yvon. Ça m'a intrigué, mais de là à penser que... qu'on aurait abattu ma nièce, non, je ne peux pas le croire. Ni les Boches du coin ni les miliciens, qui étaient repartis.

En pleine confusion, le fermier poussa un cri de rage et s'élança à travers les arbres. Il redoutait à un point tel de découvrir le corps sans vie de la jeune fille qu'un étau broyait sa gorge et sa poitrine.

— Si c'est ça, si c'est ça! répétait-il.

— Arrêtez, cria soudain Patrick.

— Quoi, que se passe-t-il donc? dit son père.

— Un gémissement, de ce côté!

Il se rua dans la direction de la plainte, mais Yvon le bouscula et le repoussa du coude.

— Laisse-moi y aller seul, rugit-il. Si c'est elle, je veux être seul.

Pérez et Patrick le virent disparaître parmi les taillis de ronces d'où des genévriers émergeaient par place. D'une main, il brassait la végétation avec la hargne d'un sanglier pourchassé. Enfin, il lança un bref appel:

— Venez vite!

Quand ils arrivèrent près de lui, Yvon se penchait sur un animal à l'agonie, le flanc ensanglanté. Son poil gris et beige était maculé de terre; sa gueule béait et ses yeux étaient voilés par l'approche de la mort.

— Un chien errant, supposa Jorge Pérez, désemparé. Il faut l'achever. La pauvre bête souffre.

— Le loup de Claire Roy, articula lentement le fermier. Abigaël ne s'est pas résignée à le tuer. Elle l'a ramené ici. Mais où est-elle?

Dépité, Patrick observait Sauvageon. Il le revit les crocs en avant, hérissé, quand il cherchait querelle à Abigaël.

— Il est dans un sale état, papa. Sûr, autant l'achever. Monsieur Pérez a raison.

— Je peux m'en occuper, patron, dit l'Espagnol. Il y a une grosse pierre, là, je lui brise le crâne et…

— Fichez-moi la paix, le coupa Yvon. Je ne sais pas ce qui s'est passé dans le coin, mais le sort qu'on a fait subir au loup a un rapport avec la disparition de la petite. Si Dubreuil s'est attardé, s'il les a vus tous les deux… Bon, aidez-moi, on va ramener le loup à la ferme. Il a peut-être une chance de s'en sortir. Donne ta veste, Patrick.

— Mais tu vas la salir!

— Donne, insista le fermier en ôtant sa propre veste. On pourra le transporter, en nouant les manches, ça fera une sorte de brancard.

Il semblait si déterminé que son fils céda. Sidéré, Jorge Pérez se contenta d'éclairer la manœuvre tout en marmonnant:

— Il sera mort avant qu'on arrive, votre loup.

Mais rien ne pouvait fléchir la volonté d'Yvon Mousnier. Il avait pris cette décision pour Abigaël, et aussi pour Claire Roy, qu'il admirait, écolier, sur la place de Puymoyen.

— C'était une idiotie de supprimer cet animal, maugréa-t-il. Alors, je tente le tout pour le tout. Il faut avoir vu ma nièce se coucher près de lui sur le sol de la cuisine et le veiller une nuit entière quand il était blessé. Hé! c'est toi, jeune crétin, qui l'avais esquinté, Sauvageon, qui l'avais frappé alors qu'il était attaché! Et tu avais essayé de lui faire avaler du poison.

Patrick faillit lâcher l'assemblage de vêtements sur lequel son père allongeait le loup.

— J'ai eu tort, papa. Je te jure que, maintenant, j'ai des remords. Le professeur m'a expliqué plein de choses.

— Tais-toi et dépêchons-nous. Chaque minute compte. J'espère que Marie va vouloir m'aider à le soigner.

L'insolite cortège se mit en route.

—

Angoulême, local de la milice, deux heures plus tard

Repu et un peu ivre, Lionel Dubreuil venait de pénétrer dans son bureau. Il était d'excellente humeur. La bête qu'il avait blessée quatre ans auparavant était morte et sa maîtresse lui avait fait dans la pénombre de la voiture ce qu'il appelait une agréable faveur. Comble de satisfaction, il allait s'amuser à terroriser la fille du Lion de Saint-Marc. Peu importait, au fond, qu'elle ait dit la vérité ou non. Elle devait recevoir une leçon.

Il se dirigeait vers la porte de la cellule lorsqu'il vit Abigaël dans le couloir, escortée par Antoine.

— Qu'est-ce que ça signifie? hurla-t-il immédiatement.

— Je l'ai conduite aux W.-C., capitaine, plaida le milicien.

— Et quoi, encore? Tu lui as apporté un repas chaud, aussi? Nom d'un chien, fallait la laisser mariner, qu'elle se pisse dessus!

La grossièreté de Dubreuil et son rictus furibond firent rougir Abigaël. Elle fut secouée d'un frisson nerveux, reprise par la peur que lui inspirait cet homme au regard froid, comme vide du moindre sentiment.

— Je suis désolé, capitaine, vous ne m'aviez rien dit à ce sujet.

Le chef de la milice haussa les épaules. Il attrapa la jeune fille par le bras et l'entraîna dans son bureau, dont il claqua la porte violemment. Là, il s'assit au bord de la table et ôta son béret orné de galons blancs. D'une main, il tapota l'étui de son revolver.

— Où est Claire Dumont? demanda-t-il. Tu as intérêt à parler. Je sais que tu étais en relation avec elle.

— Non, monsieur, je n'ai jamais rencontré cette dame, affirma-t-elle d'une petite voix.

— Où se planque-t-elle? Si tu mens encore une fois, si tu joues la maligne, demain matin, tous ceux de la ferme seront fusillés, à commencer par les deux gamins.

Abigaël devint livide. Ses jambes la soutenaient à peine. Elle regarda Dubreuil droit dans les yeux en prenant l'air le plus innocent du monde.

— Monsieur, vous ne pouvez pas faire ça à cause de moi. J'ai désobéi en gardant cet animal. Je ne peux rien avouer d'autre. Tout s'est passé comme je vous l'ai raconté. Le loup, puisque vous pensez que c'est un loup, faisait des dégâts au début de l'hiver. Un soir, il rôdait autour du poulailler. Je l'ai observé et j'ai constaté qu'il avait un collier. J'ai cru que c'était un chien, un berger allemand échappé de la feldkommandantur. Mon oncle livre des œufs et du beurre à Ortebise. Il m'avait dit que les Allemands avaient des chiens qui ressemblaient à des loups. Ensuite, toute la famille m'a reproché d'avoir attiré cette bête. Mais, quand il est revenu il y a quelques jours, j'étais contente. Je lui ai donné à manger. Monsieur, ayez pitié, vous pouvez avoir confiance en moi! Je me destine au couvent, je suis très pieuse et jamais je ne mettrais en danger la vie des enfants et de mes parents si je pouvais vous dire ce que vous attendez. Hélas, j'ignore où est la dame en question.

Il était difficile de douter de la bonne foi d'Abigaël, pâle, toute tremblante, le regard noyé de larmes.

Dubreuil demeura silencieux. Il était contrarié, horripilé même, car n'importe qui aurait accepté ces explications, à sa place. Au fond de lui, il avait la certitude que Claire Roy-Dumont était morte, sûrement des suites d'une grave blessure, la fusillade du Moulin du Loup ayant été fournie et dévastatrice. Un de ses hommes affirmait qu'il avait vu, sous le cadavre de Jean Dumont, le corps ensanglanté de son épouse. Mais ce corps sans vie avait disparu par la suite et ce détail d'importance le taraudait depuis des mois.

— Tu me prends pour un imbécile, rugit-il en saisissant Abigaël d'une poigne de fer. Je ne suis pas du genre à me laisser attendrir ou embobiner!

Il se mit derrière elle, une grimace de fureur sur le visage. Là, il lui tordit le bras droit avec violence en le plaquant dans son dos. De l'autre main, il attrapa le flot de ses cheveux et tira de toutes ses forces. La douleur suffoqua la jeune fille. Cependant, elle ne poussa pas une plainte. Seules de grosses larmes roulèrent le long de son nez.

— Parle! Qu'est-ce que tu sais sur cette catin de Claire Roy? hurla-t-il. Crache le morceau, sinon…

Il la lâcha brusquement. Elle tituba et heurta l'armoire métallique qui se trouvait à proximité. Dubreuil prit une cigarette, l'œil allumé par le désir de faire souffrir. Il n'hésitait jamais à employer les méthodes de la Gestapo.

— Monsieur, ayez pitié, je ne sais rien, s'écria Abigaël quand elle le vit s'approcher. Emmenez-moi devant un officier allemand. Je suis prête à lui raconter comment j'ai trouvé le loup.

Elle était toute disposée à prendre ce risque. L'homme aspirait à se venger de Jean et de Claire, c'était inscrit sur son faciès haineux. Elle était certaine qu'il agissait dans son unique intérêt.

— L'armée allemande a d'autres chats à fouetter! cracha-t-il.

Une expression animait enfin son regard opaque. De toute évidence, il anticipait le plaisir de torturer, de plier un être à sa volonté. Abigaël sentit la chaleur de la cigarette incandescente qu'il promenait sur sa peau au niveau du front, du menton et des joues.

— Vous voulez que je vous dise un mensonge par peur d'être brûlée? dit-elle. Je ne peux pas inventer, pourtant!

Furieux, Dubreuil perdit toute maîtrise de lui-même. Les mâchoires crispées, il appuya le bout orangé du mégot sous l'oreille droite d'Abigaël, là où la chair du cou était nacrée et d'une douceur de soie. Elle émit une plainte déchirante, tandis qu'un brouillard rouge voilait ses yeux. Malgré l'âpreté cuisante de la blessure, elle resta lucide et se contenta de reculer, comme pour fuir son bourreau.

— Je peux recommencer, déclara-t-il, mais sur ton joli minois.

— Faites ce que vous voulez, répliqua-t-elle, ça ne changera rien. J'ai dit la vérité.

Abigaël ne saurait jamais ce qui aurait pu se produire ensuite. On frappa deux coups énergiques à la porte du bureau. Sur la réponse de Dubreuil, trois miliciens entrèrent, le fusil à l'épaule.

— Capitaine, on vient de recevoir un appel. Il faut filer à Ruelle. Le colonel Kornberg vous demande d'intervenir là-bas, et vite.

— On y va, s'exclama-t-il. Marcel, Antoine, vous me suivez. Vincent, Henri, vous m'enfermez cette fille, sans lui donner ni à boire ni à manger.

Dubreuil s'était rué dans le couloir. Il s'adressait à deux jeunes recrues de la milice en qui il n'avait guère confiance pour une intervention sur le terrain. C'étaient des voyous d'un faubourg d'Angoulême en quête d'un statut avantageux, fiers de disposer d'une arme et de porter un uniforme. Il leur fit un clin d'œil significatif, un message qu'ils comprirent aussitôt.

En quelques minutes, après un remue-ménage bruyant ponctué d'ordres et d'éclats de voix, le local fut déserté. Il n'y resta que les deux gardiens. De plus loin, Abigaël percevait une rumeur confuse; d'autres militaires se trouvaient sur les lieux, dans une pièce éloignée de celle où elle se trouvait.

—

Ferme des Mousnier, une heure plus tard

Yvon Mousnier observait le loup. Il l'avait allongé sur une couverture dans le salon de la ferme, à même le parquet. La pièce ne servait jamais, sauf lorsque Pélagie recevait sa sœur durant l'été. L'ordre y régnait, ainsi qu'une tenace odeur de renfermé. Sous la faible lumière du plafonnier, Sauvageon offrait un aspect pitoyable. Marie Monteil elle-même en concevait de la compassion. Quant au professeur, il ne décolérait pas.

— Je suis très déçu! Abigaël nous a trahis, tous. Moi qui ne la pensais pas capable de mentir! Son acte est grave, regrettable. Je n'aurai plus confiance en elle.

— Bon sang, il faut la comprendre, prof, marmonna Yvon. Elle tenait à cette pauvre bête. Elle a fait ça en pensant à madame Claire, bien sûr.

— Pour quel résultat? gronda Hitier. Elle s'est volatilisée, on se demande quand et comment. Si Dubreuil l'a surprise et arrêtée, ce qui est fort possible, nous sommes tous en danger.

— Jacques, vous croyez vraiment que les miliciens l'ont emmenée? s'affola Marie.

Elle tremblait, les poings serrés, le regard dilaté par l'angoisse.

— Nous le saurons au retour de Patrick, répondit-il d'un ton radouci.

Yvon avait envoyé son fils chez un de leurs contacts de la rue de la Tourgarnier qui surveillait les allées et venues du moindre véhicule. Ils avaient une petite chance d'obtenir le renseignement souhaité, si toutefois l'homme en question était à son poste et si la voiture des miliciens avait bien emprunté l'itinéraire le plus habituel.

— En règle générale, précisa Hitier, pour rejoindre la place du Champ-de-Mars depuis la vallée de l'Anguienne, on passe par cette rue-là. Attendons encore. Maintenant, Yvon, achève ce malheureux loup. Abigaël lui a sauvé la vie mardi, mais elle a eu tort, car il aurait moins souffert si elle l'avait empoisonné comme prévu. La balle a fait de gros dégâts.

Marie recula, livide. Elle ne pouvait songer qu'à sa nièce, livrée dans le pire des cas à un individu hargneux, rongé par la haine et le besoin de détruire. «Seigneur, faites qu'elle soit dans les bras de son Adrien, pria-t-elle en silence, qu'on ne lui fasse aucun mal!»

— Venez, Marie, dit alors le professeur. Yvon va porter le loup dehors.

— Mon Dieu, comment allez-vous le tuer? s'inquiéta-t-elle.

— Le mieux serait de lui trancher la carotide, rétorqua le fermier, mais je ne le ferai pas. Je vous ai toujours obéi, prof, mais, là, je ne suis pas d'accord. Je n'aurais pas ramené Sauvageon ici si j'avais décidé de finir la besogne du salaud qui lui a tiré dessus à bout portant ou presque. Je veux essayer de le soigner, et vous pouvez m'aider, Marie. Si la balle avait touché un organe vital, il serait déjà mort. Il est très faible à cause du sang qu'il a perdu.

— Je m'y oppose, Yvon, protesta le professeur sèchement. S'il survit, le problème sera le même. Personne ne pourra le garder, ni Abigaël, ni toi, ni moi.

— Moi, je mettrais ma main au feu que Dubreuil le croit mort. Il ne reviendra pas fouiner, sauf si…

— Sauf s'il a réussi à faire parler Abigaël, conclut Hitier.

— De toute façon, je vais vous dire une chose, prof. Dubreuil ne vivra pas assez longtemps pour nous faire du mal. On a préparé un plan, vous et moi. Ce type, je vais le saccager dès que je le tiendrai, surtout s'il a osé toucher à un cheveu de ma nièce, de la fille de mon Pierrot.

Marie fondit en larmes. Néanmoins, elle se rapprocha du loup.

— Pendant l'exode, j'ai pansé beaucoup de gens blessés par balle, dit-elle d'une voix nette. Je ne suis pas guérisseuse, hélas! mais j'ai quelques notions de premiers soins. Jacques, je vous en supplie, laissez-nous tenter de sauver cet animal. Abigaël n'aurait pas dû vous tromper ainsi, j'en suis consciente. Seulement, c'est encore une enfant par certains côtés. Je prie le Seigneur de l'épargner. Je ne veux pas imaginer un instant qu'elle est sous la coupe de ce milicien, mais, si c'est le cas, comment sacrifier Sauvageon? Elle doit le retrouver à son retour. Dites oui, Jacques, soyez bon!

Il lut une ferveur passionnée au fond de son regard clair, accompagnée d'une sorte de promesse tacite.

— Après tout, faites à votre idée, concéda-t-il en levant les bras au ciel. Je ne cours guère de risque, je vois bien qu'il agonise.

— Merci, Marie, murmura Yvon. Allons-y. De quoi avez-vous besoin?

— D'eau chaude, d'alcool, de teinture d'iode, de bandes de linge et d'une ficelle solide!

— Une ficelle?

— Oui. Si jamais il a un sursaut d'énergie et qu'il veut mordre pendant que je le soignerai... Autant lui garrotter le museau.

— Et l'empêcher de respirer? Non. Tranquillisez-vous, il n'est pas capable de mordre qui que ce soit.

Le professeur Hitier, de très mauvaise humeur, s'était installé dans la cuisine, au coin du feu. Les enfants étaient couchés. Afin de se rendre utile, Jorge Pérez finissait de rincer la vaisselle abandonnée par Marie. Il engagea la conversation, soucieux de détendre l'atmosphère.

— Quelle journée, hein, monsieur! Enfin, madame Marie était soulagée quand Grégoire s'est réveillé. Il a pu avaler un bol de soupe. Ensuite, il a à nouveau réclamé son lit.

— Oui, oui...

— J'espère que mademoiselle Abigaël va rentrer... La pauvre bête, comment va-t-elle?

— Elle n'en a plus pour longtemps.

— Ah!… Alors, c'est un loup? Un vrai loup?

— Rien de plus vrai. Dites donc, Pérez, ne vous fatiguez pas, je n'ai pas l'esprit à converser.

Un bruit de serrure dans le vestibule leur fit tourner la tête. Patrick entra en trombe, le teint coloré à cause de son expédition en vélo.

— Prof, j'ai pu causer à m'sieur Henri. Il a vu passer la voiture en début d'après-midi. Il l'a reconnue. Dubreuil était à l'avant, mais il ne conduisait pas. Je suis désolé de vous dire ça, mais il y avait bien une fille à l'arrière, jeune et jolie. C'est sûrement Abigaël!

— C'est une catastrophe! Elle est tombée entre les griffes de cet enragé. Il en fera ce qu'il veut, mais il n'osera pas la livrer à la Gestapo, même s'il l'a trouvée avec Sauvageon. Maintenant, il faut annoncer la mauvaise nouvelle à sa tante. Merci, mon gars! Bois un coup. Tu n'es pas près de te coucher.

— Je ferai ce que vous me demanderez, prof, affirma Patrick.

— Mange un morceau. Je voudrais que tu ailles à Ronsenac. Il faut prévenir Béatrice de ce malheur.

— Mais si Adrien apprend qu'elle est arrêtée?

— Arrange-toi pour ne parler qu'à ta sœur. Tu as compris? Et qu'elle revienne avant l'aube avec toi.

— Entendu, prof!

Alertée par l'écho de leur discussion, Marie se rua dans la cuisine. Elle avait les mains rougies par le sang du loup et elle tenait un linge entre les doigts.

— Alors? interrogea-t-elle, le visage crispé.

— Je suis navré, souffla le professeur en la rejoignant. Abigaël a bien été emmenée en ville par Dubreuil et ses acolytes.

— Vous êtes navré! C'est tout ce que vous avez à dire? Mon Dieu, Jacques, j'espérais plus de sollicitude de votre part. Ma petite chérie si fragile! Cet homme la terrifiait. Elle a dû sentir qu'il lui ferait du mal, qu'il était une menace.

— Je suis sincèrement désolé, Marie, insista Hitier, l'air accablé, mais Abigaël ne serait pas dans cette situation si elle avait respecté l'ordre qu'on lui avait donné. Bien sûr, nous allons chercher un moyen de la libérer. J'ai quelques relations. Je vais les contacter demain.

— Demain? Ah non! nous devons agir immédiatement! cria-t-elle. Je n'abandonnerai pas ma nièce. Je vais prendre le vélo et monter en ville. Je ferai un tel tapage à la porte des miliciens qu'ils seront obligés de m'écouter, de me laisser voir Abigaël. Je m'accuserai à sa place, s'il le faut, j'inventerai une histoire, que j'étais amie avec Claire Roy.

Marie parlait fort en gesticulant, la respiration sifflante. Elle se tut le temps de se laver les avant-bras et les mains.

— Si personne n'a le courage d'aller la délivrer, j'y vais, voilà! J'irai seule et je ne reviendrai pas ici. Nous quitterons le pays, ma petite et moi. Nous n'aurons que du malheur, si nous restons encore.

Yvon apparut à son tour. Il constata l'état d'exaltation morbide de Marie et l'expression pathétique du professeur qui courbait le dos, envahi par une profonde lassitude.

— Dubreuil détient la petite, c'est ça? s'exclama-t-il. Bon sang de bois! Misère de nous! Du cran, Marie, ça va s'arranger!

— Et comment? demanda-t-elle en claquant des dents.

— Si la milice débarque demain matin, ça voudra dire qu'Abigaël a parlé, insinua Patrick. Je l'ai vu à l'œuvre, le capitaine. Je crois qu'il est à moitié fêlé, oui...

— Je la connais, ma petite chérie. Elle est plus courageuse que nous tous. Jamais elle ne vous trahirait, surtout qu'elle se sait responsable de ce qui arrive, plaida Marie. Oh! je devine ce que vous pensez, Jacques. Vous vous dites qu'elle a déjà trahi, mais c'était différent. Elle voulait sauver une vie, une créature de Dieu, un ami à ses yeux, une bête qui l'a défendue contre toi, Patrick. Pour cette raison, je prierai le Seigneur de le garder en vie, car les animaux ont le cœur plus pur que certains humains.

Essoufflée, elle se tourna vers Yvon.

— J'ai décidé d'aller en ville exiger la libération d'Abigaël… à n'importe quel prix!

— Ne faites pas une sottise pareille, conseilla le fermier. Nous aviserons à l'aube. D'ici là, nous veillerons Sauvageon à tour de rôle. Marie, écoutez-moi! Je suis très attaché à ma nièce et je ferai le nécessaire, le professeur également, pour vous la ramener saine et sauve. Mais vous devez rester calme et raisonnable. On est dans le doute, et je préfère ça. Au moins, on peut espérer.

— Dieu vous entende, Yvon! dit-elle en se signant. J'ai cru devenir folle, à l'instant. Excusez-moi, tous.

Ce brusque revirement inquiéta Jacques Hitier. Sous ses allures discrètes, sa blondeur et ses manières de femme pieuse, Marie Monteil dissimulait un tempérament nerveux et une volonté de fer. Il la soupçonna de prévoir un départ en grand secret, plus tard dans la nuit, quand ils seraient obligés de se reposer.

— Puis-je vous supplier, Marie, de me promettre une chose? s'écria-t-il. Ne tentez rien d'insensé, faites-moi confiance. Je vous le répète, j'ai des relations à Angoulême, dont je dois taire le nom et la qualité.

— Je vous accorde douze heures, Jacques. Si je ne serre pas ma nièce dans mes bras passé ce délai, personne ne m'empêchera d'en faire à ma tête.

Elle lui décocha un regard dédaigneux avant de retourner au salon. Yvon la suivit en grommelant de vagues imprécations.

Personne ne devait dormir beaucoup, cette nuit-là, à la ferme des Mousnier.

—

Angoulême, local de la milice, vers minuit

Abigaël s'était endormie allongée sur un banc, son bras sous sa tête en guise d'oreiller. Auparavant, elle avait passé plusieurs fois sur la brûlure à vif son index enduit de sa propre salive. C'était encore un secret de la lignée maternelle, Pascaline et ses aïeules ayant le don de *souffler le feu*. Il suffisait d'enduire un doigt de salive et d'en humecter la plaie. Peu après, la douleur disparaissait.

Cependant, Abigaël n'avait jamais expérimenté la chose sur elle-même. Elle avait constaté un léger soulagement et s'en était contentée.

Des coups à sa porte accompagnés de ricanements la réveillèrent. Le plafonnier étant resté allumé, elle jeta un coup d'œil à sa montre-bracelet: il était presque minuit.

— Elle roupille, la petite poulette, cria-t-on de l'autre côté du battant en bois. La jupe relevée, en plus.

Une exclamation joyeuse répondit à cette remarque. Affolée, Abigaël s'empressa de tirer sa jupe le plus bas possible sur ses mollets. «Mon Dieu, ils peuvent m'observer par la lucarne, se dit-elle. Je ferais mieux de m'asseoir et de prier.»

Sa piété intacte et sa ferveur confiante en la protection divine la poussaient à garder espoir. Elle joignit les mains autour de sa médaille de baptême et, les paupières closes, récita le *Notre Père* plusieurs fois. Peu à peu, le rythme de ses invocations l'apaisa; la peur et le chagrin refluèrent. D'autres mots plus personnels lui vinrent à l'esprit.

«Seigneur tout-puissant, doux Jésus, notre Sauveur, Sainte Vierge Marie, venez à mon secours si je suis confrontée à la haine, au mal, à la perversion. Je ne vous demande pas de me sauver, je ne mérite aucune faveur et, si je dois endurer le martyre, je le subirai sans faiblir, car des multitudes de chrétiens avant moi ont souffert en votre nom, pour votre gloire et...»

On tambourina de nouveau contre la porte. Un visage hilare au teint vif se plaqua à la vitre de la lucarne. Le jeune milicien agitait sa langue et roulait des yeux égrillards. Derrière lui, son compagnon riait plus fort.

— Continue, Henri, tu vas lui plaire! Eh, qu'est-ce qu'elle fait? Raconte!

— Viens la voir, ça vaut le coup, elle se signe en marmonnant! Nom d'un chien, ça doit être une bigote!

Abigaël cessa immédiatement de prier. Elle lâcha sa médaille et enfonça ses mains dans les poches de sa veste. Sous l'effet d'une terreur viscérale, son cœur cognait à grands coups. Dubreuil l'avait laissée seule, gardée par ces deux individus grossiers, sûrement éméchés. «Mais ils n'ouvrent pas, Dieu merci, songea-t-elle, la bouche sèche. Tant qu'ils n'entrent pas, je n'ai rien à craindre.»

Cependant, elle imaginait leur irruption dans la pièce étroite et se révulsait par avance à l'idée de les sentir près d'elle, d'endurer leurs moqueries ou, bien pire, d'être obligée par la force à des actes humiliants. Elle se revit livrée à la convoitise malsaine de Patrick et se souvint des gestes odieux qu'il lui avait imposés.

Une sueur froide perla à son front. Elle continua à prier, mais sans le montrer, avec une force de supplication désespérée. «Pitié, pitié, pitié, mon Dieu, pitié, Seigneur!»

Elle ignorait les techniques de Lionel Dubreuil, toujours les mêmes en ce qui concernait les suspects de sexe féminin. Il s'abrogeait le privilège de les brutaliser, mais il avait coutume d'obtenir des aveux en jouant sur un autre tableau. Chez les très jeunes filles, l'atteinte à la pudeur était souvent très efficace. C'était encore une façon pour lui de se venger de la petite Ludivine Dumont, de ses larges prunelles bleues qui exprimaient autant de détermination que de peur.

Vincent et Henri avaient fort bien compris l'ordre muet de leur chef lorsqu'il était parti en mission. Ils avaient toute latitude pour se distraire avec la prisonnière. Dubreuil comptait ainsi l'obliger à demander grâce, à parler, quitte à dire n'importe quoi pour leur échapper.

— Hé, Henri, j'ai paumé la clef! brailla Vincent. Flûte, on perd du temps! Ça me démange de m'amuser un peu, moi. Elle doit s'impatienter, la donzelle.

— Ouais, t'as raison! Cherche la clef, bon sang!

Abigaël se figea, saisie d'épouvante. Un instant, elle aspira à mourir. Elle savait pertinemment ce qui la menaçait et elle se vit prise au piège, sans aucune chance de s'enfuir ou de se protéger. Elle eut même la sensation de percevoir, malgré la distance qui les séparait encore, leur intense jubilation et la fièvre qui les animait.

— Ah, ça y est, j'ai trouvé la clef, claironna l'un des deux.

Il y eut un déclic dans la serrure, la poignée tourna et la porte s'ouvrit. Elle se referma aussitôt, mais Abigaël n'était plus seule.

— Salut, beauté! ironisa froidement Henri.

Elle demeura muette, tétanisée, prise de tremblements. Son cauchemar commençait.

13

La nuit de l'âme et du cœur

Local de la milice, même soir, même heure

Les mots prononcés par le jeune milicien tournaient en ronde folle dans l'esprit d'Abigaël: «Salut, beauté!» Elle avait senti la menace qu'ils contenaient. Ses pires craintes se réalisaient. Henri la dévisageait de près en lui soufflant au visage son haleine avinée, tandis que son comparse soulevait ses cheveux et passait des lèvres gourmandes sur sa nuque.

— Un joli morceau, marmonna-t-il. Une petite caille à croquer toute crue.

Un grand froid la paralysait et bloquait sa respiration. Elle ne pouvait ni se débattre ni même bouger. «Si je crie, si j'implore, ils se déchaîneront, j'en suis certaine. Je dois rester calme.»

Henri se glissa derrière elle et l'enlaça d'un geste autoritaire. Elle se raidit, les yeux révulsés. Il plaqua ses mains sur ses seins, dont il pinça les mamelons si cruellement qu'elle eut du mal à ne pas hurler de douleur.

— Elle a ce qu'il faut où il faut, brailla-t-il, excité. Hé, Vincent, ouvre donc son corsage! Tu vas te régaler.

Abigaël ferma les yeux quelques secondes, effrayée, car ils allaient vite en besogne, plus vite qu'elle ne l'avait supposé. Elle entendit le tissu se déchirer autour des boutonnières et perçut un courant d'air à la naissance de sa poitrine.

— Oh! les mignonnes pommes d'amour! ironisa Vincent avant de mordre la chair tendre et nacrée de son cou.

Elle poussa une plainte sous l'effet de la souffrance. D'abord suffoquée, elle renonça à la passivité.

— Arrêtez! hurla-t-elle. Vous n'avez pas le droit! Je n'ai rien fait, je ne devrais même pas être ici! Lâchez-moi.

— Nom d'un chien, voilà qu'elle retrouve la voix, la donzelle, s'esclaffa Henri. Tu veux que je te lâche? Pas de souci.

Il la libéra, mais en la projetant de toutes ses forces contre le mur le plus proche, qu'elle heurta de l'épaule. Malgré le choc, elle s'empressa de cacher ses seins à l'aide de sa veste en laine.

— On veut juste être gentils, pérora Henri. Tiens, si tu te laisses peloter, on te donnera du vin et du pain.

— Sortez, ordonna-t-elle d'un ton sec.

Elle avait conscience de les provoquer; pourtant, il lui était impossible de se soumettre, de trembler devant eux. Ils suaient la perversité, le vice, la violence.

— On en a maté de plus coriaces que toi, insinua Vincent. On sortira quand on en aura fini avec toi. Dubreuil nous a donné carte blanche. On ne va pas se priver.

Abigaël les fixa tour à tour. Elle se demandait depuis quand ils appartenaient à la milice et de quels crimes ils s'étaient déjà rendus coupables. L'un d'eux alluma une cigarette, ce qui la fit trembler. Allait-il lui infliger le même supplice que son chef? Mais il la fuma entière-ment, paupières mi-closes, semblable à un chat sauvage qui aurait guetté sa proie.

— Sous prétexte d'obéir à votre capitaine, vous agissez en criminels, déclara-t-elle d'une voix mal assurée. Cependant, il y a une autre justice que celle des hommes. Oui, Dieu vous regarde, il voit vos mauvaises actions et c'est par lui que vous serez jugés à l'heure de votre mort.

Sans réfléchir, elle avait laissé parler son âme pieuse, sa foi inébranlable. Rien n'aurait pu l'empêcher d'exprimer ce qu'elle ressentait au fond de son cœur depuis des années.

— Qu'est-ce que tu nous chantes? s'écria Henri, secrètement impressionné. Vincent, tu l'as entendue? Elle nous fait la morale, rien que ça! T'es pas en position de force, ma belle!

— Je ne mise pas sur ma force, mais sur la puissance éternelle du Seigneur, répliqua-t-elle, haletante. En son nom, je vous prie de sortir d'ici.

Ils éclatèrent de rire en chœur en pointant l'index sur elle. Henri, le plus ivre des deux, s'approcha et la saisit par les épaules.

— Ferme-la! rugit-il. Moi, tes bondieuseries, j'en ai rien à cirer!

Il lui attrapa les cheveux d'un geste brutal et l'obligea à renverser la tête en arrière. Il la tenait à sa merci. Il lui imposa un baiser goulu, hargneux, en mordillant ses lèvres et explorant sa bouche de la langue.

— Vas-y, l'exhorta Vincent, donne-lui une bonne leçon, à cette mijaurée!

Abigaël lutta en vain contre les rudes caresses de son agresseur, qui malmenait ses seins à nouveau dévoilés et lui appliquait des claques sur les fesses en se frottant à elle. Elle aurait hurlé s'il n'avait pas continué à l'embrasser à pleine bouche.

Le spectacle enchantait son acolyte, qui fut encore plus content quand Henri relâcha son étreinte pour pousser la jeune fille dans ses bras comme un vulgaire paquet.

— C'est ton tour, vieux, déclara-t-il en allumant une deuxième cigarette.

— Non, non, s'égosilla Abigaël, à moitié folle de terreur et de honte.

— Ta gueule! tonna Vincent en la giflant. Tu la fermes, compris? Tu files doux, sinon…

Il la frappa à plusieurs reprises. Elle sentit du sang couler de son nez.

«Seigneur, ayez pitié! implora-t-elle. Qu'ils me tuent, je suis prête, mais qu'ils ne me touchent plus, je vous en supplie, mon Dieu, ayez pitié.»

Prise de vertige, elle vacilla. Vincent la plaqua contre la porte et, d'une main impérieuse, releva sa jupe. Il exhiba, goguenard, ses bas de laine grise retenus par des jarretelles en coton blanc.

— Vise l'accoutrement, Henri. On est habitués à mieux, hein?

— Bah, ce qui compte, c'est sous la culotte, riposta l'autre dans un rire égrillard.

— Non, non, pitié! gémit Abigaël, tandis qu'un doigt se glissait le long de sa cuisse.

— Eh bé, cause un peu, marmonna Vincent, rongé par le désir. Le capitaine, il veut des renseignements. Crache le morceau et on verra.

— J'ai dit ce que je savais, répéta-t-elle en sanglotant.

— Dommage, parce que je vais te faire ta fête, petite idiote. Qu'est-ce que tu en penses, Henri?

— De quoi? Tu n'vas quand même pas…

— Ben si! Dis, il s'est pas gêné, Mousnier, pour sauter la femme du communiste. Elle pouvait à peine marcher, après!

Abigaël se crispa, horrifiée. Il faisait allusion à Patrick et sans aucun doute à la jeune femme exécutée dans un pré, entre Dirac et Torsac.

— Peut-être que Dubreuil, il n'appréciera pas, plaida Henri, en apparence calmé. On peut s'amuser, mais faut pas pousser la plaisanterie trop loin.

— Bah, il n'en saura rien, s'insurgea Vincent.

Il haussa les épaules et s'empara lui aussi de la bouche meurtrie de la jeune fille. Il avait une moustache, une barbe naissante qui irritait la peau fragile d'Abigaël. Elle tenta de le repousser, un peu réconfortée par l'attitude de l'autre milicien. Ce fut une erreur. Le garçon perdit toute maîtrise de lui-même. D'un geste vif, il baissa sa petite culotte et lui imposa le contact de sa main au lieu le plus intime de sa féminité.

Ulcérée, épouvantée à la perspective d'être violée, Abigaël réussit à lui mordre la lèvre inférieure. Il cessa net de l'embrasser, si bien qu'elle put hurler comme elle n'avait encore jamais hurlé. En dépit des conseils d'Henri, qui lui recommandait d'abandonner, Vincent commença à dégrafer sa ceinture, tout en enfonçant deux doigts avec une rudesse bestiale dans la fleur de chair tiède et fragile de sa jeune victime.

Dans un sursaut énergique, Abigaël parvint à lui échapper, sans arrêter de hurler, d'appeler au secours. Elle était certaine que n'importe quel homme sensé mettrait fin à son calvaire, s'il entendait ses cris déchirants.

Comme par miracle, des bruits de pas retentirent dans le couloir, assortis d'un discours en allemand. Presque aussitôt, on frappa deux coups dans la porte de la cellule.

— *Was ist das?*[10]

---

10. Qu'est-ce que c'est?

— Au secours! clama-t-elle aussitôt. Aidez-moi, monsieur!

C'étaient des mots compréhensibles, surtout pour un officier allemand cantonné à Angoulême depuis le début de la guerre.

— Ouvrez tout de suite, ordonna le militaire en des termes déformés par un fort accent germanique.

Henri s'empressa d'obéir. Abigaël se réfugia dans un angle de la petite pièce où elle mit de l'ordre dans sa tenue. Elle présentait un tableau pathétique, avec sa chevelure châtain clair en désordre, son visage meurtri et son expression désespérée.

Le soldat allemand la couvrit d'un regard intrigué, mais non dénué de méfiance. Il avait vu des résistantes du même âge, l'air aussi innocent, qui venaient d'accomplir des actes de terrorisme dont elles étaient fières.

— Qu'a fait cette fille? interrogea-t-il en toisant les deux miliciens d'un œil dédaigneux.

— On n'en sait rien, commandant Schäfer, répondit Vincent. Le capitaine Dubreuil nous a demandé de la faire parler.

— Est-ce une terroriste? articula lentement le nouveau venu.

— Non, je ne crois pas, répondit Henri sur un ton évasif. Une suspecte.

— Votre capitaine a dîné en ville, mais nous avions besoin de lui et de ses hommes. Il devrait mieux faire son travail! tonna l'Allemand. On a saboté la voie ferrée au nord d'Angoulême. La piste de Ruelle était une fausse alerte pour nous berner. Dubreuil ferait bien de vite revenir, nous devons partir pour Tourriers.

Abigaël écoutait, hébétée, les rudes consonances des paroles de l'officier de la Wehrmacht. Cependant, il était son sauveur, du moins jusqu'à nouvel ordre. Elle décida de jouer le tout pour le tout.

— Commandant, dit-elle, je vous en prie, je veux vous dire pourquoi je suis enfermée ici. Je vous assure que je n'ai rien fait de mal.

Schäfer se tourna vers elle et l'examina attentivement. Elle lui parut très jeune et très jolie, candide aussi.

— J'avais recueilli un chien-loup, avoua-t-elle en parlant vite, mais d'une voix nette. Mes parents m'avaient défendu de l'attirer à la ferme, car je lui donnais à manger. Ils l'ont chassé. C'était en hiver. Il est revenu ces jours-ci. Je l'ai caché et nourri encore une fois.

— Dubreuil vous a arrêtée à cause d'un chien? s'enflamma l'Allemand.

— Il paraît que c'était un loup qui appartenait à une dame de la vallée voisine, une résistante, Claire Dumont. Mais je ne la connais pas. Le chef de la milice prétend qu'elle se cache et que je sais à quel endroit! C'est faux, commandant. J'ai désobéi en m'occupant de ce chien, enfin, de ce loup, parce que j'ignorais d'où il venait.

Abigaël avait mis une telle conviction dans son plaidoyer, elle dardait sur le militaire haut gradé des prunelles si limpides et si bleues qu'il approuva aussitôt d'un signe de tête.

— Le loup de la dame Dumont, oui, je comprends, murmura-t-il. Dubreuil n'a pas à s'occuper de cela. Le dossier est clos. Le colonel Drummer et moi-même avons noté le décès de madame Dumont le jour de l'assaut du moulin. Elle était beaucoup aimée dans le pays. Des gens ont emporté son corps.

Le commandant Schäfer s'appliquait à user de termes exacts pour s'exprimer en français.

— J'étais en poste à la feldkommandantur de Ponriant, chez madame Giraud, ajouta-t-il, sous les ordres du colonel Ulrich Drummer. Nous avons quitté la vallée des Eaux-Claires pour le manoir d'Ortebise. Je me souviens du petit loup. Le colonel l'avait heurté avec sa voiture. Madame Dumont est venue chercher le lieutenant-vétérinaire. J'ai assisté à l'opération.

L'Allemand se tut, songeur. Il revoyait une chambre du Moulin du Loup, un animal allongé sur un drap et surtout une fillette brune d'environ onze ans qui priait pour la bête agonisante.

— Ludivine Dumont, murmura-t-il.

Abigaël, dont le cœur cognait follement, mima l'ignorance.

— Où est le loup? s'enquit Schäfer.

— Le capitaine Dubreuil l'a tué; ensuite, il m'a emmenée, dit-elle, les larmes aux yeux.

Il se passa alors une chose surprenante. Le commandant jura en allemand. Il proféra une série d'insultes qui sembla le soulager.

— Vous pouvez partir, mademoiselle, déclara-t-il, une fois calmé. J'espère qu'on ne vous a pas manqué de respect!

Les deux jeunes miliciens se tenaient à l'écart, muets et la mine embarrassée.

— Mais c'est le capitaine qui m'a arrêtée! Si je m'en vais, il dira que je me suis enfuie, protesta Abigaël, toujours effrayée à l'idée de causer de graves ennuis à son oncle, au professeur et à sa tante Marie.

— La milice française ne dirige pas le pays, gronda Schäfer, elle est sous nos ordres. Vous pouvez partir, mademoiselle. Je n'ai pas le temps de discuter davantage. Dubreuil fera ce que je lui dirai de faire.

Il y avait un éclat de bonté et de douceur au fond du regard du commandant allemand. Abigaël ne saurait jamais qu'il pensait à sa propre fille de quatorze ans, là-bas, près de Berlin, ni qu'au début de la guerre, Ludivine, l'enfant unique de Claire, avait lu dans ces mêmes yeux clairs de la gentillesse et de la compassion à l'égard de Sauvageon.

— Merci, commandant, je prierai pour vous, chuchota-t-elle en s'approchant de lui. Je prierai tous les jours de ma vie pour vous rendre grâce. Soyez béni, monsieur! Puis-je savoir votre prénom?

— Rudolf, marmonna-t-il, mal à l'aise.

Il remarqua alors qu'elle tremblait convulsivement. Il constata aussi l'état de ses vêtements et les meurtrissures qui constellaient son visage. Soucieux de ménager sa pudeur, il n'osa pas lui poser de questions précises, mais il décocha un coup d'œil furieux, plein de mépris, aux deux jeunes gens.

— Venez, mademoiselle, dit-il en lui indiquant le couloir. Mon ordonnance va vous délivrer un *ausweis*. Vous pourrez rentrer chez vous malgré le couvre-feu.

Abigaël se sentit vraiment sauvée. Elle éprouva une sensation de détente si intense qu'elle éclata en gros sanglots enfantins.

— Merci beaucoup, commandant! Vous êtes un homme de bien. Je vous suis reconnaissante, vous ne pouvez savoir à quel point!

Il approuva d'un signe de tête, conscient de l'épreuve qu'elle venait de subir. Lionel Dubreuil fit irruption dans le vestibule au moment précis où Schäfer hésitait à soutenir la jeune fille par le bras, dans l'espoir de la rassurer.

Le chef de la milice eut un sursaut de colère en voyant Abigaël hors de sa cellule. Néanmoins, il se montra prudent.

— Commandant Schäfer, s'écria-t-il, laissez-moi m'occuper de cette fille! Il s'agit d'un délit mineur. Je m'en charge.

— Vous ne vous chargerez de rien du tout, Dubreuil, trancha l'Allemand. Je renvoie mademoiselle dans sa famille. Vous n'avez aucune preuve contre elle. De plus, le dossier du réseau Sirius est classé. Vous feriez mieux de traquer les vrais terroristes. On vient de me signaler un grave incident sur la voie ferrée Paris-Bordeaux. Et où étiez-vous? Du côté de Ruelle, sur la foi d'un faux renseignement! J'ai besoin de vous et de vos hommes. Et je vous prie de ne plus chercher d'ennuis à mademoiselle.

Il avait parlé lentement en hésitant sur certains termes, mais son intonation autoritaire, renforcée par l'accent, avait de quoi impressionner.

— Et surveillez vos recrues, Dubreuil, dit-il encore. Si je n'étais pas arrivé à temps, je me demande ce que ces jeunes crétins auraient fait.

Douché, le capitaine passa sa fureur sur Henri et Vincent. Il les insulta à voix basse, puis il les envoya préparer la deuxième fourgonnette dont la milice disposait. Quant à Abigaël, il la toisa, l'air écœuré, avant de lui tourner le dos.

— Je suis désolé, mademoiselle, affirma le commandant Schäfer. Vous avez eu très peur, n'est-ce pas?

— Oui, très peur. Est-ce que je peux m'en aller?

— Certainement! Heinrich, remets son *ausweis* à mademoiselle.

Un soldat en uniforme kaki se précipita et tendit à la jeune femme un carré de papier. De l'autre main, il lui offrait un verre d'eau. Elle but deux gorgées, stupéfaite devant les attentions délicates de ces deux hommes. Pourtant, elle ne respira à son aise qu'une fois dehors, sur la place du Champ de foire déserte. Son premier geste fut de lever le nez vers le ciel d'un bleu sombre profond, piqué de quelques étoiles. Un nuage voilait la lune. Un vent frais soufflait du nord.

— Merci, mon Dieu! Vous m'avez envoyé un sauveur, un homme de cœur.

Jusqu'à présent, elle était restée presque insensible à la douleur, mais son corps se rappelait soudain à elle. La brûlure à son cou cuisait et elle ressentait vivement les morsures à sa poitrine. Plus angoissant encore, un point précis de son anatomie lui causait des élancements pénibles.

— Je dois rentrer, se dit-elle en se mettant en marche.

En longeant le trottoir, elle parvint rue de Périgueux. Sa veste en laine serrée sur son corsage déchiré, elle avançait courbée en avant. Elle se faisait l'effet d'une petite vieille. Ses dents claquaient, autant de nervosité que de froid. En plus, elle avait faim et soif, tellement soif!

Pas à pas, elle atteignit la place de la Bussatte, plongée dans le silence et l'obscurité.

— C'est trop loin. Je n'ai plus la force de me rendre chez moi, se plaignit-elle.

Elle aurait donné cher pour voir surgir une voiture conduite par son oncle ou le professeur Hitier. Mais, alors qu'elle rejoignait la rue de la Tourgarnier, une patrouille allemande déboula dans un vacarme de moteurs ronflants, ceux de trois motos et d'un camion bâché de la toile vert kaki qui représentait désormais, pour les Français, le symbole menaçant de l'occupation.

Vite, encore secouée de frissons et des sanglots au fond de la gorge, elle tira son *ausweis* de sa poche. Un des motards fonça dans sa direction pour ralentir à sa hauteur. Il jeta un regard au document et fit un signe à la troupe qui s'éloigna à toute vitesse.

«Je voudrais être à la maison, revoir tantine et oncle Yvon. Je me coucherais et je pourrais enfin pleurer, pleurer des heures... Pauvre Sauvageon! Il faudra l'enterrer.»

Cette pensée la motiva et elle se remit à avancer à une allure régulière, en refoulant avec une volonté farouche les images qui la hantaient, le souvenir odieux, abject, des attouchements des miliciens, de leurs baisers de brutes, des gifles et du moindre de leurs gestes. Chaque fibre de son être savait qu'elle devait chasser les détails de son supplice, sinon elle s'allongerait sur le sol et n'aurait plus aucun courage.

«Je ne dois pas me sentir sale ni honteuse, se répétait-elle. Janine Casta, l'amie de Béatrice, l'enfant que Claire a élevée, a subi bien pire que moi. Elle a été torturée et violée. Elle en est morte. J'ai eu de la chance, beaucoup de chance.»

Elle se persuada vaillamment qu'elle s'en était tirée à bon compte. Dès qu'elle avait envie de crier de chagrin ou d'humiliation, dès que la souffrance la faisait gémir, elle récitait le *Notre Père*, suivi du *Je vous salue, Marie*. De prière en prière, elle finit par apercevoir l'étroite route empierrée qui descendait vers la vallée de l'Anguienne.

Ferme des Mousnier, deux heures plus tard

Yvon Mousnier eut un regard de reproche pour la pendule qui trônait sur le manteau de la cheminée. Il était trois heures du matin. Hormis les enfants et Jorge Pérez, nul ne songeait à se coucher et à dormir. Avertie par son frère, Béatrice était arrivée dix minutes plus tôt, après avoir quitté la planque située dans un bois de Ronsenac.

Marie Monteil, qui servait du café léger agrémenté de chicorée et de lait chaud, avait les yeux rougis par les larmes.

— Papa, c'est une histoire de fou, commentait Béatrice, tout en allumant une cigarette. Quand Patrick m'a raconté ce qui s'était passé, je ne pouvais pas y croire.

— Tu es certaine qu'Adrien n'a rien entendu? s'inquiéta Jacques Hitier. On n'a pas besoin qu'il déboule ici, prêt à faire n'importe quoi pour libérer Abigaël.

— Oui, prof, soyez sans crainte. Je lui ai débité un solide mensonge en promettant de revenir demain avec des provisions. On n'a pas grand-chose, là-bas!

Elle avait dix-neuf ans. Musclée et élancée, elle arborait les traits réguliers de son père et les mêmes cheveux bruns, drus et ondulés. Cependant, elle possédait un charme évident, qui tenait à ses yeux rieurs couleur noisette, au dessin de sa bouche et à son sourire. C'était une jeune femme séduisante, que son fiancé, Lucas, lui aussi résistant, adorait.

— Cela ne me dit pas comment vous comptez sauver ma nièce des griffes de ce Dubreuil, déplora Marie. Jacques, vous m'avez promis.

— Je pars en ville au lever du jour, chère amie, répéta Hitier.

— Mais qui verrez-vous qui peut nous aider? insista-t-elle. Est-ce un secret d'État?

— Cela se pourrait, oui. Chose certaine, je ferai tout ce qui est en mon pouvoir pour vous ramener Abigaël.

En proie à une sourde rage, Yvon déambulait dans la pièce. Sans l'avouer aux autres, il songeait à son frère adoptif, Pierre, à la promesse qu'il lui avait faite de protéger sa fille unique, la petite Abigaël de deux ans à peine. «Je suis un parjure, ouais, se disait-il. Déjà, la gamine, je ne l'ai pas vue grandir, mais bon... ça, c'était l'idée de Marie Monteil de l'emmener en Touraine. Maintenant qu'elle vivait sous mon toit, je n'ai pas su la protéger de ce fumier de Dubreuil. Oh! il paiera, il paiera même le prix fort. Je le tuerai, parole de Mousnier!»

Béatrice observait son père, désolée pour lui. Ils étaient très proches et ils devinaient leurs sentiments réciproques sans échanger une parole.

— Papa, qu'est-ce que je peux faire? demanda-t-elle. J'ai trouvé préférable de laisser Patrick avec Lucas et Adrien. Il était flatté de ma confiance et il ne me trahira pas au sujet d'Abigaël. Il a vraiment compris qu'il devait se taire.

— Je suis moins optimiste que toi, Béa, grogna Yvon. Il ne tiendra pas sa langue.

— Mais si, Patrick a changé! protesta-t-elle. Mon frère veut se racheter. Il nous le prouvera. Professeur, voulez-vous que je prévienne Marie de Martignac?

— Ciel, surtout pas! s'exclama Hitier. Elle sera suffisamment furieuse en apprenant qu'Abigaël n'a pas empoisonné le loup. Mademoiselle de Martignac serait capable d'achever la pauvre bête... Il est vrai que ça abrégerait ses souffrances...

— Pourquoi ne pas le faire nous-mêmes? s'enquit Béatrice. Franchement, cet animal ne nous attire que des soucis.

Marie s'indigna. En contenant ses larmes, elle dit d'une voix rauque:

— Sauvageon lutte contre la mort. Il peut survivre. Il lui manque seulement les mains bénéfiques de ma petite chérie. Oui, Abigaël le sauverait si elle était là, avec nous. Seigneur, ramenez-la! Je voudrais tant la serrer dans mes bras!

Vidée, elle se laissa tomber sur une chaise et pria du bout des lèvres, paupières closes. Campé devant la cheminée, Yvon haussa les épaules.

— Béa, tu me demandais à l'instant ce que tu peux faire? Bon sang, je n'en sais fichtre rien! Au fond, on espérait que tu trouverais un plan, une idée.

— Je ne vois qu'un moyen, guetter à proximité du local de la milice. De mon côté, j'irai en ville et je contacterai des types dont je suis totalement sûre. Il faudrait souhaiter qu'Abi soit transférée en prison, ou même que Dubreuil l'envoie à la Gestapo. Il y aurait moyen d'attaquer le véhicule et de la libérer.

— Ouais, approuva son père, et, si on pouvait se débarrasser de Dubreuil à ce moment-là, on ferait une bonne action.

Le professeur Hitier s'apprêtait à les raisonner lorsqu'il y eut une sorte de grattement aux contrevents d'une fenêtre de la cuisine. Marie se leva vivement. Elle se rua dans le vestibule et ouvrit la porte principale. Tous entendirent son cri de soulagement, de joie délirante.

— Abigaël, ma chérie, ma petite! Dieu soit loué!

Il y eut une véritable bousculade. Ce fut à qui parviendrait en premier sur le seuil de la maison. Dans sa hâte de voir sa cousine, Béatrice devança son père et Jacques Hitier.

— Ne me touchez pas, s'écria Abigaël à leur grande surprise. Tantine, aie pitié, ne m'embrasse pas!

— Seigneur, qu'est-ce qu'ils t'ont fait? gémit Marie.

Sa nièce s'appuyait au mur extérieur en tenant sa veste bien serrée sur sa poitrine. Elle grelottait et, sous la pâle clarté des étoiles, son teint paraissait blafard.

— Je vous en prie, je voudrais juste me coucher et boire un peu d'eau. Oh! Béa, tu es là! Aide-moi, je t'en supplie.

Elle ne put en dire davantage. Ses jambes flanchèrent et, sans le soutien de sa cousine, elle se serait effondrée sur le sol.

— Je la conduis à l'étage, dit Béatrice. Elle a dû rentrer à pied d'Angoulême. Elle doit absolument se reposer.

— Mais c'est à moi de la soigner! s'indigna Marie, les bras tendus vers sa nièce.

— Non, tantine, non, pitié, laisse-moi!

Yvon eut un regard anxieux pour sa fille, puis il tourna les yeux vers le professeur. En dépit de la pénombre, ils avaient pu voir les traces de coups sur son visage, son expression égarée et du sang séché sous son nez.

— Bon, Béa, on te la confie, déclara le fermier. Tu es dans un sale état, ma petiote, mais au moins tu es là, chez toi, chez nous. C'est le principal.

Affolée et incapable de se réjouir, Marie Monteil pleurait en silence. Elle sursauta quand Abigaël parvint à dire d'une voix tremblante:

— Ne craignez rien, ma faute n'aura pas de conséquence. Le danger est passé.

Aucun d'eux n'osa lui annoncer que le loup était là, à trois mètres, dans le salon. Béatrice l'entraîna, pleine de compassion, et toutes deux gravirent l'escalier marche après marche, comme un chemin de croix.

— Qu'ont-ils fait à ma petite? gémit Marie, effarée.

Jacques Hitier s'enhardit à caresser son épaule du bout des doigts. Il répondit tout bas:

— Abigaël est là, saine et sauve. Nous pouvons respirer.

— Pourquoi me tient-elle à l'écart? s'étonna Marie, réconfortée par l'infime caresse.

— Vous le saurez très vite. Je pense qu'elle est à bout de nerfs, épuisée de surcroît. Soyez patiente, ma douce amie.

Yvon jeta un coup d'œil intrigué au professeur. Il remarquait enfin son attitude affectueuse envers Marie. Mais il ne s'attarda pas sur ce constat, à la fois soulagé de retrouver sa nièce et submergé de haine à l'égard du chef de la milice.

— La petite a dû passer de sales moments, bougonna-t-il. Prof, on ne peut plus attendre ni hésiter, il faut éliminer ce porc de Dubreuil.

— Je sais, Yvon. Ce type devient une menace permanente.

— Comment pouvez-vous décider de la mort d'un homme aussi froidement? s'indigna Marie.

— Nous sommes en guerre, voilà tout! trancha le fermier.

Elle frotta ses yeux humides de larmes contenues et, sans un mot, entra dans le salon dont elle referma la porte doucement. Si Abigaël refusait son aide, elle pouvait au moins veiller sur le loup agonisant.

Béatrice Mousnier n'avait pas vu l'ancienne chambre de son frère, aménagée par Marie et Abigaël. Elle alluma le plafonnier et, sans lâcher la taille de sa cousine, observa rapidement les changements.

— On dirait une autre pièce, murmura-t-elle afin de cacher son anxiété.

Elle sentait le corps d'Abigaël frémir sous ses doigts et percevait sa respiration saccadée. Elle se souvenait du calvaire enduré par son amie Janine, qui en était morte, et elle redoutait d'entendre le récit de la jeune fille.

— Je veux me laver, dit sa cousine dans un souffle. Est-ce qu'il y a de l'eau dans la cruche?

— S'il n'y en a pas, j'irai en chercher en bas.

— Non, ils ne doivent pas savoir que j'ai besoin de me laver. Ils devineraient, si tu fais ça.

Abigaël balbutiait, la voix chevrotante comme celle d'une vieille dame. Béatrice n'y tint plus et l'interrogea:

— As-tu été violée? Pas la peine de prendre des gants, je préfère que tu me le dises tout de suite.

— Non, mais non… enfin, je ne sais pas.

Béatrice l'obligea à lui faire face pour mieux examiner les contusions sur son visage. Elle aperçut ainsi la brûlure sous l'oreille.

— Qui a osé? Dubreuil?

— Oui, il voulait me faire parler, mais je n'ai rien dit. Ensuite, il m'a enfermée dans une sorte de cellule et, là… un peu plus tard, les deux hommes qui me gardaient sont entrés.

Elle se tut, une main sur la bouche, le regard dilaté, envahie par un effroi rétrospectif.

— Allons, explique-moi tout, murmura sa cousine. Sans pudeur, je t'ai confié mes malheurs, au mois de décembre, parce que j'avais besoin de mettre des mots sur l'horreur. Ne te gêne pas, Abi, je ne répéterai à personne ce que tu as subi, c'est promis.

— Adrien ne doit pas le savoir, surtout pas lui. Ces deux hommes, ils m'ont embrassée. C'était odieux! Et ils m'ont fait des choses… Béa, j'ai eu peur, si peur!

Tout en se déshabillant avec des gestes maladroits, elle éclata en sanglots. Elle jeta sa veste en laine, sa jupe et son corsage déchiré sur le parquet. Vêtue d'une combinaison en coton rose, elle se pencha pour délacer ses chaussures.

— Mais, tu as des traces de coups partout, constata Béatrice.

— Je ne me souviens plus bien. Ils m'ont frappée, oui. C'est confus. Le pire, c'est le reste. Je me sens tellement sale! Souillée! Ils m'ont fait tant de mal! avoua-t-elle d'une voix rauque.

Le cœur serré, sa cousine lui caressa la joue. Les réticences d'Abigaël à se confier la navraient. Elle était sûre, à présent, que les miliciens l'avaient violée.

— Calme-toi, dit-elle. Je vais t'aider à te laver des pieds à la tête. La cruche est pleine, ta tante n'oublie jamais de la remplir. Tiens, mets-toi debout dans la cuvette. Il faut enlever ton linge de corps. Je m'en fiche que tu sois toute nue. Toi aussi, tu m'as vue dans un sale état.

— De toi, je peux le supporter, mais je ne voulais pas de tantine. Elle aurait deviné. Je ne lui dirai rien.

— Tu devras quand même raconter qu'ils ont cogné sur toi, ces salauds! Ta tante le verra forcément.

Les bras croisés sur ses seins, Abigaël grelottait. Béatrice s'abstint de la questionner encore, occupée à la savonner, puis à la rincer.

— Tiens, tu es toute propre, à présent. Sèche-toi. On n'a pas de serviette éponge, mais ce drap fera l'affaire.

— Merci, Béa. Dieu soit loué, tu es là. Je ne pouvais pas y croire en te voyant sortir de la cuisine.

— Bien sûr que je suis là, ma chérie. Tu penses bien que papa et le professeur se sont affolés, quand ils ont su par un ami que Dubreuil t'avait emmenée. Patrick est venu me chercher en vélo. J'étais censée établir un plan pour te libérer. Quant au prof, il allait faire jouer une relation à lui demain matin. Miracle, tu es rentrée seule au bercail! Allez, mets-toi au lit. Je brosserai tes cheveux dès que tu seras bien installée.

Les manières directes de Béatrice et sa bonhomie énergique eurent le don d'apaiser la tension nerveuse d'Abigaël. Elle se répétait qu'elle était enfin en sécurité, que son cauchemar était terminé.

— Je me demande comment j'ai réussi à revenir ici, soupira-t-elle. Je n'avais plus de force; pourtant, je continuais à marcher.

— Repose-toi un peu. Tu ne vas pas m'interdire de te préparer à manger. Tu dois avaler un bol de soupe, du pain et un verre de vin. Et pense à ta tante qui doit se tracasser. Ne t'inquiète pas, je lui dirai que tu as été malmenée, rien d'autre.

Abigaël approuva d'un signe de tête en essayant de sourire.

— Merci, Béa. C'est bon d'être à la maison. Sais-tu, je voudrais me montrer bien plus courageuse, en hommage aux femmes qui ont souffert cent fois plus que moi, comme ton amie Janine.

Attendrie, Béatrice revint vers le lit et étreignit la main de sa cousine.

— Je suis certaine que tu as été très courageuse. Dis-moi, pourquoi t'a-t-il relâchée, Dubreuil?

— Ce n'est pas lui. Il a dû obéir aux ordres d'un commandant allemand, le commandant Schäfer. Je n'oublierai jamais son nom. Il m'a sortie de l'enfer. Figure-toi, en plus, qu'il a logé au domaine de Ponriant quand c'était une feldkommandantur. Il connaissait Claire Dumont et sa fille Ludivine. Il se souvenait de Sauvageon et il a semblé triste en apprenant que Dubreuil l'avait tué. Dieu m'a envoyé un ange gardien qui portait l'uniforme ennemi, mais qui avait un grand cœur, Béa.

— Abi, le loup est en bas, dans le salon. Ta tante et mon père l'ont soigné de leur mieux. En fait, papa, Patrick et Pérez l'ont découvert en te cherchant, ce soir. De toute évidence, Sauvageon avait pu se traîner sur la pente malgré une grave blessure. Il a perdu beaucoup de sang. Enfin, il est mourant. Je suis désolée. Je sais que tu l'aimais.

La nouvelle frappa Abigaël de plein fouet, la rendant muette de stupeur et d'incrédulité. D'abord, elle se résigna, tellement lasse et choquée qu'elle aspirait à l'indifférence, à l'oubli de tout. Peu à peu, néanmoins, un regain de vitalité la ranima.

— Il faudrait que je descende, murmura-t-elle. Je peux l'aider, le sauver.

— Pas question! Tu es affaiblie. Ça ne donnerait rien. Reste sagement dans ton lit, je reviens vite.

Une fois seule, Abigaël s'agita, subitement en proie à une violente migraine. Elle toucha sa tempe gauche en gémissant, car des images atroces hantaient ses souvenirs et s'ajoutaient à ses douleurs physiques. Les deux jeunes miliciens l'entouraient et la harcelaient de leurs injures, de leurs attouchements ignobles. La face sanguine de l'un frôlait son propre visage, les doigts de l'autre la blessaient à nouveau dans sa chair intime à plusieurs reprises. Plusieurs minutes passèrent. Elle avait beau chasser ces images, elles revenaient sans cesse, de plus en plus lancinantes. À un certain moment, son angoisse fut si vive qu'elle poussa un cri de terreur.

Dans la cuisine, Béatrice avait rapidement exposé ce qui était arrivé à sa cousine. Marie l'avait écoutée, livide, les poings serrés.

— Dubreuil l'a interrogée. Il a osé la brûler avec une cigarette. La plaie est caractéristique.

— Le fumier, la brute épaisse! avait grondé Yvon, le teint coloré par la rage.

— Pauvre petite! avait déploré le professeur.

— Elle a tenu bon, avait précisé Béatrice, mais, un peu plus tard, les miliciens qui assumaient sa garde ont eux aussi tenté de la faire parler. Elle a été frappée, Marie, d'où sa réticence à s'en remettre à vous. Elle souhaitait vous épargner.

— Mais je suis sa tante, sa mère adoptive, quand même! J'avais besoin de la consoler, de la cajoler. Béatrice, vous ne me cachez rien?

— Elle est affamée et assoiffée, avait coupé la jeune femme sans répondre à la question. Je dois lui monter un plateau. Préparez-le, Marie, si vous voulez.

— Oh! oui, que je puisse au moins faire cela pour elle!

Yvon n'avait cessé de scruter les traits énergiques de sa fille. Il avait vu sans peine une ombre farouche dans son regard. Cependant, il n'en avait pas demandé la cause, repoussant ainsi le moment d'en savoir davantage.

— Je lui ai dit que le loup était là, mais qu'il agonisait.

— La malheureuse bête résiste, avait déclaré Marie. Elle devrait être morte. Je ne pensais pas qu'un animal pouvait survivre à une blessure aussi grave.

— Chienne de vie, avait maugréé le fermier. Béa, sais-tu comment Abigaël s'est tirée de ce guêpier?

— Oui, grâce à l'intervention d'un haut gradé allemand, un Boche soudain sujet à la compassion. C'est le monde à l'envers, n'est-ce pas?

— Les voies du Seigneur sont impénétrables, avait alors déclaré Marie d'une voix grave. Que cet homme soit béni!

Le professeur avait esquissé une grimace, imité par Yvon. Ils auraient sûrement commenté ces derniers mots si un cri n'avait retenti à l'étage, un cri de pure panique qui leur vrilla le cœur. Une longue plainte modulée y répondit, s'élevant du salon.

— Dieu du ciel, s'écria Marie Monteil, c'était Abigaël! Et le loup l'a entendue! Je monte!

— Non, je vous en prie, laissez-la, protesta Béatrice. Elle est épuisée. Elle a dû s'endormir et faire un cauchemar. Dès qu'elle sera remise de ses émotions, vous pourrez aller à son chevet.

Furibonde, la gorge nouée par la frustration et le dépit, Marie quitta la cuisine et se rendit dans le salon. Elle supposait que le hurlement du loup était son ultime appel avant de s'éteindre. Yvon la suivit, la même idée en tête. Tous deux eurent la surprise de voir Abigaël debout en bas de l'escalier, vêtue d'une chemise de nuit blanche, les cheveux épars sur les épaules. Dans la pénombre, son apparition avait quelque chose de fantomatique.

— Sauvageon me réclame, leur dit-elle, l'air égaré. Je n'ai pas le droit de l'abandonner.

— Ma chérie, tu es pieds nus sur le carrelage, s'offusqua sa tante. Tu vas attraper froid. Tu trembles de tout ton corps.

Malgré cette remarque maternelle, Marie était heureuse. Sa précieuse enfant par le cœur était à sa portée. Elle était fragile et hébétée, mais elle pouvait la toucher, lui caresser la joue.

Yvon, lui, distinguait les ecchymoses sur le tendre et beau visage d'Abigaël, ainsi que la marque rouge dans son cou. En son for intérieur, il jura de la venger. «Avant la prochaine pleine lune», se disait-il, obstiné.

Personne ne songea à empêcher Abigaël d'entrer dans la grande pièce fraîche où les sièges étaient couverts de linges usagés pour les protéger de la poussière. La jeune fille se mit à genoux près de l'animal, dont elle avait tout de suite aperçu la forme en apparence inerte. Couché sur une couverture, il paraissait si mal en point que Marie douta. «Est-ce vraiment lui qui a hurlé?»

Mais, dès qu'Abigaël effleura sa belle tête grise, Sauvageon cligna les yeux et poussa une nouvelle plainte brève.

— Je suis là, murmura-t-elle. Si tu n'as pas été tué sur le coup, c'est sûrement que tu dois vivre. Tant de fois tu as frôlé la mort, mon pauvre petit ami! J'avais tant de chagrin! Je me reprochais d'avoir causé ta perte en voulant te sauver. Sauvageon, je t'en prie, reste avec moi.

Elle étouffa un gémissement en s'asseyant à côté de la bête souffrante. Elle appliqua ses mains sur son flanc en priant Dieu de toute son âme, en faisant aussi appel à la clémence du bon saint François d'Assise, dont elle vénérait l'histoire, fillette.

«Saint François, ayez pitié de Sauvageon, vous qui aimiez tant les oiseaux, vous qui avez eu un loup comme compagnon. Pitié pour cette simple créature de Dieu, pitié pour moi, blessée dans ma vertu et mon honneur.»

Marie, Béatrice, Yvon et Jacques assistaient à la scène. Ils éprouvaient un infini respect pour Abigaël et pour le loup, impressionnés par la gravité de l'instant, par sa beauté insolite.

Soudain, l'enchantement fut rompu. Jorge Pérez, en pyjama, venait d'allumer le plafonnier de la pièce.

— Je suis désolé, mais Grégoire pleure très fort. Il a réveillé Vic. J'ai essayé de le rassurer, mais ça n'a rien donné, au contraire. Cécile, qui s'est réveillée aussi, m'a dit de vous prévenir, madame Marie.

— Seigneur, comme si c'était le moment! se plaignit-elle.

— Mademoiselle Abigaël est de retour! ajouta le réfugié. Je suis bien content pour vous tous. On s'en est fait, du souci, hein?

Marie dut quitter le salon. Abigaël se releva péniblement. Sous la lumière crue de l'ampoule électrique, elle avait très mauvaise mine. Ses lèvres étaient tuméfiées et son teint était blafard, marbré de zones bleuâtres.

— Mon oncle, je vous remercie d'avoir ramené Sauvageon ici. Vous l'avez fait pour moi, je le sais. En marchant pour rentrer chez vous, je me répétais que j'avais enfin un foyer, une famille, et je vous appelais à l'aide comme si vous étiez mon père... Puis-je vous demander une faveur? Je voudrais qu'on installe Sauvageon dans ma chambre, près de mon lit. Je n'ai pas encore la force de le veiller, mais, si je suis couchée, je pourrai lui parler et le caresser. Il guérira, vous verrez. En passant, le commandant allemand m'a affirmé que le dossier du réseau Sirius est clos. La milice n'a plus à chercher Claire, car elle est décédée depuis des mois, selon les S.S.

Touché en plein cœur, Yvon ressassait les mots de la jeune fille. «Comme si vous étiez mon père», avait-elle dit. Il en avait la gorge serrée, car il prenait conscience qu'il aimait Abigaël comme si elle était sa fille, née de sa chair. Il songea alors à son frère adoptif, Pierre. Peut-être que, du Ciel, son cher Pierrot lui avait confié sa belle enfant pour les années à venir.

— Si ça peut te faire plaisir, petite, on va transporter ton loup là-haut, répondit-il d'une voix altérée par l'émotion. Je n'ai rien à te refuser. Je serai toujours là pour toi! Jorge, vous m'aidez? On se sert de la couverture comme d'un brancard et le tour est joué.

Une demi-heure plus tard, Abigaël avalait sans réel appétit le potage aux légumes que sa cousine lui avait servi. Adossée à ses oreillers, elle jetait de fréquents regards sur Sauvageon, étendu de tout son long à côté du lit.

— Bien, tu es exaucée, dit Béatrice, qui sirotait un verre de vin. Le calme est revenu. Nous sommes seules pour la nuit, qui sera courte, puisqu'il est plus de trois heures du matin. Te sens-tu capable de me dire la vérité? Ces deux saligauds de miliciens, ils ont abusé de toi, oui ou non? Tu ferais mieux d'être franche. Imagine que tu te retrouves enceinte...

— Non, ça n'arrivera pas, souffla Abigaël. Béa, c'est si gênant que je ne sais pas comment t'expliquer.

— Respire à fond, évite de me fixer, baisse les yeux sur ta tartine de pain et cause vite, recommanda sa cousine. Si ça te fait pleurer, tant pis, ça soulage.

— Ils m'ont embrassée. C'était épouvantable! On aurait dit qu'ils avaient envie de m'arracher la bouche, de me casser les dents. Il y en a un qui m'a mordu au sang le bout des seins.

Secouée de frissons de dégoût, Abigaël se tut. De grosses larmes roulèrent sur ses joues.

— Ensuite, il m'a jetée dans les bras de l'autre, qui a perdu patience. Si tu l'avais vu! Il était effrayant. Il a... relevé ma jupe et s'est moqué de mes bas en laine. Il se frottait à moi. Ça me rappelait ton frère... pardon, tu m'as priée d'être sincère, je le suis. Après, il a... il a fait un geste abominable, j'ai eu très mal, Béa. J'ai encore mal.

— Quel geste? Vas-y, tu n'es coupable de rien, ma pauvre chérie, dis-moi.

— C'étaient ses doigts, deux doigts, je crois qu'il m'a griffée, sous ma culotte et, le pire, il a... enfin, tu comprends? Je suis sûre que je ne suis plus vierge. Oh! mon Dieu! moi qui me gardais pour Adrien, pour le soir de notre mariage!

Rouge de honte, Abigaël sanglota sans bruit. Le loup redressa la tête et poussa un cri bref.

— Brave Sauvageon, il sent ma peine, murmura-t-elle. Dors, mon tout beau, reprends des forces, je ne pleurerai plus.

Muette de confusion, Béatrice ôta le plateau en bois du lit. Elle le déposa sur le sol, puis tira le drap et la couverture en arrière.

— Navrée, cousine, je vais t'examiner. Entre filles, pas de place pour la pudeur. Nous sommes toutes faites pareil.

— Oh non, ça non! s'indigna Abigaël en attrapant la literie et en s'en protégeant. Tout à l'heure, quand tu es descendue, je me suis nettoyée avec de l'eau coupée d'alcool à 90°. C'était plus prudent de désinfecter. J'ai passé du baume de consoude à cet endroit et sur ma plaie au cou. Si je te dis que j'ai été déflorée, c'est vrai. Je connais mon corps.

Ces mots arrachèrent un triste sourire à Béatrice. Elle se pencha et embrassa sa cousine sur le front.

— Déflorée! Le mot est approprié. Pauvre petite fleur, si belle, si pure! Ne te rends pas malade, c'est un moindre mal. Ces fumiers auraient pu te violer pour de bon, et à tour de rôle. Peut-être que tu exagères les conséquences de ce geste odieux. Mais Adrien n'a pas besoin de savoir. Le jour où tu t'offriras à lui, il sera tellement fier et comblé qu'il ne fera pas attention.

— Tu ne m'as pas bien comprise, Béatrice, rétorqua durement Abigaël. Je n'épouserai jamais Adrien ni aucun autre homme. Je me consacrerai à Dieu, je serai religieuse pour secourir ceux qui ont mal, les miséreux et les malades. J'ai été salie. Je ne veux plus aimer, hormis le Seigneur Jésus.

— Que feras-tu de Sauvageon, s'il survit? ironisa gentiment Béatrice. Un loup dans un couvent, ce ne serait pas banal!

— Claire reviendra. J'attendrai son retour avant de prendre le voile. Oh! j'ai sommeil, Béa. Laisse-moi, j'ai besoin de dormir.

— D'accord, nous en reparlerons quand tu iras mieux.

14

Avril couleur d'espoir

Ferme des Mousnier, mardi 4 avril 1944

Pélagie Mousnier lavait les premiers radis qu'elle avait ramassés dans le potager. L'épouse d'Yvon était rentrée à la ferme deux jours après la libération inespérée d'Abigaël. Elle avait trouvé sa maison en bon ordre, mais Marie Monteil pleurait souvent en silence et priait encore plus souvent. Quant à son mari, il était d'une humeur orageuse et semblait ne pas se rendre compte de sa présence.

La vie de famille paraissait ralentie et uniquement concentrée sur la chambre du premier étage où, depuis bientôt deux semaines, Abigaël restait alitée après avoir souffert d'une forte fièvre et d'un abattement alarmant. On avait appelé le docteur appartenant au groupe de résistants dirigé par le professeur. Il avait pu constater la présence du loup, lui aussi dolent et très faible, couché près du lit de la jeune fille.

— Qu'est-ce que ça signifie, Mousnier? s'était écrié le médecin.

— La petite n'a pas pu le tuer, au château. Elle l'avait seulement drogué. Et la balle de ce saligaud de Dubreuil, tirée presque à bout portant, n'a pas eu raison de lui. La bête est protégée, sans doute. Maintenant on la soigne, on essaie de la sauver.

Il était déterminé à défendre sa nièce et l'animal. Le docteur n'avait pas insisté. Une fois son diagnostic établi sur la santé d'Abigaël, il s'était même intéressé à l'état de Sauvageon.

— Elle a été choquée et ses nerfs n'ont pas résisté. Du repos, des calmants, et elle se remettra. Quant au loup, je ne comprends pas pourquoi il est encore vivant, mais il vit.

Ces paroles, les allées et venues dans sa chambre et les dialogues chuchotés autour d'elle parvenaient à peine à l'entendement de la malade. Son esprit errait dans des sphères étranges où elle côtoyait des défunts, des êtres lumineux, où elle survolait de temps à autre la campagne endormie au sein d'un paysage nocturne dont la beauté la ravissait. Dans ces cas-là, sa tante, qui tricotait à son chevet, la voyait sourire comme si elle était au paradis, un sourire délicat, tendre et émerveillé.

Cependant, Abigaël avait aussi des visions d'horreur qui la faisaient gémir, agiter les bras et pousser des plaintes. Des scènes de mort lui étaient montrées, ainsi que des hommes et des femmes décharnés et tondus au visage tragique.

Ce matin-là, alors que Pélagie admirait la fraîcheur de ses radis et leurs couleurs vives, on frappa à la porte entrouverte. Le printemps charentais déployait sa palette de fleurs jaunes et blanches dans le jardin, des jonquilles, des narcisses et des tulipes encore en bouton.

— Qui est là? demanda la fermière, toujours inquiète.

— C'est moi, maman, répondit Patrick en traversant le vestibule.

Elle n'avait pas vu son fils depuis des semaines. Sous le coup de l'émotion, elle lâcha son couteau à légumes, bouche bée.

— Papa et le prof sont partis en ville. Alors, j'ai désobéi aux consignes, maman. Je suis venu t'embrasser. Tu me manques.

— Enfin, te revoilà, mon gamin, je veux dire chez nous, sous le toit où tu es né! s'exclama-t-elle en l'étreignant. Ton père est trop dur avec toi. Tu aurais le droit de revenir à la maison.

— Je suis bien, chez le professeur, maman. Vrai, il m'a remis du plomb dans la cervelle. Maintenant, je me sens sur le droit chemin.

— Ouais, un chemin dangereux, Patrick! Je suis au courant, tu fais partie des résistants et, il y a trois jours, tu as failli être arrêté.

— Les Boches ne m'ont pas eu, rétorqua-t-il assez fièrement.

Pélagie le contemplait en hochant la tête. C'était son fils, sa chair, son sang, un grand gaillard à la barbe naissante qui arborait une moustache brune.

— Tu es un beau gars, fiston, le complimenta-t-elle. As-tu faim? Je parie que monsieur Hitier te nourrit mal.

— Je mangerais bien un morceau, là, avec toi. Dis donc, ils sont superbes, tes radis! Si tu as du beurre et du pain, je vais me régaler.

— J'ai tout ce qu'il faut, mon petit. Ton père se débrouille toujours pour nous fournir en farine et, le beurre, je le fais moi-même. Par chance!

Elle vit Patrick se mettre à table et en pouffa de joie. En passant derrière sa chaise, elle caressa ses cheveux drus, qu'il portait courts.

— As-tu des nouvelles de ta sœur? demanda-t-elle en prenant place près de lui.

— Oui, Béa est du côté de Chasseneuil. Elle doit rentrer à Angoulême et nous rejoindre ici pour la prochaine opération.

Pélagie se signa d'un geste machinal. Elle tremblait constamment pour ses deux aînés, tout en recommençant à houspiller Grégoire, le benjamin, qui était de plus en plus attaché à Marie Monteil.

— Comment va Abigaël? finit par demander Patrick entre deux bouchées de pain beurré.

— Il n'y a pas de mieux. C'est à croire qu'elle va passer l'année au lit, déplora sa mère non sans humeur. Je ne m'en occupe pas, Dieu merci! Je suis entrée une fois dans sa chambre. Ça pue le fauve. Cette pauvre Marie nettoie sans arrêt et elle ouvre la fenêtre, mais, penses-tu, dès qu'il boit de l'eau ou qu'il mange un peu, il fait ses besoins sous lui.

— Le professeur voudrait qu'on l'achève, marmonna le garçon.

— Misère, ton père ne veut pas en entendre parler. Tu veux mon avis, fils? Yvon n'a plus les idées claires, depuis qu'il héberge sa prétendue nièce. Pendant mon séjour à Dirac, ma sœur et moi, on a beaucoup causé. Flavie est de mon avis, Abigaël attire les ennuis. On en aura d'autres.

Patrick demeura silencieux, à nouveau en proie à d'obscurs remords. Il avait vraiment changé au contact de Jacques Hitier et il regrettait son comportement.

— Il ne faut pas dire ça d'Abigaël, maman. On ignore encore ce qu'ils lui ont fait, les miliciens. Je peux t'assurer que, le chef Dubreuil, c'est une ordure, un fêlé. Moi, sous ses ordres, j'ai agi comme un salaud. Mais je vais me racheter.

— Tais-toi donc, fiston! Je ne veux rien savoir. Mange tes radis, j'en ramasserai d'autres cet après-midi.

Nerveuse, Pélagie tapota l'épaule de Patrick en le couvant d'un regard plein d'adoration. Son mari lui prêtait à peine attention et Marie Monteil ne lui adressait guère la parole. La fermière se sentait presque une étrangère dans son propre foyer, après s'en être absentée une dizaine de jours.

— Ah! si on pouvait aller habiter tous les deux chez Flavie, on serait plus heureux, affirma-t-elle d'un ton rêveur. Mais ton père m'empêcherait de partir. Il me bat froid, ces temps-ci; seulement, il a besoin de moi.

— Je n'irai plus me planquer à Dirac, dans les jupes de ma tante, objecta Patrick. Le prof me prend au sérieux. Je ne veux pas le décevoir.

Marie Monteil entra au même instant. Elle jeta un coup d'œil par la fenêtre afin de s'assurer que les enfants jouaient sagement dans le jardin, près du grand sapin. Grégoire et Cécile se lançaient un ballon en baudruche, pendant que le petit Vicente cueillait des pâquerettes.

— Bonjour, madame, dit Patrick tout bas. Abigaël va mieux, aujourd'hui?

Désagréablement surprise de le voir là, attablé près de sa mère, Marie fronça les sourcils, l'air mécontent.

— Je croyais que tu n'avais pas le droit de quitter la maison des falaises, répondit-elle en le toisant froidement. Ton père a été ferme sur ce point, Patrick.

Il y avait une note de mépris dans sa façon de prononcer le prénom du jeune homme. Pélagie se leva de sa chaise, les poings sur les hanches.

— Non, mais dites donc, vous faites pas encore la loi chez moi! Mon fils avait envie de m'embrasser, j'allais pas le mettre dehors. En voilà, des manières!

— Les consignes sont les consignes, s'enflamma Marie. Je suis navrée, Pélagie, mais, chaque fois que je vois votre fils, je pense à ce qu'il a osé faire à ma nièce.

Embarrassé, Patrick se leva à son tour et remit sa casquette. Il se dirigea vers la porte, puis revint sur ses pas.

— Vous êtes pourtant une bonne catholique, madame Marie, dit-il. Vous devriez pratiquer le pardon des offenses…

— Seigneur, quel toupet! s'indigna-t-elle. Tout dépend des offenses. Quand elles sont quasiment des crimes, je me refuse à pardonner. Au revoir.

— Je vous en prie, madame, insista-t-il. En plus, j'avais une idée en venant ici ce matin. Je voudrais voir Abigaël pour lui demander pardon. C'est important, je vous assure.

Pélagie devint livide. Au bord des larmes, elle réprima un cri de déception.

— Et tu me chantais que je te manquais, que tu avais envie de m'embrasser! se plaignit-elle, pathétique.

— C'est vrai aussi, maman, mais je pouvais faire d'une pierre deux coups, non?

— Il est hors de question que tu montes dans la chambre de ma nièce, trancha Marie, le teint coloré par l'irritation. Abigaël est le plus souvent inconsciente et il y a Sauvageon, que tu as déjà essayé de tuer.

Patrick ôta sa casquette, qu'il tourna entre ses doigts. Il était humilié d'être traité en paria, lui qui s'estimait sur la voie du salut, qui s'était sincèrement repenti.

— Jamais plus je ne ferai de mal au loup, madame Marie, dit-il avec conviction. Encore moins à Abigaël. Samedi, je participe à une opération dangereuse. Il pourrait m'arriver malheur. Je n'aurai peut-être plus l'occasion de demander pardon à ma cousine.

— C'est ta cousine, à présent? soupira Marie, touchée par l'expression désespérée de Patrick.

Affolée, Pélagie se jeta sur son fils et le secoua en le tenant aux épaules.

— Comment ça? Je vais en causer à ton père. Tu n'iras pas te faire tuer, entends-tu? Je suis ta mère. Tu dois m'obéir, à moi aussi!

— Maman, je reviendrai probablement sain et sauf, mais je ne peux pas en jurer. Alors, madame Marie, vous m'autorisez à monter? Si Abigaël dort, je lui causerai tout bas, oui, je lui demanderai pardon sans la réveiller. Cinq minutes, même pas, trois minutes.

— D'accord, il me semble que je ne peux pas m'opposer à ta démarche. Je t'attends en bas de l'escalier. Fais vite. Au moindre bruit anormal, je te rejoins.

La chambre était baignée dans le clair soleil matinal que voilait un large rideau en dentelle. Patrick s'approcha du lit sur la pointe des pieds, en choisissant le côté où se dressait une chaise, à l'opposé de celui où gisait le loup. Abigaël avait les yeux fermés et les mains croisées sur la poitrine.

Il l'observa attentivement, le souffle suspendu. Ses cheveux d'un châtain doré étaient nattés et son visage amaigri avait une teinte ivoirine. Béatrice lui avait avoué en partie le calvaire qu'elle avait enduré, mais les ecchymoses ne se distinguaient plus.

— Abigaël, c'est moi, Patrick. Je ne sais pas si tu m'entends. Tu as l'air bien malade! Pourtant, je veux te demander pardon. Tu dois me croire, j'ai changé. Grâce au professeur, j'ai compris qu'on ne peut pas se conduire comme je le faisais. C'était parce que je buvais toujours trop, et ça me rendait méchant. Voilà, je suis désolé et j'ai vraiment honte. Je n'avais pas le droit de te traiter comme une fille de rien. Enfin, aucune fille ne mérite d'être malmenée.

Il se tut, tremblant, les joues cramoisies. Il se revoyait en train de violer la femme que Dubreuil avait exécutée ensuite et il avait envie de disparaître sous terre.

— Bah, je suis pas habile avec les mots. Je ferais mieux de te donner des nouvelles d'Adrien. N'aie pas peur, il ne sait rien, pour toi. Ordre du prof, on ne lui a pas raconté tes malheurs. Mais il t'aime fort, ça saute aux yeux. Il faut l'écouter quand il parle de toi comme si tu étais la madone. Là, on l'a envoyé dans la forêt de Bois-Blanc. Il viendra peut-être la semaine prochaine. Bon, j'ai pas beaucoup de temps. Je vais te laisser et j'espère que tu t'en souviendras, que je t'ai demandé pardon. Dans mon cœur, maintenant, tu es ma cousine, comme celle de Béa.

Patrick soupira et recula un peu. Sa mère avait exagéré; la pièce sentait le linge frais et le parfum des narcisses qui garnissaient un vase en porcelaine. Il s'aventura au pied du lit afin de jeter un coup d'œil au loup.

L'animal somnolait, étendu de tout son long sur une couverture, ses flancs squelettiques soulevés par une respiration saccadée.

— Je souhaite que vous guérissiez tous les deux, dit-il à mi-voix.

Il se passa à cet instant une chose singulière. Abigaël cligna les paupières, puis fixa le garçon de son regard bleu ciel d'une rare douceur.

— Merci, murmura-t-elle. Tu m'as réveillée en entrant dans la chambre. Je t'ai écouté, Patrick. Je crois pouvoir te pardonner, mais ce n'est pas à moi que tu as fait le plus grand tort. Je l'ai su, là-bas, dans la cellule de la milice.

— Ah! fit-il, la gorge nouée, son cœur cognant à grands coups. Qui c'étaient, les types?

— Je ne sais pas leur nom, mais, eux, ils te connaissaient.

— Tu dois me mépriser encore plus, alors? Je ne sais pas pourquoi je me suis conduit aussi mal.

— Si tu le regrettes de tout ton cœur, je te pardonne, oui. Le monde devient fou, la mort règne, la cruauté et la barbarie nous dominent.

Ils perçurent des pas dans l'escalier. Marie avait perdu patience et montait en courant afin de surveiller le jeune homme.

— Au revoir, Abigaël, marmonna-t-il. Je suis content, je n'aurai peur de rien, puisque tu m'as pardonné. Tu as un grand cœur, ça oui, le cœur d'un ange.

— Au revoir, Patrick, répliqua-t-elle gentiment en souriant, troublée cependant, car elle avait failli lui dire adieu, envahie par un pénible pressentiment.

Il sortit en hâte en bousculant Marie. Celle-ci remarqua qu'il avait les yeux brillants de larmes.

— Au revoir, madame, balbutia-t-il avant de dévaler les marches.

Abigaël tendit la main vers sa tante, qui s'empressa de reprendre sa place à son chevet.

— Il a troublé ton repos, ma chérie, s'alarma-t-elle.

— Oh! non, tantine, Patrick m'a ramenée parmi vous, je le sens dans mon cœur. Son repentir est sincère. J'en suis si heureuse!

Sur ces mots, elle serra plus fort les doigts de sa tante et se redressa un peu. C'était la première fois qu'elle parvenait à s'asseoir.

— Dieu soit loué, ma petite chérie, s'écria Marie. Voudrais-tu de l'omelette, à midi, et de la salade de pissenlits qui te redonnerait des forces?

— Oui, j'ai faim… Demain, je me lèverai.

Marie en aurait pleuré de joie et de soulagement. Elle se domina et embrassa avec dévotion la main diaphane d'Abigaël.

—

Ferme des Mousnier, mercredi 5 avril 1944

Il était midi. Convié à déjeuner, Jacques Hitier regardait d'un œil triste et distrait le feu qui crépitait dans l'âtre. Pélagie avait servi des pommes de terre sautées et des œufs durs. Yvon, la mine sombre, venait de boire son troisième verre de vin. Seule Marie Monteil témoignait d'un certain entrain. Elle ne pensait qu'à sa nièce chérie, sa fille de cœur, de qui elle avait guidé les premiers pas de convalescente le matin même.

«Comme elle est douce, tendre, câline! Cette épreuve me l'a rendue telle qu'elle était avant, en Touraine. Et sa foi en est ravivée», songeait-elle en remplissant d'eau une carafe.

Grégoire mangeait avec appétit; ses cheveux roux avaient été récemment tondus, ce qui lui donnait un visage plus mature. Assise entre lui et le petit Vic, Cécile jouait les mamans en aidant l'enfant à boire.

— Il est assez grand pour se débrouiller, fit remarquer Jorge Pérez. Mais tu es bien gentille avec lui, Cécile.

— Oh! ça me plaît de m'occuper de lui. Et puis, ça soulage madame Marie.

Le réfugié espagnol approuva en souriant. Il observa encore une fois le fermier et le professeur. De toute évidence, les deux hommes étaient d'humeur morose depuis leur expédition en ville. Pérez supposa qu'ils avaient des ennuis ou qu'ils devaient réfléchir à l'opération prévue samedi. Pendant la traite, Yvon n'avait pas hésité à lui exposer son plan.

— On va attirer Dubreuil dans un guet-apens. Il a signé son arrêt de mort en s'en prenant à Abigaël.

— C'est risqué, avait-il répondu, effrayé à la perspective de représailles contre la famille Mousnier. Si vous ratez votre coup, tout le monde ici sera en danger.

— Je ne te retiens pas, Pérez, si tu as peur! s'était écrié Yvon.

Ces quelques mots avaient décidé le réfugié à quitter la ferme dès le lendemain, mais il gardait son projet secret. Il ignorait où il irait, mais il ne pouvait pas rester, lui qui avait promis à son épouse mourante de protéger leur petit Vicente.

Selon son habitude, Pélagie restait debout la plupart du temps, se contentant de grignoter une tranche de pain ou de piocher un morceau de pomme de terre dans le plat à l'aide d'une fourchette. Sa manie exaspérait Marie, qui l'avoua ouvertement.

— Mais enfin, mettez-vous donc à table, Pélagie! Je dois garder sa part à ma nièce et, avec vos façons, je ne sais jamais si vous êtes rassasiée ou non!

— Je fais comme je veux, rétorqua la fermière. Et vous, êtes-vous assise? Non, vous tournez et virez autant que moi.

— Silence, les femmes, gronda Yvon, furibond.

— Pardon! Qu'avez-vous dit? s'insurgea Marie. Ne soyez pas grossier, je vous prie.

— Yvon a raison, on ne s'entend plus penser, renchérit le professeur Hitier.

Marie fut profondément vexée. Elle garnit une assiette pour Abigaël et quitta la cuisine. Ses pas nerveux ébranlèrent l'escalier. Quant à Pélagie, elle laissa éclater sa colère.

— Je vais te dire une chose, mon homme, ça ne peut plus durer comme ça. D'abord, Patrick n'a pas le droit d'entrer chez lui, sous notre toit, là où je l'ai mis au monde. Ensuite, toi et monsieur Hitier, vous l'embarquez dans vos affaires de résistants et ça ne me plaît pas. Tu es prévenu, Yvon, s'il arrive quelque chose à mon fils, tu ne me reverras pas.

— Bon sang de bois, s'égosilla-t-il en tapant rudement sur la table, quand vas-tu comprendre? On doit gagner la guerre, se débarrasser des Boches et des miliciens! Il faut bien agir! On ne peut pas rester les bras croisés, nom d'un chien! Tiens, je préfère m'en aller prendre l'air.

Il se rua dehors en claquant la porte. Terrifié par les éclats de voix, Vicente fondit en larmes.

— Je vais le coucher, dit son père en le prenant dans ses bras. Une sieste lui fera du bien.

Le professeur Hitier vit l'expression navrée de Cécile et le regard anxieux de Grégoire.

— Si vous montiez, vous aussi, les enfants? D'après Marie, Abigaël va beaucoup mieux. Vous pourriez lui rendre une petite visite.

La fillette s'empressa d'obéir en entraînant Grégoire par la main. Pélagie adressa un regard perplexe au professeur.

— Pourquoi vous expédiez les gosses à l'étage? interrogea-t-elle. Vous comptez me faire la morale?

— Peut-être, dit-il en bourrant sa pipe. Nous ne sommes guère d'agréable compagnie, aujourd'hui. Aussi, j'aimerais vous dire ce qui nous tracasse. Et le mot est faible. Je ne pouvais pas en parler devant les petits. Hier, chez ma sœur, à Angoulême, nous avons pu écouter Radio-Paris. Il y a eu un massacre à Ascq, dans le nord de la France. Les S.S. ont fusillé des civils à cause d'un incident sur la voie ferrée. Ils ont accusé les gens du village de soutenir les terroristes français, comme ils surnomment les résistants. Environ quatre-vingt-six personnes sont mortes, exécutées devant les femmes et les enfants[11].

— Ah! tant que ça? marmonna Pélagie, désemparée.

— Oui, et cela peut se produire n'importe où, chaque fois que les combattants de l'ombre nuisent à l'ennemi. Il faut être prudents et, même si l'on atteint

---

11. Fait authentique, rapporté par Radio-Paris le 4 avril 1944.

notre but, comment éviter ce genre de représailles? J'ai soixante-douze ans et j'aimerais vivre tranquillement, madame Mousnier, reprendre mes écrits sur l'histoire de la vallée, mais chaque petite victoire représente un grand pas en avant et entretient l'espoir d'être libéré. Vous n'êtes pas à plaindre, ici, dans votre ferme. En ville, le rationnement devient dramatique et le marché noir pratique des prix inspirés par la folie. Votre mari dit vrai, c'est impossible de rester les bras croisés.

Elle haussa les épaules en le dévisageant froidement.

— Vous savez causer, professeur, mais, ce que j'en retiens, moi, c'est qu'avec vos grandes idées, vous êtes de ceux qui font tuer des innocents. En plus, j'en ai gros sur le cœur parce que mon Patrick ne devrait pas être mêlé à vos affaires. Je ne sais pas ce que vous mijotez, Yvon et vous. Seulement, ça m'inquiète, voilà.

Hitier ne daigna pas répondre. Il alluma sa pipe et fuma en silence.

Marie avait trouvé Abigaël debout en train de faire sa toilette. En chemisette de linon, les jambes et les bras nus, sa nièce lui parut singulièrement frêle.

— Ciel! tu as beaucoup maigri, constata-t-elle. Il faut que tu te nourrisses bien, maintenant que tu es rétablie.

— Je n'ai pas grand appétit, mais je ferai des efforts, même si je tiens à me préparer à une vie austère.

— Comment ça?

— Je voulais te l'annoncer cet après-midi, mais autant le faire tout de suite. J'ai décidé de me consacrer à Dieu, d'entrer en religion, si tu préfères. J'ignore encore dans quel ordre, car je voudrais me dévouer pour les plus malheureux, les miséreux et les malades.

Sidérée, mais secrètement ravie, Marie déposa l'assiette sur la table qui servait de bureau à Abigaël. Elle jugea nécessaire d'en savoir davantage.

— Quand as-tu changé d'avis, ma petite chérie? Tu semblais vouloir te marier et mener une vie normale. Et Adrien?

— Adrien comprendra, tantine, je lui écrirai. J'ai eu tout loisir de bien réfléchir. J'ai dormi la plupart du temps, une fois la fièvre tombée, mais, la nuit, je restais souvent éveillée et j'ai vite eu la conviction que c'était ma voie, d'être au service de notre Sauveur, Jésus-Christ.

Elle enfila une robe en lainage que lui avait donnée Béatrice et noua ses cheveux d'un ruban.

— Je suis désolée, ajouta-t-elle. Nous serons séparées quand je serai religieuse et cela me peine. Tu espérais vivre à mes côtés, même si je me mariais.

— Oh! ce n'est pas un problème. Je n'ai pas pris le voile pour pouvoir t'élever. Tu m'offres donc la possibilité de servir Dieu, moi aussi. Ma chérie, je suis heureuse de ton choix.

Elles s'étreignirent un court instant, toutes deux souriantes et apaisées.

— Mange un peu, à présent... Et Sauvageon, comment va-t-il?

Le loup remua une oreille en entendant prononcer son nom; cependant, il demeura allongé. Abigaël lui dédia un doux regard, brillant de tendresse.

— Je n'ai pas pu le soigner comme il l'aurait fallu, j'étais trop faible moi-même. Je vais le sauver, j'en suis sûre. Il y a un souci, pourtant. Il lui faudrait de la viande crue riche en fer, du foie, notamment, et pendant plusieurs jours. J'ignore comment on peut s'en procurer, surtout en ce moment. Il n'a droit qu'à du pain trempé dans du lait. C'est insuffisant.

Marie perçut une profonde tristesse dans la voix de sa nièce. Elle osa dire tout bas:

— Peut-être devrions-nous le laisser mourir, ma chérie. Qu'en feras-tu, si tu entres au couvent?

— Béatrice m'a posé la même question, la nuit où je suis revenue d'Angoulême, répliqua la jeune fille étourdiment.

— Ah oui? Tu pensais déjà à prendre le voile à ce moment-là? Tu m'as dit que ta décision était récente.

— Quelle importance, tantine?

— C'est important, très important, même. Abigaël, Béatrice m'a raconté fort brièvement ce que tu as enduré entre les griffes de Dubreuil et de ses sbires de la milice. La brûlure à la cigarette, les coups pour te faire parler... Es-tu certaine qu'il n'y a rien eu d'autre?

Elle dut s'asseoir au bord du lit. Elle se destinait à Dieu et se demandait si elle n'avait pas tort de mentir à sa tante. Elle se sentait tellement détachée des contingences ordinaires qu'elle se confessa d'une voix ferme.

— Tu as vu juste, je t'ai caché la vérité. J'ai subi des baisers odieux, répugnants, et des attouchements. Mais Dieu m'a évité le pire en envoyant ce commandant allemand. C'était un signe. Je devais exprimer ma gratitude envers le Seigneur, et je suis sincère, j'éprouve une immense joie à l'idée de me tenir à l'écart des plaisirs de la chair.

Elle baissa les yeux en prononçant ces derniers mots. Consternée, Marie hocha la tête.

— Comment pourrais-je considérer ta vocation avec sérieux, à présent? Ta réaction est normale. Tu te refuses au mariage, à l'amour d'un homme, car tu es gravement choquée par ce qui t'est arrivé.

La jeune fille osa regarder sa tante bien en face. Elle posa une main sur sa médaille de baptême afin de garder courage.

— Tu te trompes. La vie religieuse m'apparaît pleine de promesses subtiles. Je souhaite demeurer pure, donner mon cœur à Jésus et à lui seul. Est-ce si extravagant? Toi-même tu as fui la gent masculine, il me semble! Tu n'as jamais paru en souffrir.

Gênée, Marie se tourna vers la fenêtre. Devait-elle avouer à sa nièce les sentiments confus, teintés d'un éveil de ses sens, que lui inspirait Jacques Hitier?

— Je n'avais pas à te confier mes pensées intimes, ma chérie, mais, parfois, j'ai regretté d'être célibataire, une vieille fille, comme on dit. Peut-être aussi que je n'ai pas rencontré l'homme qui m'aurait convenu. Mais là n'est pas la question. Je crois que tu ne dois rien précipiter. Le soir de Noël, tu avais tout d'une amoureuse, auprès d'Adrien. Comme tu n'es ni futile ni inconstante, je suis en droit de supposer que tu aimes toujours ce garçon, mais que tu renonces à lui.

— Même si c'est le cas, j'offre ce sacrifice à Dieu, rétorqua Abigaël d'une voix douce. Je t'en supplie, ne cherche pas à m'influencer ou à me troubler. Je voudrais être un peu seule, maintenant...

Un joyeux remue-ménage dans le couloir la fit taire. On frappa à la porte et, aussitôt, Cécile entra, rieuse, suivie de Grégoire.

— Le professeur m'a dit de te rendre visite, claironna la fillette, sa poupée sous le bras. Alors, tu es guérie? Tu vas descendre dans la cuisine pour le goûter?

L'innocent se balançait d'un pied sur l'autre, un sourire béat sur le visage. Marie s'approcha de lui et le conduisit vers Abigaël en le poussant d'une main dans le dos.

— Fais un bisou à notre malade, Grégoire, elle a besoin de votre affection.

— J'en ai pas, moi, de ça, bredouilla-t-il. Tu veux que j'aille en chercher en bas?

— Non, l'affection, c'est embrasser, tenir la main, précisa-t-elle.

— Le pauvre! s'écria Cécile. Il ne peut pas comprendre.

Abigaël fit l'effort de se lever. Elle serra les deux enfants sur sa poitrine et les couvrit de légers baisers.

— Merci d'être là, dit-elle. Je suis presque guérie et bientôt Sauvageon gambadera dans le jardin avec nous trois.

Cécile trottina alors vers le loup. Sans demander la permission, elle le caressa délicatement.

— Regarde, Abi, clama-t-elle, il remue la queue! Pas beaucoup, mais en vrai.

— Il te reconnaît, ma mignonne. C'est bon signe. Soyez gentils, il faut que je sois tranquille pour le soigner.

Marie, qui s'estimait congédiée, sortit la première. Cécile et Grégoire s'en allèrent à leur tour sans un bruit. Abigaël ferma sa porte à clef. D'un pas lent, car elle était épuisée, elle rejoignit le loup pour s'étendre à côté de lui, sans se soucier de la dureté du parquet.

— Sauvageon, mon ami, mon frère, tu dois vivre. Je suis là, je ne t'abandonnerai pas. Je t'aime, mon beau Sauvageon, je t'aime autant que Claire t'aimait. Mais elle t'aime encore et je suis sûre que nous la reverrons un jour.

Elle plaça sa main droite sur le flanc de l'animal et la gauche au milieu de son crâne. Paupières mi-closes, elle se mit à prier de toute son âme.

—

Chez le professeur Hitier, maison dans la falaise,
vendredi 7 avril 1944
Abigaël s'amusait de l'étonnement qui se peignait sur le visage du professeur Hitier. Il restait ébahi, après

lui avoir ouvert sa porte. C'était bien elle qui était là. Elle avait natté ses cheveux, enfilé une robe grise et posé un châle noir sur ses épaules menues.

— Je savais que tu allais mieux, mais je ne m'attendais pas à une visite de ta part.

— J'avais envie de respirer l'air du printemps, répliqua-t-elle en souriant. Il fait si doux, si beau! Les talus sont constellés de fleurs, une symphonie de jaunes. Au retour, je ferai un petit bouquet pour tantine. Elle désapprouvait ma sortie.

— Eh bien, entre, j'ai du bon café, toujours un cadeau de ma chère sœur.

— J'en prendrai volontiers, professeur.

Elle se glissa à l'intérieur. Jacques Hitier lui désigna son meilleur siège, un vieux fauteuil en cuir, calé près de la cuisinière à bois.

— Tu n'as pas très bonne mine, Abigaël. Il faudrait te reposer encore quelques jours.

— Ne vous inquiétez pas. J'ai souffert d'une sorte de maladie nerveuse, mais c'est terminé. Je me remets très vite. Et autant être franche, j'avais une nouvelle à vous annoncer. Mon oncle devait mener les moutons au pré et il m'a demandé d'aller chez vous.

— Pourtant, Yvon devait passer ici ce matin. Pourquoi n'a-t-il pas chargé Pérez du travail?

— Justement, monsieur Pérez est parti, sans doute pendant la nuit. Il a laissé une lettre très brève dans laquelle il explique ce qui l'a poussé à nous quitter.

Hitier passa une main lasse sur son front. Quant à Abigaël, elle soupira, car le départ du réfugié espagnol avait fortement irrité le fermier. De son côté, Marie Monteil se disait désolée pour le petit Vic, qui aurait tant eu besoin d'un foyer stable.

— Quelle mouche l'a piqué? s'écria le professeur. Il avait le gîte, le couvert et un emploi. Son gamin était en sécurité.

— Il estimait le contraire, répondit Abigaël. Son message n'est pas très clair et il y a beaucoup de fautes. En fait, monsieur Pérez craignait les conséquences de l'action que vous préparez et dont m'a parlé Patrick mardi matin en venant me demander pardon.

— Je n'étais pas au courant de ça, bougonna Hitier. Enfin, c'est un geste louable de la part de ce garçon.

— Quelle est cette fameuse opération? Pouvez-vous m'en dire davantage?

— Non, petite. Marie de Martignac ne veut plus que tu participes à notre combat. Elle est encore furieuse, car tu nous as trahis et dupés, en gardant le loup en vie. Tes motivations ne sont pas en cause, mais l'acte en lui-même, si, évidemment. Comment te faire confiance, à l'avenir, si tu agis en fonction de tes sentiments, de façon puérile en plus?

— Depuis quand Marie de Martignac dirige-t-elle votre réseau, professeur?

— Je lui ai passé la main, très récemment. Je me sens fatigué. Je peine à endosser tant de responsabilités. Mais j'aurais pris la même décision à ton sujet, sache-le. Au fond, c'est préférable pour toi et ta tante. À propos, comment va Sauvageon?

— Mon oncle a eu la bonté de tuer deux canards rien que pour lui. Il a mangé les foies crus et tantine a fait bouillir les volailles. Il va guérir, maintenant que je peux lui communiquer mon énergie et ma force vitale.

Le professeur avait préparé du café. Il en servit deux tasses.

— Du sucre, petite?

— Non, merci... Ainsi, je ne saurai rien de la fameuse action prévue samedi? Patrick y participe, il me l'a confié et, selon lui, ce sera dangereux.

— Il ne pouvait pas tenir sa langue! s'offusqua Hitier.

La porte de la chambre voisine s'ouvrit alors brusquement. Patrick fit irruption en gilet de corps et pantalon.

— Bon sang, prof, c'est pas juste, ça. Abigaël a le droit de savoir qu'on va régler son compte à Dubreuil, après ce qu'il lui a fait, ce fumier! Papa veut te venger, cousine, et je l'approuve. Béa aussi. On va lui tendre un piège et, là, il n'en réchappera pas.

Furieux, le professeur tapa du pied. Il faillit renverser son café.

— Petit crétin, tu es vraiment incapable de te taire quand il le faut! tonna-t-il d'une voix rauque et basse. La jeunesse ne vaut plus rien, on dirait. Abigaël enfreint les ordres! Toi, tu te fiches des consignes!

— Pas du tout, mais je suis pas d'accord avec votre loi du silence. Flûte, ça la concerne. Elle se rétablira mieux si elle sait que ce sale type ne peut plus faire de mal à personne.

Abigaël était toute pâle. Elle se leva et reposa sa tasse, pour regarder tour à tour Jacques Hitier et Patrick.

— Je n'ai pas demandé à être vengée, déclara-t-elle d'une voix nette. Même si c'est la guerre, vous n'avez pas le droit, tous, de tuer un homme. Je me sentirai coupable si vous menez à bien cette action stupide. Je comprends mieux la fuite de monsieur Pérez. Avez-vous songé aux représailles, si on découvre qui s'en est pris à Lionel Dubreuil? Et ce n'est pas le plus grave! Vous aurez du sang sur les mains, vous aurez sur l'âme le poids d'un meurtre. Seul Dieu doit juger du destin de chacun.

— Balivernes! trancha le professeur, agacé. Dubreuil ricanerait en t'écoutant, lui qui a fait exécuter des dizaines de personnes. Tiens, si tu doutes encore, je vais t'apprendre son dernier exploit. Il y a eu un incident sur la ligne de chemin de fer Paris-Bordeaux, sûrement dû à du sabotage. Le train a pu repartir avec sa cargaison destinée aux Allemands, mais les miliciens menés par Dubreuil ont accusé un couple de paysans d'avoir aidé les résistants. Ils protestaient de leur innocence, mais ils ont été fusillés devant leur fille de douze ans. Elle s'est sauvée, la pauvre gosse, sinon ils l'auraient abattue également.

Choquée, Abigaël resta silencieuse un moment. Malgré tout, soutenue par sa foi inébranlable en la volonté divine, elle s'entêta dans son opinion.

— Je suis bien placée, professeur, pour savoir de quoi est capable le chef de la milice, mais vous n'avez pas, mon oncle et vous, à commanditer sa mort.

On tambourina à la porte donnant sur le jardin. Yvon entra sans attendre de réponse. Sa haute stature et sa carrure puissante paraissaient gigantesques à l'intérieur de la petite maison nichée sous une masse rocheuse.

— Tu tombes à pic, Yvon! s'écria Hitier. Ton fils s'est permis d'annoncer à ta nièce nos projets de samedi.

— Quoi? rugit le fermier. Espèce d'abruti, tu n'en feras jamais d'autres! Ce n'était pas la peine qu'Abigaël soit au courant.

— Mon oncle, je vous en supplie, renoncez, s'écria la jeune fille. Je ne réclame pas vengeance. Je refuse que vous exécutiez cet homme, même s'il n'a aucune pitié, lui, pour ses victimes.

— Ne t'en mêle pas, Abigaël, s'enflamma le fermier. Je serai avec les autres. Béatrice et Lucas arrivent ce soir par le souterrain. Ils m'apportent un fusil. Les bêtes nuisibles, on les élimine.

— Il n'y a pas de bêtes nuisibles, affirma la jeune fille, exaltée, ni loups ni renards. À plus forte raison, on ne peut dire ça d'un être humain. Mon oncle, avez-vous déjà tiré sur quelqu'un? Vous n'êtes pas fait pour le combat, enfin! Et je suis de l'avis de Jorge Pérez. Si l'un de vous est arrêté, votre femme, les enfants, ma tante et moi, nous serons tous en danger. Je vous en conjure, renoncez. Il est encore temps. Je ne vous laisserai pas faire, de toute manière!

Les poings sur les hanches, Yvon dominait sa nièce d'une bonne tête. Il se pencha vers elle, un rictus ironique sur son rude visage.

— Comment tu comptes nous en empêcher? Tu vas nous dénoncer à Dubreuil pour lui sauver la peau? Mais, ma pauvre petite, il se fera une joie de t'accuser, de te traiter en complice, même en coupable. Cette fois, tu ne reviendras pas.

Abigaël tremblait de nervosité. Elle s'adressa au professeur et le prit à témoin.

— Vous, monsieur, même si vous restez là sans vous servir d'une arme, vous serez complice du crime!

— Dis donc, les plus grands crimes, ils sont l'œuvre de nos ennemis, ces temps-ci, et depuis quatre ans, répliqua-t-il. Eux, ils ne tuent pas, ils massacrent! Je t'accorde que je n'ai jamais tué un homme, moi non plus. Je ne peux même pas saigner une poule ou un lapin. Mais Dubreuil est un monstre. Il profite de son statut dans la milice pour assouvir ses pulsions meurtrières. N'oublie pas qu'il a réussi à se venger de Jean Dumont, causant ainsi la perte des Casta et d'une gosse de sept ans, ainsi que d'Angéla de Martignac, une artiste de grand talent, de son mari et de Janine, qu'il a torturée à mort. Ta morale chrétienne, tu la brandiras plus tard, beaucoup plus tard, si la France redevient libre, si nous gagnons la guerre.

— Oui, je m'indigne au nom de la morale chrétienne, admit Abigaël, livide. Il faudrait suivre les enseignements de Jésus.

— Et alors? Œil pour œil, dent pour dent, trancha Patrick. C'est écrit dans la Bible!

— Jésus ne prêchait pas ce genre de loi, la loi du talion, lui dit-elle. Je vous en supplie, laissez la justice divine punir Lionel Dubreuil, ou même celle des hommes. Ce n'est pas à vous de décider de l'heure de sa mort, non et non.

Yvon semblait touché par le plaidoyer de sa nièce. Il pensait aussi au réfugié espagnol qui avait fui la ferme afin de protéger son fils.

— Faudrait en causer avec Béa, ce soir, concéda-t-il. Marie de Martignac nous autorise à agir et elle nous prête un véhicule, mais elle n'était pas enthousiaste.

— Elle a raison, insista Abigaël. Qu'avez-vous prévu? J'ai le droit de le savoir.

En dépit des regards sombres de son père, Patrick s'empressa de répondre.

— On a un ami dans la gendarmerie, un gars sûr. Il préviendra Dubreuil que des résistants se préparent à évacuer un militaire anglais à tel endroit. Il ira avec deux de ses types, pas plus. On sera embusqués sur le toit du hangar où a lieu le prétendu rendez-vous et, dès que les miliciens descendront de leur voiture, on ouvrira le feu.

— Qui, «on»? interrogea la jeune fille.

— Béa, Lucas, papa et moi. Adrien n'a pas été désigné par le groupe. Ne te fais pas de soucis pour ton fiancé.

— Il n'est pas mon fiancé, Patrick. Et je vous le dis à tous, il ne le sera jamais. Je rentre à la ferme pour prier en paix et avoir l'énergie nécessaire pour convaincre Béatrice d'annuler votre opération. Ce serait presque du suicide. Les miliciens ont des armes de qualité. Ils riposteront et l'un de vous pourrait être tué. Je ne veux pas être vengée alors que j'ai eu la chance d'être sauvée par un commandant allemand. Et je veux encore moins servir de prétexte à une exécution!

L'expression tragique d'Abigaël, l'éclat de ses yeux bleus ainsi que le timbre clair et mélodieux de sa voix impressionnèrent les trois hommes. Le doute s'immisçait dans leur esprit quant au bien-fondé de leur action.

Le cœur serré, elle s'enfuit en contenant ses larmes. Mais, au lieu d'emprunter le chemin sur sa gauche en direction de la ferme, elle marcha jusqu'à la fontaine aux arches de pierre. C'était un lieu tranquille, hors du temps, où l'eau limpide ruisselait sur son lit d'herbes effilées et de mousses sombres.

«Seigneur, faites qu'ils m'écoutent, qu'ils renoncent», implora-t-elle en se signant.

Bouleversée et encore faible sur ses jambes, elle pénétra sous la voûte calcaire qui abritait une table taillée dans un rocher. Il lui sembla aussitôt être en sécurité, loin du monde pris de folie où régnaient la haine et la violence. Plus que jamais, elle aspira à une retraite parmi des sœurs en religion, en vouant son jeune corps et son cœur à Jésus.

Elle priait pour ne pas dévier de sa vocation récemment révélée quand une brume lumineuse s'éleva du ruisseau. Une silhouette s'y dessina, d'abord floue et blafarde, puis colorée et si proche de l'aspect d'un vivant qu'elle aurait pu s'y tromper. Un moine en bure marron la regardait d'un air très doux. Il lui souriait avec bonté. Ses traits étaient sublimés par l'amour divin, mais, à la surprise d'Abigaël, il faisait non de la tête, toujours en souriant.

«Je ne ressens aucun malaise, se dit-elle. Pas de vertige, pas de chaud ni de froid, pas de poids sur la nuque… Qui est ce saint homme? Est-il là rien que pour moi? Je ne le mérite pas!»

Elle avait à peine formulé cette pensée que le moine disparut. Complètement médusée, Abigaël s'interrogea sur cette brève apparition.

«J'ai cru le reconnaître. Je l'avais déjà aperçu sur le chemin, près de la fontaine. Il portait une cruche en terre cuite. Pourquoi est-il venu aujourd'hui? Pour me délivrer quel message?»

Songeuse et troublée, elle se résigna à rentrer auprès de sa tante, sans oser s'avouer la signification de l'incident.

—

Ferme des Mousnier, *même jour, le soir*

Yvon et son épouse trayaient les deux vaches. Sollicité par son père, Patrick remplaçait Jorge Pérez dans la bergerie. Le fermier craignait les voleurs et il préférait enfermer ses moutons pour la nuit; les gens de la ville et des hameaux voisins avaient faim et, quand ce n'était pas leur estomac creux qui les poussait à s'emparer du bien d'autrui, c'était la perspective de revendre de la viande au marché noir et de gagner une coquette somme d'argent.

Assise sur la margelle du puits, Abigaël contemplait le coucher du soleil qui, au bout de la vallée, nimbait l'horizon de pourpre et de reflets orangés. Ni au repas du midi ni par la suite, son oncle ne lui avait adressé la parole. Il se contentait de la regarder, l'air contrarié, en affichant une mine morose.

Elle entendit Marie qui faisait répéter un poème à Cécile tout en brassant de la vaisselle. Grégoire, lui, devait assister à la leçon depuis le coin de l'âtre qu'il affectionnait.

— Bonsoir, mademoiselle, fit soudain une voix grave derrière elle, en même temps que des mains chaudes se posaient sur ses épaules.

Elle se dégagea vite, affolée, se mit debout, et virevolta pour faire face à Adrien, vêtu d'un imperméable beige et d'une casquette à carreaux.

— Qu'est-ce que tu fais ici? demanda-t-elle dans un souffle.

— Eh bien, je croyais être mieux accueilli!

— Tu n'étais pas censé venir avant plusieurs jours. Béatrice est-elle arrivée?

Une mimique déçue sur les lèvres, Adrien alluma une cigarette. Il désigna les falaises en précisant:

— Oui, Béa est chez le professeur. J'ai dû remplacer Lucas. Il s'est tordu la cheville hier, une chute au fond d'un ravin, en forêt. J'en ai profité pour courir t'embrasser, mon ange.

Abigaël recula en touchant d'un geste instinctif sa médaille de baptême. Son cœur cognait à grands coups dans sa poitrine. En quelques secondes, elle comprit pourquoi le moine lui était apparu, pourquoi il faisait non de la tête; elle ne pouvait pas se consacrer à Dieu; sa mission sur la terre n'exigeait pas ce sacrifice. La simple vue d'Adrien et de l'éclat félin de son regard vert nuancé de gris la transportaient de joie, d'une fièvre impatiente. C'était son amour et rien ne pourrait détruire les sentiments qu'il avait éveillés en elle.

— Béa m'a raconté ce qui s'est passé, déclara-t-il tout bas. Je sais aussi que tu avais gardé Sauvageon et que tu le soignes. Bon sang! Ça m'a retourné, de t'imaginer aux mains des miliciens! Tu as été très courageuse, ma petite chérie. J'aurais été content de lui faire payer cher tes souffrances, à ce salaud de Dubreuil, mais le prof a changé ses plans.

— Vraiment?

— Oui, à cause de tes objections. Je n'étais pas emballé par leur idée. Nous avons un nouveau projet… Mais vas-tu te tenir longtemps à deux mètres de moi? J'étais tellement heureux de te revoir!

Secouée de frissons, elle s'avança doucement vers lui. Il la prit dans ses bras avec une infinie délicatesse et l'étreignit comme l'aurait fait un frère, sans chercher ses lèvres, mais en déposant un baiser respectueux sur son front.

— Mon ange, ma petite chérie, mon trésor, chuchota-t-il à son oreille, j'espère pouvoir te protéger bientôt. Je supporte de moins en moins d'être séparé de toi.

Blottie contre lui, Abigaël ferma les yeux. Il la berçait en lissant ses cheveux du bout des doigts. Au contact de son corps de jeune homme vigoureux, elle n'éprouvait aucune répulsion, aucune peur. Un flot de tendresse coulait dans ses veines, une sensation délicieuse de bien-être infini et d'aboutissement. Ils demeurèrent un long moment enlacés.

Marie Monteil les vit ainsi quand elle jeta un coup d'œil par la fenêtre. La bouche pincée et les sourcils froncés, elle serra les poings, submergée par une sourde et obscure jalousie. Sa nièce lui échappait de nouveau et, pire encore, elle s'éloignerait sûrement de Dieu et de sa prétendue vocation religieuse.

«Moi aussi, je veux être aimée, se dit-elle. J'en ai le droit, oui, moi aussi…»

15

La saveur de l'amour

Ferme des Mousnier, *même soir*

Abigaël et Adrien s'étaient éloignés de la maison pour se réfugier loin des regards indiscrets, à l'abri d'un vieux pommier constellé de fragiles fleurettes d'un blanc veiné de rose. Adossés côte à côte au tronc de l'arbre, ils se tenaient par la main, émerveillés d'être réunis.

— Tu dis que j'ai eu de la chance, dit-elle. Moi, j'ai la certitude que Dieu m'a entendue. Je l'ai tant prié de me sortir de cet enfer!

Elle venait de lui raconter brièvement son arrestation et l'interrogatoire mené par Dubreuil, tellement certain d'avoir tué Sauvageon qu'il n'avait pas pris la peine de vérifier. Bien sûr, elle s'était plainte de la brutalité de ses deux gardiens, mais elle avait évoqué les coups reçus, rien d'autre.

— Si Dieu t'a sauvée, je vais retrouver ma foi de gamin, déclara Adrien. Enfin, tu aurais sans doute été libérée le lendemain, puisque ce sale type n'avait aucune charge sérieuse contre toi. Son prétexte de te faire avouer où se cachait Claire parce que tu avais recueilli son loup apprivoisé, ça ne tenait pas, même devant la Gestapo.

— N'en parlons plus. Je voudrais oublier. Sauvageon va vivre et, toi, tu es là. C'est l'essentiel. Je vous aime tant!

— Dis donc, tu mets un animal sur le même plan que moi, ton futur époux, plaisanta-t-il en l'attirant dans ses bras.

— Je suis désolée, je vous aime de manière différente.

— Je préfère ça!

C'était bon de rire, de sourire, de chuchoter. Abigaël avait la délicieuse impression de se rafraîchir à une source d'eau pure, d'être lavée des sévices qu'elle avait endurés dans la cellule de la milice. Malgré sa joie et son exaltation, un détail l'étonnait. Adrien n'avait pas essayé de l'embrasser sur la bouche; il se contentait de couvrir ses joues et son front de légers baisers très doux. Elle en concevait une sourde angoisse. «Béatrice lui a-t-elle dit la vérité? songea-t-elle, le cœur serré. Adrien est ordinairement plus caressant, plus ardent, quand nous nous retrouvons.»

— Tiens, tu fais une petite mine, soudain, constata-t-il. À quoi penses-tu?

— Oh! je suis inquiète pour plusieurs raisons. J'espère vraiment que l'opération prévue n'aura pas lieu, demain, et je me demande aussi où est ce pauvre monsieur Pérez, maintenant. Où vont-ils coucher, son fils et lui? Ma tante affirme qu'il a emporté de la nourriture et mon oncle lui avait versé des gages, mais je me tracasse, surtout pour le petit Vic. Il s'était remis à parler parce que, ici, il n'avait plus ni peur, ni froid, ni faim.

Adrien approuva d'un signe de tête. Il admirait la compassion dont faisait preuve Abigaël. Elle était ainsi, charitable, bonne et dévouée.

— Parfois, j'ai peur que tu ne sois pas destinée à une vie ordinaire, laissa-t-il tomber sans réfléchir. Dans ce cas, je te perdrai.

— Pourquoi dis-tu ça, ce soir, Adrien?

— Je n'en sais rien, mon ange! Tu discutes avec des âmes errantes, tu les guides vers la lumière divine, tu as même vu ma grand-mère un soir, en hiver. Admets que ce n'est pas banal. Peut-être décideras-tu un jour de te consacrer à Dieu...

Prête à pleurer de dépit, Abigaël faillit se lever et partir. Elle en était certaine, à présent, Béatrice avait confié au jeune homme ce qui lui était arrivé entre les mains des miliciens, en révélant également son désir d'entrer au couvent. Elle sentit le feu de la honte embraser son visage. Par bonheur, il faisait très sombre.

— Je n'ai que seize ans, murmura-t-elle sur un ton amer. J'ignore mon avenir, mais, pendant des semaines, je l'ai imaginé avec toi et, depuis que tu es là, je n'ai pas changé d'idée. Je veux devenir ta femme, Adrien. Sauf si tu n'en as plus envie.

Elle écrasa les larmes qui roulaient le long de son nez et se frotta les yeux.

— On dirait bien que tu n'en as plus envie, puisque tu ne m'embrasses pas.

— Mais, ma petite chérie, je ne voulais pas te brusquer. Tu es encore convalescente et le professeur m'a recommandé de ne pas te fatiguer. Si tu retombais malade à cause de moi, je ne me le pardonnerais pas. Je crois que tu devrais rentrer au chaud. Le vent se lève.

— Je suis rétablie et je n'ai pas froid.

Elle hésita un instant, puis elle prit l'initiative de chercher ses lèvres. Adrien sursauta, désemparé, mais il ne put résister à cette invite audacieuse. Leurs bouches s'unirent et devinrent tendres et complices. À l'écoute de ses sensations, Abigaël s'extasiait de n'éprouver aucune répulsion, aucune réticence. Elle apprit en quelques secondes exquises l'immense différence qui existait entre un baiser d'amour, offert et reçu, et un baiser de brute, donné par vice et uniquement destiné à marquer la possession impérieuse du mâle.

— Mon petit ange, mon trésor! dit Adrien lorsqu'elle recula un peu, un mystérieux sourire sur son beau visage. J'aimerais recommencer encore et encore, mais Béatrice et le professeur doivent m'attendre. Ton oncle nous rejoindra après le dîner. Je te raccompagne.

Il l'aida à se relever en la prenant par la taille. Sa main sembla lourde et brûlante à la jeune fille, toujours dans le doute. «Il faut que j'interroge Béa, se dit-elle. Tant pis si cela contrarie tantine, je vais tout de suite chez le professeur.»

Quand ils furent de nouveau devant la maison, les contrevents étaient fermés. Adrien enlaça Abigaël et lui souffla un au revoir à l'oreille.

— Non, je viens avec toi, annonça-t-elle. Dépêchons-nous.

— Mais…

— Il n'y a pas de mais! Marie de Martignac a décidé que je ne faisais plus partie du groupe, mais je m'en moque. De plus, comme ça, j'aurai l'occasion d'embrasser Béa.

— D'accord. Après tout, tu as le droit d'aller où bon te semble dans la vallée.

Elle pressa le pas en s'enveloppant de son mieux dans le mince châle de laine qui couvrait ses épaules.

— Je suppose que tu sais ce qui est prévu demain, insinua-t-elle.

— Oui, évidemment.

— Alors, je t'en supplie, mon amour, sois de mon côté. Déjà, mon oncle et Patrick sont moins enthousiastes.

— Hitier nous a résumé ton discours d'hier, un bel exemple de vertu chrétienne, marmonna-t-il. Ils ont eu tort de te présenter l'action de demain sous l'angle d'une vengeance, projetée pour punir Dubreuil de t'avoir arrêtée et tourmentée. Il y a d'autres éléments en cause encore plus graves, qui ne te concernent pas… Oh! tu trembles, ma petite chérie.

Il ôta sa propre veste et l'obligea à l'enfiler. Abigaël apprécia la tiédeur du vêtement, ainsi que sa légère odeur de bois vert et de tabac.

— Merci, tu es très galant. De quels éléments s'agit-il?

— Je ne devrais pas t'en informer. La milice se prépare à attaquer une grosse ferme au nord de Villebois, avec le renfort des S.S. Le propriétaire soutient la Résistance. Il héberge deux membres importants d'un réseau de Limoges, en partance pour l'Espagne. En piégeant Dubreuil demain soir et en l'éliminant, on sauve la vie de trois partisans qui combattent sans relâche depuis deux ans.

Abigaël dut s'arrêter, submergée par un infini dégoût. Les cauchemars qu'elle avait faits pendant sa maladie et dont elle ne pouvait effacer de son esprit les épouvantables images lui parurent significatifs.

— La mort, toujours la mort, le sang, le feu, la chair sacrifiée! s'écria-t-elle, haletante. Il faut tuer des hommes, car ils vont en tuer d'autres! Pourquoi, mais pourquoi? Adrien, c'est odieux, intolérable!

Il dut la soutenir, car elle titubait, comme ivre de désespoir et d'incompréhension devant la guerre et la haine.

— Peu importe, dit-elle dans un souffle, renoncez, n'y allez pas. Si tu m'aimes de toute ton âme, Adrien, jure-moi que vous ne tenterez rien demain soir, surtout pas demain soir.

— Comment pourrais-je te le jurer? Je ne suis pas le chef et, si je refuse de participer à l'opération, je passerai pour un lâche.

— Peu importe, répéta-t-elle, l'air égaré.

Béatrice accourait sur le chemin. Elle eut un grand geste d'impatience en les apercevant.

— Adrien, tu en as mis du temps! lui reprocha-t-elle à mi-voix. Et toi, Abigaël, qu'est-ce que tu fiches ici, au lieu d'être dans ton lit?... Mais que se passe-t-il, Abi, petite sœur?

— Elle fait un malaise, dit Adrien, qui serrait un corps en apparence inerte sur sa poitrine. Aide-moi, Béa, il faut la ramener à la ferme.

Mais Abigaël reprit connaissance au bout d'une minute à peine, tandis qu'ils la soutenaient encore sans avoir avancé d'un pas.

— Ce n'était qu'un étourdissement, dit-elle. Je n'ai rien mangé depuis ce matin et, bien sûr, je suis un peu faible. J'en ai trop fait aujourd'hui.

— Je t'avais suppliée de rentrer te reposer, dit Adrien. Sois raisonnable, va vite avaler un bol de soupe et couche-toi.

— Et toi, cours chez monsieur Hitier, rétorqua-t-elle. Béa me ramènera. Nous n'en aurons pas pour longtemps.

— Oui, faisons ainsi, approuva sa cousine. Je reviens très vite.

Adrien s'éloigna sans avoir osé embrasser Abigaël une dernière fois. Elles se retrouvèrent seules dans la pénombre.

— Dépêchons-nous, la pressa Béatrice, agacée.

— Je voulais te parler en tête-à-tête. C'est l'occasion.

— Et tu as fait semblant d'avoir un malaise?

— Non, mes jambes ne me portaient plus et j'ai vraiment eu l'impression de sombrer, mais ça n'a pas duré. Je suis incapable de feindre à ce point. Béatrice, réponds-moi franchement. Adrien n'était pas comme d'habitude. Est-ce que tu lui as raconté ce qui s'est passé en ville? Tu me comprends?

— Je t'avais promis le secret, Abigaël, et je n'ai qu'une parole. Ton amoureux ne sait rien du tout. Entre femmes, on peut se faire confiance, quand même.

— Excuse-moi, j'ai cru... Il se comportait comme s'il avait peur de me brusquer.

— Le professeur lui a dit que tu étais encore malade. C'est plutôt bien de la part d'Adrien de te traiter avec délicatesse. S'il avait agi autrement, après ce que tu as vécu, tu aurais pu être choquée ou sur la défensive. Là, il se serait posé des questions.

— Peut-être! Alors, tout est bien. Moi, je lui ai sauté au cou et je lui ai donné un baiser, un vrai. C'était merveilleux. J'avais tellement peur de ne plus pouvoir approcher un homme! Mais non.

— Quand on aime vraiment, la magie opère, cousine.

Elles avaient marché lentement en discutant. Lorsqu'elles arrivèrent près du portail de la ferme, Abigaël adressa un regard insistant à sa compagne.

— Rends-moi un immense service, Béa, fais ton possible pour empêcher l'opération de demain. Si vous attaquez les miliciens, quelqu'un de votre groupe mourra, j'en ai la conviction.

— Tu crains pour la vie de ton Adrien? Abi, nous prenons des risques à longueur de temps en sachant que nous pouvons y rester. Que ce soit pour éliminer un salaud du genre de Dubreuil ou pour saboter un convoi transportant des armes destinées aux Boches, ça ne change rien, on peut être tué, ou blessé et arrêté. La suite, tu la connais. Un sous-sol du local de la Gestapo, la torture et la mort en bout de course. Pourquoi te mêles-tu de tout ça? Tu es hors jeu, cousine.

— Je sais, mais n'oublie pas ce que je t'ai dit.

Attendrie, Béatrice lui planta un petit baiser sec sur la joue, puis elle se fondit dans la pénombre. Soucieuse et attristée, Abigaël passa devant la grange. La traite était terminée et la double porte aux planches brunes était fermée. Au bruit de ses pas, une brebis poussa un bêlement plaintif.

Alors qu'elle franchissait le second portail qui ouvrait sur le jardin d'agrément, un appel étouffé l'arrêta net.

— Oh! mademoiselle, par ici…

Une silhouette masculine surgit des branches basses du grand sapin. C'était Jorge Pérez. Elle le reconnut tout de suite à son accent et à sa façon de se tenir un peu voûté.

— Monsieur Pérez? Vous êtes revenu? dit-elle en le rejoignant. Pourquoi n'êtes-vous pas entré? Où est Vicente?

— Il dort dans ma veste, sous le sapin, le pauvre. On revient d'Angoulême. Je ne suis pas allé loin, seulement jusqu'à une place avec un monument aux morts, après deux rues qui grimpaient dur. Vic ne faisait que pleurer. Il réclamait Cécile et votre tante. J'aurais bien frappé, mais votre oncle doit être en colère. Il ne me reprendra pas.

— Vous ne redoutez plus les représailles qui peuvent nous frapper tous?

Le réfugié espagnol se signa en baissant la tête. Il désigna la maison où il avait trouvé un si précieux asile.

— Mademoiselle, on dit: à la grâce de Dieu! Je me suis enfui sans penser à mon petit. Et puis, vous nous protégerez tous.

Sidérée, Abigaël fit un geste d'impuissance. La ferveur avec laquelle Pérez avait prononcé ces derniers mots la gênait.

— Je n'ai pas ce pouvoir, monsieur, hélas! Allez chercher Vic, j'annonce votre retour à mon oncle. Après le dîner, il doit se rendre chez le professeur. Je suis certaine qu'il sera content de vous revoir.

— *Gracias*, mademoiselle… pardon, merci. Je suis sûr, moi, que vous êtes un ange du ciel.

Abigaël esquissa un sourire et partit d'un pas rapide. Dès le vestibule, elle perçut des éclats de voix mélangés aux pleurs convulsifs de Grégoire. Une querelle avait lieu dans la cuisine, dont la porte était entrebâillée. Pélagie hurlait d'une voix pâteuse:

— Comment ça, j'oserai pas? Tu verras ça, je l'ferai, tu peux m'croire! Je fiche ce pauvre crétin à l'hospice si tu emmènes Patrick demain soir. Depuis quand môssieur Hitier, y décide de notre vie? Mon gamin, il est même pas majeur. Il va pas dans la Résistance.

— Tais-toi donc, ma pauvre femme! tonna Yvon en réponse. Regarde, Grégoire a mouillé son pantalon, tellement il a peur de toi. Tu devrais avoir honte, tu es saoule!

— Ouais, et alors? J'ai le droit de boire, moi aussi, si ça me chante…

Dans un angle de la pièce, près du buffet, Marie Monteil, livide, tenait Cécile en lui bouchant les oreilles de ses mains. La fillette sanglotait.

— Ah! te voilà enfin, Abigaël, s'écria sa tante. Tu as déserté cette maison de fous au bon moment. Pélagie a giflé Cécile si fort qu'elle porte la marque de ses doigts sur le visage. Je t'en prie, occupe-toi de Grégoire.

Plongée en pleine tourmente, la jeune fille obéit en omettant d'évoquer l'arrivée imminente de Jorge Pérez. Elle s'approcha de l'innocent, qui était rouge et qui trépignait. Elle le prit par les épaules.

— Je t'en supplie, calme-toi, ce n'est rien. Ce sont de vilaines paroles qui s'envolent. Personne ne t'enverra à l'hospice, je te le promets. S'il le faut, tantine et moi, nous te garderons avec nous pour toujours.

— Vrai, vrai? ânonna l'enfant en reniflant.

— Mais oui, c'est vrai. Suis-moi, nous montons te laver et te changer.

— Je t'accompagne. Je vais faire sa toilette, s'empressa de dire Marie en s'élançant vers sa nièce, sans lâcher Cécile.

Yvon tournait en rond, un poing serré sur sa bouche pour ne pas vociférer encore. Pélagie, le teint verdâtre, hochait la tête à la manière d'un automate.

— Ouais, prenez-le, l'idiot que mon mari m'a fait. Moi, j'ai qu'un fils, mon Patrick, et on veut me le tuer.

Abigaël frémit sous le choc. Ce n'était plus un pressentiment, mais une certitude. Malgré son ivresse et sa colère, Pélagie ne se trompait guère. «Son cœur de mère la prévient, oui, son fils est en danger, songea-t-elle. Mon Dieu, je dois absolument le sauver.»

Du seuil de la cuisine, elle déclara à son oncle en le fixant, l'air grave et anxieux:

— Tante Pélagie est de mon avis. Je vous en conjure, écoutez-la, écoutez-moi. Autre chose, monsieur Pérez est revenu. Il regrette de nous avoir quittés. Ne lui reprochez rien, mon cher petit oncle. Le voici… Entrez, monsieur Pérez. Vic ne s'est pas réveillé? Vous pouvez monter avec nous et le coucher dans son lit.

Stupéfait, le fermier la dévisagea. La diversion le soulageait. Il se rua à son tour dans le vestibule pendant que Pélagie fondait en larmes, affalée sur une chaise.

— Jorge, fallait nous le dire, que vous aviez envie de vous balader un peu, plaisanta Yvon. On n'en cause plus, du moins pas ce soir. Je suis bien content de vous retrouver. Si vous avez faim, la soupe est encore tiède.

— Merci, patron, merci, balbutia le réfugié. Je vous demande pardon, j'aurais dû vous le dire en face que j'avais peur, que je m'en allais.

— Bah, c'est oublié. Montez donc votre bambin, on causera demain, je vous dis.

Une heure plus tard, le calme était revenu sous le toit des Mousnier. Marie et Abigaël avaient aussi couché Cécile et Grégoire. Ils dormaient déjà, ayant eu droit à deux histoires racontées à voix basse: *Cendrillon* et *La Belle au bois dormant*.

— Pourquoi Pélagie a-t-elle frappé Cécile? s'enquit Abigaël.

— Je ne me suis pas rendu compte qu'elle buvait de l'eau-de-vie en cachette dans mon dos, mais, à un moment donné, en lui parlant de près, j'ai senti son haleine. Elle empestait l'alcool. Ton oncle est arrivé au même instant. Il apportait du lait et des œufs. L'orage a éclaté d'un coup. Cécile a renversé un peu de lait par maladresse. Pélagie s'est précipitée sur elle et l'a secouée avant de la gifler. Bien sûr, Yvon s'en est pris à sa femme en lui disant qu'elle n'avait pas à faire des choses pareilles. Si tu avais vu la scène. Elle a hurlé des ignominies, elle nous a tous insultés et, finalement, obsédée par son cher Patrick, elle a jeté son fiel sur le pauvre Grégoire.

Pensive, Abigaël ne fit aucun commentaire. Marie ajouta cependant d'un ton âpre:

— Moi qui avais le cœur lourd, j'ai eu l'impression de plonger en enfer.

— En enfer? Tu exagères, tantine. Mais qu'est-ce qui te chagrinait?

— Je vous ai vus par la fenêtre, Adrien et toi, enlacés. Pour une future religieuse, admets que c'était une attitude singulière.

— Oui, c'est vrai. Seulement, je devais être perturbée par la fatigue nerveuse pour m'imaginer au couvent. Je serai honnête, dès que j'ai revu Adrien, j'ai compris mon erreur. Je l'aime vraiment de toute mon âme. Jamais je ne renoncerai à lui tant qu'il vit, tant qu'il respire sur la même planète que moi.

— La même planète, rien que ça, ironisa sa tante. Eh bien, essaie de ne plus changer d'avis. Au fond, c'est normal de choisir l'amour, à ton âge. C'est si beau, d'aimer! Je revois ta maman et Pierre à l'époque de leurs fiançailles. Ils étaient sur un petit nuage, toujours les yeux dans les yeux, main dans la main. De jeunes tourtereaux, disaient les gens.

— Il n'y a peut-être pas d'âge pour aimer, répliqua Abigaël sans réfléchir. Tantine, tu t'es sacrifiée pour moi et c'est dommage.

Marie haussa les épaules, puis elle attira sa nièce dans ses bras et la câlina, silencieuse, le regard rêveur.

—

Samedi 8 avril 1944, une heure du matin
Toute la maisonnée dormait, hormis Abigaël, qui demeurait assise sur la pierre de l'âtre, occupée à remuer les braises du foyer à l'aide du tisonnier. Elle attendait le retour de son oncle, qui se trouvait toujours chez le professeur Hitier. Pour se distraire, elle se représentait chaque personne couchée à l'étage en se demandant quels étaient leurs rêves et l'expression de leur visage.

«Ma tante ne bouge guère, la nuit. Elle doit être bien droite de son côté du lit, mais Cécile, telle que je la connais, est à plat ventre, le nez dans l'oreiller, et elle a sûrement un pied qui dépasse des couvertures. Monsieur Pérez semblait très fatigué. Peut-être qu'il tient son fils contre lui, car Vicente est son unique bien, son trésor. Pourvu qu'ils n'aient pas froid, dans le grenier. Non, je suis sotte. La nuit est douce, c'est le printemps.»

Dehors, une chouette hulula, tirant la jeune fille de son innocente songerie. Elle tendit l'oreille dans l'espoir d'entendre le pas du fermier, mais le silence revint, ponctué du faible crépitement des dernières flammes dans la grande cheminée.

«Grégoire, lui, dort à poings fermés au creux du vieux matelas que tantine secoue en vain, le matin, pour mieux répartir la laine. Il reste Pélagie. Seigneur, la pauvre femme avait trop bu. Elle est si nerveuse! Elle a dû se recroqueviller, le drap sur la figure, après avoir pleuré…»

Abigaël était incapable d'éprouver de la rancœur ou du mépris pour quiconque. Là encore, elle plaignait sincèrement Pélagie, de qui les colères et la dureté devaient dissimuler bien des chagrins refoulés au cours des années.

— J'aimerais l'aider, mais elle se méfie de moi, dit-elle tout bas.

Un miaulement plaintif lui répondit. Elle regarda vers la soupente, un réduit sous les marches de l'escalier où se réfugiait Grégoire dès qu'il avait peur. Le chat du garçon était assis là, au milieu d'une vieille paillasse.

— Qu'est-ce que tu as, toi? lui demanda-t-elle. Ton maître t'a oublié? Je vais te donner du lait… mieux, de la crème. Pour une fois, tu ne coucheras pas à l'étage.

Mince et gracieuse dans sa robe de laine élimée qui soulignait chacun de ses mouvements, Abigaël s'affaira du bahut au cellier. Elle eut un sourire satisfait quand le chat blanc, presque de taille adulte, à présent, se mit à laper avec entrain le contenu d'un bol ébréché.

— Du bon lait pour une bête, alors que, moi, je n'en ai pas eu une goutte depuis trois semaines, marmonna quelqu'un depuis le seuil de la pièce.

Adrien s'avança sans bruit, un rire muet sur ses traits arrogants, empreints d'une évidente lassitude, cependant. Surprise, Abigaël n'osa pas se réjouir.

— Où est mon oncle? demanda-t-elle.

— Je vais t'expliquer si tu m'offres un verre de lait.

— Bien sûr! Comment te refuser ça? tenta-t-elle de plaisanter, heureuse d'être seule avec lui, mais malade d'angoisse.

Il but à longues gorgées avides, puis essuya sa bouche du revers de la main. Croyant entendre des pas dans une des chambres, Abigaël l'entraîna par le bras.

— Viens, sortons d'ici. Je suppose que tu as quelque chose d'important à m'annoncer.

— Je t'aime, déclara-t-il dès qu'ils furent dans la pénombre du vestibule. Je voudrais ne dire que ça toute la nuit. Je t'aime, Abigaël, ma petite chérie.

— Chut! le gronda-t-elle.

Pourtant, elle ne put s'empêcher de trembler de joie, blottie contre lui. Vite, ils s'enfermèrent dans le salon.

— Tu as ton briquet? souffla-t-elle. Nous pouvons allumer la bougie qui est sur la commode.

Bientôt, un halo doré dansait autour d'une flamme jaune, que le couple contempla avant de se tourner l'un vers l'autre. Adrien se perdit un instant dans le bleu limpide du regard d'Abigaël. Il souhaita contre toute logique n'avoir que des mots tendres à lui offrir.

— Sans la guerre, dit-il, je ne t'aurais sans doute pas connue, mais c'est chose faite et j'aspire à la paix sur terre pour vivre près de toi.

— Tu vas ajouter que, pour conquérir la paix, il faut te battre, répliqua-t-elle sur un ton attristé.

— Oui, tu as deviné. Je me battrai quand ce sera nécessaire, mais pas avant dimanche. Nos plans ont changé. Nous ne piégeons plus Dubreuil demain soir. Si ton oncle tarde autant, c'est simplement que Marie de Martignac est en visite. Elle est arrivée par les bois en compagnie de son amant, le docteur. Pas moyen de discuter ses ordres, maintenant que le professeur lui a donné les pleins pouvoirs, comme on dit en politique. Nous devons agir seulement dimanche, à Villebois. Nous organisons la fuite des deux résistants et du fermier dans l'après-midi. Nous les mettrons à l'abri, si bien que les Boches et Dubreuil ne trouveront plus personne. Ce salaud s'en tire encore une fois.

Abigaël appuya son front contre l'épaule d'Adrien. Elle était infiniment soulagée.

— Promets que vous ne serez pas en danger, pas un instant, murmura-t-elle.

— Difficile de promettre ça, mais, jusqu'à présent, tu as dû beaucoup prier pour moi, car je suis toujours vivant, dit-il en l'embrassant sur la joue.

— Je prie sans cesse pour toi et les autres. Adrien, quand la guerre finira-t-elle?

— Peut-être bientôt. Marie de Martignac a évoqué un possible débarquement de nos alliés américains ce printemps. Nous ne sommes pas au courant de tout, hélas! Cependant, les Allemands pourraient se replier. Une France libre, ce serait merveilleux, ma chérie. Je t'épouserai le jour où le drapeau bleu-blanc-rouge flottera à nouveau sur la mairie de Puymoyen ou d'ailleurs.

Il chercha ses lèvres, comme pour sceller sa promesse, mais Abigaël protesta, très sérieuse.

— Non, je veux me marier avant l'été.

Elle noua ses bras autour de son cou et lui donna un baiser. Il s'étonna, car elle s'était rarement montrée aussi audacieuse, aussi câline, presque fébrile.

— Eh bien! fit-il, dérouté, qu'est-ce qui t'arrive, ma petite chérie? Aurais-tu la fièvre?

Il toucha son front lisse et tiède. Elle l'embrassa à nouveau, puis répliqua:

— Je me sens totalement guérie et je suis heureuse de t'avoir là, à mes côtés. Tu es venu me rassurer et je t'en remercie. Adrien, nous nous aimons tant! Pourquoi ne pas profiter l'un de l'autre, même quelques minutes? Et si c'était la dernière fois que nous sommes seuls, toi et moi?

Il se sentit mal à l'aise. Il avait déjà dû dominer son désir d'homme, confronté à la douceur affolante d'Abigaël lorsqu'elle avait voulu se donner à lui dans une des grottes d'une falaise voisine qui avait jadis servi d'ermitage.

— Je ne suis pas infaillible, déclara-t-il d'un ton sérieux de maître d'école. Si je réponds à tes baisers, si je te caresse, j'aurai du mal à me maîtriser. Les hommes sont faibles, surtout quand ils tiennent entre leurs bras la femme qu'ils aiment. Soyons sages. En plus, je dois retourner chez le professeur. Ils sont tous en pleine discussion. J'ai dit que je ne m'absenterais pas longtemps.

Sans lui répondre, Abigaël le fit asseoir au creux d'un large fauteuil couvert d'un drap. Elle se lova sur ses genoux et nicha sa tête au creux de son cou.

— La sagesse autorise un peu de tendresse, souffla-t-elle à son oreille. Plus tard, dans notre maison, lorsque nous veillerons près de la cheminée, nous resterons ainsi tous les deux. Fermons les yeux, rêvons à notre avenir, mon amour.

Adrien sentait sous sa paume la hanche ronde de la jeune fille. Son autre main s'égara sur un sein menu, qu'il enveloppa de ses doigts tremblants.

— Au fait, tu ne m'as pas encore parlé de Sauvageon! dit-il d'une voix rauque. J'ai appris qu'il était dans ta chambre, gravement blessé, entre la vie et la mort.

— Il vivra, affirma-t-elle. Ce sera long, mais il reprendra des forces. Je veille sur lui.

— Sauf en ce moment... fit-il remarquer.

— Toi, tu veux vraiment te débarrasser de moi, plaisanta-t-elle. Eh bien, d'accord, repars vite chez monsieur Hitier, je vais monter me coucher. Mais nous pourrions nous retrouver demain soir à la fontaine. Accepte, je t'en supplie! J'apporterai de quoi faire un repas froid. Je mettrai un bout de nappe sur la table en pierre, ainsi qu'une bougie. Ce sera une fête avant d'être séparés.

— Abigaël, j'ignore si je serai libre. On peut très bien nous envoyer préparer le terrain à Villebois, Béatrice, Patrick et moi.

— Je suis certaine que tu viendras.

«Et je serai ta femme, car nous serons mariés, pensa-t-elle en se levant. Je sais qui bénira notre union.»

Même jour, trois heures de l'après-midi

Marie Monteil marchait d'un pas décidé vers la maison dans la falaise. Elle portait à son bras un panier qui contenait quatre ouvrages reliés. Le vent d'avril, suave et tiède, caressait son visage un peu pâle en jouant dans ses boucles d'un blond semé de quelques nuances argentées.

«J'ai bien le droit de me promener, moi aussi, se disait-elle afin de se donner bonne conscience. Pélagie n'était pas contente que je sorte, mais tant pis! Elle néglige ses tâches ménagères. J'en ai assez. Je ne suis pas sa domestique!»

Elle avait confié les enfants à Abigaël, dont l'état de santé lui semblait satisfaisant. «Le loup se rétablit beaucoup moins vite, songea-t-elle, parvenue à la croisée des chemins. Pauvre bête! Je me demande si c'est bien charitable de la laisser en vie. Elle fait peine à voir…»

Des appels qui s'élevaient dans un des prés voisins coupèrent court à ses pensées. Jorge Pérez gesticulait en criant derrière les moutons de la ferme, qui couraient droit devant eux. Une voix plus forte s'éleva. C'était Yvon, campé au bout de la pâture. Il débitait une suite d'imprécations grossières à l'adresse du berger amateur et du troupeau récalcitrant.

— Seigneur, tout pourrait être si simple! se dit Marie tout bas. Un beau jour de printemps, des talus fleuris, une brise parfumée, des brebis ivres de liberté, des hommes dans les champs. Mais non, à quoi bon rêver! En toile de fond, il y a la guerre, toujours la guerre.

Le cœur lourd, elle s'arrêta enfin à l'entrée du jardinet de monsieur Hitier. Il fallait à présent remonter l'étroite allée bordée de narcisses et de jonquilles, grimper les marches en ciment et frapper à la porte. «S'il y a quelqu'un chez lui, je me sauve…»

Là encore, Marie trichait, en proie à une soudaine timidité. Elle savait que le professeur était seul, Yvon l'ayant précisé pendant le repas de midi, sans expliquer où étaient partis Béatrice, Adrien et Patrick.

Elle hésitait encore, mais Jacques Hitier, qui l'observait derrière les rideaux, se montra et l'appela:

— Venez, chère amie. Je m'apprêtais à vous rendre visite. Vous m'évitez le déplacement.

Il souriait et ses yeux clairs étaient pleins de gentillesse. Marie s'engagea dans le jardinet en prenant l'air le plus neutre possible, alors que tout son être vibrait de sensations confuses, entre l'impatience, la joie et l'angoisse. «Je n'ai jamais ressenti ça, se disait-elle. Que je suis sotte! Je n'ai plus seize ans, quand même!»

Aussitôt, elle songea à Abigaël, à son expression fébrile et exaltée dès qu'il était question d'Adrien. «Seigneur, alors, je serais amoureuse!» s'étonna-t-elle.

Elle franchissait le seuil de la maison dans la falaise et saluait le professeur d'un signe de tête. Elle posa le panier sur la table ronde en murmurant:

— Je vous rapporte quatre romans. Je n'en ai lu que deux. Étant donné la maladie de ma nièce et les exigences du ménage, le temps m'a manqué.

— Vous pouviez les garder, dans ce cas, répondit-il. Rien ne pressait. Marie, voulez-vous une tasse de thé? J'économise le café et j'ai retrouvé un sachet d'un excellent thé de Ceylan.

— Oui, volontiers… Où sont les jeunes?

Elle regretta immédiatement d'avoir employé ce terme, comme s'il les ramenait tous deux à leurs cheveux grisonnants et à leur âge respectif.

— En mission, lâcha-t-il. Une remise en état du souterrain était nécessaire. Nous allons l'utiliser pour cacher des résistants de Limoges dont la fuite en Espagne est programmée la semaine prochaine. Il fallait sécuriser l'issue donnant sur le flanc du plateau d'Angoulême. Ils n'auront pas fini avant ce soir. J'avoue que j'apprécie un peu de solitude…

— Une solitude que je trouble! Si je dérange, Jacques, je me passerai de thé.

— Marie, enfin, jamais vous ne me dérangerez, jamais, déclara-t-il d'une voix changée à l'intonation chaude et enthousiaste.

Elle osa le regarder bien droit dans les yeux en esquissant un sourire rassuré.

— J'aime vous voir sourire, dit-il. C'est si rare!

Vite, elle se détourna, car du rose lui était monté aux joues. L'instant d'après, ces mêmes joues se mouillèrent de larmes.

— Jacques, je n'ai guère été aimable avec vous, ces derniers jours. Je venais vous présenter des excuses. Je tiens à votre amitié, oui, elle m'est précieuse et...

Marie sentit sur son épaule le poids d'une main dont les doigts lui imposèrent une ferme caresse pour l'obliger à faire face. Elle ne résista pas et, sans comprendre comment, elle se retrouva dans les bras du professeur. Il l'avait enlacée doucement et la berçait un peu d'un mouvement tendre. Un sanglot nerveux la secoua, qui la poussa à enfouir son visage contre la veste en laine de l'homme. Elle perçut les battements précipités de son cœur, tandis que le sien cognait lui aussi à grands coups.

— Ma chère Marie, ma belle amie, souffla-t-il à son oreille, j'attendais ce moment sans y croire vraiment.

Elle frémissait intérieurement d'un bonheur inconnu de s'entendre dire des mots si doux et de sentir de légers baisers sur ses boucles d'un blond cendré.

Jacques Hitier voulut relâcher son étreinte, mais elle chuchota, affolée:

— Non. Je suis tellement bien! J'ai l'impression d'être à l'abri. Gardez-moi encore.

Submergé par une vague de félicité et d'émotion intense, il resserra son étreinte. Cependant, une petite voix intérieure y mit fin. Elle résonnait dans son esprit et lui disait durement: «Tu es vieux, tu as vingt ans de plus que cette jolie femme. Laisse-la donc! C'est plus raisonnable.»

Anxieux, il repoussa Marie d'un geste délicat. Elle baissa la tête afin de fuir son regard. Il comptait demander pardon de son audace et expliquer en plaisantant l'élan irréfléchi qui l'avait induit à se comporter ainsi, mais il admira le fin profil de Marie, la ligne pure de son nez et de ses lèvres. Il dit seulement:

— Je vous aime!

Elle respirait à peine, penchée en avant, l'air hébété.

— Tant pis si je vous parais stupide, je vous aime, insista-t-il. J'ignore si nous pouvons être heureux ensemble. Oh! si je me couvre de ridicule, dites-le, ne me laissez pas me noyer dans une déclaration pathétique.

— Que de *si*! répliqua-t-elle. D'abord, vous n'êtes pas stupide, mais instruit et intelligent. Ensuite, votre déclaration est loin d'être pathétique. Pouvons-nous être heureux ensemble? Comment le savoir, si nous n'essayons pas?

— Marie, vous êtes sincère? balbutia-t-il.

— Oui, en fait, les livres, ce n'était qu'un prétexte. J'avais envie de vous voir et de vous parler, sans témoins, bien sûr. Jacques, depuis le jour où Patrick vous a bousculé et où vous avez été blessé, je ne peux pas vous chasser de mes pensées. Vous avez eu un regard, ce jour-là, et un geste, vos mains sur moi... J'en ai été bouleversée. Cependant, étant d'une nature sérieuse, j'ai lutté contre ce que je ressentais. Mais, hier soir, j'ai aperçu ma nièce et Adrien dans le jardin. Ils s'étreignaient. J'ai honte de le dire, mais j'ai éprouvé une jalousie pénible. Je songeais à toutes les années que j'avais passées seule avec Abigaël, entièrement dévouée, à ne me soucier que d'elle, de son bien-être, de son linge, de ses repas ou de ses devoirs, enfin, de tout ce qui compose le rôle d'une mère. Hélas! je ne suis pas sa mère. Je ne l'ai pas mise au monde. C'est ma petite sœur tant aimée, Pascaline, qui l'a conçue en femme amoureuse, au creux d'un bon lit, avec son Pierre. Moi, je n'ai jamais connu les joies du couple, les bavardages le soir au coin du feu, la soupe dégustée en tête-à-tête, le réconfort d'une main sur mon épaule ou d'un baiser qui vous fait sentir belle.

Pâle et toujours la tête baissée, Marie retenait ses larmes. Enfin, elle céda et jeta dans un sanglot:

— Je suis une vieille fille! Si Abigaël était entrée au couvent comme elle en avait l'intention il y a peu de temps, je comptais me consacrer à Dieu, moi aussi. Me comprenez-vous, Jacques? Quand je les ai vus, ces deux jeunes gens, dans les bras l'un de l'autre, j'ai souffert, oui, j'ai eu mal. Soudain, j'ai revendiqué en silence, au fond de mon cœur torturé, le droit au bonheur, le droit d'aimer et d'être aimée.

— Je comprends très bien, dit-il sobrement.

Il gardait un air calme en dépit de la folle tempête qui faisait courir plus vite son sang dans ses veines. C'était comme une tempête de printemps dont le vent parfumé aurait dispersé des milliers de pétales de fleurs.

— Alors, je suis venue, conclut-elle.

— Buvons le thé, ma douce amie. Cela vous apaisera. Vous tremblez si fort!

Il la guida vers la table et lui avança une chaise. Marie effleura du bout des doigts la toile cirée jaune qui recouvrait le meuble, pendant que le professeur disposait deux tasses en faïence blanche à décors bleu foncé et une lourde théière en porcelaine au bec ébréché. Dans une boîte en fer, il dénicha six biscuits qu'il présenta sur une petite assiette.

— Le premier goûter d'une longue série, prédit-il en lui prenant la main. Marie, je vous respecte, je vous admire et je vous aime. Je n'ai qu'une question, mais elle me brûle les lèvres. Accepteriez-vous de m'épouser?

Marie se décida à le fixer. La couronne de boucles blondes qui la coiffait fidèlement était moins bien ordonnée qu'à son arrivée. Ses yeux d'un bleu très clair demeuraient brillants et humides, même si elle ne pleurait plus. Ses traits réguliers, empreints de douceur, semblaient sublimés. Jacques Hitier en fut subjugué.

— Vous n'êtes pas obligée de répondre aujourd'hui, dit-il.

— Je veux bien, Jacques, murmura-t-elle, le teint rose d'émotion. Pourquoi refuser ce que je désirais en marchant sur le chemin?

Elle le contemplait à présent sans gêne ni fausse pudeur. Il la caressait de son regard aussi bleu que le sien, derrière ses lunettes cerclées de métal doré. «Il a un grand front de penseur et un nez fin, se disait-elle. Le collier de barbe lui va bien. C'est un collier de neige. Tout à l'heure, quand il m'a serrée contre lui, son corps était ferme et encore vigoureux. Il est resté assez mince, et si charmant!»

— Est-ce que je fais l'affaire? plaisanta-t-il, conscient qu'elle l'étudiait rêveusement.

— Mais oui, sinon je ne serais pas là, rétorqua-t-elle.

— Vous me rendez très heureux, ma chère Marie, ma belle amie. Une autre chose me paraît importante en cette période de chaos. En devenant ma femme, vous serez à l'abri du besoin. Je n'ai plus de famille hormis ma sœur. La maison d'Angoulême vous reviendra, ainsi qu'un solide pécule placé en lieu sûr.

— Là, vous manquez de romantisme, Jacques, lui reprocha-t-elle, rouge de confusion.

— Le romantisme, en temps de guerre, il faut parfois l'oublier et le sacrifier à la prudence, à certaines précautions. Pardonnez-moi si je vous ai contrariée.

— Non, non, c'est généreux de votre part. Nous en discuterons plus tard… Le thé est excellent.

Elle aurait voulu aborder un sujet qui la tracassait, mais c'était tellement embarrassant qu'elle n'en avait pas le courage. Il devina son malaise et souleva sa main pour y déposer un baiser.

— Jacques, quelque chose me tourmente. Je veux bien me confier à vous, seulement je voudrais que vous me tourniez le dos, sinon je n'y arriverai pas.

— Très bien, dit-il.

Il se leva et alla se poster le nez à la fenêtre. Marie garda le silence un moment, le temps de trouver les mots justes.

— Je serai fière et heureuse de vous épouser, Jacques. Hélas! comme je le disais tout à l'heure, je suis une vieille fille. Certes, je n'ignore rien des relations entre un homme et une femme, mais, pour moi, ce domaine est purement théorique. Autant vous l'avouer, la pratique me fait peur. Oh! c'est moi qui manque de romantisme, à présent! Tant pis, je crains d'être ridicule. Enfin, vous me comprenez... Vous, au moins, vous avez été marié, déjà. J'aurai de terribles appréhensions, le moment venu. Il faudra être patient et compréhensif... et ne pas vous moquer.

Les joues en feu, elle se tut, incapable d'en dire davantage. Elle observait les épaules du professeur, qui n'avait pas bronché.

— Marie, ma chère Marie, soupira-t-il, bien sûr, je saurai être patient et compréhensif. Quant à me moquer, comment l'oserais-je? De plus, vous n'êtes pas la seule à avoir peur. Je n'ai pas approché une femme depuis environ dix ans. Je ne suis plus tout jeune, non plus, loin de là. La pratique, pour employer votre terme, m'inquiète également. Oublions cette conversation qui, au fond, est gênante pour tous les deux. Je voudrais vous faire la cour, avant tout, et savourer votre compagnie. En somme, rien ne nous empêche de prendre le temps de mieux nous connaître, de nous apprivoiser mutuellement.

— Oui, vous avez raison, concéda-t-elle.

— Ai-je le droit, à présent, de vous contempler un peu?

— Pas encore, répliqua-t-elle en quittant son siège sans aucun bruit.

Elle le rejoignit. Son cœur battait à se rompre. D'un geste spontané, elle posa sa joue contre son dos et noua ses bras autour de lui. Il sursauta, puis il étreignit dans les siennes les mains de Marie. Lentement, il changea de position pour la voir enfin.

— Que vous êtes jolie! dit-il. Je ne pensais pas mériter un tel cadeau de la vie. Pourtant, j'espérais ce qui vient de se passer, je l'espérais au point que j'ai décidé de prendre un peu de distance vis-à-vis de mes activités de résistant. Depuis des semaines, vous êtes au centre de mes pensées le jour et la nuit, Marie. Je me donnais n'importe quel prétexte pour vous rendre visite à la ferme. Je devais être là-bas, avec vous.

— Cela me plaît de vous entendre parler ainsi, admit-elle dans un souffle ravi.

Elle leva son visage vers lui. Il caressa ses cheveux, l'air rêveur.

— Les surprises du destin, murmura-t-il avant de se pencher et de l'embrasser.

C'était la première fois qu'une bouche masculine se posait sur la sienne. D'abord désemparée, elle fit des efforts pour répondre à la discrète invite de Jacques Hitier. Petit à petit, leurs lèvres jointes se firent complices.

«Je reçois un baiser, un vrai baiser», songeait-elle, émue, envahie par des sensations troublantes.

Le professeur s'arrêta et lui sourit. Soudain, il l'enlaça et la serra de près, avec une sorte de fièvre. Marie ferma les yeux.

— Ma belle chérie, chuchota-t-il à son oreille. Je suis sûr que nous avons tort d'avoir peur. Vous verrez…

— J'ai hâte, répliqua-t-elle, la tête lourde.

Elle avait envie de s'allonger près de cet homme, de dormir contre son corps, et elle était infiniment heureuse d'éprouver ce désir instinctif.

16

Une âme en colère

Ferme des Mousnier, même jour,
cinq heures de l'après-midi

Abigaël était assise par terre près de Sauvageon. Le loup avait essayé de se lever, mais il venait de retomber sur le flanc, un éclat d'incompréhension au fond de ses prunelles d'ambre.

— Tu es encore trop faible, murmura-t-elle. Sois patient. Je te promets que tu pourras bientôt marcher, trotter et courir dans les bois. Courage, mon beau, mon tout beau! Je dis à tout le monde que tu vas mieux, mais ce n'est pas vrai, hélas.

Ces derniers mots lui arrachèrent un triste sourire, car l'animal faisait peine à voir; squelettique, le poil terne, il n'était plus que l'ombre de lui-même.

— Tu dois reprendre des forces, dit-elle encore en le caressant. Je suis désolée de ne pas pouvoir t'aider davantage.

Une sourde inquiétude la rongeait, qui démentait ses paroles optimistes. Elle regarda la gamelle en fer où du lait avait caillé, puis le plat en terre cuite contenant du pain trempé dans du bouillon.

«Il ne mange pas suffisamment. C'est tous les jours, qu'il lui faudrait du foie, ou à tout le moins de la viande rouge. Il a perdu tellement de sang! Pourtant, il survit, mais, chaque matin, j'ai peur de le trouver mort.»

Sauvageon poussa une plainte étouffée. Les yeux clos, à présent, il s'abandonna à ce sommeil presque constant d'où il émergeait avec peine, soit pour avaler un peu de nourriture, soit pour se soulager à même le parquet. Abigaël passait beaucoup de temps à nettoyer le sol autour de la couverture, sans songer à s'en plaindre. Elle avait pour le loup une tendresse profonde, l'amour inconditionnel d'une mère pour son enfant.

— Je vais te laisser seul, mon Sauvageon, reprit-elle. Pardonne-moi. Je vais revenir vite. Je ne te quitterai pas, ensuite.

Elle s'assura de la propreté du pansement qui ceinturait le corps de l'animal et le caressa encore. Plus bas, elle ajouta:

— J'ai donné rendez-vous à Adrien et j'ai pu préparer un petit repas froid. Tante Pélagie ne s'en est pas aperçue. J'ai un grand projet, tu sais, que je ne peux confier qu'à toi. J'attendrai mon fiancé à la fontaine. J'aime bien l'appeler comme ça. C'est vrai, il m'a offert une bague. Je ne la porte pas souvent, mais elle me rappelle que je lui suis précieuse. Là-bas, mon Sauvageon, à la fontaine, je vois un saint homme, peut-être un des moines ermites qui vivaient jadis dans les falaises. J'ai la conviction qu'il approuve notre amour et qu'il le protège. Je voudrais lui demander sa bénédiction…

Abigaël se tut brusquement, gênée. Son discours lui paraissait fantasque et un brin puéril, mais il y avait autre chose, à savoir la sensation de froid qui la prenait, doublée d'une impression de poids sur la nuque. Elle ne tarda pas à entendre des notes de musique nerveuses et suraiguës tirées d'un violon.

— Qui est là? demanda-t-elle sans oser se mettre debout.

— Comme si vous ne le saviez pas! fit une voix grave qu'elle aurait qualifiée de sépulcrale et qui lui causa un pénible malaise.

Elle se releva lentement. Chacun de ses gestes lui semblait ralenti, comme dans les cauchemars où l'on ne peut se mouvoir de façon normale. Oppressée, elle s'accrocha au bois de son lit. D'abord, la pièce lui parut vide de toute présence, mais une main enserra son épaule, l'obligeant à virevolter. Elle découvrit Arthur Roy juste derrière elle.

— Que faites-vous ici? demanda-t-elle, en proie à une vague crainte.

Le défunt arborait une expression de colère qui l'enlaidissait. Son violon calé sous le menton, il agita l'archet sur les cordes, ce qui produisit un bruit strident qui n'avait rien de musical. Abigaël recula jusqu'à la fenêtre. Cette visite de l'au-delà ne ressemblait pas à ce qu'elle connaissait, même si ses précédentes rencontres avec le frère de Claire s'étaient déjà avérées singulières.

Il répondit à nouveau par une suite de notes horripilantes en la fixant d'un regard noir. «Dieu merci, je suis la seule à pouvoir entendre cette cacophonie, songea-t-elle. Mais que veut-il?»

— Arthur, cessez de jouer de votre instrument, dit-elle. Vous me parliez, d'habitude. Vous vous souvenez? Je vous ai vu à l'église de Puymoyen quand vous étiez assis devant l'harmonium. J'avais aimé la mélodie que vous interprétiez, si triste et si douce. Ensuite, vous m'êtes apparu sur le chemin de la falaise, vous portiez la même veste en velours noir et la même écharpe rouge. Grâce à vous, j'ai retrouvé Claire, votre grande sœur, bien vivante. Elle est en Angleterre, maintenant, avec Bertille.

— Oh! Bertille, oui, la maman de ma Clara, dit-il en baissant le violon. Alors, c'est bien vous, la fille qui me voit et m'entend?

— Bien sûr, sinon vous ne seriez pas là.

Abigaël se sentait glacée. Elle avait la prémonition d'une menace dans la moindre fibre de son corps. Bien que d'apparence réelle, Arthur Roy lui semblait ravagé par une fureur inexplicable qui lui faisait des traits haineux effrayants.

— Il faut m'aider, ma fille, débita-t-il d'une voix rauque. On me trompe et on me rejette. Personne ne me salue. J'étais à Paris, mais personne ne m'écoute. Oui, j'ai retrouvé Clara, ma cousine, mon amour de cousine, mais elle m'a ignoré, sûrement à cause de cet homme qu'elle a mis dans son lit.

— Seul un médium, comme moi, peut communiquer avec vous, Arthur, dit-elle d'un ton ferme. Je me souviens de ce que vous disiez, cet hiver. Vous ne vouliez pas mourir, mais c'est arrivé. Votre avion a été abattu. Je vous en prie, il vous faut quitter notre monde et vous élever vers la lumière.

Sur ces mots, elle alla à petits pas prudents prendre son chapelet sur sa table de chevet. Elle aurait volontiers ouvert l'armoire pour s'emparer d'un flacon d'eau bénite que lui avait donné Marie.

— Vous vous faites du mal en refusant de vous éloigner des vivants, ajouta-t-elle.

— Clara doit savoir la vérité, rétorqua-t-il froidement. J'espérais que nous pourrions nous marier à mon retour de mission. Je l'aimais, nous jouions au frère et à la sœur quand nous vivions à Paris, mais, moi, je l'aimais comme une femme. Je l'aimais!

Il avait hurlé. Abigaël se boucha les oreilles, les nerfs vrillés par le timbre métallique de sa voix. C'était insupportable. Jamais elle n'aurait imaginé qu'elle pourrait avoir à affronter ce genre de comportement de la part d'un défunt. «Maman avait écrit un court passage dans son cahier sur les gens victimes d'une mort violente. Ils refusent leur condition, parfois. Mais Arthur n'était pas si furieux quand il m'a parlé dans l'église et sur le chemin.»

— Arthur, je vais prier pour vous et je vous supplie de prier avec moi, annonça-t-elle d'une voix apaisante.

— Clara n'a pas le droit de m'ignorer. J'ai cogné contre le mur, chez elle, contre le bois de l'armoire, je lui ai serré l'épaule, mais elle a fait semblant d'être sourde et de ne rien sentir.

— C'est une chance, vous lui auriez fait très peur, sinon. Avez-vous réfléchi à ça? Les âmes errantes qui souffrent tentent de se manifester. Il arrive que leurs proches ou des inconnus puissent entendre des coups et des bruits ou percevoir un contact, mais, règle générale, ils sont terrifiés.

Les traits soudain imprécis et les yeux voilés, Arthur Roy se remit à frotter son archet sur les cordes du violon avec une telle rage qu'Abigaël étreignit son chapelet entre ses doigts et récita le *Notre Père*. Elle marmonnait «amen» quand on frappa à la porte.

— Oh! Abigaël, faudrait peut-être m'aider à la cuisine, cria Pélagie depuis le couloir. J'ai pas quatre bras, moi, et Marie m'a laissée en plan pour aller se balader.

Sans jeter un regard dans la chambre, Abigaël sortit en toute hâte. Elle fut soulagée de revoir la fermière, malgré l'air furibond qu'elle arborait. Elle était toujours un peu voûtée et sanglée dans un tablier maculé de taches de gras.

— J'arrive, excusez-moi, tante Pélagie. Je soignais Sauvageon et je croyais que tantine était rentrée depuis longtemps.

— Eh bé, non! J'ai du travail par-dessus la tête, moi, ronchonna Pélagie en haussant les épaules. Dis donc, tu as une sale mine.

— Ce n'est rien, je vous assure, je suis un peu fatiguée.

Elles descendirent l'escalier en silence. Abigaël se reprochait d'avoir fui la chambre sans une dernière caresse au loup, mais elle avait cédé à la crainte mystérieuse que lui inspirait Arthur.

— Au fait, insinua Pélagie en bas des marches, j'ai trouvé un panier caché sous un torchon au fond du cellier. Il y avait des œufs durs, du vin, quatre tranches de pain et un bocal de pâté de lapin. C'est toi qui as mis ça de côté?

— Oui, improvisa-t-elle, pour Béatrice, Patrick et Adrien, à qui monsieur Hitier a confié un travail. Ils rentreront tard et ils seront affamés. J'irai le leur porter tout à l'heure.

— Môssieur le professeur, y peut pas les nourrir, lui qui a bien plus de sous que nous?

— Il a promis de payer le pâté et les œufs, mentit Abigaël.

— Tu compteras le demi-litre de vin, aussi.

Pélagie marmonna un juron sans poser d'autres questions. Cécile pointa sa jolie frimousse par une des fenêtres ouvertes sur l'air printanier.

— Nous avons ramassé plein de pissenlits, Abigaël, ceux que tu nous as montrés et qui n'ont pas encore de fleurs jaunes, claironna la fillette. Grégoire a trouvé des escargots, aussi. Il les met dans la caisse avec les autres.

Abigaël félicita l'enfant d'un faible sourire. Arthur se tenait au milieu du jardin, immobile, le visage crispé. «Seigneur, secourez-le, guidez-moi, je ne sais plus quoi faire!»

Elle décida néanmoins d'éloigner le défunt de la ferme. Tant pis si Pélagie récriminait.

— J'ai une idée, s'exclama-t-elle. J'emporte tout de suite le panier chez le professeur. Je vous aiderai au retour, tante Pélagie. Cécile, surveille le petit Vic et trouve un jeu à faire avec lui et Grégoire. Je reviens vite.

— D'accord, répondit Cécile, mais j'aurais pu t'accompagner, j'aurais peut-être vu mon frère!

— Plus tard, ma mignonne. Sois gentille, pas maintenant.

La joie avait déserté le cœur d'Abigaël. Elle qui se faisait une fête de guetter l'arrivée d'Adrien sous la voûte séculaire de la fontaine, elle n'était plus qu'angoisse irraisonnée. Tout en marchant, encombrée du panier à l'ombre des falaises, elle subissait les discours véhéments d'Arthur Roy, obsédé par sa cousine Clara. Il ponctuait ses doléances d'accords de musique odieux à écouter, pareils à des grincements stridents ou à des cris de chat. «J'aurais besoin de conseils, là, se disait-elle. Comment une âme égarée peut-elle succomber à un tel délire, proche de la folie?»

Parvenue à quelques mètres du ruisseau, elle fit face au défunt.

— Que voulez-vous de moi? demanda-t-elle sèchement. Allez-vous me suivre nuit et jour? Est-ce que vous étiez aussi agaçant, enfant? Je vous en prie, souvenez-vous de Claire et de votre passé au Moulin du Loup.

Arthur lissa son écharpe rouge d'un geste machinal. Il semblait troublé.

— Je dérangeais Jean Dumont. Aussi, on m'a envoyé au domaine de Ponriant. J'étais bien content, je retrouvais Clara. Nous étions inséparables, nous deux. Rien ne nous a séparés... enfin, si, j'ai dû tomber malade et Clara ne veut plus de moi. C'est triste, très triste!

Abigaël ne prenait même plus garde à la manière insolite, quoique familière pour elle, dont se déroulaient leurs discussions. Arthur bougeait à peine les lèvres même s'il criait et elle percevait chacun de ses mots dans l'air environnant, et également à l'intérieur de sa tête. Lorsqu'il s'agissait des sons du violon, cela confinait à la douleur.

— J'aime votre sœur Claire de tout mon cœur, dit-elle. Je voudrais vous aider, Arthur. Je vous aiderai à une condition, il ne faut pas vous comporter ainsi, comme un esprit borné juste capable de hanter une maison pour prouver sa colère.

— Si Clara venait ici, près de vous, elle me verrait, affirma-t-il.

— Non, mais je pourrais lui répéter vos paroles, ce que vous désirez lui dire. Ce serait encore plus triste pour vous deux. En plus, c'est la guerre. Vous le savez! Clara vit à Paris. Elle aurait du mal à se déplacer. Arthur, je vais lui écrire. Je vais trouver son adresse si vous partez, là, tout de suite. Revenez ici demain midi, près de ce croisement. Vous me dicterez une lettre pour Clara.

— Non, écrivez maintenant, mauvaise fille!

— Demain! J'ai dit demain. Au nom de Notre-Seigneur Jésus-Christ, je vous conjure de disparaître, à présent. Partez!

Tremblante, livide, Abigaël se signa. Elle était épuisée, au bord des larmes. Elle préféra fermer les yeux afin de ne plus voir la face torturée du jeune défunt. Quand elle les rouvrit, il n'y avait plus personne. La campagne bruissait de chants d'oiseaux; un rire de femme s'éleva en provenance d'un pré voisin.

«On dirait qu'un sortilège s'est dissipé, songea Abigaël. Merci, mon Dieu, merci.»

———

Marie Monteil découvrait le plaisir innocent d'une balade à travers champs au bras d'un homme qui lui avait avoué son amour. Ils étaient partis se promener afin de sceller leur accord secret et d'en discuter encore. Sous un ciel idéalement bleu parsemé de nuages blancs, au sein d'une campagne déjà ornée de fleurettes roses et d'arbres en bourgeons, ils avaient oublié leur âge et le reste du monde.

— Quel bon moment j'ai passé, Jacques! reconnut-elle pendant qu'ils revenaient vers la maison dans la falaise. Et vous êtes un vrai puits de science. Grâce à vous, j'ai cru revoir la vallée de l'Anguienne des centaines d'années plus tôt. Un peu plus, il me semblait entendre les prières des ermites ou contempler les potagers qu'ils cultivaient le long du ruisseau.

— Je suis passionné par l'histoire, ma chère Marie, et j'espère pouvoir vous faire visiter certaines grottes toutes proches, des cavités naturelles, mais aménagées par les religieux du Moyen Âge. Ils ont creusé des silos à grain dans le rocher, ainsi que des niches où ils posaient une lampe à huile.

— Bien sûr, je viendrai avec vous. Je suis bonne marcheuse et grimper ne m'effraie pas.

Marie exultait, rieuse, obsédée par les baisers du professeur dont elle rêvait de retrouver la douceur et la suavité grisante. Elle songeait même à l'embrasser, car une haie de buis les dissimulait, mais elle aperçut une forme prostrée au bord du talus.

— Seigneur, on dirait Abigaël, s'écria-t-elle.

— Oui, c'est votre nièce. Elle me paraît souffrante.

Ils se précipitèrent vers la jeune fille recroquevillée sur elle-même, les mains sur les oreilles. Elle pleurait en secouant la tête.

— Qu'il arrête, mon Dieu, pitié, qu'il arrête de jouer, je n'en peux plus, gémissait-elle.

— Ma chérie, que se passe-t-il? interrogea Marie en l'obligeant à la regarder.

— Il avait disparu, mais ça n'a pas duré. Il est toujours là!

— Qui donc? demanda Hitier, sidéré.

— Arthur Roy. Il me rend folle à cause du violon. Il en tire des sons épouvantables qui résonnent partout en moi. Tantine, au secours! Je ne sais plus quoi faire. Je ne peux pas le semer, il me retrouvera n'importe où! Je me suis enfuie de la ferme, mais il me suit.

Le professeur considéra les lieux d'un œil perplexe. Le chemin était désert et le paysage, inondé d'une clarté orangée par le soleil déclinant, dégageait une impression de paix. Un merle sifflait, perché sur une branche de noisetier.

— Viens, ma pauvre petite, dit Marie. Nous devons prier ensemble pour repousser cette malheureuse âme torturée. Tu n'es pas de taille, seule.

Abigaël se mit debout en se cramponnant au bras de sa tante. Jacques Hitier lui tapota gentiment le dos.

— C'est le demi-frère de Claire Roy qui te tourmente, petite? En es-tu vraiment sûre?

Elle tendit vers lui un visage blafard dans lequel ses yeux brillaient de larmes.

— Vous doutez de moi? Vous me prenez pour une folle? Je suis navrée, professeur, je n'ai aucun moyen de vous prouver quoi que ce soit. Il veut parler à sa cousine Clara, la fille de Bertille! Avez-vous son adresse? J'ai promis de lui écrire demain, mais ça n'a pas suffi. Il continue à jouer sa musique insupportable.

— Il faut avoir recours à un prêtre exorciste, dit Marie d'une voix autoritaire. Pascaline y a été contrainte, une fois. Abigaël, crois-tu qu'il m'entend, ce jeune homme?

— Je n'en sais rien, tantine. Sûrement. Oh! il ne joue plus! C'est miraculeux! Quel soulagement! Je vous en supplie, Arthur, écoutez-moi.

— Où se tient-il? demanda tout bas Jacques Hitier, en proie à une vive curiosité.

— Là, près de ce pan de falaise, expliqua Abigaël en désignant le lieu d'un geste. Il porte une veste de velours noir. Il a aussi une écharpe rouge. Ses cheveux sont assez longs et il serre son violon contre son cœur. Pourquoi n'êtes-vous pas en tenue d'aviateur, Arthur?

Le défunt esquissa une grimace pour exprimer son ignorance. Marie fit trois pas dans sa direction.

— Peut-être m'entendrez-vous, monsieur, dit-elle. Ne vous obstinez pas, ma nièce fera tout ce qui est en son pouvoir pour vous aider, mais c'est inutile de la rendre malade. J'ai assisté à un exorcisme. Si nous appelons un prêtre formé dans ce domaine, vous serez repoussé de notre dimension et plus jamais vous ne pourrez communiquer avec Clara par le biais d'Abigaël.

Jacques Hitier recula, mal à l'aise. Marie adoptait un ton froid et, de surcroît, elle avait sorti un chapelet de sa poche.

— Il va jouer de nouveau, tantine, se lamenta Abigaël. Ta voix ne lui parvient pas. Attends, je vais tout lui répéter.

Cette fois, le message fut reçu. Arthur Roy approuva d'un hochement du menton. Sa silhouette devint floue et imprécise, puis elle s'effaça.

— Merci, tantine! Je me sentais tellement impuissante! dit la jeune fille en se blottissant dans les bras de Marie. Tu me raconteras ce qui était arrivé à maman?

— Mais oui, ce soir. Je suis certaine que ton violoniste ne reviendra pas avant demain. Alors, Jacques, avez-vous l'adresse de Clara Giraud?

— Non, je suis désolé. Il faudrait consulter le répertoire parisien, puisque cette jeune femme vit à Paris. Tiens, c'est bizarre, il y a un panier renversé, derrière vous, Marie. Du pain est tombé dans l'eau du fossé.

Abigaël jeta un coup d'œil consterné sur le repas froid qu'elle avait préparé avec tant d'enthousiasme et d'amour pour Adrien et elle. Les œufs durs avaient roulé dans l'herbe et le bocal de pâté était brisé.

— Tu apportais des provisions, s'étonna sa tante en ramassant les œufs et le torchon maculé de terre humide.

— Oui, c'était pour Béatrice, Patrick et Adrien. J'avais envie de les gâter un peu, mentit-elle, embarrassée.

— Eh bien, allons voir s'ils ont fini la tâche que je leur avais confiée, dit le professeur. Tu pourras boire une goutte d'eau-de-vie, Abigaël. Ça te remontera un peu.

Dès qu'il avait appris ses dons de médium, au début de l'hiver, il n'avait pas hésité à la soumettre à une expérience. Cependant, la scène de laquelle il venait d'être témoin le laissait dans l'expectative. «Pourquoi une infime minorité d'humains ont-ils la possibilité de voir des fantômes? se demandait-il. Je sais que Marie et Abigaël n'apprécient pas ce terme, mais tant pis, il me paraît approprié.»

Pendant qu'ils traversaient le jardinet, il s'enquit d'un point important, à son avis.

— Une âme égarée comme semble l'être celle d'Arthur Roy peut-elle présenter un danger? Vous avez carrément fait allusion à un exorcisme, Marie. J'en ai eu des frissons.

— Réponds, tantine, tu as beaucoup plus lu que moi sur le sujet.

— Je n'avais pas le choix, ma sœur me considérait comme son assistante. Nous tenions à nous renseigner sur les manifestations de l'au-delà, précisa Marie. Certes, nous disposions de quelques écrits de notre grand-mère, mais, pour ma part, je voulais acquérir des connaissances plus modernes en la matière. Personnellement, je n'ai pas noté de cas où un défunt, même animé de mauvaises intentions, aurait réussi à vraiment nuire à des vivants. Néanmoins, il peut provoquer des phénomènes si insolites qu'il terrorise le médium. Il y a les esprits frappeurs, ceux qui parviennent à déplacer des objets dans une pièce. En fait, les personnes témoins de ces phénomènes finissent souvent par déménager. Ils fuient devant l'inexplicable.

— C'est à ce moment-là, je suppose, qu'on parle de maisons hantées? demanda le professeur.

— Oui, répliqua Marie d'un ton grave. Mais vous avez pu le constater, Jacques, en harcelant Abigaël avec les sons insupportables de son violon, Arthur Roy l'a mise à bout de nerfs.

— J'avais peur de perdre la raison, de hurler de peur ou de colère. Je ne me souviens même plus d'avoir jeté le panier par terre. Tantine, jamais je n'aurais imaginé qu'une âme perdue pouvait me causer autant de souffrance morale et physique. Si ça doit se reproduire, je n'aurai pas le courage de l'endurer.

— Ne crains rien, ma chérie, je vais te protéger, affirma Marie. Il y a des solutions. Sans songer à te faire des reproches, je pense que tu ne pries plus suffisamment, du moins que tu ne récites plus assez souvent les prières spéciales de ta maman. Tu dois les relire, de manière à pouvoir les dire dans certaines situations.

Jacques Hitier ouvrit sa porte et entra le premier. Béatrice, ses boucles brunes grises de poussière, se lavait les mains dans l'évier.

— Mission accomplie, prof, dit-elle en souriant. Oh! mais qui voilà! Ma cousine et sa tantine! Une seconde et je vous embrasse toutes les deux.

Encore très tendue, Abigaël prit place à la table. Des éclats de voix en provenance du souterrain la firent tressaillir. Patrick et Adrien allaient sortir à leur tour du placard à double fond.

«Il n'y aura pas de repas, ce soir, pour lui et moi, sous les arcades de la fontaine, déplora-t-elle. J'aurais trop peur d'être dérangée par Arthur Roy. Et puis, tantine dit vrai, c'est plus important de relire le cahier de maman»

Malgré ces sages résolutions, Abigaël éprouva un doux choc au cœur en voyant apparaître Adrien en haut des six marches intérieures. Il était aussi sale que Béatrice et la manche gauche de sa chemise était déchirée.

— Nous ne sommes pas présentables, dit-il en ôtant un vestige de toile d'araignée de sa chevelure ébouriffée. Bonjour, madame Monteil, bonjour, Abigaël… Enfin, bonsoir serait plus exact.

Patrick débuoula lui aussi du passage secret qu'il referma avec soin. Il avait les avant-bras maculés de boue et il brandissait un objet en métal rouillé.

— Prof, regardez un peu ça! s'écria-t-il. Je l'ai déterré à une cinquantaine de mètres de l'issue qui donne sur l'abri du sentier de Tivoli. Je suis sûr que ça vous plaira.

— Montre-moi, mon garçon, répondit le professeur.

Abigaël nota, émue, à quel point Patrick était différent. Il avait un sourire confiant et un éclat joyeux dans les yeux. Épaule contre épaule, lui et Hitier se penchèrent sur ce qui se révéla une très ancienne pointe de lance.

— Je la daterais de la guerre de Cent Ans, conclut Jacques Hitier. Une jolie trouvaille! Si nous avions le temps de faire des fouilles, nous en trouverions d'autres, sans doute.

— Je veux bien continuer à chercher, lundi, s'enflamma Patrick.

Béatrice éclata de rire. Elle s'était assise à côté d'Abigaël. Elle lui décocha un léger coup de coude.

— Ma parole, mon frère a raté sa vocation! Il s'intéresse aux antiquités, maintenant, ironisa-t-elle gentiment.

— Il n'est jamais trop tard, fit remarquer Marie.

— Mon Dieu, si seulement la guerre n'était plus qu'un triste souvenir! ajouta Abigaël. Je parle de toutes les guerres, celle de Cent Ans, celle de 1914, toutes... Pourquoi les hommes refusent-ils de vivre en paix?

— Vaste problème! soupira le professeur. Eh bien, il est presque six heures. Si mes ouvriers en terrassement cassaient la croûte? Abigaël, tes œufs durs sont mangeables. Moi, j'ai du saucisson et du pâté.

— Nous allons vous laisser, annonça alors Marie. Pélagie doit se demander ce que nous fabriquons dehors, si tard. Nous devons garder les enfants, c'est bientôt l'heure de la traite. Viens, ma petite chérie.

Mortifiée, Abigaël adressa une œillade désolée à Adrien. Elle se sentait si lasse qu'elle renonça à rester là, près de lui. De plus, les mots affectueux de sa tante la ramenaient à une sorte de condition infantile gênante. Rouge de confusion, elle se leva.

— Tu n'as rien bu, protesta le professeur. Marie, je lui sers un doigt d'eau-de-vie comme prévu?

— Non, merci, monsieur, dit Abigaël. Je vais mieux. Béa, est-ce que je pourrai revenir demain matin, avant votre départ?

— Dans ce cas, mets ton réveil à six heures, cousine!

— D'accord. Je veux vous dire au revoir.

Elle retenait ses larmes en songeant qu'ils allaient participer à une opération dangereuse.

— Ne t'inquiète pas, déclara Adrien, qui avait perçu son trouble. Tout se passera bien.

Marie sortit la première. Jacques Hitier la suivit en prétextant qu'il voulait cueillir une poignée de feuilles d'oseille pour agrémenter sa soupe. Vite, Abigaël en profita pour entraîner Adrien dans la chambre voisine, dont elle repoussa la porte.

— Pitié, embrasse-moi, chuchota-t-elle. Notre rendez-vous est annulé. Je suis désolée.

— J'avais compris, souffla-t-il en l'enlaçant.

Ils échangèrent un baiser passionné et fougueux, bien que rapide. Leurs jeunes corps étroitement unis, ils vécurent quelques secondes de pur bonheur sur le fil d'un désir brutal particulièrement enivrant.

— N'oublie pas que je t'aime et que je suis tienne, dit-elle à son oreille.

— Même mort, je ne pourrai pas l'oublier, mon ange, répliqua-t-il en la fixant avec adoration.

Troublée, Abigaël lui échappa. Sa tante l'appelait. Mais, sur le chemin, elle se répéta la phrase d'Adrien: «Même mort, je ne pourrai pas l'oublier.» Cela évoquait pour elle la hantise qui rongeait l'âme errante d'Arthur. C'était la force de son amour qui le rongeait. Une seule personne pouvait l'aider à s'élever vers la lumière, Clara.

Ferme des Mousnier, même soir, un peu avant minuit

Abigaël avait eu du mal à s'endormir, fortement marquée par les agissements d'Arthur Roy, très contrariée aussi de ne pas avoir pu passer une partie de la soirée en compagnie d'Adrien. Elle s'était retirée dans sa chambre dès le dîner achevé pour relire encore une fois le cahier de Pascaline. Sa mère évoquait bien une expérience éprouvante qu'elle avait vécue la veille de ses dix-huit ans.

J'ai prié de toute mon âme pour ne plus jamais être confrontée à ce genre d'événements, écrivait-elle en date du 15 mai 1924. *Une épicière de Ruelle au courant de mon don de passeuse d'âmes m'a demandé de l'aider. Depuis un mois, elle entendait des coups sourds dans le mur de sa chambre, comme si quelqu'un se servait d'une masse pour ébranler les pierres. Or, ce mur donnait sur le vide, au second étage. La pauvre dame entendait également des pas qui montaient ou descendaient l'escalier de sa maison, alors que son mari était absent. J'ai accepté de me rendre chez elle. C'était un matin ensoleillé, mais, à peine entrée dans le logement, je me suis sentie oppressée jusqu'au malaise. Un esprit hantait le lieu, j'en ai eu la certitude. Cependant, si je percevais sa présence hostile, il ne se montrait pas. J'ai prié et j'ai fait brûler de l'encens, mais cela n'a donné aucun résultat. Le soir, après mon départ, tout a recommencé; on me l'a fait savoir.*

Là, en marge du texte écrit d'une belle écriture à l'encre violette, Pascaline avait dessiné une croix ainsi qu'un ange. La suite avait beaucoup fait réfléchir Abigaël.

Je ne pouvais abandonner cette dame dans une pareille situation. Incapable d'en supporter davantage, elle avait élu domicile chez une cousine. J'ai alors interrogé les voisins afin de savoir s'il y avait eu une mort violente, un décès tragique dans la maison, même des années auparavant. Secondée par ma chère Marie, qui m'assiste fidèlement sans jamais se lasser, j'ai enfin appris d'un monsieur, un respectable nonagénaire, qu'un homme avait été tué par son épouse soixante-dix ans auparavant, dans la chambre même de l'épicière. Elle l'avait abattu d'une balle en pleine tête pendant qu'il dormait, un crime passionnel.

Sachant cela, j'ai essayé d'entrer en contact avec l'âme errante et j'ai réussi, hélas! M'est apparue une forme grisâtre au visage affreux, déformé par la haine, qui gesticulait. J'ai tenté de prier et de lui parler, mais il y avait des ondes si négatives que j'ai perdu conscience. Marie m'a traînée dehors. Le lendemain, nous avons sollicité le secours d'un prêtre exorciste qui, lui, a pu débarrasser le logement de cet esprit tourmenté[12].

Le récit de sa mère avait tenu Abigaël éveillée plus d'une heure, car elle en retournait chaque phrase dans sa tête. Maintenant, elle dormait enfin, couchée sur le côté, ses cheveux répandus sur l'oreiller. Seul Sauvageon veillait. Le loup avait pu se redresser, en appui sur ses pattes avant, et il scrutait la pénombre de son regard d'ambre. Soudain, son poil se hérissa et un grognement sourd lui échappa.

Au même instant, un air de violon pénétra le sommeil d'Abigaël, la faisant sourire. La mélodie était légère, limpide et d'une rare harmonie. La musique donna naissance à un rêve où elle évoluait avec une gaieté enfantine. Elle courait le long d'une allée bordée de rosiers vers de grands sapins d'un vert sombre et velouté. Plus loin, des chevaux galopaient au fond d'un pré. Les merles chantaient. Un petit garçon lui tenait la main et ils riaient tous les deux à perdre haleine, ivres de liberté, de soleil, de vent printanier.

— On se cache dans le pavillon, disait son compagnon. J'ai chipé des biscuits à Mireille. On les mangera sur le guéridon chinois.

12. D'après une anecdote authentique.

— Non, c'est défendu d'entrer dans le pavillon, maman me l'a bien dit, répondait-elle.

— Pourquoi?

— Je suis sûre qu'une princesse y est enfermée. On peut regarder par la fenêtre.

La douce musique s'arrêta net. Abigaël eut un sursaut nerveux et ouvrit les yeux. Elle vit tout de suite la silhouette d'Arthur à côté de son lit.

— Ponriant, dit-il. Vous devez aller à Ponriant.

Elle s'assit, le cœur survolté. Le loup grognait encore.

— Au domaine de Ponriant, la demeure de Bertille? articula-t-elle d'une voix hésitante.

— Oui, je viens de me revoir là-bas quand j'étais gamin. Clara et moi, nous étions les rois.

— Qu'est-ce que je ferai, à Ponriant? demanda-t-elle. Je sais que les Allemands avaient réquisitionné le domaine. C'était une feldkommandantur.

— L'endroit est à l'abandon, maintenant. Je n'y étais pas si mal, déclara le défunt sur un ton bas et amer. Peut-être y trouverez-vous l'adresse de Clara à Paris! Peut-être trouverons-nous Clara là-bas! Je crois l'avoir aperçue.

Abigaël fit l'effort de rassembler ses idées. Elle alluma sa lampe de chevet, dont la faible clarté jaune dessina avec netteté son visiteur de l'au-delà.

— Arthur, je voudrais vous aider. J'ai promis de vous aider demain en écrivant à Clara ce qui se passe. Je lui expliquerai votre chagrin, votre refus de quitter le monde terrestre… Mais demain, pas avant, je suis fatiguée. Cela dit, je vous remercie, vous avez joué du violon de façon admirable.

Elle se tut, bouleversée. Les images de son rêve lui revenaient en mémoire. «Encore un phénomène étonnant! songea-t-elle. Je crois bien que j'étais Clara, et c'était Arthur, près de moi.»

— Est-ce que vous êtes entrés dans le pavillon du parc? demanda-t-elle sans réfléchir.

— Souvent. C'était notre cachette. Nous jouions au couple marié et à la dînette.

— Ce n'était pas défendu par Bertille?

— Si, à une certaine époque, lorsqu'elle a soigné Angéla, la fille adoptive de Claire et de Jean Dumont.

Abigaël nota le timbre altéré d'Arthur lorsqu'il prononçait de ses lèvres immobiles le nom de Jean Dumont. Mais, stupéfaite devant la révélation qu'il venait de lui assener, elle ne s'attarda pas à ce détail. Cependant, elle ne l'interrogea pas.

«Angéla, la fille adoptive de Claire et de Jean! Personne ne m'en a rien dit. Pourquoi? Même la nuit où nous avons tant discuté, Claire, Bertille et moi, elles ne m'ont pas parlé d'Angéla.»

— Irez-vous à Ponriant demain? insista la voix grave d'Arthur.

— Dès sept heures du matin, je vous le promets. Attendez-moi là-bas.

Elle éteignit la lampe après avoir constaté que la pièce était vide. Sauvageon ne grognait plus.

«Toute cette histoire me paraît folle, se dit-elle en étouffant un bâillement. Complètement folle!»

———

Chez monsieur Hitier, dimanche 9 avril 1944,
six heures du matin

Le soleil se levait, incendiant d'une clarté orangée la vallée de l'Anguienne, nichée depuis des siècles entre ses douces collines boisées et ses falaises grises.

En pantalon de velours et corsage écossais, une veste en laine sur les épaules, Abigaël était déjà dans le jardinet du professeur. Elle eut l'heureuse surprise de voir sortir Adrien en gilet de corps, rasé et les cheveux propres.

— Mon petit ange, murmura-t-il, que tu es jolie, ce matin!

Ils s'enlacèrent aussitôt, les yeux dans les yeux, éblouis de se retrouver. Sans crainte d'être aperçus, ils s'embrassèrent sur les lèvres. En trois pas, Adrien entraîna son amoureuse dans le cabanon, dont il ferma la porte.

— Personne ne nous verra, ici, chuchota-t-il. Ma chérie, ma petite femme, j'avais peur que tu arrives trop tard. Nous avons rendez-vous avec Marie de Martignac dans une heure, sur le plateau. Elle et son docteur, ils ont la fourgonnette qui a servi d'ambulance.

— Que Dieu te protège, mon amour! gémit-elle, toujours blottie contre lui. Vraiment, ce ne sera pas trop dangereux?

— Normalement, nous récupérerons les deux maquisards et le couple qui les a hébergés. Nous les ramènerons d'abord dans la planque de Ronsenac, ensuite dans l'abri troglodyte au bout du souterrain.

— Alors, je te reverrai ce soir, Adrien? Nous pourrons passer du temps ensemble.

— Je l'espère bien, dit-il, une main aventureuse glissée dans l'échancrure de son corsage. Mon ange, si tu savais, te tenir si près de moi à l'aube, ça me rend fou. Ta peau, on dirait du satin.

Il se pencha et appuya ses lèvres à la naissance de ses seins. Il respirait vite et très fort. Les jambes tremblantes sous la montée du désir, Abigaël poussa une faible plainte.

— Tu as eu raison de mettre un pantalon, haleta-t-il, sinon, je te faisais femme tout de suite, là, sur la paille. Pardonne-moi, je suis tellement nerveux!

Il s'écarta d'elle et passa rapidement la main sur son front. Abigaël le contemplait, les yeux étincelants. Jamais elle ne l'avait trouvé aussi séduisant.

— Je ne veux pas que tu meures, dit-elle d'une voix affolée. Hier soir, si nous avions pu nous retrouver à la fontaine, je me serais donnée à toi sans regret ni scrupules. Nous aurions prononcé nos vœux de mariage. Peut-être le saint ermite aurait-il été près de nous pour bénir notre union secrète. Adrien, embrasse-moi encore, je t'en supplie. C'est si bon!

Il la reprit dans le cercle ardent de ses jeunes muscles et fouilla sa bouche tiède d'une langue impérieuse. Il parcourait son corps de ses paumes caressantes, des seins aux hanches, du dos aux cuisses.

— Ce soir, oui, ce soir, balbutia-t-il. Je t'attendrai à la fontaine. Viens, ma toute belle, ma toute câline. Viens en robe, ta robe de laine bleue qui te va si bien!

— Tu t'en souviens, plaisanta-t-elle, le cœur serré tant elle avait peur de ne pas le revoir.

— Si je m'en souviens? Tu étais superbe, avec ton chignon et tes bijoux. Le tissu moulait tes fesses, le creux de tes reins, tes seins…

Adrien l'étreignit si fort qu'elle sentit le contact dur de son sexe d'homme à la hauteur de son ventre. Rougissante, elle eut un mystérieux sourire en pensant: «C'est mon fiancé, mon amour, mon mari. Je serai à lui. Il me fera oublier les gestes odieux de ces brutes, eux qui ont osé me salir, m'imposer d'ignobles baisers. Adrien effacera tout ça. Il me rendra heureuse, lui. Lui seul!»

En appelant le jeune homme du seuil de la maison, Béatrice les tira de leur délire amoureux. Ils mirent fin à un baiser passionné et s'écartèrent l'un de l'autre.

— Je sors le premier, dit-il. Attends cinq minutes et viens frapper à la porte.

— D'accord.

Ils se sourirent, bouleversés. Ils vibraient à l'unisson d'un plaisir pressenti qui soulevait encore en eux des ondes de joie.

—

Domaine de Ponriant, une heure et demie plus tard

Abigaël avait emprunté le vélo de la ferme, que Jorge Pérez entretenait soigneusement. Intimidée, elle tenait l'engin par le guidon et s'apprêtait à franchir le portail grand ouvert du domaine de Ponriant. Sur sa gauche, elle apercevait un pavillon au toit pointu couvert d'ardoises, mais il n'y avait plus les hauts sapins de son rêve. Elle devina cependant les souches. «Les gens du pays les auront coupés pour se chauffer, se dit-elle. Mon Dieu, que c'est triste! Le parc ne ressemble à rien.»

Les pelouses de jadis étaient devenues des friches d'herbe jaune; certaines parcelles avaient été dévastées par les sangliers, qui avaient fouillé la terre en laissant de grosses mottes brunes.

— Allons-y, s'exhorta-t-elle à mi-voix.

Elle remonta l'allée principale, certaine que Claire l'avait souvent empruntée elle aussi, à cheval ou à pied. Elle cala la bicyclette contre le rebord d'un bassin rempli d'eau croupie. Très émue, elle prit le temps d'observer l'escalier d'honneur en calcaire, d'une teinte encore pâle. Il conduisait à une vaste terrasse à balustres de pierre.

«Bertille devait aimer cet endroit, songea-t-elle. Je l'imagine en hôtesse élégante, les soirs où elle et son mari donnaient de grands dîners.»

Malgré l'état de délabrement évident de la riche demeure, la jeune fille avait l'impression de violer une propriété privée. Des persiennes manquaient et beaucoup de vitres étaient cassées.

— Arthur, êtes-vous là? demanda-t-elle dans un souffle.

Aucune note de musique ne lui répondit. Elle gravit les marches auxquelles s'accrochait un lichen gris-jaune, puis fit quelques pas sur la terrasse. Une porte-fenêtre ouvrant sur un hall au carrelage noir et blanc était entrebâillée.

«En tout cas, il n'y a personne. Tout est bien à l'abandon et je suppose que des rôdeurs se sont servis en meubles et objets de valeur. Les soldats allemands les premiers, sans doute.»

Elle se décida à entrer. Des débris de verre jonchaient le sol, de même que des papiers maculés de boue séchée.

— Arthur, appela-t-elle de nouveau, c'est gênant pour moi, cette intrusion! Où êtes-vous? Il n'y a personne.

Elle pénétra dans une immense pièce. Les doubles rideaux en velours vert gisaient sur le parquet, arrachés de leur tringle. Du riche mobilier des Giraud ne subsistaient qu'une ou deux chaises bancales. Dans le salon suivant, de dimension plus modeste, Abigaël fut sidérée de découvrir un piano à queue.

— Arthur, c'était votre piano? interrogea-t-elle, le nez levé vers le plafond aux belles moulures de plâtre doré.

D'un geste machinal, elle souleva le couvercle et fit courir ses doigts sur les touches. Les notes retentirent dans le silence; leur sonorité intacte la consterna.

Presque aussitôt, elle entendit une cavalcade dans l'escalier intérieur, produite de toute évidence par des talons hauts. Quelques secondes plus tard, une jeune femme blonde faisait irruption dans la pièce, l'air furibond.

— Qu'est-ce que vous fabriquez ici? s'écria-t-elle.

Elle était plus grande qu'Abigaël; ses cheveux étaient coupés au carré; elle était vêtue d'un magnifique tailleur en velours marron et coiffée d'un chapeau assorti.

— Sortez, mademoiselle! ordonna-t-elle. Si ça vous amuse de fouiner, allez fouiner ailleurs. Les paysans du coin se sont suffisamment servis, il me semble! Vous direz à vos parents qu'il n'y a plus rien à voler!

— Excusez-moi, répliqua Abigaël d'une voix calme. Je pense que vous êtes Clara Giraud, la fille de Bertille Giraud.

— En effet. Comment me connaissez-vous?

Une profonde stupeur se lut sur son charmant visage. Elle avait hérité de la blondeur de sa mère, mais ses traits étaient moins délicats et ses yeux n'avaient pas la transparence d'eau vive des prunelles maternelles. Elle darda un regard brun nuancé de vert sur l'intruse.

— Je suis Abigaël Mousnier. J'habite le hameau du Lion de Saint-Marc. Je ne venais pas voler, mademoiselle.

— Madame Clara Prévost! Depuis six mois! Vous êtes polie, c'est déjà bien, mais je répète ma question: que faites-vous ici? Ce domaine appartient à ma famille.

— Puis-je vous demander quand vous êtes revenue en Charente?

— De mieux en mieux! C'est inouï, je vais devoir justifier ma présence chez moi.

— Madame, je ne sais pas par où commencer, mais…

— Eh bien, ne commencez pas, laissez-moi tranquille. Je venais en pèlerinage.

— Parce que vous vivez à Paris, en temps ordinaire, n'est-ce pas, et vous êtes médecin. Je vous en prie, écoutez-moi, j'ai aidé votre mère et sa cousine Claire à quitter la France. Avez-vous de leurs nouvelles?

Clara Prévost marqua le coup. Elle chercha en vain un siège et échoua perchée sur l'appui d'une fenêtre.

— J'ai reçu une carte postale du Yorkshire signée Catherine Dancourt, le nom de fugitive de maman, oui. Elle m'écrivait que l'Angleterre avait bien des agréments pour tous ses amis et elle-même.

Soulagée et intimement comblée, Abigaël joignit les mains et pria en silence.

— Je suis désolée, je n'ai guère été aimable, dit Clara en allumant une cigarette. Cela dit, vous êtes très imprudente. Je pourrais vous mentir et appartenir à la police française, qui ne craint pas d'arrêter les jeunes résistants.

— Non, vous ressemblez à votre maman.

— N'en parlons plus, soupira la jeune femme. Je n'aurais pas dû venir, c'est navrant de retrouver la maison dans cet état. Les chambres empestent, là-haut. Des sauvagines doivent y loger. Dans l'office, le peu de vaisselle qui restait a été brisée menu. Bon, c'est la guerre, inutile de s'apitoyer sur le passé. Ainsi, vous dites que tante Claire a survécu, qu'elles se sont enfuies ensemble. Maman devait être folle de joie de revoir sa chère Clairette.

— Et Claire, sa princesse.

Ces derniers mots tirèrent une larme à Clara, qu'elle essuya prestement.

— Bien! Vous êtes une personne de confiance, admit-elle, mais ça ne me renseigne pas sur la raison de votre présence ici, ce matin.

— Je croyais que le domaine était désert.

— J'ai laissé mon mari dans un hôtel d'Angoulême, précisa Clara, et garé ma voiture derrière, près des écuries. En fait, quand j'évoque un pèlerinage, ce n'est pas tout à fait exact. J'ai apporté une plaque en céramique pour la déposer au cimetière, en hommage à un vaillant soldat français mort en plein ciel.

— Il s'agit d'Arthur Roy, insinua Abigaël. Je comprends mieux.

— Moi, je ne comprends pas du tout, se rebiffa Clara en quittant son siège de fortune. Enfin, peut-être. Ma mère vous a parlé de lui? Ou Claire?

— Oui, naturellement… Il y a autre chose, mais je ne sais pas comment vous le dire.

La mine recueillie, Abigaël baissa la tête. Elle appelait Arthur de toutes ses forces, mais en silence. Le défunt était-il là? Peut-être n'osait-il pas se manifester. Pourquoi?

— Ne faites pas tant de simagrées, s'impatienta la jeune femme. Je repars en ville dans une heure.

— Je suis médium, lâcha Abigaël d'une voix ferme. En tant que médecin, vous savez ce que c'est?

— Oh non! pitié! pas ça, mademoiselle! Vous m'avez bien eue! Qu'est-ce que vous allez exiger? De l'argent pour que je communique avec les morts de la famille? Bertrand, mon père, et mes demi-sœurs? Et Arthur, mon cher Arthur? Sortez, vous n'êtes qu'une sale gosse qui a dû bien se renseigner avant de venir me faire son numéro.

Les bras croisés sur la poitrine et le visage durci, Clara Prévost faisait les cent pas. Elle alluma une deuxième cigarette en levant les yeux au ciel.

— Fichez le camp, s'écria-t-elle enfin.

— Mais, madame, je ne veux pas d'argent, je suis là pour…

Au bord des larmes, Abigaël allait raconter le plus vite possible les visites d'Arthur depuis l'au-delà lorsqu'une suite de notes sublimes s'éleva du piano.

— Il est là, dit-elle faiblement. Madame, il joue. Moi, je l'entends.

— Qui donc? demanda Clara d'un ton dur.

— Mais Arthur! C'est lui qui m'a demandé de venir à Ponriant ce matin.

— Ce que vous faites, mademoiselle, est cruel, épouvantable! Je vous somme de partir immédiatement.

— Non, je ne peux pas. J'ai employé le terme médium, car il est courant, mais je suis une passeuse d'âmes. Et Arthur souffre. Il refuse de s'élever vers la lumière. Je vous en prie, écoutez-moi.

— Dans ce cas, dites-moi ce qu'il joue, ironisa Clara, livide.

— Je l'ignore, mais c'est très beau et très triste, d'une tristesse accablante.

Une voix sourde articula alors le titre du morceau, qu'Abigaël répéta tout bas avec l'application d'une écolière:

— Il joue *Le sixième prélude en si mineur* de Chopin.

— Ce prélude! gémit Clara, pâle à faire peur. Arthur le jouait quand il voulait que je pleure. C'était terriblement triste! Il pouvait me consoler, ensuite. Vous l'entendez, vous? C'est tellement insensé. Vous ne trichez pas?

Abigaël nia d'un signe de tête. Clara fixa l'instrument dont les touches demeuraient parfaitement immobiles.

— Je vous écoute, mademoiselle. Mais je vous préviens, il me faudra des preuves. Je suis une scientifique, athée de surcroît.

— Je vous en donnerai… Enfin, Arthur vous en donnera.

17

Les rouages du destin

Clara s'était appuyée des deux mains au piano à queue, dont elle continuait à observer les touches. Désemparée de ne pas voir la silhouette d'Arthur Roy, Abigaël percevait toujours la mélodie qu'il interprétait.

— Madame, dit-elle, je crois pouvoir affirmer que les âmes errantes n'entendent pas les paroles des vivants, sauf les miennes ou celles d'autres médiums. Ma tante a essayé de raisonner Arthur, hier, mais cela n'a eu aucun résultat. J'ai dû répéter ce qu'elle lui disait.

— Pourquoi le raisonner? interrogea Clara sèchement.

— Votre cousin – car c'est bien votre cousin, n'est-ce pas! – était en colère. Il ne se comportait pas correctement à mon égard. Je n'ai pas envie d'entrer dans les détails.

Clara recula, un sourire amer sur les lèvres. Elle s'adossa au mur le plus proche en haussant les épaules.

— C'est insensé. En fait, cela signifie qu'il n'est pas tout à fait mort, si vous le voyez et qu'il s'exprime.

Abigaël se voulait à la fois rassurante et convaincante. Elle demeurait d'un calme absolu. En la regardant, en voyant son ravissant visage au teint lumineux et ses yeux d'un bleu d'azur, n'importe qui lui aurait accordé sa confiance. Mais Clara hésitait toujours. Ce que lui disait cette fille bousculait toutes ses certitudes.

— Je précise, madame, que j'ai rencontré Arthur pour la première fois dans l'église de Puymoyen. Il jouait de l'harmonium. Le soir, il m'attendait sur le chemin près de la ferme de mon oncle et, grâce à lui, j'ai pu retrouver Claire.

— Comment ça? demanda Clara en allumant une troisième cigarette.

— Votre cousin m'a fourni un renseignement important. Il savait que Claire était cachée à Vœuil-et-Giget, non loin du lieu où il était martyrisé par sa mère et son amant. Ensuite, il a disparu jusqu'à avant-hier soir, où il s'est manifesté dans ma chambre, furieux, malade du désir de communiquer avec vous.

La musique se tut. Abigaël se tourna vers l'instrument. Arthur était là, habillé de la même façon, les traits apaisés cependant.

— Je le vois, souffla-t-elle.

— Où est-il? murmura Clara, d'une pâleur de craie.

— Là, debout entre la fenêtre et le piano. Il porte une veste de velours noir et une écharpe rouge. Il a des cheveux châtains, mi-longs.

— Sa tenue parisienne quand nous dînions à Saint-Germain-des-Prés… Mademoiselle, est-ce qu'il me voit?

— Bien sûr, affirma le jeune défunt. Dites-lui qu'elle est toujours la plus belle pour moi, dites-lui que je voulais l'épouser à mon retour de mission. Mais j'ai été tué. Mon avion a pris feu, je m'en souviens, à présent. Je n'ai jamais osé lui avouer que je l'aimais comme un homme aime une femme.

Abigaël transmit le message. Sans le faire exprès, elle prenait les intonations d'Arthur Roy, ce qui acheva de troubler Clara.

— J'aurais accepté! s'écria-t-elle. Oh! oui, j'en aurais été si heureuse! Je me suis mariée il y a six mois après avoir espéré trois ans qu'il revienne malgré tout.

Le couple échangea encore des mots d'amour, mais aussi des regrets devant l'inéluctable, par la voix d'Abigaël que ce dialogue bouleversait. Peu à peu, elle se mit à trembler, tandis que des larmes ruisselaient sur ses joues. Soudain, Clara perdit patience.

— Je voudrais le voir, moi aussi, gémit-elle. Si ce n'était pas mon Arthur, mais un esprit malin qui nous trompe?

Surprise, Abigaël respira profondément. Elle fit quelques pas pour dominer la fatigue nerveuse dont elle subissait les effets.

— Vous êtes bien renseignée, madame, dit-elle, pour quelqu'un qui ne croyait pas à ces choses!

— Oui, je me suis informée, admit Clara, agacée, à cause des bruits qui se produisaient dans notre appartement parisien, des coups dans le mur près du lit. Une fois, j'ai cru qu'on me serrait l'épaule. J'ai dû avaler des somnifères pour dormir en paix. Et, autant l'avouer, j'ai pensé à Arthur. Je me disais qu'il était en colère parce que j'étais mariée… J'ai alors décidé de venir ici mettre une plaque à son nom au cimetière.

— Qu'a-t-elle fait graver sur la plaque? demanda Arthur, dont le regard brillait de soulagement.

— Arthur voudrait savoir ce que vous avez fait graver.

— *Pour celui que j'ai aimé plus que tout au monde.* Et j'ai mis mon nom sous l'inscription: *Clara.* Rien d'autre. Maintenant, qu'il me donne deux preuves que c'est bien lui, par pitié! Je veux en être sûre.

Encore une fois, Abigaël transmit la supplique de Clara. Elle était à bout, mais se sentait capable de tenir le temps nécessaire pour guider Arthur vers la lumière. Il ne pourrait plus refuser de quitter la sphère terrestre. Du moins le pensait-elle.

— Des preuves, murmura-t-il, et sa bouche remuait légèrement. Des choses que nous sommes seuls à savoir, elle et moi. Un jeudi de pluie, en octobre, nous étions cachés sous le grand lit de ses parents et, avec mon canif, j'ai gravé nos initiales sur une planche du sommier. Nous avions dix ans.

Clara se laissa glisser sur le parquet poussiéreux et éclata en sanglots.

— Et, derrière le pavillon du parc, ajouta-t-il, un dimanche où il neigeait, nous avons enterré une mésange morte dans un mouchoir en soie rose dérobé à Bertille.

— C'est vrai, et ça, personne ne l'a su, ni pour nos initiales ni pour l'oiseau. Oh! Arthur, je voudrais tant te serrer dans mes bras! Mademoiselle, je ne veux plus qu'il soit en colère ni malheureux. Vous allez l'aider?

— S'il consent à s'élever, oui. Vous pourriez l'aider, vous aussi. Voulez-vous prier en ma compagnie?

— Oui, oui! Je n'avais plus la foi, mais à présent…

Clara reniflait et des larmes coulaient sur ses joues. Abigaël ouvrit la sacoche en toile qu'elle portait en bandoulière et sortit deux cônes d'encens. Elle emprunta le briquet de Clara et les alluma. Arthur suivait chacun de ses gestes des yeux, l'air résigné, mais serein.

— C'est le moment des adieux, dit-il très bas. Merci, Abigaël! Je sais qu'elle m'aimait comme je l'aimais.

— Elle vous aime toujours.

— Je l'aimerai toujours, clama Clara. Tu entends, Arthur, je t'aimerai toute ma vie. Peut-être qu'on se retrouvera!

Il se passa alors un fait exceptionnel, dont Abigaël garderait précieusement le souvenir. Elle vit tout à coup le défunt près de sa cousine adorée et elle assista, muette et attentive, à l'expression émerveillée de Clara.

— J'ai senti sa main sur ma joue! Il m'a caressé la joue! dit-elle, extasiée. C'est merveilleux, terrible et merveilleux.

Abigaël pria avec une ferveur redoublée. Malgré l'émotion indicible qui la secouait, Clara l'imita. Elle se tut lorsque les mots écrits des années auparavant par les passeuses d'âmes de la famille Monteil résonnèrent dans le petit salon de la vaste demeure à l'abandon. Arthur, la tête levée vers le plafond, avait les paupières closes. Durant un instant, des notes de musique fusèrent du piano, puis elles s'estompèrent, comme s'effaçait dans un halo d'or pur la silhouette du défunt.

— Il s'en est allé vers l'amour infini, vers la lumière, murmura enfin Abigaël.

— Merci pour lui! répondit Clara en se jetant à son cou. Oh! je voudrais mourir sur l'heure pour le suivre, pour le revoir!

— Je vous en conjure, ne dites pas de choses pareilles. Nous devons prier encore. Récitez encore le *Notre Père* avec moi. Il le faut.

— D'accord.

—

Une demi-heure plus tard, Clara Prévost garait sa voiture près de l'entrée du cimetière de Puymoyen. Elle avait proposé à Abigaël de la ramener ensuite jusqu'au hameau du Lion de Saint-Marc.

— C'est très gentil à vous de me raccompagner, déclara la jeune fille en descendant de l'automobile, une Traction Avant noire.

— Puisque votre vélo loge dans la malle arrière en ne fermant pas le capot, autant vous rendre service. J'ai beaucoup à me faire pardonner. J'ai été très désagréable avec vous.

— Je comprends votre réaction. Elle est naturelle. Les gens sont souvent incrédules, quand je leur confie mes dons de médium. Je suis obligée d'employer ce mot, sinon ils sont encore plus inquiets.

— C'est pourtant joli, passeuse d'âmes, affirma Clara. Venez, je suis certaine qu'Arthur apprécierait votre présence. Vous méritez d'être à mes côtés quand je déposerai la plaque.

— Je préfère vous laisser seule, protesta Abigaël. Sur quelle tombe souhaitez-vous la placer?

— Sur celle de Colin Roy, son père. Ça me paraît juste. Il y a aussi Hortense Roy et Étiennette, sa mère, une servante qui avait le diable au corps.

— Chut, ne dites pas ça, s'indigna Abigaël en se signant.

— Oh! excusez-moi.

Clara ajusta son chapeau et enfila ses gants en dentelle. Elle tenait sous un bras un paquet enveloppé de papier brun.

— J'ai mis une photographie d'Arthur, mais en aviateur. Il me l'avait envoyée. Vous voulez la voir?

— Oui.

Abigaël eut du mal à reconnaître le violoniste les cheveux rasés et en uniforme. Clara embrassa le verre bombé qui protégeait le cliché, puis elle s'éloigna de sa démarche énergique dans l'allée principale.

«Mission accomplie, songea Abigaël. Mais que se passe-t-il à Villebois? Pourvu qu'ils reviennent tous sains et saufs! Pourvu qu'Adrien me soit rendu, lui que j'aime si fort!»

Un grand calme régnait dans le cimetière où s'éga-yaient des nuées d'oiseaux. Des fleurs sauvages ornaient la muraille de leurs corolles jaunes ou roses.

«Quel endroit paisible! se dit-elle. Je n'ose pas avancer jusqu'à la tombe de Jean Dumont. J'ai eu un tel chagrin, cet hiver! C'était la douleur de Claire qui me torturait. Non, je n'irai pas… Angéla de Martignac, elle, où est-elle inhumée?»

Clara revenait, mais elle s'arrêta devant un caveau monument d'une taille imposante, une sorte de mauso-lée en calcaire et en marbre rose surmonté d'une haute croix en fer forgé. Abigaël la rejoignit.

— Ma famille, les Giraud, lui dit-elle.

— Je suis déjà venue ici.

— Des lettres dorées pour ne pas oublier nos morts, ironisa Clara, remise de son épisode paranormal sous le toit du domaine. Mon grand-père Édouard Giraud que je n'ai pas connu, Marianne Giraud, née des Riant, Frédéric Giraud, Marie-Virginie Giraud, née de Rustens, Denis Giraud et enfin Bertrand Giraud, mon cher petit papa. Une crise cardiaque les premiers jours de la guerre. Maman était à moitié folle. Elle a fait un scandale pendant les obsèques, à l'église. Au fait, en parlant de ma mère, comment a-t-elle réussi à trouver Claire et à passer en Angleterre? Oh! elle a dû s'en sortir facilement, du moment que je lui avais donné une grosse somme d'argent. Maman possède une force de caractère inimaginable.

— Je vous raconterai au retour par quel hasard votre maman a été sauvée, car elle était en danger. Une chose m'étonne. Angéla de Martignac a été tuée lors du massacre du Moulin du Loup, mais j'ignore où elle est enterrée. Je voudrais fleurir sa tombe. C'était une artiste de talent, de grand talent.

— Je n'en sais rien, demandez à sa belle-mère Edmée. Elle doit s'être occupée des funérailles. Du genre la fosse commune de Torsac! Oh! pardonnez-moi, je fais encore de l'humour noir. C'était notre manie, à Arthur et moi. On dirait que je ne peux pas m'en empêcher. Angéla a donné deux petits-enfants à Edmée. Rien que pour eux, cette vieille chouette acariâtre a dû faire les choses correctement. Venez, partons, tous ces morts m'attristent, surtout maintenant. Si jamais ils m'ont écoutée…

Clara eut un sourire mélancolique. Abigaël ne s'offusqua pas des tirades acerbes de la jeune femme. Elle devinait combien elle avait été perturbée par les événements de la matinée; elle réagissait en se moquant de tout et d'elle-même.

— L'histoire d'Angéla est particulière, reprit-elle une fois au volant. Si Claire et ma mère ne vous ont rien dit, c'était voulu. Je pense que je devrais me taire également. Vous avez entendu parler des secrets de famille qu'on tait de génération en génération.

— Oui. Vous n'êtes pas obligée de me confier quoi que ce soit.

— Je peux résumer. Claire et Jean ont adopté Angéla. Elle avait treize ans et elle avait connu une enfance difficile comme pensionnaire dans un orphelinat. Tout le monde l'aimait. Les garçons tombaient sous son charme. D'abord César, le fils aîné de Léon, le domestique du moulin, ensuite Louis de Martignac. Edmée s'opposait au mariage, fidèle à ses principes du siècle précédent. Alors, Jean a offert à Angéla un voyage au Québec. Pendant la traversée, la jeune beauté, qui avait dix-sept ans, a séduit son père adoptif. Il l'a abandonnée là-bas et est revenu penaud, mais Angéla est rentrée en France grâce à maman. Nous, en effet, nous rentrions en bateau de New York. Il a fallu payer un billet à la demoiselle en détresse. Cela a causé une tragédie innommable, je vous assure!

— Seigneur, Claire a dû endurer un calvaire, quand elle l'a su?

— Elle a encaissé tout un choc, certes! Enfin, maman a recueilli Angéla, qui était enceinte. L'enfant n'a pas vécu et, finalement, Louis de Martignac a épousé celle qui avait causé un scandale mémorable.

— Il devait l'aimer vraiment de tout son être, conclut Abigaël, abasourdie par ce récit bref, mais précis.

— Il l'idolâtrait sans aucun doute. Vous semblez avoir vu des toiles d'Angéla…

— L'épicière d'ici en a récupéré une dans le salon de coiffure de Thérèse, la fille aînée de Léon. J'ai eu la chance de l'admirer. C'est un portrait de Raymonde, la première femme de ce monsieur. Un de mes voisins en possède une autre, qui représente Claire à cheval.

— Louis était notaire à Villebois. J'ignore ce qu'est devenue leur maison. D'autres peintures sont peut-être encore là-bas… Mais changeons de sujet. J'ai été ravie de vous connaître, Abigaël – c'est le prénom que vous m'avez dit tout à l'heure en quittant le domaine. Je vais retrouver mon mari. Une chose est sûre, je ne lui raconterai pas mon expérience de ce matin. Il se ferait du souci pour ma santé mentale.

Abigaël éprouva un pincement au cœur lorsque Clara la déposa à l'entrée du hameau du Lion de Saint-Marc. Elle avait eu le temps de lui raconter comment elle avait pris Bertille Giraud pour un fantôme, rue de l'Évêché, et par quel stratagème les deux cousines s'étaient envolées vers l'Angleterre. Elles se serrèrent la main en échangeant un regard attendri.

— Si vous avez des nouvelles de votre maman et de Claire, ce serait gentil de m'écrire, madame, suggéra la jeune fille. Faites-le de façon neutre, en langage codé. Je comprendrai. Adressez votre message à Abigaël Mousnier, chez Yvon Mousnier.

— Je vous dois bien ça. Non seulement vous avez tiré maman d'une situation périlleuse, mais, en plus, j'ai pu dire à Arthur à quel point je l'aimais. Je me sens en paix, à présent.

— Alors tout est bien, affirma Abigaël en descendant de la voiture. Au revoir, madame Clara. Je suis heureuse de vous avoir connue, même quelques heures seulement.

— Moi aussi. Au revoir. Au fait, je repars pour Paris demain soir. Si vous aviez besoin de moi, nous sommes à l'Hôtel du Coq d'or.

Abigaël agita la main en suivant des yeux l'automobile qui s'éloignait dans un nuage de poussière jaunâtre. Elle se dirigea d'un pas tranquille vers le portail de la ferme. Yvon sortit aussitôt de la grange, un tablier ensanglanté noué à sa taille:

— Et le vélo, petite, tu l'as encore laissé quelque part? Qui c'était, cette femme?

— Oh! non, il était dans la malle arrière. Je suis désolée, mon oncle!

— Où étais-tu, d'abord? Ta tante n'a pas daigné me le dire.

— Ce serait trop long à expliquer. La femme qui m'a ramenée, c'est Clara Giraud, la fille de Bertille. Elle est médecin. Et vous, mon oncle, vous deviez participer à l'action de Villebois. Ils ne sont pas partis?

— Si, ils m'ont écarté de l'affaire. Que veux-tu! Béatrice estimait que son vieux père n'avait pas la carrure pour ça et Marie de Martignac lui a donné raison. J'aime autant être resté là. J'avais une brebis qui allait mettre bas, mais elle vient de mourir. L'agneau aussi.

La nouvelle expliquait le sang qui souillait le tablier du fermier, ses mains et ses avant-bras. Abigaël prit un air navré.

— Bah, on n'y peut rien. Ne fais pas cette mine désolée. Au fond, tu devrais te réjouir, tu donneras le foie et les abats à ton loup. S'il ne reprend pas des forces avec une nourriture aussi riche, on aura tout essayé.

C'était vraiment une bonne nouvelle, un incident inespéré. D'un élan spontané, Abigaël sauta au cou de son oncle et déposa un baiser sonore sur sa joue hérissée de barbe.

—

La sensiblerie n'était pas de mise en cette dure période de rationnement; aussi, sous le toit des Mousnier, on se mit au travail dès le déjeuner achevé. La cuisine devint un véritable atelier de boucherie et chacun s'attela à la tâche, excepté les trois enfants. Pélagie, Marie, Abigaël, Yvon et Jorge Pérez œuvraient de concert, des torchons en guise de tabliers passés à leur ceinture. Une odeur âcre de sang et de viscères flottait dans la pièce malgré les fenêtres ouvertes.

— La viande va se perdre, maugréa la fermière. Il y en a trop.

— Il n'y en a jamais trop, ma femme, rétorqua son mari. Nom d'un chien, on peut cuisiner tout ça! Tu as des bocaux!

— Le plus profitable, suggéra Marie, c'est de faire cuire la plus grande quantité possible avec des oignons, du sel et des aromates.

— Déjà, demain, nous ferons rôtir un gigot, renchérit Yvon. Je peux vendre des morceaux aux voisins, aussi. La bête était saine.

Le réfugié espagnol semblait à son aise. Il maniait le tranchoir d'un geste sûr et vigoureux. Les os craquaient, ce qui faisait rire Grégoire, intrigué par le spectacle. Cécile, quant à elle, avait emmené Vicente dehors. Elle préférait jouer devant la maison avec le petit garçon.

Abigaël dut patienter un quart d'heure avant de disposer du foie et du cœur de l'animal. Son oncle les lui tendit au fond d'un plat en fer.

— Si c'est pas malheureux! ronchonna Pélagie. Le meilleur pour une sale bestiole en train de crever!

— Je suis navrée, ma tante, mais Sauvageon n'est pas mourant. Et il a besoin de viande.

— Bah, de toute façon, j'ai rien à dire, moi, ici. Puisque ça fait plaisir au patron...

Yvon esquissa un sourire moqueur. Jamais encore son épouse ne l'avait désigné ainsi. Il lui tapa sur les fesses, ce qui lui valut un regard furieux.

— T'as les mains dégoûtantes! Ne recommence pas!

Marie paraissait indifférente au labeur ingrat qui lui échoyait. Le visage impassible, les doigts rougis et souillés de graisse, elle découpait la chair coriace de la brebis.

— Monsieur Pérez, quand vous aurez le temps, il faudrait faire une grosse flambée. Si nous utilisons la grande marmite en fonte, nous pourrons mettre à cuire une sorte de ragoût.

— Bien, madame Marie, approuva-t-il.

— Si seulement nous avions du sel en abondance, nota Yvon, nous aurions pu essayer de conserver certaines parties.

Une discussion s'éleva au sujet des recettes possibles. Pélagie en oublia sa mauvaise humeur. Marie félicita Jorge Pérez pour une de ses idées.

De l'étage, Abigaël percevait le ronronnement des voix. Assise à côté de Sauvageon, elle taillait des lambeaux de foie et les lui présentait.

— Mange, mon beau, mange vite. Tu te rends compte? Le destin a pris une vie et tu en profites. Cela dit, depuis toujours, les loups dévorent les moutons et tu n'as même pas eu à chasser. Hélas, tu n'es pas en état d'attraper une souris.

Elle continua à le nourrir. Les babines sanglantes, Sauvageon se redressa à demi et inspecta le plat vide. Ses yeux brillaient, il poussa un jappement.

— Tu en voudrais encore? Pas tout de suite, ce soir, si tante Pélagie ne se réserve pas les abats de l'agneau. Pauvre petit agneau, il est minuscule, mais si joli.

Le loup entreprit de lui lécher les mains. Toute contente, elle le laissa faire.

— Maintenant, repose-toi. Je reviens dès que je peux.

Avant de quitter sa chambre, Abigaël jeta un coup d'œil sur la pendulette qui trônait au milieu de la commode. «Déjà trois heures de l'après-midi, se dit-elle. Mon Dieu, pourvu que tout se passe bien, à Villebois! Ils doivent être à Ronsenac. Ils arriveront ce soir, à la nuit tombée.»

Elle pria en silence, obsédée par l'image d'Adrien tel qu'il lui était apparu le matin, avec ses bras à la peau dorée et ses épaules musclées dégagées par le gilet de corps. «Mon amour, reviens, je t'en supplie, reviens-moi! Tu ne peux pas mourir, parce que tu seras mon mari, mon amant. Tu me feras femme, tu l'as dit et redit. Et j'en ai envie.»

Abigaël attendit un peu avant de redescendre. Adossée au mur, elle voulait revivre les baisers qu'ils avaient échangés dans l'ombre du cabanon. Des ondes voluptueuses naquirent au plus intime de son ventre, qui la firent frémir et rougir. Pourquoi songea-t-elle peu après à Angéla de Martignac? Elle osa établir un lien entre le désir qui la tourmentait et la passion coupable d'une fille adoptive pour son père de substitution.

«Jean Dumont n'a pas pu lutter. Elle devait être très belle… Non, pas aussi belle que Claire, mais alors, quel charme possédait-elle?»

La question l'occupait depuis un long moment lorsqu'elle fut chargée par Pélagie de nettoyer les boyaux de la brebis.

— Nous allons hacher à la moulinette les bouts de viande les moins bons et en faire des saucisses, lui expliqua la fermière.

Deux heures s'écoulèrent encore, mais une odeur alléchante de bouillon avait succédé à celle, écœurante, du sang et des abats. Marie surveillait la cuisson d'un ragoût qu'elles prévoyaient mettre en conserve, Pélagie et elle.

Au crépuscule, Yvon s'éclipsa. Il allait jusqu'au hameau proposer de la viande à ses voisins.

— Nous n'avons pas eu la visite du professeur, aujourd'hui, remarqua Abigaël.

— Il estimait plus prudent de guetter le retour de l'équipe, expliqua Marie à voix basse. Au fond, il n'a rien manqué. De passer la demi-journée à brasser tant de viande l'aurait sûrement rebuté.

— Ben voyons, un môssieur comme lui! lança Pélagie d'un ton moqueur. Il ne se salit jamais les mains, il envoie les autres se faire tuer à sa place.

— Pélagie, vous êtes injuste, s'enflamma Marie.

— Ah oui? Vous pensiez comme moi, y'a pas si longtemps. Mais il vous a embobinée, pardi, avec ses belles phrases! Vous jouez les bigotes; pourtant, vous êtes pareille aux autres.

Sidérée, Abigaël vit sa tante s'empourprer, les poings serrés et les mâchoires crispées. Enfin, d'un geste brusque, elle détacha son tablier de fortune et le jeta par terre.

— Je ne vous permets pas de vous mêler de mes affaires, Pélagie, et je n'ai jamais joué les bigotes ni les hypocrites. Le Seigneur m'en préserve, je suis en paix avec ma conscience.

Sur ces mots, elle se rua dans le vestibule et grimpa l'escalier d'un pas rapide. Une porte claqua au premier étage. Cécile, Grégoire et Vicente ouvrirent de grands yeux inquiets.

— Venez, nous allons traire les vaches, leur dit Abigaël. J'ai entendu la Blanchette appeler. Dépêchons-nous! Grégoire, prends le bidon pour la maison.

Soulagée de respirer l'air frais du soir, elle emmena les enfants. Le ciel d'un bleu sombre intense se teintait encore d'or rouge à l'ouest. Une étoile brillait au-dessus du grand sapin.

— Pourquoi madame Pélagie est si souvent en colère? demanda Cécile.

— Goire méchant, vilain, Goire, pour ça, maman en colère, bredouilla l'innocent.

— Pas du tout! protesta Abigaël. Tu n'y es pour rien, Grégoire. Ta mère est fatiguée. Elle voudrait comme nous tous que la guerre soit finie, que Patrick habite la ferme et que plus personne ne soit en danger.

— Elle est triste, aussi, pour la brebis qui est morte, hasarda Cécile.

— Peut-être, ma mignonne, mais, au dîner, vous aurez de la viande et des pommes de terre. Ça vous redonnera des couleurs.

Les deux vaches accueillirent la petite troupe en poussant des meuglements sourds. Fanou, la jument, lança un hennissement, imitée par son petit, un robuste poulain de deux ans et demi.

— Vous me regardez traire, puis nous distribuerons du foin et du grain aux chevaux, annonça la jeune fille.

Elle avait allumé l'éclairage électrique, mais il ne dispensait qu'une faible clarté jaune. Effrayé par les zones d'ombre du vaste bâtiment, Grégoire se plaça sous l'ampoule. Vicente lui prit la main.

— Soyez sages, ne faites pas de bruit, ajouta Abigaël.

Bientôt, il n'y eut plus que le son régulier du lait tombant en jets dans le seau en zinc. Derrière la barrière en bois, les moutons semblaient respecter eux aussi la consigne du silence. Soudain, l'un d'eux se mit à bêler. Jorge Pérez venait d'entrer.

— Oh! vous êtes là avec les enfants, mademoiselle! dit-il. J'ai nourri la truie et j'ai fermé l'enclos des poules. Je peux finir la traite, si vous voulez.

— C'est pas la peine, j'aurai vite terminé. Mon oncle n'est pas de retour?

— Non, mademoiselle, mais le professeur Hitier arrive. Je l'ai aperçu sur le chemin.

— Il vient par ici? Alors, oui, prenez ma place, je vais l'accueillir.

Abigaël se précipita dehors. Son cœur cognait si fort qu'elle avait du mal à respirer. L'angoisse contre laquelle elle avait lutté depuis des heures la submergeait brusquement. Jacques Hitier lui fit signe dès qu'il la vit accourir.

— Est-ce qu'ils sont revenus? demanda-t-elle d'une voix faible.

— Non, je n'ai aucune nouvelle.

Essoufflée, elle s'arrêta à un mètre de lui. Il écarta les bras afin d'exprimer son impuissance.

— Petite, il ne faut pas s'inquiéter. Ils ont pu s'attarder dans la planque de Ronsenac. Au pire, ils dormiront là-bas.

— Ce n'était pas prévu, professeur. Ils devaient conduire les fugitifs dans le souterrain ce soir.

— Je sais, mais que veux-tu, parfois il faut changer ses plans en urgence. Il n'y a pas de raison pour qu'ils aient eu un problème.

— J'ai peur! J'ai l'intuition que quelque chose ne va pas. Je le sens, c'est plus fort que moi. J'en suis malade.

— Calme-toi, Abigaël. Je t'avoue que je tournais en rond chez moi, moi aussi. C'est pourquoi j'ai décidé de vous rendre visite. Je ne resterai pas plus d'un quart d'heure, au cas où ils arriveraient.

— Eh bien, venez, mais l'ambiance est tendue. Toujours tante Pélagie qui récrimine. Elle a vexé ma pauvre tantine, tout à l'heure, en l'accusant de je ne sais quoi, des sottises, sans doute. En plus, nous avons passé une partie de la journée à découper de la viande, une brebis qui est morte à l'agnelage.

Jacques Hitier approuva distraitement. Il était tiraillé entre sa joie d'avoir enfin gagné le cœur de Marie Monteil et son anxiété au sujet des trois jeunes résistants.

— S'il y avait eu du grabuge, marmonna-t-il, j'aurais été averti. Marie de Martignac supervisait l'opération avec le docteur. Au fait, Abigaël, votre tante ne vous a rien dit, aujourd'hui?

— Tante Pélagie ou ma chère tantine?

— Votre tantine, petite, évidemment!

— Non, nous n'avons pas eu l'occasion de bavarder, la cuisine était transformée en étal de boucher. Mais que devait-elle me dire? Elle s'est confiée à vous? Elle désapprouve mon amour pour Adrien, c'est ça? Je lui avais annoncé ma décision d'être religieuse. J'ai dû la décevoir.

— Pas du tout, vous n'êtes pas en cause. Ah! la voici.

L'intonation du professeur s'était adoucie. Il regardait Marie venir à leur rencontre, enveloppée d'un châle en laine.

— Jacques, quelle bonne surprise! s'écria-t-elle. Abigaël, tu n'es pas à la traite?

— Monsieur Pérez m'a remplacée, car j'avais hâte de savoir pourquoi le professeur venait à la ferme. Je vous laisse…

Elle leur tourna le dos et gagna l'intérieur de la maison. Elle avait envie de rire et de pleurer. Elle avait compris. «J'ai eu l'impression qu'ils allaient se jeter dans les bras l'un de l'autre! Ils n'avaient plus le même visage. Mon Dieu, ils s'aiment, et je n'ai rien deviné! Pélagie le savait, elle, sinon elle n'aurait pas été aussi hargneuse. Adrien m'avait prévenue, mais je ne le croyais pas.»

Abigaël en était médusée. N'eût été la cruelle morsure de l'angoisse, elle serait ressortie pour embrasser sa tante et Jacques Hitier, mais elle resta dans la pénombre du vestibule.

«Adrien, reviens, implora-t-elle. Mon amour à moi, à moi seule, reviens, par pitié!»

Un hurlement modulé sembla répondre à sa prière. C'était le loup. Elle monta les marches quatre à quatre, entra dans sa chambre et alluma le plafonnier. Sauvageon était debout. Son corps décharné était secoué de frissons, mais, en la voyant, il avança d'un pas hésitant, une patte après l'autre.

— Merci, mon Dieu, tu t'es levé, mon beau Sauvageon! Que je suis contente!

L'animal faillit tomber sur le côté. Cependant, il résista et tendit sa lourde tête grise vers Abigaël. Elle était déjà agenouillée près de lui et elle le caressait.

— Tu es sauvé, j'en suis sûre, murmura-t-elle. Tu as sali mon parquet, mais je m'en moque. Bientôt, tu courras dans la campagne avec moi, mon beau Sauvageon.

Elle frottait sa joue dans les poils épais du loup à la hauteur de son cou quand il se mit à gronder.

— Qu'est-ce que tu as? s'étonna-t-elle.

Abigaël s'écarta prudemment. Soudain, la porte s'ouvrit et Yvon entra, les traits décomposés, le teint cramoisi d'avoir couru.

— Petite, viens vite, on a besoin de toi! Je t'ai appelée, mais tu n'as pas répondu. C'est grave, très grave! On a des blessés, dehors!

— Qui est blessé, mon oncle? demanda-t-elle en bondissant sur ses pieds. Adrien? Béa?

— Adrien, oui.

— Et Patrick?

— Patrick... mon gamin, il vient de mourir dans mes bras, Abigaël.

— Oh! non, mon Dieu, il est mort? Mon oncle, mon cher petit oncle, comme vous devez souffrir!

Elle lui prit la main pour lui témoigner sa compassion, qui était sincère, mais, malgré le choc que lui causait la terrible nouvelle, elle devait courir auprès d'Adrien.

— Pélagie est folle de douleur, ajouta-t-il. Et ça ne fait que commencer...

Abigaël ne chercha pas à comprendre le sens exact de ces derniers mots. Elle allait s'élancer sur le palier quand Yvon la retint par le poignet.

— Le docteur, tu sais, l'ami de Marie de Martignac, il a été pris. S'il parle, nous sommes tous fichus. Va, descends, qu'on en sauve au moins un!

Elle sortit en courant avec l'étrange impression de ne plus avoir de corps charnel, seulement un esprit en pleine panique tourné vers Adrien. Elle refusait de songer qu'il pouvait mourir lui aussi et, déjà, elle se promettait de lutter jour et nuit pour le sauver. En arrivant au rez-de-chaussée, elle se trouva confrontée au chaos, à l'épouvante.

Un cri lugubre, jailli du tréfonds d'un être blessé à vif résonnait dans la cuisine. Elle distingua une suite de «non! non!» qu'on répétait à la manière d'un râle d'agonie.

— Calmez-vous, ma pauvre Pélagie, répétait la voix de Marie, je vous en prie, calmez-vous.

Mais la plainte, rauque et sinistre, ne faisait que croître, pendant que Cécile sanglotait et que Grégoire lançait des clameurs de frayeur. Le professeur se tenait sur le seuil, adossé à la porte ouverte sur la nuit.

— Où est Adrien? lui demanda Abigaël.

— On l'a laissé couché à l'arrière de la fourgonnette, à côté de Patrick, répondit-il. On t'attendait, ça pourrait être fatal de le déplacer tant que tu ne l'as pas examiné.

— Mais je ne suis pas médecin, dit-elle, terrassée par sa propre impuissance. Il faut appeler un vrai médecin.

— Petite, tu es bien capable de déterminer si un homme va vivre ou mourir! Tu l'as bien fait pour un animal!

— C'est différent, je crains de me tromper. Professeur, j'ai peur. Mon Dieu, j'ai tellement peur! Et ce malheureux Patrick! Il avait dix-huit ans.

— Je sais. Béatrice est effondrée. Son frère a fait un bouclier de son corps pour la protéger et il a reçu deux balles dans la poitrine. Par chance, son père a pu lui parler et l'embrasser juste avant qu'il meure. Vas-y, je veux aider ta tante, au cas où Pélagie aurait une crise nerveuse.

Abigaël s'élança, la bouche sèche, un étau enserrant sa gorge. La fourgonnette était garée tout près du portail aux piliers de pierres qui séparait le jardin d'agrément de la grande cour. Appuyée au capot du véhicule, Marie de Martignac fumait une cigarette. Quant à Béatrice, elle était assise à l'arrière, sur le rebord de l'habitacle, entre les deux portières restées béantes. Elle pleurait convulsivement.

— Je suis vraiment désolée pour ton frère, murmura Abigaël en lui caressant les cheveux.

— Lui qui voulait tant se racheter, il a réussi, répliqua Béatrice dans un hoquet désespéré. Sans lui, je serais morte, ou bien j'aurais été arrêtée comme le docteur. Enfin, voilà, c'est la guerre, comme a dit papa. Occupe-toi d'Adrien. J'ignore si c'est très grave, mais il n'a pas repris connaissance.

Abigaël approuva d'un geste de la tête en se glissant près du blessé. Elle effleura sa poitrine, ayant perçu l'écho sifflant de sa respiration. Elle sentit tout de suite que le tissu était imprégné au côté droit d'un liquide moite, tiède et poisseux. Elle posa sa paume à l'emplacement du cœur, dont les battements étaient lents, mais réguliers.

— Il faut le conduire à l'hôpital, implora-t-elle. Béatrice, il a perdu beaucoup de sang. On ne peut pas le soigner ici.

— Et où veux-tu le soigner? Tu crois qu'on peut l'emmener en ville en expliquant qu'il a été atteint par des balles allemandes?

— Mais il risque de mourir, gémit-elle, horrifiée par la dureté du ton de Béatrice.

— Abi, sois raisonnable. Demande à Pérez et à mon père de fabriquer une sorte de civière. Fais-le installer dans une des chambres, celle du grenier, ce sera plus discret.

La silhouette de Marie de Martignac se profila au même moment à l'arrière du fourgon.

— Vous perdez du temps, à faire la causette, les filles, dit-elle d'une voix glaciale. Il faut transporter Adrien à l'intérieur de la maison et enlever le corps de Patrick. Le mieux serait de l'enterrer rapidement; le terrain ne manque pas. Moi, je m'en vais.

— Enterrer mon frère comme un chien? s'insurgea Béatrice. Jamais!

Yvon et le professeur accouraient, escortés par Jorge Pérez. Le réfugié espagnol se signa dès qu'il distingua le fils du fermier, étendu sur le dos.

— On va porter Patrick dans le salon, expliqua Jacques Hitier. Si madame Mousnier ne peut pas veiller son fils dès à présent, je crains qu'elle devienne folle. La situation est fort compliquée.

Obsédée par la léthargie inquiétante d'Adrien, Abigaël écoutait à peine. Elle aurait préféré l'entendre gémir de douleur, le voir ouvrir les yeux, même si elle devait y lire de l'égarement.

— Si Dubreuil a reconnu Patrick, ajouta alors Marie de Martignac d'un ton dur, la situation n'est pas compliquée, elle est catastrophique.

— Mais vous disiez que Dubreuil était sûrement mort, argua le fermier.

— Je l'ai vu tomber, oui. Hélas, il a pu survivre et donner des indications à la Gestapo. Dans ce cas, vous pouvez vous attendre cette nuit même à une visite lourde de conséquences. Je vous avais prévenue, Béatrice, c'était de la folie de venir ici, chez vos parents.

— Mais j'espérais qu'on sauverait mon frère et Adrien! Vous êtes sans pitié. Si le docteur nous livre tous sous la torture, ce sera pareil, nous serons tous perdus.

— Il ne livrera personne, assura Marie de Martignac. Il avait une capsule de cyanure sur lui. À l'heure qu'il est, il doit déjà être mort.

Abigaël se signa, bouleversée autant qu'effarée. Elle posa sa main sur le front d'Adrien tandis que des larmes ruisselaient le long de son nez. Elle ne songeait pas à les essuyer, insensible à ce flot tiède qui, peu à peu, détrempait le haut de son corsage.

«Des morts, toujours des morts, se disait-elle. Mon Dieu, vous qui avez donné la vie à toutes les créatures de la terre, pourquoi n'empêchez-vous pas les hommes de s'entre-tuer? Partout règnent la violence et la souffrance.»

Elle sanglota en silence, se souvenant soudain des cauchemars qu'elle avait faits pendant sa récente maladie. Des images atroces défilèrent à nouveau dans son esprit, des gens squelettiques parqués comme du bétail, vêtus de tissu rayé, des cadavres entassés, des enfants au teint brun et aux cheveux noirs sacrifiés, victimes de sévices épouvantables.

Un élan de révolte la poussa à sortir de la fourgonnette et à faire face à ceux qui discutaient encore âprement dans la cour.

— Et si nous nous comportions en êtres civilisés, dotés d'un cœur et d'une âme! s'écria-t-elle. Le danger menace? Soit! Nous verrons comment faire face le moment venu. Tante Pélagie a le droit de veiller son fils, de lui dire adieu. Quant à Adrien, il lui faut un médecin. J'en connais un, une femme diplômée qui viendra si je peux la contacter. Alors, je vous en prie, montez-le dans le grenier sans trop le bousculer. Ensuite, vous porterez Patrick jusqu'au salon. Je dois m'absenter.

— Où veux-tu aller? s'enquit Béatrice, médusée devant l'attitude autoritaire de la jeune fille.

— Je vais téléphoner à un docteur que je connais depuis la centrale électrique. Les soldats ne pourront pas me refuser un service. Je leur expliquerai que quelqu'un de la ferme s'est blessé.

Yvon se dressa de toute sa hauteur. Il empoigna l'épaule de sa nièce d'un geste brusque.

— Non, je ne te laisserai pas partir! tonna-t-il. Tu ne parles pas leur langue et Franz Müller n'est plus là, je te le rappelle. C'était le seul à comprendre le français.

— Oh! je n'ai pas oublié que ce malheureux jeune homme est mort, mon oncle. Faites-moi confiance, s'il vous plaît! Je sais ce que je fais.

— Vous n'êtes vraiment qu'une gamine sans cervelle! cracha Marie de Martignac, le visage crispé par le chagrin et la colère. Votre démarche est stupide! Autant ameuter les voisins et leur annoncer que le fils de la ferme était un maquisard!

Abigaël se dégagea de l'emprise de son oncle pour reculer en direction du chemin. Elle en avait assez de s'entendre appeler petite, d'être traitée de gamine ou de gosse.

— Je ferai ce que je dois faire, répliqua-t-elle. Vous m'en voulez, mademoiselle de Martignac, je le sens. Sans doute parce que je vous ai désobéi en ne sacrifiant pas une bête innocente ou pour je ne sais quoi. Je m'en moque! Je sauverai Adrien.

Elle s'éloigna, les laissant surpris et désemparés. Cependant, Béatrice la rattrapa.

— Je t'accompagne, cousine, ça paraîtra plus logique, deux filles ensemble, la nuit. Nous avons environ deux heures avant le couvre-feu. Qui est cette femme que tu veux appeler?

— Clara, la fille de Bertille Giraud. Je n'ai pas le cœur à te dire comment je l'ai rencontrée.

— Tu m'étonneras toujours, Abi, avoua Béatrice en lui prenant le bras et en se serrant contre elle. Je croyais que tu voudrais rester au chevet d'Adrien et essayer de le soigner avec l'aide de ta tante.

— Je veux lui offrir toutes les chances de vivre. Je ne fais pas de miracles, Béa. Peux-tu me raconter ce qui s'est passé, à Villebois?

— Rien ne s'est déroulé comme prévu. Sans nous avertir, Marie de Martignac avait requis la présence de deux types en renfort. Elle dirigeait les opérations. On était au courant, mais, une fois sur les lieux du rendez-vous, elle nous a annoncé un changement dans ses plans. Je ne veux pas l'accuser, mais tout a mal tourné, vraiment très mal. Tant que nous avons guetté les abords de la métairie où se cachaient les résistants limousins, l'endroit a paru tranquille. Mais, dès que nous sommes entrés afin d'organiser le transport du groupe, des voitures et un camion bâché sont arrivés, les Boches et la milice. Nous étions cernés, sauf Marie de Martignac, qui était garée sur une colline voisine, derrière une haie. Elle ne bougerait pas sans avoir notre signal.

Un long frisson parcourut le dos d'Abigaël. Elle tentait d'imaginer la campagne autour des bâtiments où étaient réfugiés les jeunes gens. Elle se représentait les soldats allemands, les miliciens à l'affût, tels des chasseurs sanguinaires guettant une proie.

— Je t'assure, Abi, je ne comprends pas comment je suis encore en vie. Un officier S.S. hurlait qu'il voulait des prisonniers et ce salaud de Dubreuil s'y opposait. Il insistait pour donner l'assaut. Nous étions tous bien armés, tant le maître des lieux que le docteur et les deux résistants venus en renfort.

— Et vous trois, Adrien, Patrick et toi?

— Oui, mais nous étions rongés par la peur, une peur qui te noue le ventre et te coupe le souffle. J'ai participé à des actions de ce genre sans éprouver cette sorte de terreur viscérale.

Béatrice se tut. Abigaël perçut les tremblements nerveux qui l'agitaient.

— Je t'en supplie, calme-toi, Béa, sinon tu ne pourras pas être naturelle une fois à la centrale électrique. Nous devons inspirer confiance aux Allemands.

— Ne t'inquiète pas. Là, je vide mon sac, ensuite, ça ira, même si je rêve de leur balancer des grenades, à ces fichus Boches. Ils ont tué Patrick.

— Ceux qui étaient à Villebois, Béa, pas les soldats qui gardent la centrale. Dépêche-toi, dis-moi comment ça s'est terminé.

— C'était l'enfer! Des rafales de balles pleuvaient sans cesse, on en entendait le bruit sur les murs et les volets. Le docteur a dit que nous étions faits comme des rats. Alors, le propriétaire de la ferme a parlé de sa cave, qui était immense, très profonde, et qui comportait une sortie derrière son chai. Il faudrait passer par un puits vertical. Mais on se demandait ce qu'on ferait, une fois dehors. Il nous a affirmé que nous trouverions une petite porte donnant sur un épais taillis d'osier, qui nous permettrait d'atteindre un bois de saules. Lui et le docteur se chargeraient de maintenir le feu sur ceux qui nous guettaient pour leur faire croire que nous étions coincés à l'intérieur.

— Et vous avez réussi à fuir? interrogea Abigaël, violemment émue par le récit.

— C'est là que tout devient confus dans ma tête. On part en escortant les deux fugitifs qu'on devait conduire en lieu sûr, on traverse la cave, on grimpe dans le puits et on ouvre la petite porte. L'air empestait la fumée des armes. Des cris résonnaient partout.

De la colline, Marie a compris que la situation empirait. Elle nous a vus ramper dans le taillis et elle a eu l'idée de nous récupérer sur une étroite route de terre proche du bois de saules. On a observé le fourgon qui descendait la piste et on s'est relevés pour courir. Adrien me tenait la main. J'avais l'impression d'être pétrifiée, tu sais, comme dans les mauvais rêves où l'on ne peut plus avancer alors qu'un danger nous menace. Des miliciens nous ont repérés et ils ont tiré. Là, Patrick nous a dit de rejoindre Marie, qu'il nous couvrait. Seigneur, toutes ces détonations, elles vibrent encore en moi! Et puis, mon frère a crié: «Je l'ai eu, j'ai eu Dubreuil!» Je me suis retournée, Adrien s'est mis à tirer, car des hommes de la milice cherchaient à nous atteindre. Une balle a sifflé à mon oreille, mais, deux secondes plus tard, Patrick s'est jeté devant moi. J'ai perçu les impacts dans son corps. Adrien l'a soutenu, enfin il l'a porté sur son dos. Comment nous sommes arrivés jusqu'au fourgon? Je l'ignore. Marie de Martignac s'est assurée que nous étions tous installés à l'arrière et elle a démarré. Je me souviens des mots qu'elle a prononcés d'une voix froide qui me glaçait: «Les S.S. ont pu entrer. Je les ai vus emmener Paul. Les autres sont sûrement morts.» Paul, c'était le docteur, son amant.

— Personne ne vous a poursuivis? demanda Abigaël, la gorge nouée.

— Au début, si, une voiture des Boches, mais ils ne connaissent pas la région. Marie les a semés en empruntant des raccourcis à travers bois. Elle a même franchi un ruisseau à toute allure. Nous étions secoués, c'était épouvantable. Patrick se plaignait, la tête sur mes genoux. Le côté droit de la poitrine d'Adrien saignait. Il était livide. Finalement, nous nous sommes retrouvés dans la planque de Ronsenac. J'ai refusé de déplacer mon frère et Adrien. Marie m'a apporté une trousse de pharmacie. Pendant de longues minutes, elle les a examinés sans desserrer les lèvres. Je n'oublierai jamais ce qu'elle m'a lancé, après ça: «Ils sont condamnés, ils ne passeront pas la nuit. Autant les laisser mourir en paix dans la cabane.» J'ai bataillé deux heures, Abi, avant de la convaincre de venir ici, chez mes parents.

Béatrice réprima un sanglot désespéré. Elle s'arrêta, obligeant ainsi sa cousine à faire halte également. Les lumières de la centrale électrique dissipaient l'obscurité. Leur clarté jetait des reflets sur les buissons de genévriers de la colline voisine et sur les toits du hameau endormi.

— Je ne lui en veux pas vraiment, à cette femme, avoua Béatrice. Elle a un courage extraordinaire, un sang-froid unique. En plus, elle savait ce qui attendait l'homme qu'elle aimait.

Attendrie par la bonté d'âme de son amie, Abigaël l'étreignit d'un geste doux.

— C'est la guerre, ma Béa, mais il faudra bien qu'elle finisse, cette maudite guerre! Certains y survivront, d'autres viennent d'en mourir, broyés par les rouages du destin. Ne pleure pas, il te reste Lucas, ton fiancé.

— Oui, Dieu merci! Toi, j'espère que tu garderas ton cher Adrien, qu'il t'épousera un jour. C'est quelqu'un de valeur, j'en ai eu la preuve aujourd'hui.

Abigaël ferma les yeux quelques secondes. Elle s'était élancée dans la nuit vers leurs ennemis dans le but de sauver Adrien. Elle ne pouvait plus hésiter ni céder à la panique. Son bonheur de femme et son avenir se jouaient maintenant.

— Viens, souffla-t-elle à Béatrice. Allons-y.

En les voyant approcher, la sentinelle hurla un ordre dans sa langue gutturale. Le fusil braqué, l'homme les toisa d'un regard clair, mais brillant de méfiance. Les deux jeunes filles répondirent par un sourire timide. La partie qu'elles devaient gagner commençait.

18

Les griffes de la mort

Centrale électrique, vallée de l'Anguienne,
même soir, même heure

Le soldat allemand hésitait à baisser son arme devant les jolis minois craintifs qu'il pouvait contempler sous la lumière des lampes du portail. Il jeta un coup d'œil derrière lui, comme s'il espérait de l'aide.

— Je vous en prie, nous avons besoin de téléphoner à un médecin, un docteur, répéta pour la deuxième fois Abigaël.

— *Ich bitte Sie, meine Mutter verletzt*[13], ajouta Béatrice d'une voix suppliante. Téléphoner, *Ich bitte Sie!*

Elles avaient décidé au dernier moment de ne pas citer le nom de Franz Müller, puisqu'il avait dû être considéré comme un traître par ses compatriotes.

— Nous venons de la ferme de monsieur Mousnier, mon oncle, expliqua Abigaël lentement.

L'écho de leurs voix légères, plus aiguës que des timbres masculins, attira dehors un autre soldat. Il était en chemise et il tenait des cartes à jouer entre ses doigts.

— *Was ist das?* demanda-t-il à la sentinelle.

Ils discutèrent un court moment en allemand, pendant que Béatrice leur distribuait des sourires

---

13. Je vous en prie, ma mère s'est blessée.

implorants. Les yeux encore marqués par les larmes qu'elle venait de verser, Abigaël affichait une mine plus tragique. Pâle et les yeux rougis, elle avait tout d'une charmante personne angoissée.

— D'accord, déclara le soldat en tenue débraillée. Entrez.

Il semblait connaître un minimum de français. Elles le suivirent jusqu'au seuil du baraquement, d'où s'élevaient des rires. Une salle commune assez exiguë abritait six autres soldats, attablés autour de verres de bière. L'atmosphère était très enfumée.

— Là, téléphone! dit leur guide en désignant un recoin où était suspendu un appareil en bakélite noire. Beaucoup bruit, ici, je pousse la porte un peu. Pas trop grave, maman blessée?

— Non, peut-être une fracture, fit Béatrice en agitant son bras gauche en guise de précision. Elle souffre, la pauvre!

Pendant ce temps, Abigaël était confrontée à un appareil dont elle ignorait le fonctionnement. En considérant le cadran, elle secoua la tête, désemparée. Soudain, elle décrocha, le cœur survolté. Une voix résonna à son oreille, mais on l'interrogeait en allemand, bien sûr.

— Monsieur, appela-t-elle, monsieur?

Le soldat en chemise revint, l'air surpris. Elle lui tendit l'écouteur. Il approuva avec un sourire navré.

— Je dois obtenir un numéro à Angoulême, un docteur.

— *Ja, ja*, marmonna-t-il.

Après avoir appuyé sur une touche métallique située sur le dessus du combiné, il composa un nouvel indicatif.

— Voilà, mademoiselle, articula-t-il. Demandez votre docteur, maintenant.

— Merci, monsieur, vous êtes si gentil! s'écria-t-elle en toute sincérité.

Il la laissa. Elle aperçut Béatrice qui acceptait une cigarette et l'allumait au briquet d'un grand blond hilare. Cette fois, une opératrice la questionna en français.

— Je voudrais la communication avec l'Hôtel du Coq d'or, madame, je vous prie, murmura-t-elle. Oui, à Angoulême.

Une inquiétude la saisit. Clara et son mari pouvaient être dans un restaurant de la ville. C'était encore l'heure de dîner, surtout pour des Parisiens. Elle ne pourrait pas faire une deuxième tentative. «Mon Dieu, ayez pitié, faites qu'ils soient là, à leur hôtel! formula-t-elle intérieurement. Pour que la vie triomphe du mal, pour sauver celui que j'aime!»

Au bout d'interminables minutes de grésillements et de déclics, on la mit en relation avec le réceptionniste de l'établissement.

— Pourrais-je parler à madame Prévost? demanda-t-elle tout bas. Le docteur Clara Prévost. C'est urgent, oui.

Le miracle eut lieu. Après un délai assez long, Abigaël perçut une voix de femme plutôt basse qui reflétait l'étonnement.

— Qui êtes-vous? disait-elle.

— Abigaël Mousnier! Je vous en supplie, il faut venir à la ferme de mon oncle, à la sortie du hameau du Lion de Saint-Marc. Nous poserons une lanterne sur la murette. Quelqu'un est blessé, oui, et je ne connais pas d'autre docteur.

— Quel genre de blessure? interrogea Clara d'un ton hésitant.

— Celle qu'une guérisseuse ne peut pas soigner, chuchota la jeune fille. Je vous en prie.

— Très bien, je viens.

Abigaël éprouva un immense soulagement. Elle raccrocha et s'empressa de rejoindre Béatrice, qui suivait d'un regard neutre la partie de cartes. Ravis de la présence d'une jeune fille dans leur environnement austère, les soldats rivalisaient de grands rires et de clins d'œil.

— Je vous remercie de tout mon cœur, affirma Abigaël en s'adressant à l'homme d'une trentaine d'années environ qui l'avait aidée à utiliser le téléphone.

— Oui, merci, renchérit Béatrice. Demain, je vous porterai un quartier de mouton. C'est bon, rôti. Vous voulez bien?

Le soldat qui parlait français traduisit à ses camarades. Il y eut un concert de *ja* enthousiaste et assourdissant. Elles sortirent bras dessus, bras dessous, escortées par la sentinelle qui avait assisté à la scène du seuil du baraquement. Elles le remercièrent lui aussi. Il formula quelques mots ponctués d'un sourire gêné.

— Qu'est-ce qu'il a dit? s'informa Abigaël dès qu'elles furent à prudente distance de la centrale.

— Que nous sommes très jolies, précisa sa cousine.

— Tu te débrouilles bien, en allemand!

— Je l'ai appris au lycée. Il me reste des notions, mais si peu!

— Sans toi, je n'aurais pas réussi. Tu as été formidable, Béa, de rire avec eux et de leur sourire, alors que tu as tant de chagrin.

— Ton docteur en jupon a accepté de venir?

— Oui, elle arrive.

— C'est le principal. Sais-tu, il faut savoir jouer la comédie, même dans la Résistance.

Elles se hâtèrent vers la ferme sans prendre la peine de discuter. Béatrice était triste et accablée, mais elle ne pleurait pas. Lorsqu'elles furent en vue du portail de la cour, elle annonça d'un ton dur:

— Je ne peux pas rester là. Je veux retrouver Lucas. Je m'en irai cette nuit par le souterrain. J'ai un contact sûr en ville. Il me conduira demain jusqu'à Chasseneuil. Je suis désolée, Abi, je dois t'abandonner en plein cauchemar.

— Tu as raison. Ne pense pas à moi. Si nous sommes perdus, autant que tu te sauves. Mais il y a les enfants…

— Le professeur n'a qu'à les emmener chez lui… au moins Cécile et le petit Vic.

— Et Grégoire? Et ta mère?

— Personne ne fera de mal à Grégoire. On voit tout de suite qu'il est simple d'esprit. Maman, je vais passer une heure avec elle, mais je ne pourrai pas la consoler, elle idolâtrait mon frère. Peut-être qu'on se ronge les sangs pour rien. Si Dubreuil a été tué sur le coup, il n'y a pas grand risque. Qu'ont vu les S.S.? Une fille, c'est-à-dire moi, un chapeau enfoncé jusqu'aux sourcils, Adrien portait une casquette, Patrick aussi. La Gestapo ne peut pas fouiller tous les villages autour de Villebois! Pourquoi viendraient-ils ici sans aucun renseignement précis?

— Que Dieu t'entende! soupira Abigaël.

— Toi et ton Dieu, ton Seigneur Jésus! s'impatienta Béatrice. Comment peux-tu y croire encore? Ah! oui, je me doute de tes raisons. Tu parles avec des âmes errantes. Évidemment, tu penses avoir des preuves d'un au-delà, d'une éternité.

— J'en ai la preuve, oui. Comme je suis certaine que le hasard n'existe pas, ou si peu.

Elle lui raconta brièvement sa rencontre fortuite avec Clara Giraud dans le domaine de Ponriant à l'abandon, ainsi que les soucis causés par Arthur Roy, un défunt en colère.

— D'une autre personne que toi, je n'en croirais rien, conclut sa cousine.

La vaste cour était déserte. La fourgonnette avait disparu. Marie de Martignac avait tenu parole, elle ne s'était pas attardée.

Elles se dirigèrent vers le jardin. Les contrevents de la maison, bien que fermés, laissaient filtrer un rai de clarté jaune. Un hurlement leur parvint lorsqu'elles s'approchèrent de la porte. C'était une plainte monocorde déchirante qui les glaça.

Abigaël se signa, sachant bien de quelle poitrine s'élevait ce lugubre chant de douleur.

— C'est maman, déplora Béatrice. Si ton docteur avait des calmants, il faudrait lui en donner.

Elles entrèrent sans bruit dans la cuisine, où Cécile pleurait à chaudes larmes, assise sur une chaise. Jorge Pérez lui caressait les cheveux.

— La petite nous a vus quand on a monté le jeune homme là-haut, expliqua-t-il. C'est son frère. Elle a eu peur à cause du sang.

— Courage, ma Cécile, s'empressa de lui dire Abigaël. Un médecin va venir, une dame. Elle soignera Adrien. Sois sage, je vais à son chevet.

Le professeur se tenait debout, une main sur le manteau de la cheminée. Il était livide et semblait moins âgé, ayant ôté ses lunettes rondes.

— Quel gâchis! marmonna-t-il. Béatrice, tu devrais aller auprès de ta pauvre mère.

— Où est papa? s'enquit-elle.

— Il veille Patrick, Marie aussi. Pélagie hurle à la mort depuis votre départ. Je l'entends se lamenter, la malheureuse!

Le dialogue avait retenu Abigaël sur le seuil de la pièce. Elle considéra la fillette qui sanglotait et le réfugié espagnol flanqué du petit Vic qui serrait de ses bras menus les jambes de son père.

— Suivez mon conseil, professeur, dit-elle. Emmenez Cécile chez vous, Vicente aussi. Monsieur Pérez, allez-y également. Vous aiderez à réconforter les enfants. Ils ont peur, ils sont anxieux.

— J'y pensais, admit Jacques Hitier d'une voix lasse. Nous ne servons à rien, ici.

Béatrice, le teint blafard, prit la direction du salon. Abigaël grimpa les deux étages quatre à quatre. Au fond du grenier, Yvon Mousnier avait aménagé une chambre de fortune aux cloisons constituées de planches. Il y faisait froid l'hiver malgré un poêle en fer qui fumait beaucoup, et très chaud l'été.

Lors de leur arrivée à la ferme, la jeune fille et sa tante avaient logé là, partageant un lit à barreaux étroit. Elles disposaient d'une armoire bancale en bois blanc et d'une table. Elles devaient s'éclairer à la bougie.

— Adrien, mon amour, balbutia Abigaël dès qu'elle l'aperçut.

Une joie fragile fit battre son cœur plus vite, car il avait les yeux ouverts et la regardait.

— Tu as repris connaissance, s'extasia-t-elle en posant une main fraîche sur son front brûlant.

Une grimace de souffrance le défigura. Il haletait, une écume rosâtre au coin de la bouche.

— C'était la morphine, j'avais eu une piqûre, dit-il tout bas. Marie de Martignac… elle m'en a injecté. C'était bon de sombrer.

— Béatrice ne me l'a pas précisé.

— Elle n'a pas dû voir, elle rassurait Patrick. Mon ange, je suis content. Tu es là, je peux mourir…

Il cligna les paupières. Il peinait à respirer et les pires craintes d'Abigaël se confirmaient. Il était blessé au poumon.

— Ne t'agite pas, recommanda-t-elle. Un médecin arrive.

— Je suis fichu, lâcha-t-il entre ses dents.

Hanté par la certitude de sa fin prochaine, il détourna la tête, les mâchoires crispées. Abigaël se pencha et l'embrassa sur la joue. Elle refusait de le perdre.

— Non, tu vivras, mon amour, aie confiance. Tu as résisté pendant des heures, c'est bon signe.

— J'ai envie de tenir ta main et de m'en aller, mon petit ange, ma chérie, ma bien-aimée!

— Chut, ne te fatigue pas à parler. Je descends chercher de l'eau, une cuvette et des linges propres. Tiens-toi tranquille, si tu m'aimes.

— Oh! ça, je t'aime, murmura-t-il. Quand j'ai été touché, je me suis dit: «Elle ne sera jamais ma femme.» Et je voyais ton visage, ton si beau visage!

— Je serai ta femme, ton épouse dévouée et amoureuse. Ne compte pas m'échapper, voulut-elle plaisanter.

Mais elle avait un sanglot dans la voix.

—

Encombrée de tout ce qui lui semblait nécessaire, Abigaël avait fait trois allers-retours entre la cuisine et le grenier. Chaque fois, elle vérifiait l'état d'Adrien en l'exhortant au calme. Il était fiévreux et ses propos se faisaient incohérents.

«Clara Prévost devrait être là, se disait-elle. Pourvu qu'elle n'ait pas eu d'ennuis en route, soit une panne, soit la rencontre d'une patrouille de soldats, en ville.»

Lors de son dernier passage au rez-de-chaussée, elle poussa la porte du salon, demeurée entrebâillée. Le tableau qui lui apparut était pathétique. Marie Monteil priait, son chapelet entre les doigts, assise à droite de la table sur laquelle le corps de Patrick reposait. Il était vêtu de son costume du dimanche, les cheveux bien coiffés et une expression paisible sur le visage.

Des bougies brûlaient, dispensant une douce luminosité. Pélagie ne criait plus. Assise de l'autre côté du jeune homme, elle lui tenait la main, le regard fixe. Un masque tragique figeait ses traits ingrats. Yvon priait lui aussi, debout aux pieds de son fils.

Abigaël se signa, bouleversée. Elle songea que, sa vie durant, elle se souviendrait de ce sinistre dimanche. Le matin, à Ponriant, elle guidait une âme passionnée vers la lumière. Toute la journée, elle avait enduré les tourments de l'angoisse et, le soir, la fête qu'elle espérait s'était faite cauchemar; la mort avait frappé, plutôt. Elle rôdait encore.

Le bruit d'un moteur la fit sursauter. «C'est sûrement Clara... Mais où est Béatrice? Elle ne serait pas partie sans m'embrasser!»

Elle eut vite la réponse. Sa cousine avait guetté l'arrivée de la voiture, postée près du muret où une lanterne brillait faiblement. Elle entrait à présent dans le vestibule en devançant Clara Prévost, qui prit aussitôt la parole.

— Je suis désolée, mais j'ai été contrôlée sur la place de la Bussatte. Par chance, j'ai pu montrer un *ausweis* en bonne et due forme. Le fait que je suis médecin a joué en ma faveur. Bonsoir, Abigaël! Qui est blessé?

— Tu ne lui as rien dit, Béa? interrogea la jeune fille.

— Non, je me suis contentée de montrer le chemin.

— Venez, il faut aller au grenier. Dieu soit loué, je vois que vous avez un sac. Vous disposez donc de matériel médical!

— Bien sûr! Je ne me déplace pas sans ma sacoche. Je l'ai ouverte devant ces messieurs les Allemands pour prouver mon sérieux. Allons-y, je ne voudrais pas m'attarder. Mais quelle idée d'installer un malade dans un grenier?

— Je vous dirai pourquoi.

Béatrice sembla hésiter. Elle retint Abigaël par le poignet et lui planta un léger baiser sur la joue.

— Je m'en vais, Abi, on se reverra. Le temps de dire au revoir à mes parents et je file.

— J'aurais aimé que tu dormes là cette nuit, Béa. Prends ma chambre. Tu partiras à l'aube.

Mais Béatrice rétorqua un non catégorique.

De nature vive, Clara s'engagea dans l'escalier. Abigaël n'eut pas le choix de sauter des marches pour la rattraper.

— Je vous remercie infiniment d'être venue, lui dit-elle. Autant vous avouer la vérité, c'est mon fiancé que vous allez soigner. Il a été blessé par balles.

— Un résistant? demanda la doctoresse en s'arrêtant un peu avant le premier palier. Je ne tiens pas à être mêlée à ce genre d'affaires.

— Vous n'allez pas renoncer, je vous en prie. Vous avez prêté serment, il me semble.

— Je vous l'accorde, mais… Ce n'est pas si simple. Tant pis, faisons vite.

Abigaël éprouva une bouffée d'angoisse devant l'air contrarié de Clara. Cependant, elles n'échangèrent plus un mot jusqu'à la chambre sous les combles. Adrien poussait une plainte sourde continue. Son front était constellé de sueur et son regard était voilé.

— J'ai découpé sa chemise pour nettoyer la peau autour de la plaie, précisa la jeune fille. Il y a là, à votre disposition, de la teinture d'iode et des bandages. J'ai même monté un flacon d'eau-de-vie et de l'eau bouillante.

Clara approuva d'un signe de tête. Elle se lava les mains au savon dans la cuvette où elle avait versé un peu d'eau d'un broc.

— Il faudrait m'éclairer le mieux possible, dit-elle en se préparant à examiner Adrien. Cet homme aurait été plus à l'aise dans une des chambres, où il y a l'électricité, je suppose. Si vous l'avez monté ici par mesure de prudence, laissez-moi vous dire que c'est ridicule et tout à fait vain. Si elle vous rendait visite, la Gestapo le trouverait aussitôt. De surcroît, vous y passeriez tous. Arrestations, torture, exécutions!

— Je suis au courant, admit Abigaël, ma famille aussi. Au rez-de-chaussée, il y a le corps de mon cousin, qui a succombé à ses blessures, lui. Madame, par pitié, sauvez mon fiancé!

En guise de réponse, Clara haussa les épaules et s'empara de son stéthoscope. Ses cheveux blonds brillaient sous la clarté des bougies. Adrien cria lorsqu'elle le souleva par les épaules avec l'assistance d'Abigaël.

— Le projectile est resté dans les chairs, constata le médecin d'une voix grave. Le poumon a été endommagé, il faudrait extraire la balle, ou les balles.

— Vous pouvez le faire?

— Puisque je suis là, je vais essayer.

Abigaël fut pénétrée d'un grand froid. Elle posa ses paumes bien à plat sur la poitrine d'Adrien en priant de toute son âme. Ses mains devinrent très chaudes, alors qu'elle tremblait, transie.

«Seigneur Jésus, préservez-le, ayez pitié de lui et de moi. Il est si jeune! Il ne peut pas mourir.»

Des ondes douces parcoururent son dos et ses bras. Elle perçut le long de ses veines la course des fluides mystérieux dont elle était dotée. En cet instant fatidique, elle aurait volontiers offert sa propre vie en échange de celle de son bien-aimé.

— Que faites-vous? demanda Clara. Il faudra me seconder. Vous ne devez pas flancher.

— Je suis guérisseuse.

— Comme Claire? Médium et guérisseuse, cela va de pair, dans ce cas?

— Peut-être, madame.

— Oh! appelez-moi Clara, je ne suis pas si âgée et nous allons passer des heures ensemble.

— D'accord.

Des questions tourmentaient Abigaël au sujet du mari de Clara, qui s'inquiéterait forcément si elle ne rentrait pas de la nuit. La jeune femme en elle-même était également une énigme. C'était la fille de Bertille Giraud, soit. Néanmoins, elle n'avait hérité ni du charme inné de sa mère ni de son caractère fantasque.

— J'ai un peu de morphine. Je lui fais une piqûre, sinon il pourrait se débattre. Hélas! s'il survit, il va souffrir le martyre, les jours qui viennent.

Yvon avait quitté le salon les nerfs ébranlés et le cœur lourd. Il pleurait son fils sans arrière-pensée, ayant repoussé de son esprit les méfaits du garçon et ses terribles erreurs. «Mon p'tit Patrick que j'ai vu dix minutes après sa naissance, un beau poupon rouge et dodu qui braillait comme dix bébés à la fois. J'en crevais de fierté, j'avais un fils, un héritier! Parce que la terre m'appartient, ainsi que la maison et les bâtiments. Pélagie n'en pouvait plus d'orgueil. On aurait dit une reine, assise dans le lit, son petiot déjà au sein.»

Des larmes coulaient lentement sur les joues burinées du fermier. Il s'assit au coin de la cheminée et tisonna les braises d'un geste machinal.

— Fichue guerre! gronda-t-il. Saleté de guerre!

Il réprima un juron et se frotta le visage, surpris de le sentir humide. Il ne s'était pas rendu compte qu'il pleurait.

«C'était un bon gars, mon Patrick, à part ce sang trop chaud qui l'a poussé à courir les filles dès ses quinze ans. Bah! ça lui venait du beau-père, un sacré trousseur de jupons. Au début, j'en ai rigolé. Je le traitais de jeune coq, notre fiston. Ensuite…»

Yvon se releva et alla chercher la bouteille de vin dans le placard d'angle. Il but au goulot comme il avait bu le soir de la naissance de Patrick.

— Il paraît que c'est lui, mon p'tit gars, qui a tiré sur Dubreuil, marmonna-t-il. J'espère qu'il l'a eu, ce saligaud, qu'on ne le verra plus fouiner dans la vallée. On le saura vite, si la milice débarque et que ces chiens galeux trouvent le corps.

Un épouvantable dilemme le faisait haleter et souffler. Marie de Martignac avait insisté en partant. Elle conseillait, pour ne pas dire qu'elle ordonnait, d'enterrer le jeune homme avant l'aube.

— Ouais, c'est son avis, à cette pimbêche! Enterrer mon fils au fond du jardin! Pourquoi pas dans le tas de fumier? Fichue guerre! Fichue bonne femme! Une aristocrate, pardi! Ça doit croire que, les paysans, ils n'ont pas droit à certains honneurs.

Une rage salvatrice montait en lui et balayait son chagrin de père. Il enfila sa veste, se coiffa de sa casquette et se rua dehors. D'un pas lourd, mais rapide, il entra dans la grange, détacha la jument et la fit sortir. Il referma soigneusement le portail en bois, puis il grimpa sur le dos de l'animal.

Fanou était habituée à être montée et elle se laissait diriger avec la corde du licol. Yvon lui bourra les flancs de coups de talon.

— Allez, en route, Fanou, on va trouver un curé. S'il n'est pas content d'être réveillé, on s'en moque, hein!

Pendant ce temps, Marie Monteil ne cessait de prier, saisie d'une profonde compassion pour Patrick, qu'elle avait tant méprisé les mois précédents. Elle éprouvait aussi une immense pitié pour Pélagie, changée en statue vivante par la plus cruelle douleur. Si elle avait mis un terme à sa poignante clameur de désespoir, elle se balançait d'avant en arrière en répétant sur une note plaintive:

— Mon fils, mon fils, mon beau petit gars!

Ce refrain lancinant finissait par obséder Marie en faisant comme un écho lamentable à ses prières. Elle retenait ses soupirs et jetait des regards désolés vers la malheureuse mère. Pélagie n'avait même pas conscience de sa présence. Elle demeurait hagarde, les traits décomposés, les yeux fixés sur le profil de son enfant. Elle était perdue dans une transe aveugle où plus rien n'existait, hormis ce jeune visage figé pour l'éternité sur lequel semblait flotter un vague sourire.

Marie avait entendu le moteur d'une voiture et des voix dans le vestibule, sans oser se manifester. Le fermier l'avait avertie qu'Abigaël était en quête d'un docteur, l'état d'Adrien étant alarmant. De toute évidence, elle avait réussi.

«Seigneur, sauvez ce garçon que ma petite chérie aime si fort! Mon Dieu, faites que la paix règne enfin sur le monde et l'amour!»

Malgré l'atroce tragédie qui les frappait tous, elle ne pouvait oublier les instants si agréables qu'elle avait passés en compagnie de Jacques Hitier. Elle aurait souhaité qu'il demeure à ses côtés, mais il était parti en emmenant Cécile et Vicente. Grégoire pleurait tant à l'idée de rester seul à la ferme que Jorge Pérez l'avait pris par la main. Il avait promis de bien s'occuper de l'innocent.

— Mon fils, mon fils! ânonna de nouveau Pélagie du bout des lèvres.

N'y tenant plus, Marie tenta de la tirer de sa contemplation morbide.

— Pélagie, j'imagine comme vous souffrez. Si vous me parliez de Patrick, ça vous apaiserait. Je suis sûre que c'était un petit garçon intrépide et turbulent, mais très affectueux. On voyait tout de suite qu'il vous chérissait.

Ses paroles dites gentiment firent taire la triste litanie de la fermière. Elle s'immobilisa et lâcha la main glacée de son fils. Enfin, ses yeux mornes se posèrent sur Marie.

— Sûr qu'il m'aimait, mon gars, gronda-t-elle. Je l'aimais aussi fort, très fort. On me l'a tué, ils me l'ont tué avec leurs histoires de Résistance. Dites, à quoi ça sert, de résister? Contre qui, contre quoi? Les Boches, y ont gagné, ils sont chez eux. Ça sert à rien de se battre encore.

— Je suis un peu de votre avis, Pélagie, concéda Marie. Mais que voulez-vous, les hommes ont soif de justice et de liberté. Votre mari comme votre fils, ils ont lutté pour nous libérer.

— Il est beau, le résultat! Mon Patrick est mort.

Pélagie ne songeait plus à reprendre ni son lancinant chant funèbre ni son balancement rythmé.

— Est-ce que Patrick travaillait bien, à l'école? s'enquit Marie, sans se rendre compte qu'elle devenait maladroite en insistant sur l'enfance du jeune homme.

— L'école? Pourquoi vous me causez de ça? demanda Pélagie, hébétée.

— Nous pouvons discuter et évoquer des souvenirs. Cela se fait, pendant une veillée funèbre.

— Mes souvenirs, je me les garde là, s'écria la fermière en se frappant la poitrine à la hauteur du cœur. Là, y sont qu'à moi, mes souvenirs.

Elle cognait sur son maigre torse de plus en plus fort. Soudain, elle arrêta pour se griffer les joues et se tirer les cheveux. Elle en arracha une poignée qu'elle observa, l'air égaré. Presque aussitôt, elle recommença les mêmes gestes, bouche bée.

— Seigneur, calmez-vous! implora Marie. Je vais chercher votre mari et de l'eau fraîche. Ne vous faites pas de mal, allons, il faut vous calmer!

Affolée, car ses invectives ne faisaient qu'empirer la crise de nerfs de Pélagie, elle se précipita dans la cuisine. La pièce était déserte.

— Yvon, où êtes-vous? appela-t-elle tout bas.

Elle inspecta le cellier, puis courut jusqu'au vestibule et ouvrit la porte donnant sur le jardin. Elle ne vit aucune silhouette masculine ni n'entendit aucun bruit du côté de la grange.

«Il a pu monter. Abigaël avait peut-être besoin d'aide», se dit-elle en gravissant l'escalier, effrayée par les cris rauques qui s'échappaient du salon. Elle débarqua dans la chambre du grenier, repérable dans l'obscurité aux rais lumineux que dessinait l'espacement entre les planches des cloisons.

— Tantine, s'étonna Abigaël dès qu'elle l'aperçut, qu'est-ce qui se passe?

Devant la mine terrifiée de sa nièce, Marie comprit. Elle devait avoir elle-même une expression de panique susceptible de faire croire à l'arrivée de la Gestapo ou de la milice.

— Je suis navrée de vous déranger. Il n'y a rien de grave, c'est la pauvre Pélagie. Elle perd l'esprit à force de chagrin. Je croyais trouver Yvon ici. J'ignore où il est… Bonsoir, madame.

Clara se trouvait debout près du lit où somnolait Adrien. Les mains et les avant-bras maculés de sang, elle rejeta ses cheveux blonds et raides en arrière.

— Bonsoir, répondit-elle.

— Ma tante, Marie Monteil, précisa Abigaël. Je n'ai pas eu le temps de vous expliquer la situation. Mon cousin Patrick a été blessé lui aussi, mais il est mort en fin de journée.

— Et nous le veillons dans le salon, ajouta Marie. Sa mère subit une forte crise nerveuse.

Clara approuva avec lassitude. Elle se rinça les mains et les bras avant de chercher quelque chose dans sa sacoche.

— Tenez, faites-lui avaler un de ces comprimés, dit-elle en tendant un tube métallique grisâtre. Si elle ne dort pas, elle sera moins agitée. Les douleurs morales sont les plus cruelles.

— Merci, docteur, murmura Marie. Comment va Adrien?

— Clara pense qu'il peut se rétablir, répondit Abigaël. Mais il doit rester alité et boire beaucoup.

— Il y avait deux balles que j'ai pu extraire, ajouta Clara. L'une d'elles a endommagé le poumon droit. C'est très délicat. Il serait mieux à l'hôpital. Hélas, ce n'est pas envisageable. Comme il est jeune et vigoureux, s'il reçoit de bons soins, je lui donne une chance sur trois de vivre.

Marie se signa, accablée par le pronostic. Mais Abigaël eut un sourire confiant. Elle était prête à se dévouer corps et âme pour celui qu'elle aimait, nuit et jour s'il le fallait. Tant qu'elle serait à son chevet, la mort n'oserait pas s'approcher.

— Je ne peux rien faire de plus, dit encore Clara en regardant sa montre-bracelet. Il est déjà minuit. Je vais rentrer à mon hôtel.

— Après le couvre-feu, ce serait imprudent, protesta Marie. Nous pouvons vous faire une place ici.

— Je vous remercie, madame, je préfère rejoindre mon mari.

— Bon, à votre guise!

Marie s'en retourna sur la pointe des pieds. Clara, qui ne s'était pas encore assise, attira une chaise près du lit. Elle s'y installa en soupirant et alluma une cigarette.

— Ne me téléphonez plus, à l'avenir, Abigaël. Ce serait inutile, je ne me déplacerais pas.

— Bien sûr, puisque vous repartez pour Paris.

— Même si je m'attardais à Angoulême, ne m'appelez plus. Je suis très sérieuse. Je vous dois la vérité, car vous avez sauvé ma mère et Claire. Mon mari était mécontent, ce soir. J'ai dû inventer une histoire d'ancienne amie de pensionnat qui était malade, et qui, me sachant de passage, m'avait demandée. J'ai cité le bourg de Soyaux sans indiquer d'adresse précise.

— Je suis désolée si je vous ai causé des ennuis. Vous m'aviez bien dit que je pouvais vous joindre à l'hôtel. De plus, mon vélo était dans votre coffre de voiture.

— Oui. Par bonheur, Charles n'a rien vu. Je vous l'ai rapporté. Il est dans la cour.

Elle écrasa son mégot dans le rebord du bougeoir, se leva, enfila son manteau et rangea ses instruments, qu'Abigaël avait lavés à l'eau chaude additionnée de teinture d'iode. Encore sous l'effet de la morphine, Adrien dormait.

— Je vous plains, soupira Clara. Votre fiancé va souffrir, sans le secours d'un produit anesthésiant. Donnez-lui un cachet de sédatif demain matin. L'important, c'est qu'il ne fasse aucun effort et qu'il ne s'agite pas. Je vous laisse de la quinine, il aura forcément de la fièvre.

Abigaël acquiesçait sagement à chaque phrase. Elle remonta drap et couverture sur la poitrine d'Adrien.

— Dors, mon amour, chuchota-t-elle. Je ne te quitterai pas.

Songeuse, Clara observait la petite pièce cloisonnée de bois. Elle remarqua sur le plancher un jouet en baudruche rouge représentant un chien. Elle le ramassa et supposa après un court silence:

— Il y a des enfants, dans la maison?

— Oui, un garçonnet de cinq ans, une fillette et le frère du défunt, un innocent de douze ans.

— Je suis enceinte, avoua Clara sans aucune joie. J'attends un enfant d'un homme que j'ai cru bon, généreux et plein de nobles sentiments. Abigaël, je sais que vous saurez enfouir mon secret au fond de votre cœur. J'ai découvert il y a un mois que mon mari, Charles, est un fervent collaborateur. Oh! il m'aime! Il me couvre de cadeaux. Rien de plus facile pour lui, puisqu'il est riche et en excellents termes avec les sommités nazies de Paris. Je suis tombée de haut, de très haut et, dans mon désespoir, j'ai appelé Arthur, bien qu'il soit mort. Je lui ai confié ma peine en silence, lèvres closes sur ma révolte. Pourtant, j'étais amoureuse de Charles, mais je n'ai rien deviné, je vous le jure. Si j'avais su, jamais je ne l'aurais épousé. Alors, ce bébé, il me fait horreur.

Abigaël saisit les mains de Clara qu'elle étreignit. Accablée par sa confession, elle protesta doucement.

— Je vous en supplie, ne prenez pas en horreur, comme vous dites, une minuscule créature innocente. Surtout, ne tentez pas de le sacrifier.

— J'en avais envie, et j'aurais pu le faire seule.

— Oh! non, non, Clara! Il y a tant de morts violentes d'un bout à l'autre de la planète, tant de gens disparus et torturés! Ne détruisez pas une vie en devenir.

La jeune femme secoua la tête, un éclat dur au fond des yeux.

— Ma grossesse n'a qu'un avantage, jusqu'à présent, je peux me refuser à Charles sous prétexte d'indispositions diverses. Il ne me touchera plus. S'il le faut, je me supprimerai. Je rejoindrai Arthur là-haut, dans la lumière.

Sur ces mots inquiétants, Clara empoigna sa sacoche et s'éloigna d'un pas rapide. Abigaël la suivit.

— Je vous raccompagne, dit-elle d'un ton protecteur.

Parvenues dans le vestibule, toutes deux tendirent l'oreille en direction du salon. Un profond silence semblait y régner. Sans réfléchir à son geste, Clara poussa la porte. Marie priait, la tête inclinée et les mains jointes, son doux visage doré par les flammes des bougies. Pélagie contemplait son fils, toujours hébétée.

— J'ai une idée, souffla Clara. Ce pauvre garçon aurait pu mourir de maladie, mais, si ses parents veulent l'inhumer, il leur faudra un permis, donc un médecin. Je vais en signer un où j'indiquerai comme cause du décès une méningite foudroyante. Je vous aurai au moins rendu ce service.

— Vous avez fait bien davantage, ce soir. Sans vous, Adrien était condamné. Je vous remercie de toute mon âme!

Cinq minutes plus tard, elles se tenaient face à face près de la voiture noire, dont les chromes luisaient dans la pénombre.

— Adieu, Abigaël, dit la jeune femme. J'espère que votre fiancé guérira et que vous serez heureuse.

— Clara, pourquoi endurer un tel calvaire? Vous allez peut-être me trouver naïve ou trop optimiste, mais, apparemment, vous disposez d'une petite fortune. Vous pouvez vous procurer des *ausweis*, et je suis certaine que vous allez et venez librement dans la capitale. Alors, enfuyez-vous, rejoignez votre maman et Claire en Angleterre. Là-bas, entourée de personnes aimantes et loyales, vous pourrez vous consoler et mettre au monde votre bébé. Vous pourrez aussi l'aimer, car il n'appartiendra qu'à vous seule.

Un quartier de lune irisa d'argent les traits altiers de Clara. Elle esquissa un faible sourire rêveur.

— Je n'y avais même pas pensé, admit-elle. Mon Dieu, comme ce serait merveilleux de me blottir dans les bras de maman et de Claire! Mais je suis incapable de réaliser ce genre d'exploit. Il me faudrait l'aide de personnes sûres.

— La sincérité de votre détresse, ajoutée à l'argent, devrait suffire. Un soir, le professeur Hitier, notre voisin et ami, racontait qu'on peut atteindre les côtes anglaises depuis des îles bretonnes.

— Oh! vous me bercez d'illusions! J'ignore de plus où habite maman. Je ne vais pas parcourir l'Angleterre en interrogeant chaque citoyen britannique, si je parviens sur ce continent!

Abigaël céda à une impulsion et attira Clara dans ses bras. Elle la serra contre elle comme pour lui insuffler du courage et de l'espoir.

— Une fois là-bas, j'ai la conviction qu'on vous renseignerait sur la meilleure façon de rencontrer des compatriotes français. Matthieu Roy, le frère de Claire, était dans l'avion qui venait les chercher, elle, votre maman et un aviateur blessé. Sauvez-vous, ma chère, je vous en prie. Mon oncle et le professeur prétendent souvent que, si nous gagnons la guerre, ceux qui se seront rangés du côté de l'ennemi le paieront très cher.

— Sans aucun doute. Et le traître que j'ai malencontreusement épousé sera en première ligne. C'est moi qui vous remercie, à présent, Abigaël. Vous m'avez rendu confiance. Au revoir!

Elles s'embrassèrent, très émues. Clara se mit au volant et démarra. Sur le chemin, les phares jaunes de la Traction Avant éblouirent un singulier trio. Yvon Mousnier rentrait au bercail, monté sur sa jument. Un curé était assis sur la croupe de l'animal.

—

Maison dans la falaise, le lendemain, lundi 10 avril 1944
Dès qu'elle vit entrer Abigaël chez le professeur Hitier, Cécile se jeta à son cou.

— J'ai été sage! J'ai bien dormi et j'ai joué avec Vicente! Dis, et mon frère, comment va-t-il?

— Je l'ai laissé un quart d'heure pour venir vous voir, ma mignonne. Adrien dormait. J'ai couru vous donner des nouvelles. Il a reçu les soins indispensables d'une gentille dame.

Jorge Pérez la salua d'un sourire réconfortant. Il préparait une cruche de chicorée. Attablé, Jacques Hitier coupait en tranches parcimonieuses un morceau de pain. Le petit Vic, comme tous le surnommaient, était niché dans l'unique fauteuil du logement, son pouce dans la bouche.

— Où est Grégoire? s'enquit Abigaël. Il ne vous a pas causé de souci?

— Ma foi, non! répondit le professeur. Il dort encore dans ma chambre. À la ferme, rien de grave?

Essoufflée, car elle avait vraiment couru tout le long du chemin, Abigaël eut une mimique perplexe.

— L'état d'Adrien paraît stable. Cette nuit, mon oncle a ramené le curé de Puymoyen. La présence d'un homme d'Église a beaucoup apaisé tante Pélagie. De plus, le docteur que j'ai fait venir n'était autre que Clara Giraud, la fille de Bertille. Je vous raconterai plus tard comment j'ai fait sa connaissance. Elle a eu la bonne et généreuse idée de délivrer un permis d'inhumer, ce qui a grandement soulagé mon pauvre petit oncle.

Le professeur trouva le courage de sourire en coin, amusé d'entendre le fermier désigné par un diminutif aussi doux. Yvon était bâti en colosse, large d'épaules et pas particulièrement délicat dans ses manières. Mais c'était pour la jeune fille une façon d'exprimer l'immense affection qu'elle lui vouait.

— Patrick sera enterré en fin de journée dans le cimetière de Dirac, ajouta-t-elle. Flavie, la sœur de Pélagie, a été prévenue par le curé, qui a fait le détour avant l'aube en empruntant le vélo. Professeur, pouvez-vous garder encore les enfants, si monsieur Pérez vous aide?

— Oui, ils ne me dérangent pas, loin de là. Nous avons prévu une promenade au pied des falaises, cet après-midi. Il faut continuer une vie normale. De toute façon, je pense que le danger est écarté. Si les S.S. ou les miliciens avaient identifié les blessés, vous auriez eu de la visite, déjà, et tu ne serais pas assise à côté de moi, petite.

— Dieu merci! Je n'ai pas fermé l'œil de la nuit. Je guettais le moindre bruit dans la vallée. Nous n'avions aucune chance de nous en tirer, n'est-ce pas? Je ne pouvais pas déplacer Adrien.

Saisie d'une terreur rétrospective, elle se signa et ferma les yeux un instant.

— Ça aurait été la fin de tout, en effet. Je n'ai guère dormi, moi non plus. J'étais malade d'anxiété en songeant à vous.

— Surtout à ma chère tantine, chuchota Abigaël, profitant de la courte absence du réfugié espagnol, sorti chercher du bois.

— Marie t'a parlé? demanda-t-il, gêné.

— Non, j'ai deviné. Il suffit de vous voir ensemble, tous les deux.

— Nous avons prévu nous marier, Abigaël, avoua-t-il sur le ton des confidences. N'en dis rien autour de toi, l'heure n'est pas aux histoires d'amour entre un septuagénaire et une jolie femme de vingt ans sa cadette.

— Vous marier? répéta-t-elle, abasourdie. Je n'aurais jamais imaginé tantine en épouse. Pardonnez-moi, je suis sotte. C'est promis, je garde ce secret parmi tant d'autres. Maintenant, je m'en vais, je dois retourner au chevet d'Adrien.

— Il me faudra du lait. J'enverrai Pérez en chercher vers midi.

— D'accord, professeur.

Elle salua et, après avoir distribué de doux baisers à Cécile et à Vicente, elle reprit la direction de la ferme.

«Tantine a consenti au mariage, songeait-elle en marchant d'un pas énergique. Est-elle amoureuse de monsieur Hitier, ou bien a-t-elle envie d'une existence sereine sous sa protection? Je sais qu'il possède cette maison et qu'il pourrait aussi habiter en ville, où sa sœur occupe seule une belle demeure bourgeoise.»

Malgré toute sa bonne volonté, Abigaël ressentait une pointe de déception et une vague tristesse, comme si la femme qui lui avait servi de mère depuis sa naissance s'apprêtait à l'abandonner sans regret. Elle se reprocha son attitude. «Je comptais bien épouser Adrien, moi, et le plus tôt possible! Tantine me répétait qu'elle ne me quitterait pas, même si j'étais mariée et mère de famille, mais, au fond, ça n'aurait pas été idéal, pour un jeune couple…»

Perdue dans ses pensées, elle traversa la cour de la ferme sans avoir tout de suite conscience du vacarme insolite qui s'élevait dans la grange. Les brebis bêlaient et les vaches meuglaient en tirant sur leurs chaînes, dont le tintement métallique renforçait le brouhaha. Dominant ce concert affolant, un hennissement strident retentit.

— Qu'est-ce qui se passe? se dit Abigaël.

Un instant, elle conçut une idée aberrante. Sauvageon avait eu la force de fuir la chambre et, affamé, il attaquait un des agneaux, la proie la plus faible. «Non, je suis folle!»

Elle se raisonna. D'une part, la haute porte double au dessin arrondi était bien fermée; d'autre part, le loup n'était pas suffisamment rétabli pour chasser.

— Peut-être qu'oncle Yvon n'a pas pu traire les vaches… conclut-elle à mi-voix. Non, il a rapporté les bidons de lait à six heures.

Intriguée, troublée aussi par l'oppression soudaine qui nouait sa gorge, Abigaël pénétra dans le vaste bâtiment en entrebâillant à peine un des battants.

— Du calme, Fanou! Oh là là! Blanchette, tu vas te faire mal à reculer comme ça au bout de ta chaîne.

Les bêlements s'amenuisèrent. Des museaux avides pointèrent entre les claies de la barrière qui séparait les moutons des autres bêtes.

— Ah! je comprends mieux, soliloqua-t-elle. On ne vous a pas donné de foin et personne n'est là pour vous emmener au pré.

Elle prit la fourche pour leur distribuer du fourrage, mais quelque chose heurta le sommet de sa tête. Vite, elle leva le nez et découvrit une paire de chaussures noires, les escarpins du dimanche de Pélagie. Son regard remonta sur les bas grossiers, la jupe, puis le torse menu que surplombait une face violacée, crispée dans un rictus de démence. Pourtant, les yeux brillaient encore, rivés sur les siens.

— Seigneur Dieu! hurla-t-elle. Au secours, au secours!

Elle appelait de toutes ses forces, au point d'en avoir mal à la gorge. En même temps, elle grimpait à l'échelle, car Pélagie s'était pendue au dernier barreau, quelques centimètres en contrebas du plancher à foin où s'entassaient des bottes de paille.

— Je n'ai pas de couteau! gémit-elle. Je ne peux pas couper la corde!

Ses appels résonnèrent de nouveau, tandis qu'elle descendait au niveau de la malheureuse pour la prendre à bras le corps et ainsi atténuer l'effet de la strangulation.

— Au secours! clama-t-elle encore. Mon oncle, tantine!

Une galopade à l'extérieur la stimula, elle souleva davantage Pélagie, dont les paupières s'étaient abaissées. Yvon entra, les bras écartés et le regard noir. Il avait conçu les drames les plus atroces: Abigaël était molestée par des miliciens ou emmenée par la Gestapo. En voyant sa femme pendue, il lâcha une bordée de jurons et se précipita.

— Descends, petite! hurla-t-il en sortant son couteau de poche.

Marie fit irruption à son tour. Elle dut soutenir Abigaël, dont les jambes fléchissaient sous le coup de l'émotion et de l'effort désespéré qu'elle avait fourni.

— Seigneur, si on avait pu se douter! dit-elle à sa nièce. Pélagie était montée s'habiller correctement pour accompagner Patrick au cimetière. Quand elle est descendue, elle m'a dit qu'elle allait prier près de son fils, dans le salon. Moi, je mettais à cuire des pommes de terre. J'allais du cellier à l'évier, mais je ne l'ai pas vue sortir de la maison. Yvon devait atteler la jument. Avant, il se rasait dans le cabinet de toilette du palier.

Pendant que Marie, livide et affligée, confiait tout cela à Abigaël, le fermier avait allongé son épouse sur le foin réservé aux moutons, dont les bêlements constants augmentaient le tragique de la scène.

— Allons, ma pauvre femme! Tu ne vas pas me laisser seul, allons! J'ai besoin de toi!

Il avait dénoué la corde autour du cou de Pélagie, toujours inanimée, et massait sa poitrine. Il finit par plaquer sa bouche contre la sienne pour lui insuffler de l'air.

— Petite, viens! appela-t-il d'une voix pitoyable. Viens, sauve-la! Sauve ma femme!

Marie poussa sa nièce en avant d'une pression de la paume au milieu de son dos. Abigaël reprit sa respiration, car elle avait l'impression de suffoquer elle aussi. Elle se mit à genoux près de Pélagie.

— Continuez à lui donner de l'air, mon oncle, ordonna-t-elle. Elle avait les yeux ouverts, quand je l'ai vue là-haut. Nous pouvons la ranimer si Dieu le veut et si tante Pélagie veut revenir.

— Et ta doctoresse, celle qui est venue cette nuit, tu ne peux pas lui téléphoner?

— Non. Déjà, les soldats de la centrale trouveraient bizarre que je revienne encore appeler un médecin. Ensuite, Clara Giraud m'a priée de ne plus la contacter.

Tout en discutant, Abigaël palpait délicatement le cou de Pélagie, strié de marques rouges. Elle effectuait du bout des doigts des mouvements légers qui paraissaient inutiles, mais qui la renseignaient, elle.

— Je sens le pouls, murmura-t-elle. Il est très faible. Massez-lui encore la poitrine. Appuyez un peu sur le plexus, là, mon oncle!

Dans un état second, le fermier obéissait. Il revoyait son fils figé dans l'immobilité de la mort et se persuadait qu'il faudrait enterrer Pélagie aussi. De grosses larmes ruisselaient sur ses joues tannées par le soleil.

— Ma femme, ma pauvre petite femme! Ne me laisse pas! supplia-t-il.

Marie sanglotait, appuyée à la porte. Le malheur s'acharnait sur la famille Mousnier, qui était devenue la sienne en dépit des querelles ou des incompréhensions mutuelles. C'en était trop, elle cédait à un chagrin épouvanté. «Dieu de bonté, Dieu de charité, Dieu tout-puissant, faites qu'elle vive! Épargnez Yvon, épargnez cette malheureuse mère!»

Sa prière fut-elle entendue? Abigaël se redressa brusquement en criant:

— Tantine, mon oncle, ça y est, elle respire! Son teint a repris une couleur presque normale!

— C'est grâce à toi, petite! s'exclama Yvon. Tu m'as remplacé, là, tout de suite, tu lui as soufflé dans la bouche, mais, l'air qui sort de toi, c'est le meilleur de tous. Merci, petite, merci! Viens dans mes bras! Tu es ma fille, désormais, ma fille comme Béa.

Le fermier ne pleurait plus. Il se pencha et souleva son épouse, un bras sous ses épaules, un autre sous le pli des genoux.

— Rentrons, déclara-t-il. J'irai seul enterrer Patrick.

19

Une mère dévastée

Sur la route de Dirac

Ballottée par les cahots qui secouaient la charrette, Abigaël se demandait encore pourquoi elle avait cédé aux injonctions de sa tante et du professeur Hitier. Le geste désespéré de Pélagie avait mis la maisonnée sens dessus dessous et l'organisation de la journée en avait été bouleversée.

Persuadés qu'ils ne risquaient plus d'être arrêtés pour complicité avec deux résistants, Yvon, Jacques Hitier et Jorge Pérez avaient longuement discuté. Marie veillerait sur Pélagie, alitée et encore inconsciente, mais en apparence hors de danger, et sur Adrien. Le réfugié espagnol s'occuperait des trois enfants, une tâche où, à la surprise générale, il faisait merveille.

Le professeur, en costume gris foncé, chemise blanche et cravate noire, accompagnerait le fermier à Dirac. Il avait tenu à la présence d'Abigaël à leurs côtés malgré ses réticences.

— Je ne veux pas m'éloigner d'Adrien, il a besoin de moi, avait-elle objecté. Il ne doit pas s'agiter et tantine ne pourra pas être à son chevet constamment, puisqu'elle devra aussi surveiller tante Pélagie.

— Nous n'en avons pas pour longtemps, avait plaidé son oncle. Le prof a raison, tu t'habilles bien et tu viens.

En fait, je compte sur toi pour consoler ma belle-sœur. Flavie va accuser le coup. Elle adorait Patrick. Il faudra aussi lui dire, pour Pélagie.

Comment refuser? Abigaël devait tant à son oncle! Il les avait hébergées et bien nourries, Marie et elle. À l'égard du loup, il avait fait montre d'une grande compréhension, il l'avait même sauvé en le ramenant à la ferme grièvement blessé. La jeune fille était montée dans la charrette, la gorge serrée, rongée par la contrariété et la peur de manquer à ses malades. Sous l'œil doré de Sauvageon, qui reprenait des forces et trottinait à présent dans la chambre, elle avait mis la robe en lainage bleu de Béatrice. Marie lui avait prêté un manteau noir appartenant à Pélagie.

— Mets un foulard noir sur tes cheveux, aussi, avait-elle conseillé. Ne t'inquiète pas, ma chérie, je ferai sans cesse l'aller-retour entre la chambre du premier et celle du grenier.

— N'hésite pas à leur donner à chacun un demi-comprimé de calmant. Fais boire Adrien ou humecte-lui les lèvres.

Nantie d'autres recommandations, Marie avait promis d'être vigilante. Au moment du départ, Abigaël s'était élancée au second étage pour déposer un baiser sur la bouche entrouverte de son amour. Adrien avait esquissé une ombre de sourire sous la caresse, légère comme une aile de papillon.

La charrette suivait un large chemin caillouteux. Perché sur le siège avant, Yvon conduisait Fanou. Le professeur Hitier était assis près de lui, Abigaël ayant proposé, afin de parfaire le sacrifice auquel elle avait consenti, d'être à l'arrière, sur le banc latéral. Soigneusement enveloppé d'un lourd drap de lin immaculé, le corps de Patrick reposait à ses pieds.

«Pauvre garçon, ta vie a été fauchée en quelques heures, se disait-elle. J'avais l'intention de t'aimer, car, pour moi, tu étais mon cousin, mais tu t'es empressé de me détromper. Nous n'avions aucun lien réel. Pourtant, maintenant, je considère Béatrice comme ma cousine par le cœur si ce n'est par le sang. Que Dieu et ses saints t'accueillent, Patrick! Tu t'étais repenti, tu as racheté tes fautes.»

C'était une prière très personnelle, énoncée dans le secret de son cœur. D'une main, elle se tenait au bat-flanc de la charrette; de l'autre, elle étreignait sa médaille de baptême.

— Tu n'es pas trop secouée, petite? s'enquit Yvon d'une voix rauque, où elle perçut la douleur qui l'accablait.

— Non, mon oncle. Je contemple le paysage. Je n'étais jamais allée par là.

Soucieux de faire diversion et d'alléger l'atmosphère tendue qui pesait sur eux trois, Jacques Hitier se lança dans une brève leçon de géographie et d'histoire. Yvon et Abigaël en furent soulagés. Ils n'osaient pas parler de banalités et encore moins du jeune défunt ou de Pélagie.

— Nous remontons le cours de l'Anguienne, notre petite rivière qui prend sa source à Dirac, là où nous allons. Je sais que ce n'est pas une balade agréable, que nous faisons, mais tu verras, Abigaël, une fois arrivé au village, on devine les ruines d'un donjon. Mon épouse, qui aimait bien peindre, en avait fait une aquarelle. Oh! jadis, c'était une forteresse avec des douves creusées dans le rocher et équipées d'un pont-levis, qui faisait partie des possessions d'une illustre famille angoumoisine, les Tison d'Argence.

— Des ruines! Il n'y a plus que ça, des ruines, lança amèrement le fermier. Ma vie en devient une, de ruine.

J'ai perdu un fils et j'ai failli perdre ma femme. Vous essayez de nous distraire, prof, c'est bien gentil, mais vous ne comprenez pas que je vois tout en noir.

— Quoi de plus évident, mon cher Yvon? Je te comprends. Bah! je tentais de donner le change, je ne vaux guère mieux que toi.

Abigaël était profondément triste, elle aussi. Cependant, un espoir ténu, pareil à une fragile flammèche, la réchauffait. Adrien était vivant, il ne pouvait que se rétablir, bien à l'abri sous le toit des Mousnier. Clara avait pu extraire les balles; pour sa part, grâce à ses dons de guérisseuse et par la magie invincible de l'amour, elle lui communiquerait sa vigueur.

— Vous êtes gentil, professeur, affirma-t-elle. C'est louable de votre part de faire appel à vos connaissances alors que nous sommes tous si malheureux. Quand je vous écoute, je ne pense plus à rien. C'est précieux. Est-ce qu'il existe d'autres châteaux près d'ici?

La voix un peu tremblante d'Abigaël démentait la nuance d'intérêt qu'elle avait tenu à mettre dans sa question. Hitier s'en aperçut, mais il joua le jeu.

— Le château de la Tranchade, qui n'est pas en ruine, lui. C'est un beau monument avec un chemin de ronde flanqué de créneaux. Oh! j'aurais voulu te racon-ter ce genre de choses dans d'autres circonstances. Et puis, à quoi bon? Les Allemands ont choisi Ortebise, qu'on nomme parfois Hurtebise, pour établir leur feldkommandantur. Quel dommage! C'était un édifice superbe, d'une rare élégance. L'Anguienne coule aussi à proximité, notre vive et limpide Anguienne, qui a vu déambuler sur ses rives les ermites des temps passés.

Abigaël évoqua le religieux en robe de bure, sa cruche grossièrement modelée sous le bras, qui lui était apparu deux fois aux abords de la fontaine. Elle se plut à lui attribuer le rôle d'ange gardien venu la protéger en survolant les siècles.

— Vous causez de l'Anguienne, prof, dit soudain Yvon. Ça me rappelle un bon souvenir. Un dimanche, j'ai attelé Cora, la mère de Fanou, et j'ai conduit Pélagie et les enfants du côté de Frégeneuil, sur l'île aux Vaches. C'est là que l'Anguienne se jette dans la Charente. Le coin est connu des pêcheurs. Nous avions de quoi casser la croûte, Pélagie portait une jolie robe rose. Béa gambadait, j'avais même peur qu'elle tombe à l'eau, mais notre Patrick se déplaçait encore à quatre pattes. Chaque fois que je sortais une ablette[14] de la rivière, il la prenait dans ses menottes. Il voulait à tout prix me prendre ma canne à pêche. Ah! ça, il était dégourdi!

Le fermier se tut pudiquement. Dans son timbre grave, Abigaël avait senti la vibration des larmes contenues. Elle n'osa plus poser de questions au professeur. Ils s'arrêtèrent enfin à l'entrée du bourg de Dirac, devant une maison d'un étage précédée d'un jardinet. Une femme en sortit immédiatement, vêtue de noir et le visage ravagé.

— Bonsoir, Flavie, lança Yvon.

— J'ai vécu des meilleurs soirs, beau-frère, rétorqua-t-elle, des sanglots dans la voix. Et Pélagie? Elle n'est pas là?

— Non, elle était très choquée… Ça se comprend, elle aimait tant son fils! Le docteur lui a fait prendre des calmants. Ça aurait été dur pour elle, je t'assure.

— Pauvre sœurette, ça vaut mieux, tu as raison. Et Béatrice, elle n'a pas le temps d'enterrer son frère? Le curé de Puymoyen m'a raconté qu'il s'est sacrifié pour elle.

---

14. Petit poisson argenté qui se mange en friture.

— C'était plus prudent qu'elle quitte la ferme rapidement. Elle lui a fait ses adieux hier soir. Elle l'a embrassé bien fort.

— Voilà où vous mène votre fichue Résistance, bougonna la belle-sœur. C'est du propre!

Âgée de cinquante-deux ans, Flavie était veuve depuis 1917. Propriétaire de son logement à la suite du décès de son mari, elle touchait une pension et ne manquait de rien grâce aux lapins qu'elle élevait et vendait, grâce aussi à son poulailler et à un potager. Sans enfant, elle avait souvent gardé son neveu. Plus récemment, il avait passé des semaines chez elle.

— Est-ce que c'est prêt? demanda Yvon.

— Le fossoyeur a creusé la tombe ce matin. Mais j'aurais pas accepté que Patrick soit enterré comme ça. Le menuisier a pu fabriquer un cercueil. Je le paierai. C'est du bois blanc mal poncé, mais tant pis!

— Je paierai, moi, protesta le fermier. Je te remercie, je n'en espérais pas autant.

Elle tira la porte derrière elle et donna un tour de clef. D'un mouvement souple, elle se hissa à l'arrière de la charrette.

— Je peux voir son visage? demanda-t-elle à Abigaël.

— Oui, bien sûr, madame.

Doucement, Flavie écarta le drap croisé sur la tête du mort. Sous la lumière tendre de cette fin d'après-midi, Patrick arborait une expression paisible et un teint d'ivoire.

— Qu'il est beau, hein! gémit-elle en sanglotant. Si c'est pas horrible, quand même, un gosse de dix-huit ans!

— Je suis désolée, madame, vous l'aimiez beaucoup. Il vous aimait aussi très fort.

— Toi, tu es la fille de Pierre, murmura la femme en scrutant les traits d'Abigaël. Un brave homme, ton père! Tu as sa forme de tête et son menton. Seigneur, quelle misère, tous ces morts!

Yvon remit la jument en route dans la direction du cimetière, situé à une centaine de mètres de l'église Saint-Martial. Abigaël vit se dresser le sanctuaire de style roman au clocher carré dont les pierres semblaient blondes, dorées par le soleil. Elle se signa et récita le *Notre Père* à mi-voix.

— Tu es très pieuse, paraît-il, dit Flavie. Patrick, il m'en a dit, des choses, sur toi. Des choses qui me faisaient froid dans le dos. Tu vois des revenants…

— Je les appelle des âmes en peine, des âmes errantes, rectifia-t-elle.

— Alors, mon neveu, tu vas peut-être le voir, hein? Parce que j'suis pas une imbécile, je sais qu'il a commis de grosses sottises. Tiens, en s'engageant dans la milice! A-t-on idée?

Oppressée, Abigaël ne répondit pas. Un attelage attendait près du portail du cimetière. Une mule grise efflanquée somnolait entre les brancards. De la plate-forme du char à bancs dépassait le fameux cercueil confectionné en toute hâte. Le curé de la paroisse discutait avec un vieillard coiffé d'un béret. Cette scène se grava dans la mémoire de la jeune fille, symbole de la fugacité de certaines existences.

«Hier matin, Patrick respirait. Il avait dû boire de la chicorée et du lait frais. Dieu soit loué, il m'avait demandé pardon et je lui ai pardonné. Je garderai son image de brave garçon pétri de remords quand il me regardait si gentiment au chevet de mon lit. Je dois oublier celui qui a tiré sur le prisonnier des miliciens, le mois dernier, coupable aussi d'avoir violé la compagne de cet homme.»

Une heure plus tard, Patrick Mousnier reposait sous un tertre de terre brune surmonté d'une croix en bois que le menuisier avait apportée. Le nom était gravé au couteau et bruni au brou de noix. Une stèle se dressait à la gauche de la tombe, un caveau à sa droite. Abigaël n'avait toujours pas parlé à Flavie de la tentative de suicide de sa sœur.

La paix qui régnait dans l'enceinte du cimetière la rendait rêveuse. Elle écoutait les trilles des mésanges et le sifflement des merles en contemplant de temps en temps les vestiges du donjon, qu'elle avait deviné parmi le fouillis des arbres, sur un promontoire rocheux.

Yvon s'approcha d'elle et entoura ses épaules d'un bras lourd, comme s'il devait s'appuyer sur sa nièce.

— Je pense une chose, petite, depuis que tu es en Charente, je ne t'ai pas proposé d'aller sur la tombe de tes parents, à Magnac-sur-Touvre. Pourtant, ça te ferait sûrement plaisir...

— Je serais contente, oui, mon oncle. Rien ne presse, nous irons un jour avec tantine.

Flavie se moucha bruyamment, le nez rouge tellement elle avait pleuré au moment où le professeur, le fermier et le menuisier s'étaient chargés de coucher respectueusement Patrick dans le cercueil. Ensuite, des coups de marteau avaient ébranlé l'air tiède et chaque clou enfoncé pour sceller le couvercle laissait un écho douloureux dans le cœur et l'âme des témoins.

Le curé, un pâle sexagénaire, avait vérifié le permis d'inhumer. Il l'avait redonné à Yvon, qui déclarerait le décès de son fils le lendemain à la mairie de Puymoyen.

Abigaël avait été infiniment soulagée lorsque le religieux s'était mis à prier, l'air recueilli. Elle se revoyait cueillant une fleur en bouton sur un rosier le long du mur, un bien modeste hommage au disparu.

— As-tu parlé à ma belle-sœur? chuchota le fermier à son oreille, tandis que Flavie serrait la main du menuisier et du curé à quelques mètres d'eux.

— Je n'en ai pas vraiment eu l'occasion, mon oncle. Elle a tant de peine, déjà!

— On ne peut pas lui cacher ça, surtout que Pélagie est capable de recommencer, si elle se remet.

— Mais elle va se remettre!

— Qu'est-ce qu'on en sait? Si elle devenait folle, ou gâteuse? Pendant la guerre, dans les tranchées, un gars a essayé de se pendre. Il n'en pouvait plus. Un lieutenant et un autre soldat l'ont ranimé, seulement, après ça, il est resté dans un état second. Il végétait. On l'a rapatrié dans un hôpital. Il paraît qu'il n'a pas repris toute sa tête et qu'il ne pouvait plus marcher.

— Seigneur, quelle horreur! s'effara Abigaël. Il faudra consulter un docteur.

— Lequel? L'ami de Marie de Martignac, il ne faut plus compter sur lui. Si c'est un inconnu qui vient à la ferme, je n'aurai pas confiance. N'oublie pas Adrien. Personne ne doit savoir qu'il est chez nous. On n'est jamais à l'abri d'une dénonciation.

Flavie les rejoignait, les traits tirés et les yeux cernés. Abigaël nota qu'elle avait un visage moins ingrat que Pélagie, ajouté à un corps souple bien en chair. Tout de suite, elle se reprocha une pensée aussi futile.

— Dis donc, Yvon, s'écria-t-elle, ça me dirait d'aller avec vous, ce soir! Je voudrais voir ma sœur et la consoler un peu, si on peut consoler une mère qui a perdu un enfant.

Le professeur s'était tenu à l'écart. Il se résigna à se mêler à la conversation. Au fond de lui s'éveillait un pénible sentiment de culpabilité dont il souffrait sans oser l'avouer. «J'ai bourré le crâne de Patrick de mes grandes théories sur la justice et sur la nécessité de résister à l'occupant. S'il était parti comme prévu pour l'abbaye Notre-Dame de Sablonceaux, il serait encore vivant. Oh! Marie, ma très chère amie, ma douce amie, si tu étais là, si tu posais ta main sur mon front, toi, tu m'apaiserais.»

Yvon fixait sa belle-sœur d'un œil soucieux. Il adressa un regard de détresse à Jacques Hitier, qui n'y prit pas garde.

— Bon, ça serait sans doute une bonne chose que tu viennes, répondit enfin le fermier. Mais voilà, on doit t'annoncer une mauvaise nouvelle. Pélagie, elle est malade.

Abigaël s'exhorta au courage, apitoyée devant l'embarras de son oncle, qui cherchait ses mots et se frottait la bouche du revers de la main, comme pour s'imposer le silence.

— Madame, votre sœur était si malheureuse, ce matin, qu'elle a voulu mettre fin à ses jours, expliqua-t-elle tout bas. C'est moi qui l'ai trouvée... pendue en haut de l'échelle. Mon oncle l'a vite secourue et elle a repris sa respiration.

— Grâce à toi, petite, oui, grâce à toi, affirma Yvon d'un ton fervent.

— Grâce à nous deux, protesta Abigaël... et peu importe!

Pétrifiée, Flavie perdit toute couleur. Elle ouvrit la bouche et leur décocha des œillades effrayées. Ses jambes la trahirent. Yvon la rattrapa au moment où elle allait s'effondrer sur le sol.

— Je suis navré, Flavie, balbutia-t-il. Allez, accroche-toi à mon bras, je vais t'aider à grimper dans la charrette et on va boire un verre de gnole chez toi. Allez!

Il la guidait, car elle paraissait frappée de cécité, mais c'était un nouveau flot de larmes qui l'aveuglait.

— Misère de nous! gémit-elle. Misère, ma pauvre sœur! Un peu plus, on l'enterrait avec son fils!

Abigaël sentit à sa taille une étreinte ferme. Jacques Hitier la soutenait à son tour.

— Tu es blanche à faire peur, petite. Tu ne tiendras pas, si tu ne dors pas la nuit prochaine. Je parie que tu n'as rien mangé à midi.

— C'est vrai, je n'ai pas pris le temps. Si vous saviez comme j'ai hâte de rentrer, confessa-t-elle d'une voix lasse. Je m'en veux d'avoir abandonné Adrien.

— Sois tranquille, il est entre bonnes mains, répliqua-t-il.

Elle approuva sans conviction, hantée par la vision du jeune homme, le torse bandé, seul sur le lit étroit du grenier. Il lui semblait être à des milliers de kilomètres de son amour et elle ne cessait de se dire qu'elle n'aurait jamais dû s'éloigner de lui. «Je serai son bouclier, son sang, son souffle, pensa-t-elle, réconfortée par la tendresse paternelle du professeur. Je le soignerai jusqu'à ce qu'il se relève et qu'il me serre contre lui. Mes baisers seront un élixir de vie, j'en fais serment.»

Ferme des Mousnier, même jour, le soir

À peine franchi le seuil de la maison, Abigaël monta en toute hâte l'escalier jusqu'au grenier. Marie l'avait accueillie en lui affirmant que tout allait bien, mais elle voulait s'en assurer par elle-même. Pendant le trajet du retour, elle s'était projetée à l'instant crucial où elle pourrait toucher Adrien, l'embrasser, sentir son souffle sur sa joue.

Aussi fut-elle contrariée de trouver Jorge Pérez au chevet du blessé. Elle le dissimula de son mieux. Le réfugié espagnol faisait preuve de dévouement, en étant là, un seau en zinc à la main, un carré de linge sous le bras.

— Ah! mademoiselle, vous êtes rentrée. Le garçon a beaucoup de fièvre, mais il a bu une infusion de tilleul que votre tante a préparée.

— Merci, monsieur Pérez. Je prends le relais, à présent.

L'homme recula en hésitant, l'air gêné, mais il quitta la petite pièce.

— Mon amour, je suis là! Je m'inquiétais tant pour toi! Tu me manquais. Je ne te quitte plus.

Elle lissa d'un doigt une mèche brune plaquée sur le front d'Adrien par la transpiration. Il lui dédia un regard surpris entre ses paupières mi-closes.

— Te voilà, murmura-t-il. J'ai mal, j'ai si mal!

Il détourna la tête. Abigaël avisa le flacon de quinine sur la table. Il y avait tout ce qu'il fallait à sa portée, une carafe d'eau, un verre et le bol de tisane à moitié plein.

— Surtout, ne t'agite pas, conseilla-t-elle. Adrien, est-ce que tu comprends ce que je dis? Tu as été gravement atteint au poumon, mais tu peux guérir.

— Où étais-tu? gémit-il d'une voix pâteuse.

— Nous avons enterré Patrick au cimetière de Dirac.

— Oui, on ne pouvait pas le laisser dans la fourgonnette. Et Béatrice non plus.

Abigaël soupira. L'incohérence de ses propos lui indiquait qu'Adrien délirait. Elle s'empressa de lui faire avaler le breuvage additionné de quinine. Un peu de liquide coula de la commissure de ses lèvres. Elle l'essuya précautionneusement à l'aide de son propre mouchoir, sur lequel apparut une tache rosée.

Son cœur se serra. Un long combat s'amorçait, où elle devrait lutter contre les dommages invisibles qu'avaient causés les balles.

— Courage, mon amour! chuchota-t-elle. Un jour, tu respireras à ton aise. Un jour, tu marcheras près de moi. Ce sera l'été et il n'y aura plus que nous deux au monde.

Il n'eut aucune réaction. Envahie par une peur atroce, elle se pencha sur lui, mais il somnolait, le souffle saccadé.

Abigaël en avait presque oublié Sauvageon et cela lui fit l'effet d'une faute impardonnable. Vite, elle descendit au premier étage et pénétra dans sa chambre. Le loup était couché sur sa couverture. Il se redressa sur ses pattes avant.

— Sauvageon, mon petit frère, toi aussi, je t'ai abandonné.

La pièce empestait l'urine et les excréments. Mieux nourri, gorgé de viande fraîche même, en reprenant des forces, l'animal avait retrouvé aussi la manifestation plus régulière de ses fonctions vitales. Elle ouvrit grand la fenêtre pour aérer.

— Je vais nettoyer. Ce n'est pas ta faute.

Cependant, elle éprouvait une terrible fatigue, n'ayant pas dormi la nuit précédente et n'ayant presque rien mangé. On frappa à sa porte.

— Entre, tantine, répondit-elle.

Jorge Pérez passa son visage hâlé par l'entrebâillement, l'air navré.

— Mademoiselle, il faut que je vous parle.

— Eh bien, je vous écoute, monsieur Pérez.

Il referma derrière lui tout en considérant d'un œil avisé les diverses souillures qui jonchaient le parquet.

— Je veux vous aider, mademoiselle, déclara-t-il. Sans vous, mon épouse n'aurait pas eu de sépulture décente. Vous m'avez conduit ici, avec mon petit Vic et, grâce à votre bonté, mon fils mange à sa faim et il s'amuse... Je vous dois tellement! Je me creuse la cervelle depuis des jours pour savoir comment vous rendre la pareille. Je sais, maintenant.

Son discours, assorti du mélodieux accent espagnol, comportait des temps d'arrêt, car l'homme cherchait ses mots.

— Vous n'avez pas besoin de me rendre la pareille, répliqua-t-elle. Mais peut-être pourriez-vous m'aider, parfois, oui...

Il la vit pâlir et frissonner. Ses traits s'éclairèrent d'un brave sourire.

— Vous ne pouvez pas continuer comme ça, dit-il. Ce soir, déjà, je nettoie la chambre. Je suis sûr que vous irez dormir là-haut, près de votre amoureux. Aussi, il vaudrait mieux installer votre bête dans le grenier. J'y ai réfléchi, cet après-midi. Avec quatre planches et un morceau de bâche, je peux fabriquer un bac à cendres. Il y a tout ce qu'il faut sous le hangar. Les cendres, ça ne manque pas, c'est moi qui vide la cheminée. Vous n'aurez qu'à lui montrer où se soulager, à votre loup. Il est malin, il apprendra vite.

— Oh! monsieur Pérez, c'est une merveilleuse idée.

— Il y a autre chose, mademoiselle. Tout à l'heure, j'ai pu causer avec le jeune homme blessé.

— Appelez-le Adrien, je vous prie.

— Bon, d'accord. Il n'avait pas trop de fièvre, je vous assure, il était lucide. Madame Marie était au chevet de la patronne et elle m'avait demandé d'aller le voir... Adrien, il souffrait, ça oui, mais il se tracassait surtout beaucoup à cause de vous.

— Pourquoi?

Intriguée par les paroles de Jorge Pérez, Abigaël sentit soudain une affectueuse bourrade contre sa cuisse. Le loup s'était levé et il manifestait sa présence d'un coup de tête. Elle le caressa, à la fois heureuse et inquiète.

— Il va mieux, hein, constata son interlocuteur en souriant.

— Oui. Continuez, monsieur Pérez, j'en ai mal au cœur.

— Voilà, votre amoureux, il s'est dit que vous alliez le soigner nuit et jour, mais ça lui fait honte. Les hommes, mademoiselle, ça n'est pas supérieur aux bêtes. Quand ils sont cloués dans un lit, ils ne peuvent pas, enfin... vous me comprenez? Adrien, il refuse que vous vous occupiez de ça.

Après un moment de confusion totale, Abigaël comprit de quoi il était question. Elle protesta:

— Mais ça m'est égal, je serai son infirmière. Je me moque de ces détails.

— Pas lui, mademoiselle. Mettez-vous un peu à sa place. Dites, si c'était vous la malade et qu'il veillait à vos besoins naturels, comme a dit votre tante Marie, ça vous plairait?

— Vous en avez parlé à tantine?

— Non, c'est elle qui y a pensé. Elle ne veut pas non plus que vous vidiez les seaux et que vous fassiez sa toilette intime.

Mortifiée, les joues rouges, Abigaël reconnut le vocabulaire de la prude Marie Monteil. Elle ne sut que répondre. Pérez ajouta:

— De la part d'un homme, ça le gêne moins, Adrien. Et, comme ça, je vous rends service. Vous aurez bien assez de travail à changer les pansements et à le faire manger.

— C'est entendu. Je n'avais même pas songé à cet aspect des soins. Pourtant, nous avons prévu nous marier. Entre époux, ce genre de choses ne devrait pas être un problème.

Le réfugié hocha la tête en souriant de nouveau. Il tapota gentiment l'épaule de la jeune fille.

— C'est vrai, mademoiselle. Moi, j'étais content de soigner Inès quand elle est tombée malade, mais on était mariés depuis dix ans. Vous êtes des fiancés, ou de futurs fiancés, Adrien et vous.

De plus en plus lasse, Abigaël approuva. Elle avait une envie insurmontable de dormir.

— Excusez-moi, monsieur Pérez, je vais m'allonger cinq minutes. Rien que cinq minutes.

Il faisait nuit noire lorsqu'Abigaël se réveilla. Par la fenêtre restée ouverte, elle vit le ciel d'un bleu profond piqueté d'étoiles. Une odeur de savon noir lui fut tout de suite perceptible, mêlée à une faible fragrance d'encaustique.

«Quelle heure est-il?» se demanda-t-elle, reposée, mais affamée.

En se redressant sur un coude du côté où le loup couchait, elle le devina sagement étendu sur le flanc. Une écuelle pleine de lait dessinait un cercle blanchâtre dans la pénombre.

Elle alluma sa lampe de chevet, inspecta la chambre et ses soupçons se confirmèrent. La pièce était impeccable. On avait même disposé une couverture sur elle, qui avait sombré dans le sommeil en quelques secondes, tout habillée et sans se glisser entre les draps.

— Cher monsieur Pérez… mais il a travaillé pendant que j'étais là, comme assommée d'épuisement.

Abigaël tendit l'oreille. Quelqu'un pleurait à l'étage. Une voix aux inflexions tendres faisait écho aux sanglots.

— Ce doit être madame Flavie qui veille sur tante Pélagie et qui essaie de la consoler, murmura-t-elle.

Elle surprit des pas le long du couloir. Marie entra sans frapper, encombrée d'un plateau.

— Ah! ma chérie, tu es réveillée! Je venais voir si tu dormais encore. Je t'ai monté de la soupe, une tranche de pâté et du pain. Ton oncle a insisté pour que je te propose aussi un verre de vin.

— Et Adrien, tantine? Je dois monter le voir.

— Il dort. La fièvre a baissé. Sur mes conseils, monsieur Pérez lui a fait prendre un demi-comprimé de calmant. Mange un peu.

Marie la fit asseoir et plaça le plateau sur ses genoux. Elle prit place au bord du lit.

— Je suis au courant, dit-elle. Tu comptes installer de quoi coucher là-haut, près de ton cher blessé. Je ne m'y oppose pas, eu égard à la situation. Nous verrons ça tout à l'heure. Ça a été une dure journée. Sans Jorge Pérez, je n'aurais pas pu m'en sortir. L'état de Pélagie m'alarmait. Elle demeurait absente, plongée dans une léthargie qui m'affolait. Dieu merci, sa sœur est venue. Elle va dormir à ses côtés. Yvon s'installe dans la chambre de Béatrice.

— Où sont les enfants?

— Au pays des rêves, s'esclaffa sa tante sans joie réelle. Jacques a seulement gardé Grégoire, qui fait preuve d'un calme rare dans la maison des falaises. J'héberge Cécile et Vicente.

Abigaël écoutait en satisfaisant son appétit. Le potage avalé, elle mordit dans le pain, dédaignant le pâté.

— Ne te vexe pas, tantine, je le donnerai à Sauvageon demain matin. Le foie de brebis et les abats de l'agneau l'ont sauvé.

— Dès qu'il ira mieux, qu'en ferons-nous? Il n'aime pas être attaché, mais on ne peut pas le laisser courir la campagne.

— Il restera près de moi. Je le promènerai en laisse.

— Oh! si c'était notre unique souci! déplora Marie. Yvon m'a confié ses craintes. Nous sommes lundi. L'opération qui a échoué date d'hier seulement. Si l'ami de Marie de Martignac, le docteur, avait parlé… Si le chef de la milice a survécu à ses blessures et qu'il se souvient d'avoir vu Patrick? J'en tremble sans cesse, ma chérie, j'imagine les S.S. débarquant ici et fouillant la maison, je nous vois paralysés sous la menace de leurs armes. Ils emmènent Adrien malgré la gravité de son état et nous partons tous en prison. Que deviendraient les enfants?

— Tantine, il ne faut pas penser à ça, je t'en supplie. Selon mademoiselle de Martignac, le docteur avait sur lui du cyanure. Il préférait se supprimer plutôt que de trahir les siens. Crois-moi, les Allemands et la milice seraient venus ce matin ou la nuit dernière, s'ils avaient eu le moindre renseignement. Aie foi en Dieu, allons!

— Je me confonds en prières du matin au soir pour éviter de nouvelles tragédies.

— Et tu seras exaucée. Autant songer à des choses douces et agréables, comme ton mariage. Le professeur y a fait allusion.

Stupéfaite, Marie s'empourpra aussitôt. Comme chez sa nièce, la moindre émotion se traduisait chez elle par un afflux de sang sur ses joues.

— Oh! Jacques n'a pas pu se taire. Il a des sentiments sincères pour moi, ma chérie, et c'est réciproque. Au début, je niais de toutes mes forces ce qu'il m'inspirait; peu à peu, j'ai cédé à une sorte de rêve. J'étais amoureuse, à mon âge. Au fond, cela m'a aidée à accepter ce que tu éprouves pour Adrien. Un soir, vous étiez dans les bras l'un de l'autre, devant la maison, et j'ai été jalouse, oui! Je ne suis pas fière de moi. Alors, je suis allée chez Jacques. Tu devines la suite, puisqu'il m'aimait. Cela dit, pour le mariage, nous avons décidé de patienter, de n'informer personne de nos projets à cause du décès de Patrick. C'est encore pire depuis le geste épouvantable de la pauvre Pélagie.

— Bien sûr, mais ne renoncez pas. Je suis heureuse pour toi, tantine.

— Vraiment? J'appréhendais ta réaction, car je t'ai toujours dit que je vivrais près de toi, même quand tu serais mariée. La logique voudrait que tu sois la première à convoler.

— Convoler! Ce mot me déplaît. Je préfère s'envoler, oui, s'envoler au bras de l'homme qu'on aime.

Attendrie, Marie caressa la joue de sa nièce. Dans la clarté dorée de la lampe, son visage resplendissait de joie, de pureté et d'une beauté fascinante.

— Ma jolie petite madone! chuchota-t-elle. Que deviendrions-nous sans toi?

— Seule la Vierge Marie est une madone, la plus belle, tantine. Je t'en supplie, ne m'appelle plus jamais ainsi, c'est un sacrilège.

Elles échangèrent un doux sourire complice.

—

Ferme des Mousnier, mercredi 12 avril 1944
Il était sept heures du matin. Charmée par les chants d'oiseaux qui lui parvenaient, Abigaël s'étira. Elle avait dormi pour la deuxième fois dans la chambre

du grenier, sur un matelas posé à même le plancher. Sauvageon poussa un bref grognement qu'elle jugea amical. Le loup s'était couché à côté d'elle.

— Oh! si tantine savait ça! murmura-t-elle. Moi, je suis ravie. En plus, tu es tout propre.

La veille, elle l'avait lavé sommairement en utilisant un chiffon imbibé d'eau chaude savonneuse. Elle l'avait ensuite séché et brossé. L'animal commençait à avoir meilleure allure. Sa plaie était refermée. Fidèle à sa parole, Jorge Pérez avait fabriqué son bac à cendres, de dimension pratique. Sauvageon s'était empressé de l'étrenner, selon les termes du réfugié.

— Votre bête, on dirait qu'elle comprend tout, avait-il dit, ébahi.

Distraite un instant par ce souvenir très récent, Abigaël se leva précipitamment.

— Adrien? appela-t-elle. Es-tu réveillé, mon amour?

Elle usait et abusait de ces deux mots, quand elle était seule avec lui. De le savoir là, à trois pas, l'émerveillait.

— Adrien?

En se penchant sur lui, elle constata, effarée, qu'il avait arraché une partie de ses pansements pendant la nuit. Les yeux mi-clos, il haletait. Un masque de souffrance le défigurait.

— Qu'est-ce que tu as, Adrien?

Elle posa une main sur son front, moite et chaud. Il se débattit avant de lancer une plainte sourde.

— J'ai mal! Ça me brûle à l'intérieur!

Il se redressa à demi et se mit à tousser. La quinte lui fit cracher un liquide sanguinolent.

— Mon Dieu, allonge-toi, par pitié, mon amour. Tu ne dois pas bouger.

Abigaël tremblait de tout son corps. La journée de mardi s'était écoulée paisiblement. «J'ai cru qu'il allait mieux. Déjà, il a somnolé des heures, se dit-elle, consternée. Il faudrait un médecin.»

D'un geste tendre, elle essuya son menton et le bas de sa joue. Il la saisit par le poignet.

— J'ai eu mal une partie de la nuit, balbutia-t-il.

— Il fallait crier, me réveiller!

— Non, je ne voulais pas. Tu n'as pas de la morphine? La femme blonde qui m'a soigné, elle a dû t'en laisser...

— Hélas, elle avait juste de quoi te faire une piqûre. Calme-toi, je vais en trouver, je te le promets, mon amour. Allons, sois sage, il faut changer les compresses. Pourquoi as-tu tiré dessus?

— Je ne sais plus, ça me brûlait, je te dis, ça brûle encore partout, autant la peau qu'à l'intérieur.

— Veux-tu prendre un cachet de sédatif? D'abord, je nettoie ta blessure; ensuite, je descends te préparer du café au lait et des tartines.

— J'aurais mieux fait de mourir comme Patrick, lança-t-il durement.

— Comment oses-tu dire ça? Et moi? Tu prétends m'aimer et tu ne peux pas te réjouir d'être encore vivant? Nous avons un avenir, Adrien, as-tu oublié?

Il darda sur elle un regard halluciné. Elle le fixa également. Il étouffa un sanglot, de rage et de douleur.

— Pardonne-moi, mon ange.

— Tu es tout pardonné. Je t'en prie, reste calme.

Elle s'affaira à son chevet en silence, minutieuse et efficace. Il fallait lui enlever la chemise propre que Jorge Pérez et elle lui avaient mise après le dîner. L'aspect de la chair, rouge et suintante autour de la plaie la tourmentait. Elle appliqua délicatement de la teinture d'iode diluée en regrettant de ne plus avoir de baume de consoude. Elle l'avait utilisé pour Sauvageon.

— Ne crains rien, mon amour, dit-elle. Je vais tenter de te soulager en posant mes paumes là où tu souffres.

Il fit oui de la tête, le souffle court. Abigaël eut l'impression d'approcher d'un feu. Ses doigts frôlèrent la peau et y prirent un appui à peine perceptible. Elle pria à mi-voix de longues minutes, attentive néanmoins aux ondes qui couraient de sa peau à celle d'Adrien. Bientôt, elle grelottait, saisie d'un froid à peine supportable.

— Oh! ça me soulage, admit-il d'une voix enfantine. Continue, ça me fait du bien.

Les bras engourdis, comme en transe, Abigaël fut soudain secouée d'un frisson plus violent que les précédents. Un cri lui échappa, car, après qu'elle se fut sentie glacée, une chaleur extrême irradia chaque parcelle de son corps.

Vite, elle recula en portant les mains à son visage. Intrigué, le loup s'approcha d'elle et lui donna un coup de tête.

— Oui, Sauvageon, j'ai crié, mais je n'ai pas mal.

Elle s'éloigna néanmoins du lit. La sueur trempait son dos et son cou. Elle se serait volontiers jetée dans une rivière pour éteindre la sensation de feu intérieur qu'elle éprouvait.

— Qu'est-ce que tu as? demanda Adrien. Reviens près de moi, par pitié.

— Un instant…

L'étrange phénomène s'atténuait. Elle patienta encore et but trois verres d'eau d'affilée.

— J'ai eu un malaise, mentit-elle. Vite, les pansements! Tu dois être affamé.

Elle banda son épaule, réconfortée de le toucher, d'effleurer son torse et son bras.

— Si tu n'as pas trop froid, on remettra ta chemise un peu plus tard, quand tu auras déjeuné. Repose-toi, je reviens.

Elle l'embrassa délicatement sur la bouche. Le loup voulut la suivre lorsqu'elle s'engagea dans l'escalier, mais elle referma la porte.

— Sage, Sauvageon, couché! Je ne peux pas t'emmener.

Dès le palier du premier étage, elle entendit des vociférations rauques, de véritables clameurs de démence. Elle identifia sans peine la voix de Pélagie. Elle dévala les marches. Une scène digne d'un cauchemar se déroulait dans la cuisine, où étaient réunis Yvon, Jorge, Marie, Flavie et la fermière. Quant à Jacques, il assistait au sinistre spectacle depuis une des fenêtres grandes ouvertes, car il venait d'arriver et il avait préféré rester dehors. Terrifié, Grégoire se blottissait contre lui.

— J'm'en vais, j'reviendrai jamais! hurlait la fermière, le menton en avant, la bouche tordue par la fureur, les yeux exorbités. J'resterai pas une minute de plus ici, parce que vous êtes des assassins, tous, sauf les gosses.

Elle pointa son index sur le professeur, muet de stupeur.

— C'est surtout votre faute à vous, môssieur le gros savant, ouais, c'est vous qui avez tué mon gars en lui bourrant le crâne de vos salades. Ah! elle est belle, la Résistance! On se planque, mais on envoie la jeunesse se faire trouer la peau.

Flavie levait et baissait les bras au rythme des cris de sa sœur, à la manière d'un chef d'orchestre affolé. Réfugiée près de la cheminée, Marie tenait Cécile sur sa poitrine en lui bouchant les oreilles. Indigné,

Pérez gardait son fils accroché à son cou; il cherchait comment quitter la pièce, mais n'osait passer devant Pélagie Mousnier, ivre de haine et de chagrin.

— Toi aussi, c'est ta faute, Yvon, et j'le jure, jamais plus j'te regarderai en face, jamais. J'coucherai plus dans ton lit, tu n'es plus mon mari. Fallait me laisser crever. Pourquoi tu m'as pas laissée crever?

Elle se rua sur lui et se mit à le frapper au hasard. Il ne se défendait pas, se contentant de la raisonner:

— Tu accuses tout le monde, ma pauvre femme. Personne n'est responsable, en temps de guerre.

— La guerre, la guerre, ça vous plaît, en vrai, hein? Vous jouez aux héros, des héros de rien du tout qui causent en buvant du vin, qui nous disent rien parce qu'on est trop bêtes, nous, les mères, les femmes, les fiancées… Et ma fille! Où elle est, ma fille? C'est comme si j'en avais plus, de gamine, elle a même pas pu veiller son frère à cause de votre fichue Résistance.

— Ne dis pas de sottises. Quand donc tu nous as vus jouer à quelque chose, Pélagie? rétorqua Yvon.

— Tout le temps, môssieur le professeur et toi, à bavarder des heures, à dire des messes basses pendant que je faisais la vaisselle. Qui c'est qui a pris des coups de pied dans le ventre, quand la milice a déboulé ici? Toi, non! Le prof, non! C'est Pélagie! Ils m'ont jetée par terre, ils m'ont arraché les cheveux et quoi encore…

— Allons, tais-toi, tu effraies les petits, intervint Flavie. Que tu veuilles t'en aller, je le comprends, mais on ferait mieux de partir tout de suite, à ce compte. Ta valise est bouclée. Je conduirai la charrette et mon voisin la ramènera ce soir. Viens donc!

Pélagie reprit son souffle. Échevelée, des plaques violacées sur les pommettes, elle aurait pu incarner une sorcière des anciens contes, toute vêtue de noir et les dents dévoilées par un rictus de colère.

— Ben oui, qu'on s'en va, Flavie. Faut me prendre chez toi. Tous les jours, j'irai sur la tombe de mon p'tit gars.

— Mais oui, on ira ensemble, affirma sa sœur.

— Et j'reviendrai jamais. Faudra pas chercher à me récupérer, Yvon, ça, n'y compte pas.

Le fermier eut un geste d'impuissance. Son regard brun balaya le décor où il avait vécu une vingtaine d'années en compagnie de son épouse.

— Alors, tu me quittes, Pélagie? répondit-il d'une voix triste. Tu crois que Patrick est mort à cause de moi et de nous tous, y compris Béatrice? Tu me reproches de t'avoir sauvée, mais je ne pouvais pas te perdre. Je t'aime. Tu es ma femme.

Hébétée, elle le considéra avec une sorte de répulsion. Enfin, ses yeux étroits se posèrent sur Marie, puis sur Abigaël.

— Elles te consoleront, cracha-t-elle en étouffant un sanglot. La sœur de ta chère Pascaline et la fille de ton Pierrot, depuis qu'elles sont là, je compte plus.

Le dos voûté, cramponnée au bras de Flavie, Pélagie se dirigea à pas lents vers la porte du vestibule. Yvon la suivit des yeux. Il était blême et rigide; il serrait les poings. Abigaël se pencha à une des fenêtres. Le professeur Hitier s'était écarté du passage des deux sœurs sans avoir lâché la main de Grégoire. L'innocent pleurait.

— Maman, maman, répétait-il. Ma maman.

Pélagie ne daigna pas se retourner.

Pendant d'interminables minutes, personne n'osa parler. Le silence en devenait oppressant. Il fallut le bruit des sabots de Fanou sur les pierres du chemin et le hennissement de son poulain qui l'appelait pour briser le sinistre enchantement qui pesait sur tous. Marie commenta le drame la première.

— Ne soyez pas inquiet, Yvon, votre épouse a subi un choc trop rude et elle ne sait plus où elle en est. Je suis certaine qu'elle vous reviendra, contrairement à ce qu'elle prétend.

Le fermier haussa les épaules. Il s'attabla et, malgré l'heure matinale, se servit du vin, ayant pris la bouteille sur le bahut au passage.

— Venez, nous allons ramasser des radis, disait Jorge Pérez aux enfants. N'ayez plus peur, la patronne criait fort parce qu'elle est malade, la pauvre dame. Sa sœur va s'occuper d'elle.

Cécile échappa à l'étreinte de Marie et prit la main du petit Vicente. Jacques Hitier se décida à entrer.

— Je ne vous dirai pas bonjour, ironisa-t-il, étant donné les circonstances.

Pourtant, il salua Marie d'un sourire discret. Parvenu près d'Yvon, il lui tapa affectueusement le dos.

— La douleur a rendu ton épouse à moitié folle, mon ami. Elle retrouvera ses esprits peu à peu. Sa sœur a l'air d'une personne raisonnable.

Il n'obtint aucune réponse. Quoique secouée par l'incident, Abigaël préparait le déjeuner d'Adrien. Elle sursauta quand la voix de son oncle s'éleva enfin, grave, basse et enrouée.

— Si Pélagie disait vrai? Oui, nous sommes en guerre, écrasés par nos ennemis, rationnés, humiliés. Mais est-ce qu'on n'aurait pas dû se tenir à carreau, hein? Plier l'échine, se soucier uniquement de nourrir nos enfants? Patrick est mort et Béatrice risque sa vie chaque jour. Là-haut, il y a un garçon de vingt ans, le poumon esquinté.

Le professeur devint encore plus pâle. Les propos d'Yvon ravivaient le sentiment de culpabilité qui le hantait depuis la veille.

— Dans ce cas, c'est ma faute, ma très grande faute, tonna-t-il. Je t'ai poussé à la lutte clandestine, mon pauvre ami, toi, mais aussi ta fille et ton fils. J'ai été le ferment de tout ce gâchis, avec mes idées de justice et de liberté, avec mon patriotisme. Je t'en demande pardon, Yvon, mille fois pardon. Sais-tu, on arrête! On dépose les armes! Terminée, la Résistance... Sur ce, je rentre chez moi, j'en ai assez vu et entendu pour aujourd'hui.

Bouleversée, Marie eut un élan vers lui, mais Jacques Hitier fit non de la tête. Il se libéra péniblement de Grégoire, accroché des deux bras à sa taille, et l'installa à table en face de son père.

— Au revoir, marmonna-t-il en ajustant son chapeau de feutre brun sur sa chevelure neigeuse.

Toujours muet, Yvon vida un second verre de vin. Lorsque Marie fut sûre que le professeur était à bonne distance, elle s'écria:

— Pourquoi le traiter ainsi? Pourquoi ne l'avez-vous pas retenu? Il s'accuse de ce désastre, mais il a tort. Souvenez-vous, Yvon, j'étais furieuse, moi aussi, en découvrant que ma nièce s'était engagée dans vos combats de l'ombre. Cependant, j'y vois clair à présent. On ne peut pas plier l'échine, comme vous dites, on ne doit pas laisser s'instaurer le règne de la barbarie.

— J'ai perdu un fils, ma femme et un ami. Je n'ai pas envie de causer, bougonna le fermier. Pour moi, c'est fini. J'ai ma terre à ensemencer. Plus tard, je récolterai le fruit de mon travail. Quant à vous, Marie, vous voilà bien véhémente! Je vous ai connue plus tiède, il me semble!

— Je vous l'ai dit, j'ai réfléchi. De plus, Jacques ne mérite pas vos reproches!

Il se leva pesamment et tendit la main à Grégoire, sans répliquer.

— Viens avec moi, fiston! Je n'ai plus que toi. Si ça te dit, on va sortir les moutons et les emmener dans le pré en face de la fontaine. Veux-tu?

Les traits de l'innocent s'illuminèrent d'un timide sourire. Il renversa sa chaise pour rejoindre plus vite son père, dont il étreignit les doigts. Une fois seules dans la cuisine, Marie et Abigaël eurent le même regard navré.

— Je suis triste de voir mon oncle si malheureux, dit la jeune fille, mais, au moins, il a fait plaisir à Grégoire. Tantine, ne m'en veux pas, je remonte vite auprès d'Adrien. Il souffre. Je vais lui faire prendre un calmant.

— Va, fais ce que tu dois faire, rétorqua Marie en ôtant son tablier. Moi, je voudrais rattraper Jacques. Il semblait tellement accablé! Je dois le réconforter.

— Tu as raison.

Elles se séparèrent dans le vestibule, toutes deux pressées de rejoindre l'homme qu'elles aimaient, le cœur débordant de la même compassion et de la même ferveur, ces sentiments qui, depuis la nuit des temps, conféraient aux femmes le don de consoler, de panser les plaies du corps et de l'âme.

20

Secrets de femme

Ferme des Mousnier, même jour

De retour dans la chambre du grenier, Abigaël s'efforçait de faire boire quelques gorgées de café au lait à Adrien en lui relevant la tête.

— Maintenant, une tartine, dit-elle.

— Non, je n'ai pas faim, marmonna-t-il. Tu m'enverras Pérez, quand tu descendras.

— Oui, ne t'inquiète pas.

Elle s'aperçut alors qu'elle avait oublié le tube de calmants et s'adressa des reproches. Le départ de Pélagie, ponctué de hurlements, de fureur et de douleur, était sans nul doute en cause.

— Je suis désolée, mon amour, je reviens vite, je n'ai pas monté les sédatifs.

Il ferma les yeux, les lèvres pincées, les narines dilatées. Elle devina qu'il endurait la douleur vaillamment pour ne pas l'apitoyer ni l'affoler. Le cœur serré, elle se rua vers l'escalier, sans penser à fermer la porte derrière elle.

Mais une fois au rez-de-chaussée, ses recherches furent vaines. Elle fouilla le salon, les placards de la cuisine et les tiroirs du bahut sans trouver les médicaments.

— Où sont-ils? Et tantine n'est pas là. Elle a dû les ranger.

Elle s'apprêtait à monter visiter la chambre de Marie lorsque le réfugié espagnol entra, précédé de Cécile et de Vicente. Les enfants lui présentèrent un panier en écorce de châtaignier garni d'une grosse botte de radis.

— Ils sont magnifiques, dit-elle. Il faudra garder les feuilles, tantine en fera une bonne soupe. Ah! monsieur Pérez, je cherche un tube métallique qui contient les comprimés calmants.

— J'ai vu la sœur de la patronne les mettre dans son sac à main, mademoiselle. Elle les a pris sur le buffet, là.

— Oh non! C'est une catastrophe. J'aurais dû en prendre la moitié. Adrien souffre beaucoup, ce matin. Il est agité. Au fait, il vous réclame.

— J'y vais, soyez tranquille. Si vous faisiez respirer un peu d'éther à votre fiancé? Il y en a un flacon sur l'étagère du cabinet de toilette, au premier. Il faut en verser sur une compresse, ça le soulagera.

— De l'éther? Pourquoi pas? C'est une bonne idée. Merci, monsieur Pérez[15].

— Si vous voulez, je lui en fais prendre.

— Oui, je vais rester avec les enfants et boire du lait chaud.

Ravie de passer un peu de temps avec Abigaël, Cécile vida le panier dans l'évier en grès. En adoptant un air sérieux de ménagère, elle entreprit de laver les radis.

— Tu me diras quand je pourrai monter voir mon frère, Abi, dit-elle d'un ton enjoué.

— Bientôt, mignonne. Dès qu'il n'aura plus de fièvre.

Le petit Vic grimpa sur les genoux de la jeune fille, qui l'embrassa sur le front, réconfortée par la douceur

---

15. À l'époque, l'éther était utilisé comme désinfectant et surtout comme anesthésique, sa toxicité n'étant pas encore établie.

de son contact. De nature câline et sensible, il recherchait souvent la tendresse féminine auprès de Marie ou d'Abigaël.

— As-tu encore peur? s'enquit-elle en lui parlant tout bas.

— Non, mais j'ai perdu mon joujou.

— Ton chien en baudruche! Je sais où il est. Je te le donnerai à midi.

— Et chaton, il a disparu, ajouta Cécile.

Elle appelait ainsi le chat blanc de Grégoire, qui avait pourtant presque atteint une taille adulte.

— Il chasse les souris dans la grange, à mon avis. C'est le travail des matous, en ville et à la campagne.

— Moi, je nettoie les radis, se vanta la fillette. On va se régaler.

C'était un moment de paix, une précieuse halte après des heures d'angoisse et de chagrin. Le départ de Pélagie n'était pas étranger au calme soudain, la malheureuse fermière ayant le don d'instaurer une atmosphère électrique doublée d'une tension permanente par ses rancœurs, ses revendications et ses lamentations. Abigaël eut honte de formuler une telle pensée.

«Je suis injuste. Tante Pélagie a hérité d'un mauvais caractère. Elle est aigrie, mais, là, c'était différent. Son fils est mort. Elle-même a tenté de se supprimer. J'espère que sa sœur parviendra à la soigner, à lui rendre le goût de vivre! Seigneur, est-ce possible, lorsqu'on pleure un enfant?»

Elle serra plus fort Vicente sur sa poitrine et couvrit ses courts cheveux bruns de légers baisers. Comblé, il ferma les yeux.

— Oh! regarde donc, Abigaël, s'exclama soudain Cécile.

La fillette désignait de l'index le vestibule, où était apparu Sauvageon. Le loup, bien planté sur ses pattes, tendait la tête vers le jardin. Il humait les odeurs printanières qui s'engouffraient par la porte grande ouverte.

— Il va s'échapper, ton chien, commenta le petit Vic, à qui son père avait parlé d'un chien blessé et non d'un loup.

— Non, ça m'étonnerait, répliqua Abigaël, éblouie par l'exploit de l'animal. Il a réussi à descendre les deux étages alors qu'il est encore faible. Venez, les enfants, nous allons l'accompagner dehors.

Sauvageon avançait prudemment. Il marcha jusqu'au sapin et tourna en rond en respirant le parfum de la terre et de l'herbe. Il se coucha ensuite de tout son long en plein soleil.

— Il avait envie de grand air, dit Abigaël. Cécile, cours chercher son collier et sa corde, je les ai accrochés à un clou, dans le cellier.

— D'accord, je me dépêche.

Vicente examinait avec curiosité la grosse bête grise, qui lui faisait l'effet d'un jouet géant.

— Je peux le caresser?

— En même temps que moi. Ne crains rien, viens.

Elle s'assit à côté de Sauvageon et lui gratta le sommet du crâne avant de guider la menotte du petit Vic. Le loup entrouvrit un œil doré, puis sa paupière s'abaissa.

— Son poil est joli comme du tissu, dit le garçonnet. Je l'aime, ton chien.

— Mon chien-loup, rectifia Abigaël en riant. Il te connaît, à présent, mais ne t'en approche pas tout seul. Tu me le promets?

— Oui, oui.

Cécile déboula, ses boucles brunes en pagaille. Elle s'enhardit à toucher le bout d'une patte avant de caresser le flanc de Sauvageon.

— Je suis obligée de lui remettre son collier et de l'attacher au tronc du sapin, expliqua Abigaël. Sinon, il pourrait s'éloigner de la ferme. Même en allant lentement, il aurait vite fait de divaguer. Là, je crois qu'il avait besoin de lumière et de chaleur. Le soleil est parfois une excellente thérapie.

— Qu'est-ce que c'est, ta thérapique? s'écria Cécile.

— Une thérapie! Je l'admets, le mot est compliqué. En fait, c'est une façon de soigner. Je vais l'écrire dans ton cahier, tu le recopieras. Laissons Sauvageon se reposer...

—

Maison dans la falaise, même jour, même heure
Pendant ce temps, Marie Monteil était assise près du fauteuil du professeur Hitier. Elle lui tenait la main et l'observait de son regard d'un bleu très clair. Ils n'avaient pas encore échangé un mot depuis qu'elle l'avait rattrapé sur le chemin longeant les falaises, mais ils avaient marché de front dans un silence complice. La maison les abritait maintenant, le verrou tourné et les rideaux tirés sur la matinée brumeuse.

— Il ne fallait pas vous déranger, dit-il, rompant enfin le silence.

— C'était plus fort que moi, Jacques. Je devais être à vos côtés.

— Je vous en remercie, ma douce amie. Que le hasard est cruel, parfois! Je venais à la ferme, tout à l'heure, pour vous revoir et prendre des nouvelles d'Adrien, quand j'ai entendu les clameurs que poussait madame Mousnier. Du coup, j'ai failli faire demi-tour. Ce pauvre Grégoire en tremblait, terrifié.

— Je vous l'accorde, la scène était abominable.

— Le plus effrayant, je le répète, c'est la vérité que hurlait cette malheureuse mère. Je suis responsable du décès de Patrick. Il n'était pas prêt à participer à une opération aussi importante. Malgré ses louables efforts, il demeurait nerveux et impulsif. C'était encore une tête brûlée. Nous discutions longuement, le soir, et je savais qu'il était obsédé par le désir de racheter ses fautes.

— Jusqu'où était-il prêt à aller, Jacques? N'a-t-il pas cherché à mourir? Je ne le souhaite pas vraiment, mais peut-être se manifestera-t-il à Abigaël…

Une expression perplexe sur son visage fatigué, le professeur ôta ses lunettes. Marie eut envie de l'embrasser, mais elle n'osa pas.

— Qu'est-ce que cela signifierait, d'après vous? Je ne suis pas expert en la matière.

— Si Patrick s'est élevé vers la lumière, cette merveilleuse clarté que m'a dépeinte Abigaël et avant elle ma sœur Pascaline, il ne sera pas une âme errante attachée à sa terre natale ou à ceux qu'il a quittés.

— Ce qui explique que vous ne souhaitez pas qu'il se manifeste?

— Oui.

— Chère Marie, je suis si heureux de vous avoir rencontrée, en dépit du marasme où je patauge en ce moment! Quand j'ai entendu vos pas derrière moi – et je les ai reconnus tout de suite –, mon cœur a bondi d'une joie douloureuse, comme si j'étais un adolescent.

Troublée, elle frissonna. Sans plus réfléchir, elle s'approcha de lui et déposa un baiser sur sa bouche.

Hitier ne répondit pas à cette tendre invitation. D'un mouvement brusque, il se leva et déambula dans la pièce.

— J'ai réfléchi, cette nuit, commença-t-il. Est-ce vous rendre un si fameux service que de vous épouser? Ne doutez pas de mes sentiments, Marie, je suis sincèrement épris de vous. Mais ferai-je un mari digne de ce nom? En vous voyant près d'Yvon, ce matin, j'ai songé que, s'il était devenu veuf, vous auriez été à votre place aux côtés d'un homme comme lui. Il a votre âge et il est solide, un vrai roc.

Outrée, Marie se leva à son tour. Elle courut vers le professeur et le saisit par les épaules.

— Jacques, vous perdez l'esprit! Sommes-nous tous en passe de céder à la démence? D'une part, Yvon n'est pas veuf et je prie pour que Pélagie lui revienne. D'autre part, suis-je une girouette qui vous délaisserait pour un homme plus jeune et solide? Vous me blessez! Vous dénigrez l'amour que je vous porte, que je vous ai avoué en luttant contre ma timidité et ma pudeur. Le délicieux après-midi que nous avons passé ensemble, nos baisers, cela ne compte plus? Je vous en prie, Jacques, ne me rejetez pas. J'étais si fière, si heureuse à l'idée d'être votre femme!

Elle le fixait ardemment, le teint coloré, ses boucles blondes en désordre. Jamais il ne l'avait trouvée aussi jolie.

— Pardonnez-moi, ma mie, pardonne-moi. J'ai tellement peur de te décevoir!

Il l'emprisonna dans une étreinte passionnée. Il la serrait contre lui en songeant que, de la tenir ainsi, de sentir le parfum de ses cheveux, de percevoir les battements de son cœur affolé, c'étaient les seules choses importantes au monde.

— Je te pardonne, chuchota-t-elle. Je t'ai suivi pour rétablir la vérité et chasser tes remords… Oh! comme c'est bon de te tutoyer! J'ai l'impression d'être déjà ton épouse. Jacques, nous aurons une existence paisible, celle dont nous avons rêvé. Nous connaîtrons les soirées sous la lampe, les livres ouverts après un dîner en tête à tête avec la perspective de dormir l'un contre l'autre. Je serai une femme dévouée, je t'aiderai dans tes travaux d'écriture.

— Je le sais, ma douce, je le sais bien, répondit-il d'une voix changée.

Ils s'embrassèrent voluptueusement, vite égarés par la montée du désir. Novice dans le mystérieux domaine des sens, Marie se mit à trembler, effarée devant les vagues de bien-être et de plaisir qui la submergeaient. Exalté, Hitier caressait son dos et le creux de ses reins, tout en la grisant d'un interminable baiser.

Elle réussit à s'écarter un peu de lui et reprit son souffle.

— Jacques, je veux que ce soit tout de suite, oui, aujourd'hui.

Il hésita à comprendre, puis, fasciné par son regard éperdu et ses mains tendues vers lui, il l'entraîna dans la chambre.

———

Ferme des Mousnier, deux heures plus tard

Jorge Pérez était formel. Il avait raconté à Abigaël qu'Adrien s'était endormi rapidement après avoir inhalé de l'éther sur un mouchoir. Assise à son chevet, elle se répétait qu'au moins il ne souffrait plus.

«Le flacon est quasiment vide, songea-t-elle. Je devrais aller en acheter un autre. Il y a une pharmacie dans la rue qui monte vers l'hôtel de ville, à Angoulême.»

L'état du jeune homme la préoccupait beaucoup. Elle savait qu'il aurait dû être hospitalisé ou du moins recevoir la visite d'un docteur deux ou trois fois par semaine. Clara Giraud avait extrait les balles, mais le poumon endommagé pouvait s'infecter.

Elle se représentait l'organe atteint comme une masse rouge et spongieuse en se concentrant sur la zone meurtrie.

«Seigneur Jésus, Dieu de charité, ayez pitié de lui, qu'il vive encore longtemps, des années et des années. Nous ignorons le jour et l'heure de notre trépas, mais, je vous en supplie, faites que je puisse garder mon amour et le chérir.»

Elle priait sans cesse lorsqu'elle veillait sur Adrien. Parmi les *Notre Père* et les *Je vous salue, Marie*, elle improvisait ses propres litanies, les mains jointes et la tête inclinée sur sa poitrine, dans la position des pénitents.

Il serait bientôt midi. Elle avait demandé à Cécile de la prévenir si le loup se relevait et furetait au bout de sa corde, mais de ne pas l'approcher. Jorge Pérez avait emmené son fils nourrir poules et canards.

«De toute façon, tantine est forcément de retour, mon oncle aussi. Ils ont dû être très surpris de voir Sauvageon dehors. Je n'ai pas préparé de repas, se souvint-elle. Tant pis, il y a des radis et du beurre. Nous finirons les haricots que Flavie a fait cuire hier.»

Les événements tragiques et les incidents plus anodins s'étaient succédé à une telle cadence qu'elle en perdait la notion du temps. Il lui semblait qu'elle vivait depuis longtemps au même rythme insensé.

— Dimanche, lundi, mardi, et aujourd'hui, mercredi, se dit-elle à mi-voix.

Des images d'une rare précision l'assaillirent: les apparitions d'Arthur, son expédition au domaine de Ponriant, la rencontre de Clara, cette grande jeune femme blonde, froide et hautaine tout d'abord, puis fragile, révoltée et amicale. Elle revit le corps de Patrick sur la table du salon, les bougies allumées, le cimetière de Dirac, les cyprès droits et sombres. En dernier lui apparut la face congestionnée de Pélagie, pendue à l'échelle.

L'écho lointain d'une discussion au rez-de-chaussée la ramena au quotidien. Elle posa un regard anxieux sur Adrien, toujours calme, plongé dans un profond sommeil.

«Autant descendre un quart d'heure. Je vais faire manger les enfants», se dit-elle en sortant sur la pointe des pieds, après avoir récupéré le jouet de Vicente sur la table.

Abigaël pensait que son oncle s'impatientait et adressait des reproches à sa tante, le déjeuner de midi n'étant pas prêt. Elle fut détrompée au premier étage lorsqu'elle perçut du bruit assorti d'un refrain chantonné dans la chambre de Marie.

Intriguée, elle jeta un coup d'œil par l'entrebâillement de la porte. En combinaison de satin devant le miroir de l'armoire dans lequel elle étudiait son reflet, sa tante fredonnait:

Parlez-moi d'amour,
Redites-moi des choses tendres,
Votre beau discours,
Mon cœur n'est pas las de l'entendre.
Pourvu que toujours
Vous répétiez ces mots suprêmes:
Je vous aime[16].

---

16. Chanson de Jean Lenoir, qui devint un grand succès en 1930, interprétée par Lucienne Boyer.

C'était un spectacle si inhabituel, si insolite aussi qu'Abigaël recula, désemparée. Elle descendit le plus silencieusement possible jusqu'au vestibule. Personne ne la vit se poster sur le seuil de la cuisine. Yvon discutait bel et bien avec une femme, mais il s'agissait d'une voisine venue à la ferme dans l'espoir d'acheter un quartier de viande de mouton.

— Alors, vous refusez de me rendre service, Mousnier? bougonnait-elle. Vous préférez garder votre bidoche pour la vendre au marché noir? Pourquoi donc vous en avez cédé au père Alcide, lundi? Même les Boches de la centrale électrique, ils se sont vantés d'en avoir eu un bon morceau, et gratis! Pardi! C'est votre nièce qui leur a porté. On la voit jamais dans le pays, vot' drôlesse, sauf quand il faut fricoter avec l'ennemi.

Une pile d'assiettes sur le bras, Pérez n'osait pas mettre le couvert. Cécile tenait Grégoire et Vicente par la main.

— Crachez votre venin, ma commère, riposta le fermier. Je ne fais pas de marché noir et, les Boches, ils m'avaient dépanné en m'autorisant à téléphoner à un docteur pour ma femme. Je ne peux rien vous vendre, parce que, la viande qui restait, je l'ai mise en bocaux une fois cuite en ragoût.

— Eh bien, je vous achète six bocaux. Dites, faut se serrer les coudes, entre Français. J'ai de la famille qui vient, après-demain. Je ne vais pas leur servir des topinambours! Tout le monde le sait, que vous avez perdu une brebis à l'agnelage.

Abigaël ne se montra pas. Elle alla directement dans le jardin. Sauvageon était assis à l'ombre du sapin. La visiteuse avait dû le voir et s'étonner.

— Viens, mon beau, tu prendras l'air demain. Il vaut mieux que tu remontes dans le grenier.

Les réclamations de la voisine continuaient sur le même ton geignard, mais Yvon ne capitulait pas. La jeune fille les écoutait, inquiète des insinuations sournoises qui émaillaient le discours de la femme.

— On refuse de la bonne viande à une honnête famille. Pourtant, on a un chien, et pas une petite bête. Sûrement qu'il a eu sa part, votre cabot.

Agacée, Abigaël décida d'intervenir, quitte à contrarier son oncle. Vite, elle enferma le loup dans le salon et fit son entrée en lançant sur le ton de la plus exquise politesse:

— Bonjour, madame!

— Ah! ça doit être votre nièce, Mousnier, ronchonna-t-elle.

— Oui, madame, Abigaël Mousnier. N'en veuillez pas à mon cher oncle s'il préserve ses provisions. Il est si bon! Il craint toujours d'en manquer. Nous sommes nombreux, vous savez. Il nous héberge, ma tante et moi, de même que la petite-nièce du professeur Hitier et ce brave monsieur, qui travaille dur ici et qui se contente de deux repas en guise de salaire.

Stupéfait, Yvon fixait Abigaël. Il essayait de deviner ce qu'elle avait en tête.

— Ne te fatigue pas, petite, marmonna-t-il.

— Mais, mon oncle, nous pouvons quand même offrir deux bocaux de ragoût à votre voisine et lui promettre deux poulets en plus. Elle dit vrai, nous devons nous entraider, entre Français. À ce propos, madame, j'ai remarqué une vilaine plaie, près de votre poignet gauche.

— Ne m'en causez pas, jeune fille, je me suis brûlée ce matin en mettant du bois dans mon poêle. Misère, ça me lance!

— Si vous me laissez faire, je peux vous soulager. Je suis coupeuse de feu.

— Ah bon! Il n'y en a plus, dans la région, depuis belle lurette.

Pleine d'espoir, la femme tendit son bras. Yvon ne disait mot, mais il évoquait la jolie Pascaline, qui avait proposé de le soigner un soir qu'il avait reçu de l'eau bouillante sur les doigts. «Telle mère, telle fille! songea-t-il, ému. Pascaline m'a ôté le feu. Je n'avais plus mal. Seulement, le feu qu'elle avait allumé dans mon cœur, aucun guérisseur n'a pu l'éteindre.»

Abigaël gardait ses mains étendues au-dessus de la cloque rouge et luisante qui marquait l'avant-bras de la voisine.

— Bonté divine! s'exclama-t-elle bientôt. Je ne sens plus rien. Enfin, ça me chatouille encore un peu.

— Vous n'aurez plus mal du tout d'ici ce soir, affirma Abigaël qui passait ses doigts sous l'eau froide.

— Si je me doutais! Alors, vous êtes une guérisseuse? Comme la belle Claire du Moulin du Loup? Figurez-vous qu'elle a guéri ma fille d'une pleurésie. Je suis contente, il n'y avait plus personne dans le pays pour secourir les pauvres gens. Parce que, moi, les docteurs, je m'en méfie.

Sur un geste résigné du fermier, Jorge Pérez était allé prendre deux bocaux dans le cellier. Il les donna à la voisine.

— Merci, monsieur, merci, mademoiselle. Je vous demande bien pardon, Mousnier. Mais je comptais payer. Je paierai.

Souriante, elle posa des pièces sur la table et y ajouta un billet de banque. Abigaël la raccompagna jusqu'au premier portail.

— Au revoir, chère dame. Je demanderai à mon oncle où vous habitez et je vous apporterai les deux poulets. Si vous souffrez encore, vous me le direz.

— Vous êtes un ange, mademoiselle, un ange du ciel!

De retour à la maison, Abigaël se raidit, prête à subir les reproches de son oncle. La mine rêveuse, il fumait sa pipe.

— Quel besoin avais-tu de faire des courbettes devant cette vipère? dit-il d'une voix lasse.

— C'est simple, mon cher petit oncle, je la sentais furieuse et dangereuse, cette vipère. J'ai préféré l'amadouer pour éviter qu'elle nous pique tous. Par rancune, qui sait ce qu'elle aurait pu raconter dans les environs? Je voulais nous protéger, l'empêcher de nuire. Nous cachons un résistant blessé. C'est très grave.

— Tu as raison, je manque de prudence. Peut-être qu'elle venait fouiner chez nous sous prétexte d'acheter de la viande.

— N'en parlons plus. Faites-moi confiance, une personne dont on apaise la douleur ne songe plus à vous mordre, sauf si elle est enragée. J'irai chez notre voisine et je vous promets qu'elle ne vous cherchera plus de querelles.

— Tu es un sacré numéro, toi, constata le fermier. J'ai de la chance de t'avoir, petite.

Marie Monteil fit son apparition peu après. Elle portait ses vêtements de tous les jours, ternes et usagés. Un foulard noué sur ses cheveux et son tablier à la taille, elle rayonnait d'un nouvel éclat, le teint resplendissant, les lèvres comme fardées. D'un regard limpide, brillant d'un bonheur secret, elle considéra la table mise, le plat rempli de radis, le beurrier et la marmite de haricots d'où s'élevait un fumet alléchant.

— Je suis navrée, je n'ai pas participé aux tâches du matin, déclara-t-elle d'un ton neutre. J'avais la migraine, une atroce migraine.

Yvon l'observa, l'air incrédule. Abigaël baissa la tête sur son assiette afin de dissimuler un sourire involontaire. «Pauvre tantine, elle ment vraiment très mal, se disait-elle, attendrie. Déjà, elle n'a jamais de migraine. Et, si c'était le cas, aurait-elle chanté à moitié nue dans sa chambre?»

—

Ferme des Mousnier, mardi 2 mai 1944

Un peu plus de deux semaines s'étaient écoulées depuis le départ de Pélagie. Un calme lénifiant régnait sur la ferme et ses habitants, qui s'estimaient définitivement hors de danger. Le jardin débordait de floraisons aux tendres couleurs. Après les narcisses et les jonquilles, les tulipes avaient orné les massifs de leur corolle pourpre, cédant ensuite la place à des iris d'un mauve délicat, tandis que les roses s'épanouissaient, ainsi que le jasmin et le chèvrefeuille palissés sur les murs. L'après-midi, Marie s'installait à l'ombre d'un tilleul, son ouvrage de couture à portée de main. Le potager promettait une précieuse récolte de légumes, alors que le blé et l'orge nappaient les champs d'un vert velouté.

Abigaël avait accroché le calendrier de la poste sur une des cloisons du grenier. En robe de cotonnade fleurie, un vêtement qu'elle avait déniché dans la penderie de Béatrice, elle étudiait les prénoms inscrits à la suite des jours.

— Aujourd'hui, 2 mai, on fête les Boris, dit-elle à Adrien, assis contre les montants en fer du lit. Boris! Ça te plairait, ce prénom, si nous avions un fils, plus tard?

— Sûrement pas, répliqua-t-il en souriant. Je préfère Vincent, ou Pierre, comme ton père.

— Vincent, pas question, murmura-t-elle en revoyant les traits grossiers du jeune milicien qui l'avait malmenée lors de son arrestation. Pierre, pourquoi pas?

Ils avaient appris à mieux se connaître durant tous ces jours passés dans le grenier, le plus souvent en tête à tête. Pour distraire son cher malade quand il souffrait moins, soulagé par l'éther, Abigaël lui racontait certains épisodes de son enfance, tout en évoquant ses parents disparus. Elle lui avait montré les trois photographies d'eux qu'elle gardait comme un trésor, un cliché de leur mariage, un portrait de Pascaline et un de Pierre la veille de son départ pour la guerre, en 1917.

De son côté, dès qu'il s'était senti en voie de guérison, Adrien avait enfin dévoilé ses propres souvenirs. En cherchant ses mots, la respiration encore laborieuse, il avait fait revivre sa famille décimée.

— Il paraît que je ressemble à mon père. Il s'appelait Jules et il était clerc de notaire. Maman avait été baptisée Fernande, mais elle détestait ce prénom. Aussi, papa la surnommait Féfé en prétendant qu'elle était une fée du logis. Ils s'aimaient tant! Ils sont morts ensemble, tués sur le coup dans ce terrible accident, en 39, il y aura bientôt cinq ans. Heureusement, grand-mère nous a recueillis.

— Cécile était bien petite! Comme elle a dû pleurer! avait soupiré Abigaël.

— J'allais encore au lycée, mais je rentrais vite pour jouer avec elle et lui lire des histoires.

Ainsi, au fil des heures et des jours, de l'aube au crépuscule, des liens plus profonds s'étaient noués entre les deux amoureux. Ils pouvaient se vanter d'avoir plusieurs souvenirs en commun depuis leur rencontre un soir de brume, dans la vallée de l'Anguienne, au seuil de l'hiver.

— Tu m'as très mal reçue, la première fois que je suis montée jusqu'à la grotte où tu t'étais réfugié avec ta sœur, se remémorait Abigaël. Tu me soupçonnais d'être envoyée par la Croix-Rouge pour te prendre Cécile.

— J'étais en rogne, je m'en souviens. Pourtant, je te trouvais ravissante. Le lendemain, déjà, j'espérais te revoir.

— Tu avais du mérite à me trouver ravissante! J'étais habillée n'importe comment, les cheveux poissés par l'humidité.

— Tu n'en étais que plus attendrissante, pareille à une naufragée. Mon ange, tu cachais bien tes trésors, car, la veille de Noël, quand je t'ai vue dans cette robe en laine bleue assortie à tes yeux et qui moulait tes seins et tes hanches, j'en ai eu la bouche sèche. Tu t'étais fait un chignon et tu portais un collier… Une apparition de rêve.

Ils en riaient, main dans la main, baignés par la pénombre tiède de la petite pièce cloisonnée. La nuit, sortis de leur hibernation, des loirs galopaient sur les tuiles en lançant des cris aigus. Couché au pied du matelas de la jeune fille, Sauvageon grognait.

— Ce sont des sortes d'écureuils gris aux grandes oreilles et aux yeux noirs, mon tout beau. Sois tranquille, ils ne sont pas dangereux, marmonnait-elle, somnolente.

Le reste de la maisonnée ne se mêlait pas de ce qui se passait dans le grenier. Seul Jorge Pérez s'y était rendu quotidiennement les huit premiers jours, tant qu'Adrien ne pouvait pas se lever. L'Espagnol continuait à se charger des besognes sanitaires, selon les termes d'Abigaël, qui lui en était très reconnaissante.

Cécile bénéficiait d'un droit de visite particulier. Lorsqu'Abigaël devait s'absenter, l'enfant brune était enchantée de jouer les infirmières au chevet de son frère. Même s'il n'avait pas soif, il cédait de bon cœur à ses caprices en buvant le verre d'eau qu'elle lui tendait, ou bien il se laissait brosser les cheveux ou laver le visage.

— Aujourd'hui, 2 mai, répéta Adrien d'un ton câlin, si tu venais t'allonger un peu près de moi, saint Boris n'y verrait aucun inconvénient, j'en suis sûr.

— Ne plaisante pas! le gronda-t-elle en souriant. Je t'ai accordé des centaines de baisers, mais, non, je refuse de monter sur ce lit. J'ai accepté avant-hier et tu as perdu la tête.

— Excuse-moi, ça prouve que je suis guéri.

— Tu es en convalescence, par miracle. Tu souffrais tellement! Ta blessure a mis longtemps à prendre un aspect sain.

— Il n'y a pas de miracle, mon ange. Tu m'as soigné grâce à tes baumes et surtout à tes mains au pouvoir magique, de même qu'à ta tendresse.

— Tu oublies la quinine, l'éther pendant trois jours, ta vigueur naturelle et aussi l'habileté de Clara Giraud, la doctoresse qui t'a opéré.

Adrien lui tendit les bras, mais elle lui tourna le dos. C'était un jeu qu'ils prisaient fort, où l'un implorait alors que l'autre le faisait languir.

— Si tu ne viens pas me dorloter, permets-moi de descendre dans le jardin. Franchement, ça devient un supplice d'être enfermé ici avec des relents de poussière et un clair-obscur irritant! Qui y trouvera à redire? Ma chemise dissimule mon pansement. Je pourrais être un lointain cousin de passage. S'il le faut, j'emprunte un chapeau de paille à Yvon. J'ai envie de soleil, de lumière et d'air pur, mon trésor.

Abigaël lui avait déjà interdit de l'appeler ainsi. Elle lui décocha un regard faussement furibond.

— J'en ai parlé au professeur et à mon oncle. Ils pensent que ce serait imprudent.

Compatissante, elle s'assit au bord du matelas. Il s'empara de sa main droite et embrassa ses doigts frais, qui sentaient le savon.

— Je voudrais qu'ils me donnent une raison valable, ma bien-aimée. Nous avons appris de source sûre que Dubreuil est mort sans avoir repris connaissance, le jour de ce maudit carnage, et que le docteur Gasté s'est suicidé avant d'être torturé. Personne n'a vu mon visage, dans la vallée.

— Quand Marie de Martignac a pris contact avec le professeur, le 15 avril, elle lui a dit que la Gestapo recherchait toujours les résistants qui s'étaient enfuis, à Villebois. Par bonheur, ils n'ont pas pris d'otages. Il n'y a pas eu de sanglantes représailles, non plus.

Abigaël frissonna comme si un cortège de morts, raides et glacés, la frôlait. Adrien perçut son malaise. Il se redressa pour l'enlacer et l'embrasser au coin des lèvres.

— Je t'en prie, reste caché. Sois patient.

— Je t'obéirai, mon ange. Mais une chose m'étonne. Marie de Martignac n'a jamais été inquiétée ni soupçonnée. Elle va et vient à sa guise, elle renseigne le professeur sans attirer l'attention. Soit elle est très forte et d'une rare intelligence, soit elle a une chance insensée.

— Je me suis posé la même question, avoua Abigaël. En plus, elle enseigne à l'école de Torsac et, son jour de congé, elle va travailler à la mairie de Puymoyen. Sais-tu ce que je crois?

— Je t'écoute, dit-il en caressant son bras nu du dos de la main.

— Les gens des campagnes conservent un profond respect pour la noblesse. C'est la demoiselle du château, l'institutrice, une jeune femme célibataire entièrement dévouée à sa mère et à ses élèves. Je suis certaine qu'elle a pu s'assurer de nombreuses complicités dans le bourg de Torsac, mais aussi dans les fermes, les métairies et la moindre chaumière.

Pendant qu'Abigaël parlait, Adrien glissait un doigt dans l'échancrure de sa robe, boutonnée jusqu'à la taille. Il effleura la naissance de ses seins, puis se décida à les envelopper tour à tour d'une pression ferme, douce, mais impérieuse.

— Ta peau, c'est du satin… non, de la soie, chuchota-t-il. Chaque nuit, je rêve de les revoir, tes jolis seins, et de leur rendre hommage.

— Chut, tais-toi! Monsieur Pérez peut entrer d'un moment à l'autre. Il doit te monter de quoi te raser. Tu piques, mon cher amour.

Elle se releva vivement, le teint enflammé. Il la contempla d'un regard brillant de désir, sans se douter qu'elle éprouvait la même sensation et qu'elle se serait volontiers mise nue et couchée contre lui.

— Je suis désolé, mon ange, tu es si belle, en robe légère! Où vas-tu? Ne t'en vas pas, attends au moins ce brave Pérez pour me quitter!

Le cœur d'Abigaël battait à se rompre. Elle se demandait combien de temps elle résisterait à Adrien. Leur intimité devenait équivoque; Marie l'avait fait remarquer à sa nièce.

— Tant que ce jeune homme était faible et dolent, je t'ai laissée agir à ta guise, je t'ai permis de dormir dans la même pièce pour le veiller. Mais Jorge affirme que ton malade a repris des forces et qu'il peut marcher. Il n'a plus besoin de toi à ses côtés, ma chérie, avait-elle insinué.

— Nous ne faisons rien de répréhensible, s'était indignée Abigaël. Nous bavardons, nous jouons à la belote ou je lui fais la lecture. C'est mon fiancé.

— Pas encore! Du moins pas officiellement.

— Ne gâche pas mon bonheur, tantine. Adrien est vivant et en sécurité. Est-ce que je t'ai reproché, moi, d'aller presque tous les jours chez monsieur Hitier pour boire le thé? Sans compter que tu as dîné deux fois chez lui et que tu es rentrée à minuit.

— Compare ce qui est comparable, avait rétorqué sa tante. J'ai cinquante-deux ans. Je suis libre de mes actes. Et nous allons nous marier.

— Adrien et moi aussi, nous allons nous marier. Je pourrais très bien me coucher dans ma chambre sagement, puis courir le rejoindre quand tout le monde dort.

La querelle s'était achevée sur un échange de regards pleins de courroux qui voilait surtout une large part de mauvaise foi. En grand secret, Marie découvrait les plaisirs de la chair sous la férule d'un homme de vingt ans son aîné, cependant doté d'une vitalité intacte à laquelle s'ajoutait une science amoureuse subtile. Jacques Hitier avait su l'éveiller aux joies de l'amour physique sans la brusquer. Une fois seule, elle méditait souvent sur la chasteté qu'elle s'était imposée et déplorait d'être restée si sage. Elle s'évertuait à rattraper le temps perdu.

Quant à Abigaël, elle aurait vraiment souffert de quitter le grenier et son matelas sur le plancher, où elle s'endormait le cœur en paix, sa main posée sur la tête de Sauvageon qui, parfois, s'étendait à ses côtés. Certes, elle disait la vérité. Assis face à face sur le lit, Adrien et elle avaient d'interminables discussions; ils jouaient aux cartes ou lisaient des poèmes, mais ils savouraient leur liberté et leur isolement. Sous la faible lueur d'une chandelle, ils s'embrassaient à perdre haleine, jamais rassasiés de baisers passionnés. Le feu couvait, qu'une minuscule étincelle pouvait changer en brasier.

Abigaël venait d'en avoir la preuve, ce matin du 2 mai, en éprouvant dans tout son jeune corps une pulsion farouche qui lui avait donné envie de s'offrir immédiatement afin d'être enfin femme.

— J'ai promis à tantine de l'aider. Il y a du repassage à faire et mon oncle part pour Angoulême chercher des tickets pour la farine et le sucre. Sauvageon te tiendra compagnie. Je l'ai déjà promené, à l'aube. Je reviens vite, mon amour.

Adrien esquissa un geste fataliste. Il songea qu'il aurait dû noter sur une feuille le nombre de fois où il avait entendu ces derniers mots.

— Tu dis toujours ça! lui reprocha-t-il un peu sèchement. Mais je t'attends plus d'une heure. Tu cours dans le jardin, tu peux te promener avec ton loup ou ma petite sœur, sentir le vent sur ton front. Moi, je m'ennuie.

— Ne sois pas méchant, le chapitra-t-elle en revenant le cajoler. Tu as été grièvement blessé, Adrien, tu dois encore te reposer. Prends un livre. Je ne serai pas longue, c'est promis.

Prise d'une inspiration subite, elle murmura à son oreille:

— J'imagine que c'est pénible, d'être prisonnier dans ce grenier au mois de mai… Si tu fais la sieste, nous veillerons très tard et, dès que tout le monde dormira, nous irons dehors, toi et moi, au clair de lune.

La proposition eut raison de la mauvaise humeur d'Adrien. Il remercia Abigaël d'un large sourire avant de l'embrasser au creux du cou et sur la bouche.

— Je t'aime tant mon petit ange!

En corsage beige, une large jupe rayée serrée à la taille et un foulard sur les cheveux, Marie tirait de l'eau du puits. Cécile, Grégoire et Vicente gambadaient dans le potager voisin. La fillette faisait tournoyer un panier en riant aux éclats. Elle avait pour mission de désherber les plants de carottes et de cueillir de l'oseille et du persil. Abigaël, qui enfilait des sandales sur le seuil de la maison, agita la main en direction des enfants.

— Te voilà quand même! lui cria sa tante. J'ai du linge à rincer et je n'ai pas le courage d'aller jusqu'à la rivière. Si tu pouvais tirer deux autres seaux d'eau et les vider dans le baquet, là...

— Oui, tantine, tout de suite. Dis-moi, d'où sors-tu cette belle jupe? Tu risques de la salir.

— C'est un cadeau. La sœur de Jacques la lui a remise à mon intention, ainsi que le corsage. Elle faisait du tri dans sa garde-robe et elle a pensé à moi.

— Le professeur est allé en ville? Quand donc?

— Si tu sortais plus fréquemment du grenier, tu le saurais. Peu importe, j'étais ravie. Il y a une robe en mousseline que je compte ajuster à ta taille. Elle t'ira à merveille. Tu seras élégante pour la noce.

— La noce?

— Nos bans seront publiés à la mairie d'Angoulême à partir de lundi prochain. Véronique, ma future belle-sœur, sera mon témoin, Yvon, celui de Jacques.

Abigaël fut tiraillée entre l'enthousiasme, la gaieté et une sorte d'envie teintée de mélancolie. Elle gratifia néanmoins sa tante d'une bise sonore sur la joue.

— Je suis heureuse pour toi!

Marie soupira d'aise, charmante dans sa rêverie. Soudain, elle sursauta et porta une main à son front.

— Excuse-moi, ma chérie, je suis très étourdie, en ce moment. Le facteur avait une lettre pour toi, ce matin. Bien sûr, elle n'est pas arrivée par la poste. Quelqu'un la lui a confiée. Je l'ai cachée dans le salon, sous la pendule en marbre.

Le cœur d'Abigaël s'affola. Elle eut l'impression qu'il battait à grands coups dans chaque fibre de son corps. Le facteur en question était un intermédiaire efficace entre trois réseaux de résistance, dont celui dirigé par Marie de Martignac. Les lettres étant souvent ouvertes et lues par différents services de l'armée allemande, des filières clandestines se chargeaient d'en acheminer certaines.

— Si c'était Claire qui m'écrit enfin? murmura Abigaël, toute pâle.

— Le timbre est français, en tout cas.

Elle fit demi-tour et courut vers la maison. Marie hocha la tête et fit descendre le seau dans le puits.

«Mon Dieu, je vous en supplie, faites que ce soit une lettre de ma belle dame brune! priait Abigaël. Je voudrais tant avoir de ses nouvelles!»

Elle se glissa à petits pas dans le salon. Chaque fois qu'elle était obligée d'y entrer, elle songeait à Patrick et à la malheureuse Pélagie. La pièce, fraîche et sombre à cause des contrevents mi-clos, semblait garder l'empreinte du jeune défunt aussi bien que de la douleur démente de sa mère. Le fermier ne voulait plus y mettre les pieds; il envisageait même de la fermer à clef.

«Je sais que tu as trouvé la paix éternelle, Patrick, pensa-t-elle. Tu as commis un crime, mais tu t'es repenti et racheté. Je ne t'oublie jamais dans mes prières, toi qui as trouvé le chemin de la lumière.»

Tremblante d'espoir, Abigaël s'approcha de la cheminée. La pendule trônait là, entre deux vases en porcelaine contenant des branches de buis, dont le parfum tenace évoquait lui aussi la veillée mortuaire.

C'était une enveloppe assez épaisse en papier bleu. Elle la décacheta. Il y avait une seconde enveloppe à l'intérieur, blanche celle-là, sur laquelle était inscrit son prénom à l'encre violette. Elle prit la fuite comme si elle avait dérobé un objet précieux.

— Je vais la lire dans la cuisine, près de la fenêtre, là où j'avais mis le sapin de Noël, se dit-elle tout bas.

Son espérance était récompensée. Claire lui avait écrit de son refuge anglais.

Chère petite Abigaël,

Je tenais absolument à vous donner signe de vie, même si le silence est de rigueur en ces temps troublés. Nous sommes parvenues à bon port, ma princesse et moi, sous la protection de mon frère chéri. Pendant le voyage, je lui ai raconté tout ce que vous avez fait pour nous; je lui ai dit à quel point votre dévouement et votre courage ont été admirables.

Le pays où je suis enfin à l'abri ne manque pas de charme. Vertes prairies, brumes et pluies, promesses de mille roses pour ce printemps… comment oserais-je me plaindre? J'ai eu l'immense joie de retrouver ma fille unique, dont les beaux yeux bleus ourlés de longs cils noirs me rappellent d'autres yeux adorés, ceux de son papa. Quel bonheur de la revoir grandie, radieuse, affectueuse! J'ai pu la serrer dans mes bras et pleurer nos disparus avec elle.

Autre source de joie, l'enfant blonde que j'ai élevée et qui a épousé mon frère est devenue une belle jeune femme, la maman de mes petits-enfants bien-aimés. Tous vous connaissent, tous vous témoignent une infinie gratitude.

Pressentiment ou conclusion logique, je ne peux en dire plus, j'ai foi en la fin prochaine de cet épouvantable conflit qui laissera des nations exsangues et des peuples meurtris. Je prie pour que reviennent la justice, la liberté et la paix. Qui sait le pouvoir de l'océan! De lui viendront peut-être des anges capables de sauver notre patrie en proie aux démons.

Mais assez de philosophie, chère petite Abigaël. Je suis sûre que vous veillez avec soin sur mon fidèle compagnon au cœur sauvage. J'ai la certitude aussi de retrouver un jour la chanson des eaux vives de ma vallée et le parfum des giroflées tièdes de soleil qui, pour moi, se confond avec le parfum des falaises au mois de juin.

Soyez heureuse, petite demoiselle au regard d'azur. Ma cousine vous embrasse très fort et vous conseille de ne pas être trop sage. De sa part, comment s'en étonner…

Nous nous reverrons.

Votre amie à jamais.

Abigaël relut la lettre trois fois. Elle constata que Claire avait redoublé de prudence pour le cas où, par malheur, le courrier serait intercepté. Elle ne citait aucun nom et s'exprimait par énigmes, dans un style un peu affecté qui ne lui ressemblait pas. Malgré cela, c'était un message qui lui était destiné à elle seule et dont les mots la comblaient de joie.

«Chère Claire, songea-t-elle, votre grand chagrin s'est atténué. Vous êtes entourée de votre fille Ludivine, qui a mon âge, de votre frère Matthieu et de son épouse Faustine. J'aimerais tant les rencontrer et faire la connaissance de vos petits-enfants, Isabelle, Pierre et la douce Gaby! Et, oui, j'ai veillé et je veillerai encore longtemps sur Sauvageon, votre dernier loup.»

Les larmes aux yeux, Abigaël replia la lettre. Deux phrases l'obsédaient, celles qui faisaient allusion au pouvoir de l'océan d'où viendraient des anges salvateurs. S'agirait-il du débarquement des forces alliées sur les côtes françaises?

21

Sous le saule pleureur

Ferme des Mousnier, mercredi 3 mai 1944,
deux heures du matin

La lune montante bientôt toute ronde, entourée d'un halo évanescent, nimbait la vallée d'une clarté argentée nuancée de bleus profonds. Des reflets métalliques jouaient sur les jeunes feuilles des arbres et dansaient sur la rivière. La brise nocturne était tiède, douce, riche des parfums de la terre, de l'eau et de la roche.

Adrien contemplait l'immensité du ciel, la tête penchée en arrière, les bras ouverts comme pour s'envoler.

— Que c'est bon! murmura-t-il. Je deviendrais fou, en prison, sans le vent, le bruissement des arbres, la lune, les étoiles! Merci, mon ange, de me faire ce cadeau.

— Un cadeau bien modeste! Je me suis contentée de t'accompagner dans le jardin.

— Non, c'est le plus beau des cadeaux, la liberté, l'air frais, l'herbe sous mes pieds.

— Si tu es heureux, je suis heureuse, mon amour. Viens.

Elle lui prit la main et l'entraîna vers une barrière en planches qui communiquait avec le potager. Sauvageon marchait sur leurs talons. Ils avaient dû l'emmener, car le loup aurait pu les trahir en grattant à la porte du grenier ou en hurlant. L'animal s'était attaché à Abigaël, il la suivait comme son ombre.

— Tu ne te sens pas fatigué, Adrien? demanda-t-elle tandis qu'ils longeaient les plates-bandes où s'alignaient des pousses de choux et de carottes.

— Pas du tout, je revis, je respire enfin.

Il trichait un peu; son côté droit le faisait légèrement souffrir.

— Il y a un endroit que je voudrais te montrer, avoua-t-elle. Vois-tu ce saule pleureur, là-bas? Il a poussé au bord d'un étroit ruisseau qui se jette dans l'Anguienne. Je suis allée en gratter de l'écorce au mois de février.

— Pourquoi?

— Infusée dans de l'eau bouillante, l'écorce de saule possède des propriétés médicinales contre la fièvre et la douleur. Depuis, j'y retourne souvent, c'est un endroit charmant. Les branches, en retombant, forment une sorte de cabane.

Il s'arrêta un instant pour la dévisager. Elle avait défait ses cheveux, qui ruisselaient en ondes souples sur ses épaules. Sous la lune, ils paraissaient d'un blond lumineux. Ses traits étaient sublimés; ses yeux étaient encore plus grands, plus profonds, insondables; sa bouche au dessin parfait était plus charnue.

— Tu es belle, Abigaël, très belle. On dirait une fée, la fée que j'adore et qui me conduit dans son domaine enchanté.

Adrien se moqua de lui-même. La jeune fille avait l'art de le rendre romantique. Pour elle, il cédait à ce genre de propos dont il n'avait jamais eu coutume. Lycéen, il excellait dans la physique et les mathématiques, sans accorder d'intérêt à la littérature. Orphelin à dix-sept ans, il s'était retrouvé confiné entre sa petite sœur et sa grand-mère, et la guerre avait éclaté, le confrontant à la cruauté du monde.

Mais Abigaël avait surgi une nuit d'automne, fragile et forte, jolie et mystérieuse. Elle s'était dévouée pour Cécile et lui, bravant le danger, la pluie, le froid, les pièges des falaises escarpées, sans se départir de son sourire angélique.

— Mon petit ange, je te dois tant!

— Tu es mon amour. Tu ne me dois rien. Est-ce que tu m'aimes autant que je t'aime?

— Oh! que oui, je t'aime, tu le sais bien!

— C'est impossible, plaisanta-t-elle en l'entraînant de nouveau sur un sentier tracé entre deux talus. Au fait, as-tu réfléchi à ce que m'a écrit Claire? Je n'en ai parlé qu'à toi, car je craignais d'avoir mal compris le sens de ces deux phrases.

— Je suis persuadé qu'elle fait allusion au débarquement de nos alliés, s'enflamma Adrien. On ne pouvait être plus explicite sans rien dire de précis. Le jour où cela se produira, les Allemands devront se replier dans leur maudit pays. Ils perdront la guerre.

Songeuse, Abigaël prit son bras. Dans un geste câlin, elle frotta sa joue contre son épaule.

— La fin de la guerre, comment y croire?

— Il faut y croire, mon ange.

Ils arrivaient près du vieux saule pleureur au tronc noueux et à la ramure harmonieuse qui retombait en une cascade de fines tiges souples ornées de feuilles élancées, frémissantes sous le vent. Les jeunes gens se glissèrent derrière le rideau végétal.

— Regarde, dit Abigaël, l'herbe est tendre et j'ai apporté une couverture, cet après-midi, pendant ta sieste.

Il lui jeta un coup d'œil indécis. Elle désigna le filet du ruisseau, lui aussi teinté d'argent par le clair de lune et qui leur offrait le chuchotement musical de son eau vive.

— Assieds-toi, conseilla-t-elle. J'ai une grave question à te poser.

— Si tu me donnais un baiser, d'abord?

— Non, après, s'obstina-t-elle en prenant place près de lui.

Elle s'inquiéta du loup, mais il s'était couché à quelques mètres de là, sa belle tête grise tournée vers les falaises. Nerveux, Adrien s'adossa à l'arbre. Il rêvait d'une cigarette, un modeste plaisir qu'Abigaël lui interdisait à cause de son poumon blessé. Il avait essayé de fumer une semaine auparavant et sa tentative s'était soldée par une violente quinte de toux dont il était sorti épuisé et endolori.

— Mon amour, tu n'as pas dû le remarquer, mais, cette nuit, je porte la bague que tu m'as offerte. Pour moi, elle scelle nos fiançailles, notre engagement. Adrien, sois sincère! Souhaites-tu vraiment te marier avec moi, que la guerre finisse ou qu'elle dure encore des mois ou des années?

Sidéré, il scruta son profil délicat. Abigaël gardait les yeux baissés et ses lèvres tremblaient un peu.

— Bien sûr que je veux t'épouser, ma chérie. J'ai l'intention de passer toute mon existence à t'aimer et à te choyer.

— Ne m'en veux pas, dit-elle tout bas. J'ai beaucoup pensé à nous, aujourd'hui. Au début de l'hiver, alors que je te connaissais mal, tu t'es souvent montré… disons, entreprenant, audacieux, et j'étais obligée de te repousser. Ensuite, je t'ai aimé si fort, si passionnément que j'ai décidé de m'offrir à toi. Je le voulais à cause de la guerre, car j'avais peur que tu meures, et tu devais être le premier, tu devais me faire femme. Là, tu as refusé et j'en ai éprouvé une infinie gratitude. Tu songeais à mon honneur, aux ennuis que j'aurais si j'attendais un bébé et que tu ne sois plus là.

Bouleversée, elle prononçait chaque mot dans un souffle, très vite, comme effarée.

— Ce matin, quand tu m'as embrassée et caressée, je me suis demandé pourquoi je te faisais souffrir en refusant d'aller plus loin que des baisers. Adrien, j'ai eu envie de toi, et c'était violent, ça me dominait, oui, c'était terrible et merveilleux.

Elle cacha son visage entre ses mains, confuse d'avoir été aussi franche, d'avoir mis des mots précis sur les élans de son corps vierge.

— Tu ne m'as jamais fait souffrir, protesta-t-il d'une voix douce. Tu m'as sauvé la vie, sûrement, et tu n'as pas été avare de baisers, des baisers inoubliables dont je ne peux pas me lasser.

D'un geste enveloppant et tendre, il l'attira plus près de lui. Ses lèvres effleurèrent sa joue.

— Je t'en supplie, dit-elle en détournant la tête, laisse-moi finir. Je n'ai aucun doute sur mes sentiments, mais, toi, peut-être que tu confonds le désir et l'amour. Nous nous sommes rencontrés il y a six mois. C'est bien court pour prendre une décision aussi sérieuse que celle de se marier.

Exaspéré, il s'écarta d'elle, incapable de comprendre ce qu'elle exigeait de lui. Il arracha une brindille et la mordilla.

— Ne te fâche pas, gémit-elle. J'ai besoin de savoir ce que tu ressens au fond de toi. Je ne suis pas la seule fille sur terre. Tu pourrais tomber amoureux d'une autre et...

— Et quoi?

— Et je regretterais d'avoir fait ce que je compte faire.

Désemparé, Adrien fronça les sourcils. Il observa le paysage qui les entourait, magnifié par la lune et l'exubérance du printemps.

— Tu m'as conduit ici, bougonna-t-il, et je me réjouissais. J'ai naïvement imaginé que nous allions passer un moment agréable, romantique même. Mais non, j'ai l'impression d'être traîné en justice. Que comptais-tu donc faire? Je n'en ai aucune idée. Veux-tu un document signé de ma main où je m'engage à t'épouser? Dois-je prêter serment sur la Bible?

Il eut un mouvement pour se lever, mais elle le retint par le poignet.

— Reste, pardonne-moi, balbutia-t-elle, effrayée devant la tournure que prenait leur escapade. J'ai été maladroite.

Sur ces mots, elle se mit à pleurer. En la voyant sangloter, il se radoucit. Pareille à une enfant punie, des mèches de cheveux sur les yeux, elle suffoquait de chagrin.

— Calme-toi, chuchota-t-il à son oreille. Sauvageon regarde de notre côté. Il va venir te consoler et il pourrait bien m'égorger s'il devine que je t'ai fait de la peine. Allons, excuse-moi et sèche tes larmes, ma petite chérie.

Il la serrait sur son cœur en arrangeant sa chevelure soyeuse du bout des doigts. Elle eut un faible sourire.

— Sauvageon ne te fera jamais de mal, dit-elle en reniflant. Il t'aime bien.

— Et moi, je t'adore, même si j'ai mauvais caractère, parfois. Ma chérie, si tu m'expliquais ce qui te tourmente? Promis, je ne me mettrai plus en colère.

— Je voulais que ce soit cette nuit, notre nuit, avoua-t-elle d'une voix presque inaudible. Je voulais être ta femme, ici, maintenant.

Bouleversé, Adrien l'étreignit. Abigaël s'offrait à lui comme au début du mois de mars dans la grotte de l'ermite. Ce jour-là, il avait pu se maîtriser. Attendri par son offrande, il lui avait néanmoins affirmé qu'il patien-terait. Pourtant, il déplorait son renoncement chaque fois qu'il se réveillait le ventre en feu après un rêve où il prenait possession de son beau corps, de ses seins, de ses cuisses, de son ventre plat à la chair nacrée.

— Tu voulais être ma femme! répéta-t-il. Oh! mon ange, je ne suis qu'un rustre, un imbécile!

Il chercha sa bouche et s'en empara, fébrile, avide. Cette fois, il ne jouerait pas la carte du respect ou du sacrifice. Déjà, les paroles qu'Abigaël avait murmurées, malade de gêne, avaient embrasé ses reins et précipité la course de son sang. Derrière la barrière des vêtements, son membre viril gonflé de sève lui dictait sa loi.

— Ma chérie, ma petite femme, articula-t-il, le souffle rapide, je suis ton fiancé, ton mari, et je t'aime.

Il la fit s'allonger sur la couverture, se pencha sur son visage et le couvrit de baisers avant de reprendre ses lèvres, chaudes et satinées. Mais elle ne s'abandonnait pas, encore sous le coup des paroles vexantes qu'il lui avait assenées. Il devait la rassurer.

— Tu me demandais pardon. Je le fais à mon tour, dit-il en lui caressant le front. Nous serons mari et femme, de ça, je suis certain. Est-ce que je tomberai amoureux d'une autre, même si je suis ton époux? Comment te jurer que non? Et toi, comment peux-tu être certaine de m'aimer éternellement? Qui me dit qu'un homme ne te volera pas à moi? Il faut avoir confiance en nous, en notre amour. Peu importe qu'il date de six mois seule-ment, il existe, il est beau et fort, il est sincère. Devant l'autel ou le maire, on se promet fidélité, on s'unit pour le meilleur et pour le pire. Ce soir, avec le saule pour témoin, je te fais le serment d'être ton mari et surtout de te prouver combien je t'aime des années, ma vie durant, et combien tu es importante à mes yeux. Je n'ai plus que toi et Cécile à chérir. Tu doutes de ton pouvoir sur moi parce que tu ignores à quel point tu es belle, unique, fascinante.

Abigaël se détendit, grisée par ses paroles. Il perçut l'apaisement de ses nerfs à son attitude alanguie et à l'éclat de son regard limpide.

— Oui, tu es belle, et j'ai soif de toi, de ta beauté, ajouta-t-il en commençant à déboutonner son corsage, qu'il lui enleva avec beaucoup de douceur.

Il découvrit, ravi, qu'elle ne portait pas de soutien-gorge. Elle le fixait d'un œil inquiet, mais, lui, il admirait le modelé ravissant de ses bras, de ses épaules et de ses seins aux mamelons dressés, durcis par la fraîcheur nocturne.

— Ma déesse, soupira-t-il, je veux te voir toute, oui, toute nue!

Il dégrafa sa jupe, qu'il fit glisser jusqu'à ses pieds et qu'il posa sur l'herbe. Dans un réflexe instinctif, Abigaël dissimula le bas de son ventre d'une main tremblante.

— N'aie pas peur, dit-il gentiment. Ne me cache rien. Ferme les yeux et pense que je suis le vent du printemps venu te rendre hommage.

Elle obéit et écarta les bras qu'elle étendit, les paumes tournées vers le ciel. Son cœur battait vite; elle en entendait le bruit sourd dans sa poitrine. Quant à Adrien, il demeurait agenouillé, ne pouvant se rassasier du spectacle de sa radieuse nudité. Au sortir de l'ado-lescence, Abigaël avait des cuisses fuselées et musclées, ainsi que des genoux adorables comme ses jambes, d'un dessin infiniment gracieux. Il s'interrogea.

Garderait-elle sa minceur charmante et ses formes discrètes? Sans doute que la maternité l'épanouirait et sculpterait sa poitrine menue en une gorge plus ronde, que sa taille serait moins fine. Cependant, elle serait toujours belle, blanche et souple, et, il en eut la prescience, elle n'appartiendrait qu'à lui.

— Ma chérie, ma petite fée, mon trésor! lâcha-t-il d'une voix qui trahissait son éblouissement.

Il se coucha à ses côtés pour se débarrasser en hâte de sa chemise et de son pantalon. Elle avait rouvert les yeux sans oser le regarder, mais elle devina qu'il se déshabillait lui aussi. Quand il la reprit contre lui, elle savoura le contact de sa peau très chaude. Ils échangèrent un baiser voluptueux. Abigaël ne luttait plus, l'esprit vide, attentive aux étincelles de joie qui, fugaces, la traversaient. Adrien mimait la possession prochaine de sa langue habile et insidieuse. Docile, la jeune vierge consentait à ce délicieux simulacre et improvisait une réponse subtile. Le baiser n'en finissait plus, entrecoupé de mots d'amour et de soupirs comblés. Peu à peu, un plaisir diffus, bienfaisant, source d'émoi et de curiosité, transporta Abigaël.

Elle en frémissait et se cambrait sous les mains qui parcouraient son corps dans une quête affolante. Ces mains savantes, comme dotées d'une existence propre, caressaient ses seins, en agaçaient la pointe d'un brun pâle, puis englobaient la courbe de sa hanche, dansaient du bout des doigts sur son ventre et se frayaient enfin un chemin vers la fleur rose et tiède de sa féminité.

Soudain, elle se raidit quand Adrien esquissa le geste timide et précautionneux de la pénétrer de l'index. Il arrêta aussitôt et scruta ses traits tendus par une incompréhensible angoisse.

— Ne crains rien, dit-il.

Tout de suite, il recula, et ce furent ses lèvres brûlantes qui se mirent en œuvre pour un autre baiser plus intime, dont elle ne soupçonnait pas la pratique. Elle faillit l'en empêcher, affolée, mais la naissance d'une jouissance exquise, inconnue, eut raison de sa réticence.

La bouche d'Adrien entre ses cuisses, qui embrassait et tétait le mystérieux bouton d'amour serti sous sa toison frisée au parfum grisant brisait la digue de sa pudeur et la rendait folle. Sa tête roulait en tous sens, tandis qu'elle contenait de petits cris d'extase ou de surprise. Enfin, un désir puissant éclos au sein de son ventre s'exprima dans un bref cri éperdu.

— Oh! je t'en prie, viens, viens!

En proie au même désir fiévreux qui le ravageait, Adrien se plaça au-dessus d'elle, attentif, l'air grave comme s'il allait accomplir un rite sacré. Il tourna vers le ciel un regard voilé.

— Je t'aime tant! J'espère que je ne te fais pas mal, dit-il d'un ton plaintif.

Abigaël sursauta lorsqu'elle sentit un sexe dur chercher son chemin et le trouver d'un seul élan victorieux. Elle poussa un petit cri de douleur dont son amant ne se soucia pas. Il s'abîmait en elle et éprouvait la joie délirante de l'investir toute, d'être à la fois son maître et son prisonnier.

Haletant, il commença à s'agiter, à aller et venir en contenant ses plaintes de plaisir afin de ne pas la choquer. Abigaël avait noué ses bras frais autour de lui et, sans en avoir conscience, elle l'encourageait en suivant le rythme de ses mouvements à lui, en l'obligeant à accélérer. Elle ondulait doucement, bouche bée quand il ne l'embrassait pas, envahie par une merveilleuse ivresse, un bonheur infini.

Son regard à lui ne la lâchait pas. Ce corps de femme lui semblait resplendissant, incroyablement vivant et chaud, conçu pour une fusion totale avec lui. Ils n'étaient plus qu'un, étroitement unis, livrés au délire magique de leurs sens exacerbés, sourds et aveugles à tout ce qui n'était pas eux.

Enfin, Adrien parut se tétaniser pour céder, vaincu, à des spasmes réguliers. Contre son gré, il répandait sa semence en se le reprochant vaguement. En riant et pleurant, Abigaël l'enserra de ses jambes pour le retenir en elle. Malgré son inexpérience, elle venait de connaître l'égarement éblouissant de l'extase.

Paupières mi-closes, elle ressentait pour Adrien une extrême gratitude. Elle avait aussi conscience que, désormais, elle ne pourrait plus se passer de l'acte d'amour, qu'elle ressentirait sans cesse le besoin lancinant de revivre ces instants fabuleux où elle avait cru n'être plus qu'un esprit libéré, qu'un corps dispersé aux quatre coins de l'univers, léger, saturé d'un bonheur indescriptible.

Pourtant, ils reprirent vite pied dans la réalité. La lune déclinait et le vent se faisait plus froid sur leur peau nue.

Le loup avait disparu.

— Mon Dieu, il est quatre heures du matin, constata Abigaël, une fois rhabillée, en examinant le cadran de sa montre. Il faut rentrer, mon oncle se lève avant l'aube, souvent.

— Et Sauvageon?

Adrien sortit de l'abri formé par le saule pleureur. Il scruta les champs qui s'étendaient sur sa droite et le bas de la colline où se dressaient les silhouettes noires des genévriers.

— Il est peut-être rentré seul, dit-elle avec espoir.

— Ou bien il a suivi la piste d'une bestiole, un lapin ou un lièvre.

— Je n'ose pas l'appeler, je pourrais réveiller tantine. Nous ne sommes pas si loin de la maison, en fait.

Abigaël ponctua sa phrase d'un coup d'œil inquiet vers le groupe de bâtiments qui constituaient la ferme des Mousnier. Les toits de tuiles ocre, la pointe du grand sapin, les cheminées, elle les contemplait souvent lorsqu'elle se promenait au bord du petit ruisseau. La mine soucieuse, Adrien cherchait à présent du côté des falaises. Il avait replié la couverture qu'il tenait sous son bras gauche.

— Ne t'en fais pas, dit-elle, Sauvageon n'a pas dû aller bien loin. Il se balade. Il reviendra, nous sommes liés, lui et moi.

— Ce n'est pas pour ton loup que je me tracasse, répliqua-t-il. J'ai été imprudent, mon ange, j'aurais dû me retirer. Si par malheur tu devenais enceinte, ce serait une catastrophe.

— Non, une bénédiction, affirma-t-elle en souriant. Mon amour, un enfant de toi, j'en serais fière et comblée.

— Petite folle! dit-il en l'embrassant sur la joue. Ta tante et ton oncle ne verraient pas la chose sous cet angle. Ils diraient que je t'ai déshonorée.

— Pourquoi donc, puisque nous allons nous marier? Je t'en prie, ne remue pas des idées noires, pas après ce que nous avons vécu cette nuit. Je le sais, maintenant, ça ne peut pas être un péché, puisque c'est Dieu qui a donné à ses créatures la faculté d'éprouver d'aussi grandes joies en s'unissant. Je me croyais au paradis. Je flottais haut dans le ciel, j'ai même vu des taches de couleur toutes brillantes.

— Vraiment? s'étonna-t-il, flatté d'avoir su la mener à de tels excès de jouissance.

Elle lui prit la main et y déposa un baiser. Ils suivirent en silence le sentier qui les ramenait au potager. Bientôt, ils s'approchèrent sans bruit de la maison. Abigaël poussa la porte.

— Monte vite te coucher, mais enlève tes chaussures, murmura-t-elle. Je vais attendre Sauvageon dans le jardin. Il va forcément revenir. Laisse-moi la couverture, je vais la mettre sur mes épaules. Je suis gelée.

— Viens donc au chaud, il faut que tu te reposes, toi aussi.

— Ne te fais pas de souci. De toute façon, je ne pourrai pas dormir.

— Fais à ton idée, ma petite femme adorée, dit-il. Embrasse-moi encore!

Elle lui tendit ses lèvres. Il s'enflamma de nouveau, obsédé par l'image d'Abigaël toute nue et le plaisir intense qu'elle lui avait procuré.

— Rentre, par pitié, supplia-t-elle en le repoussant doucement.

Il capitula et se faufila à l'intérieur. Elle alla aussitôt déplier la couverture sous les branches basses du sapin gigantesque et se pelotonna dans le lourd tissu qui conservait le parfum de la terre et de l'herbe foulée.

«Je suis une femme, à présent, sa femme, pensait-elle. Moi qui lui disais au début, quand il me voulait, que j'étais une fille sérieuse! Mais Adrien a failli mourir. Je ne pouvais plus me refuser à lui. C'était le bon moment; je le sentais et je n'avais pas peur. Tout mon être se tendait vers lui, vers sa force d'homme, vers sa chaleur. S'il savait qui m'a aidée à franchir le pas…»

Elle esquissa un sourire malicieux, car elle ne lui avait pas confié la lettre de Claire. Elle la lui avait lue en insistant sur le passage évoquant l'océan et les anges salvateurs, mais en omettant la singulière recommandation de Bertille, de ne pas être trop sage.

Elle y avait vu un signe du destin, une incitation à la concrétisation de son amour pour Adrien, cet amour si puissant qu'il faisait vibrer à l'unisson son cœur, son corps et son âme. Elle ferma les yeux, bercée par le cri monotone d'une chouette hulotte, sûrement perchée à la cime de l'arbre. Bien à l'abri, charmée par le parfum balsamique qui émanait du sapin, elle tenta de se remémorer les instants précis de leur étreinte, puis elle abandonna, troublée, les joues brûlantes et surtout épuisée.

«Sauvageon ne revient pas! Dès qu'il fera jour, je l'appellerai.»

En dépit de ses efforts pour rester éveillée, elle sombra dans le sommeil avec délectation. Une luminosité rose s'élevait derrière les collines lorsqu'elle fut réveillée par des coups de langue frénétiques et des jappements étouffés. Couché près d'elle, le poil humide de rosée, le loup lui léchait le visage.

— Tu es là, toi! marmonna-t-elle, somnolente. Mon Sauvageon, où étais-tu? J'espère que tu n'as pas fait de dégâts quelque part.

L'animal manifestait une joie exubérante, comme s'il la retrouvait après une longue absence. Elle eut du mal à le calmer. Enfin, il appuya sa tête sur son épaule et ferma ses beaux yeux couleur d'ambre. Abigaël passa un bras autour de lui et se rendormit, un sourire sur les lèvres.

Marie et Yvon les découvrirent ainsi en partant à la traite. Ils échangèrent un regard stupéfait. Cette forme brune sous les branches, couronnée par une longue chevelure d'un châtain doré, contre laquelle s'était blotti le loup gris, c'était bien Abigaël. Ils s'en assurèrent en avançant de quelques pas.

Surpris, Sauvageon se tourna vers eux en grognant. Réveillée en sursaut, sa maîtresse aperçut sa tante et son oncle.

— En voilà, des manières! s'étonna le fermier. Est-ce qu'il manque des lits, chez moi?

— As-tu perdu la tête? insista Marie, consternée.

— Pas du tout, répliqua Abigaël en bondissant sur ses pieds. Cette nuit, Sauvageon a demandé à sortir. Je l'ai emmené dehors, mais il s'est sauvé. J'ai alors pris une couverture et je l'ai attendu. Bien sûr, j'étais fatiguée. Je me suis endormie et, lui, il est revenu sagement.

— Tu aurais quand même pu rentrer dans la maison, lui reprocha Marie. Dans quel état tu es! Ton corsage est fripé et tu as des brins d'herbe dans les cheveux. Va vite te rendre présentable.

— Va savoir ce qu'il a fabriqué, ton Sauvageon, s'inquiéta Yvon, les poings sur les hanches. J'ai accepté de bon cœur que tu le gardes, petite, mais il ne doit pas nous causer d'ennuis. Tiens, ça me donne une idée.

— Laquelle, cher petit oncle? s'enquit Abigaël, ayant constaté qu'il appréciait ces trois mots affectueux.

— Pérez et moi, on pourrait construire un enclos, une sorte de chenil avec une niche où il pourra se coucher. Sauvageon ne pourrait plus se sauver ni divaguer, mais il serait dehors.

— Vous voulez l'enfermer? Il ne le supportera pas. En plus, il me suit partout.

— Ne monte pas sur tes grands chevaux, se moqua-t-il. Réfléchis, ça nous rendrait service quand tu dois t'absenter. Vas-tu l'emmener partout, ta bête, même si tu as besoin d'aller en ville? Qu'en feras-tu le jour du mariage du professeur et de ta tante?

— Ah! c'est vrai, tu vas te marier. J'avais oublié.

— Vous l'entendez, Yvon? Elle avait oublié! s'indigna Marie.

— Excuse-moi, tantine chérie, tu me l'as annoncé hier matin. Je n'y pensais plus.

Abigaël cajola Marie, qui demeura un peu vexée et s'éloigna vers les bâtiments, son seau de traite à la main. Yvon fit les gros yeux.

— Ce n'est pas très gentil, ça, petite! Moi non plus je ne me suis pas fait à l'idée, mais je sais tenir ma langue. Va, tu caches bien ton jeu, sous ta frimousse angélique.

— Pourquoi dites-vous ça, mon oncle?

Elle appréhendait la réponse. Qu'avait-il deviné ou constaté?

— Bah, une impression, rien de plus. On te donnerait le bon Dieu sans confession, comme on dit, mais, quand on te connaît mieux, on sent que tu as du caractère, que tu suis ton chemin sans dévier en agissant à ta guise, bien que discrètement.

L'analyse se révélait assez exacte. Comme elle se sentait rougir, elle s'empressa de ramasser la couverture en tournant le dos au fermier.

— Sois plus attentionnée avec ta tante, ajouta-t-il. Elle se jette dans le mariage comme d'autres se jettent à l'eau. Hitier était pressé. Il l'a persuadée que le plus tôt serait le mieux. Un beau geste de sa part!

Elle revint vers lui, toute pâle, à présent. Les paroles de son oncle la rendaient perplexe.

— Qu'est-ce que vous essayez de m'expliquer? Le professeur n'aime pas tantine? Il l'épouse par pitié? Elle n'a pas besoin de son argent ni de sa belle maison bourgeoise d'Angoulême! Parlez-lui, si elle n'est pas au courant ou qu'elle n'a pas compris.

Révoltée, Abigaël rattrapa de justesse Sauvageon, qui voulait s'élancer à la poursuite du chat blanc de Grégoire. Elle crispa ses doigts sur le collier du loup en scrutant le regard sombre du fermier.

— Tiens, vois donc comment tu réagis, petiote! s'écria-t-il. Je peux te l'affirmer, le professeur est très amoureux de Marie, et ça ne date pas d'hier. Il l'aime tant qu'il a peur de la laisser dans l'insécurité. Il m'a parlé, l'autre soir, de leur différence d'âge, de la mort qui peut le surprendre n'importe quand.

— Parce qu'il est malade?

— Non, ce n'est pas ça. Même si Hitier s'est retiré du réseau de résistance qu'il a créé en confiant ses hommes à Marie de Martignac, il risque d'être arrêté et fusillé. Il suffit d'un des résistants de la région qui tombe sous la coupe de la Gestapo et qui lâche des noms sous la torture.

— Dans ce cas, nous sommes concernés aussi, mon oncle, vous, Béatrice, et moi.

— Ouais, bougonna-t-il. Bref, le professeur veut faire de ta tante son héritière. Il a vu un notaire et il s'est arrangé avec sa sœur. Peut-être que ça ne servira à rien. Souvent, il me semble, les gens exécutés par les S.S. sont dépouillés de leurs biens. Mais je n'en suis pas sûr. Hitier est plus instruit que moi, plus intelligent, aussi.

— Je vous remercie, je suis prévenue. En fait, tantine se confie rarement à moi depuis qu'elle est amoureuse.

— Ce ne serait pas réciproque, par hasard? insinua Yvon en accompagnant sa remarque d'un clin d'œil.

— Mon oncle, vous me taquinez, lui reprocha-t-elle, les joues à nouveau en feu. Je vais m'occuper des enfants...

— Tu ferais bien, oui!

Il lui caressa la tête avant de rejoindre Marie dans la grange.

—

Ferme des Mousnier, dimanche 14 mai 1944

Marie et Abigaël étaient seules dans la cuisine. Les enfants jouaient devant les fenêtres, égayant la journée grise de leurs cris et de leurs rires.

— Avez-vous fixé la date de votre mariage, tantine? demanda la jeune fille, qui brodait un mouchoir dans l'unique but de s'occuper les mains.

— Jacques avait choisi le samedi 27 mai, mais j'ai préféré le samedi 3 juin. Il était déçu, mais il s'est rangé à mon souhait. Je suis un peu superstitieuse. C'est le mois de Marie et on prétend qu'un mariage en mai ne dure jamais. Je te vois sourire. Tu te moques à cause de notre âge?

— Non, je suis attendrie. Tu es aussi émue et troublée que si tu avais vingt ans.

— Que vas-tu inventer? J'ai plutôt hâte que ce soit terminé. Nous passons devant le maire. Ensuite, il y aura une courte cérémonie à l'église Saint-André, près du palais de justice. Je porterai une robe bleue et une veste en lin blanc.

— Il te faudra un joli bouquet! Des roses blanches.

— Pas trop de blanc, protesta Marie. Ce serait ridicule, comme si je m'affublais d'une couronne de fleurs d'oranger.

Amusée devant l'air pincé de sa tante, Abigaël retint un nouveau sourire. Elle n'osait pas aborder le sujet qui l'intriguait. Au fond, la mariée aurait pu se présenter toute de blanc vêtue, puisqu'elle était vierge. «Ce qui ne sera pas mon cas quand j'épouserai Adrien, se dit-elle, sans éprouver ni remords ni regrets. J'aurai une belle robe en dentelle couleur ivoire.»

Elle se mit à rêver au moment solennel où ils échangeraient leurs vœux au pied de l'autel, où un prêtre bénirait leur amour. Sa songerie prit vite un autre tour. Depuis neuf jours, elle découvrait l'emprise de la sensualité sur la raison, le pouvoir de la volupté qui avait fait d'elle une nymphe impudique, une amante ardente. Livrée aux baisers d'Adrien, à ses caresses et à ses étreintes, elle vivait un dédoublement de sa personnalité.

Du matin au soir, elle secondait avec efficacité sa tante et son oncle. Levée à six heures, elle aidait à traire les vaches, distribuait le foin aux moutons et le grain aux poules et aux canards, allégeant ainsi la tâche de Jorge Pérez, requis dans les champs par le fermier.

Marie se chargeait d'habiller les enfants et de les faire déjeuner, mais Abigaël jouait avec eux, quand elle ne leur confiait pas de menus travaux ménagers. L'après-midi, elle les emmenait en promenade, en tenant pour sa part Sauvageon en laisse.

Le chenil prenait forme; Yvon y travaillait le soir. Il avait récupéré du grillage chez un voisin en échange d'une brouette de légumes.

Enfin, le soir venait. Abigaël se sentait nerveuse, impatiente. La sagesse et le dévouement commençaient à lui peser et elle fixait souvent la pendule en guettant l'heure où toute la maisonnée irait au lit, l'heure où elle serait libre de retrouver Adrien.

C'était Cécile, à présent, qui montait les plateaux jusqu'au grenier, heureuse de regarder son frère manger avec appétit. Il fallait donner le change, ne pas trahir la passion qui les jetait dans les bras l'un de l'autre après minuit. Abigaël avait même regagné sa chambre, feignant d'obéir à la volonté de sa tante.

«Si tantine savait la vérité, elle serait très déçue, se disait-elle, toujours penchée sur le carré de linon où elle composait au fil vert un motif de feuillage. Je la lui avouerai peut-être, plus tard, bien plus tard.»

Marie posa sur elle un regard mélancolique. Assise à la table, elle coupait des carottes en rondelles.

— Quelque chose me tourmente, ma petite chérie, dit-elle soudain d'une voix triste. J'aimerais avoir ton avis.

— Je t'écoute, tantine. Est-ce si grave?

— Jacques souhaite que nous nous installions en ville après le mariage, dans l'immeuble bourgeois qui leur appartient, à sa sœur et à lui. J'ai fait la connaissance de Véronique dimanche dernier. C'est une femme discrète et charmante, très instruite elle aussi. Elle se réjouit de ne plus vivre seule, comprends-tu. Je pourrais m'en faire une amie, je pense… Mais j'espérais habiter ici, près de la ferme, dans la petite maison de la falaise. Jacques prétend qu'elle est trop inconfortable. Je crois qu'il n'est pas franc sur ce point.

— Pourquoi?

— Je suis sûre qu'il veut m'en éloigner à cause du souterrain. Les résistants doivent pouvoir continuer à l'utiliser. Marie de Martignac et Béatrice y tiennent absolument.

— Mais comment le sais-tu?

— Un homme en qui Jacques a toute confiance l'en a informé.

— Quoi qu'il en soit, pense d'abord à toi. Je veux que tu sois heureuse, ma tantine chérie. Tu seras mieux en ville. Tu pourras suivre la messe à la cathédrale et te promener sur les remparts.

Réconfortée, mais encore hésitante, Marie soupira. Abigaël se leva et la prit dans ses bras.

— Nous nous verrons souvent. Vous viendrez respirer le bon air de la vallée, le dimanche, ou n'importe quand. Tantine, tu as sacrifié ta vie de femme pour m'élever. À présent, je suis grande, je ne suis plus une petite fille, mais presque une adulte. Je me plais, à la campagne. Mon oncle est devenu un père pour moi. Je tiens à rester près de lui, il est si seul! Il souffre beaucoup sous ses allures joviales. Son épouse lui manque et il pleure encore Patrick dans le secret de son cœur.

— Enfin, nous verrons, j'aime tellement cet endroit! Quant à Yvon, je me doute bien du chagrin qui le ronge. Aujourd'hui encore, il est parti pour Dirac pour essayer de la voir et de lui parler. Il paraît qu'elle refuse obstinément. Flavie le laisse entrer, mais Pélagie s'enferme dans sa chambre et, si son mari frappe à la porte ou tente de la fléchir, elle pousse des cris de folle.

— Je sais, tantine, et je suis désolée pour mon oncle.

— Changeons de sujet, proposa Marie. Si tu me montrais la lettre de Claire! Tu l'as reçue depuis bientôt dix jours et tu ne me l'as pas lue.

— Je t'ai raconté ce qu'elle m'a écrit en usant d'énigmes. Et puis, je l'ai brûlée par précaution.

Sidérée autant qu'incrédule, sa tante haussa les épaules. Décidément, Abigaël n'en faisait qu'à sa tête. Pourtant, désireuse de bavarder, elle lui posa une question sur le ton de la simple curiosité.

— Es-tu retournée chez cette voisine qu'Yvon traitait de vipère, ma chérie?

— Pas depuis que je lui ai apporté ses poulets. Sa brûlure ne la faisait plus souffrir du tout. Je lui rendrai visite bientôt pour maintenir de bonnes relations.

La conversation retomba. Abigaël abandonna son ouvrage de broderie et tisonna le feu. Elle était distraite. Elle s'exhortait en vain à chasser Adrien de ses pensées. «Nous sommes allés trois nuits de suite sous notre saule, près du ruisseau, se disait-elle. Ensuite, il a plu en abondance et nous avons été obligés de nous retrouver dans le grenier.»

Les battements de son cœur s'accélérèrent. Elle se revoyait à demi nue, couchée sous son amour qui ne se lassait pas de la faire sienne, de la mener au plaisir, de l'étouffer de baisers. Mais était-ce vraiment elle, Abigaël, si pieuse, si fervente catholique, qui pleurait d'extase et s'offrait tout entière? Elle ne s'était pas confessée, puisqu'elle n'allait plus à l'église, mais elle gardait une confiance aveugle en la miséricorde divine.

— Les nuages se dissipent, fit remarquer Marie. Nous aurons du soleil cet après-midi. Jacques est encore allé en ville, mais il devrait revenir vers cinq heures. J'irai lui préparer du thé. Il m'a promis de rapporter des pâtisseries. Cela ne te dérange pas?

— Non, tantine, puisque je compte me promener avec les enfants et Sauvageon.

— Adrien pourrait sortir de son refuge de temps en temps! ajouta sa tante. Qui le verra, s'il se cantonne dans la maison ou s'il prend l'air à une fenêtre?

— Il ouvre la lucarne du grenier. Il devient aussi un lecteur assidu. Cécile ira lui tenir compagnie après le repas de midi. Il doit rester caché. Ce sont les ordres du professeur.

— Oui, je suis sotte, c'est plus prudent, répliqua Marie. Mais je le plains. Cela ne doit pas être facile. Est-ce qu'il souffre encore de sa blessure au poumon?

— Un peu...

Abigaël n'avait guère envie de parler d'Adrien, car, chaque fois, elle devait mentir à sa tante. Afin de couper court à la conversation, elle rejoignit les trois enfants dans le jardin. Le loup, qui était couché sous la table, la suivit aussitôt.

Grégoire était assis à l'ombre du tilleul, son chat sur les genoux. Tout souriant, il chantonnait un refrain saccadé de son invention. Adorable dans une robe jaune confectionnée par Marie, Cécile jouait aux osselets avec Vicente. L'air était d'une douceur exquise, le ciel, d'un gris lumineux. Les rosiers embaumaient.

«Si Adrien pouvait admirer les roses en me tenant la main! déplora-t-elle. Comme j'ai besoin de lui, comme je l'aime!... Si je montais en courant deux minutes, rien que deux minutes, pour le serrer sur mon cœur et lui donner un baiser?»

Elle s'apprêtait à rentrer dans la maison et à grimper l'escalier de son pas léger, lorsqu'elle aperçut une silhouette féminine qui traversait la cour. Malgré la tiédeur ambiante, la visiteuse portait un foulard noir noué sous le menton, des lunettes et un large manteau en drap brun.

— Mais... On dirait Béa, oui, c'est sa façon de marcher.

Abigaël s'élança vers sa cousine, qui lui saisit le bras et l'entraîna jusqu'au vestibule. Là seulement, elles s'embrassèrent.

— Ah! j'étouffe, déguisée comme ça, se plaignit Béatrice en rejetant manteau, foulard et lunettes. J'ai emprunté le souterrain, mais j'étais obligée de prendre le chemin pour venir ici. Je n'ai croisé personne. Même papa ne m'a pas vue, ni Pérez. Ils étaient au bout du champ et les buis me dissimulaient.

— Je suis tellement contente de te revoir saine et sauve, Béa! s'enthousiasma Abigaël. Dis-moi, tu n'es jamais arrivée en plein jour! Il n'y a rien de grave?

Marie s'était précipitée. Elle fixa la jeune femme en adoptant un air anxieux.

— Jacques n'a pas été arrêté, au moins? s'écria-t-elle. Béatrice, si c'est le cas, dites-le tout de suite.

— Jacques? Le professeur Hitier? Excusez-moi, Marie, je n'ai pas l'habitude de l'entendre appeler Jacques. J'ai appris que vous vous mariez, tous les deux...

— Oui, le 3 juin.

— Le 3 juin, répéta Béatrice, soudain songeuse. N'ayez pas peur, je n'apporte aucune mauvaise nouvelle. Ce serait presque le contraire, mais je ne peux rien dire de précis.

— Tu vas déjeuner avec nous, n'est-ce pas? demanda Abigaël. Je ferai une omelette.

— Je ne sais pas. Oui, sans doute. Où est Adrien?

Soudain, Abigaël comprit. Elle se sentit glacée, touchée en plein cœur. Le destin était en route, écrasant, menaçant, qui la briserait. D'un geste tremblant, elle désigna les étages.

— Il ne quitte pas le grenier, répondit-elle. Je t'accompagne.

— Je t'en prie, je dois lui parler, Abi. Accorde-moi dix minutes.

— Très bien, monte.

Marie eut pitié de sa nièce qui, livide, s'était appuyée au mur le plus proche. Elle lui caressa les cheveux et la joue.

— Elle vient le chercher, tantine, il va partir.

— Mais il est convalescent! Tu te fais des idées, ma chérie.

Abigaël secoua la tête et, ses jambes la soutenant à peine, elle s'assit sur la première marche de l'escalier sans quitter des yeux sa montre-bracelet. Marie jugea préférable de la laisser seule.

Dix minutes plus tard, Abigaël gravissait péniblement les marches. Elle s'interdisait d'imaginer le pire, l'ayant néanmoins pressenti avec clairvoyance. L'attitude de Béatrice, qui arborait un visage fermé et dur, avait été le premier présage. «Je l'empêcherai de s'en aller, se disait-elle. Il n'ira plus se battre, c'est impossible. Nous nous aimons trop fort.»

Elle n'eut même pas conscience de la présence silencieuse du loup sur ses talons. Parvenue sur le seuil du vaste grenier, elle considéra les cloisons en planches qui, durant un mois, avaient protégé son bonheur. La petite chambre s'était faite nid de joie, de confidences et de baisers. Plus récemment, elle était devenue le sanctuaire de leur passion.

«Il n'est peut-être pas tout à fait guéri, songea-t-elle. Je ferai venir un docteur, n'importe lequel, qui l'examinera.»

Elle savait qu'il n'en serait rien. D'un pas lent, elle s'avança vers la porte de la pièce. Béatrice et Adrien discutaient à haute voix. Ils ne guettaient même pas son arrivée malgré que les dix minutes fussent écoulées. Abigaël approcha encore pour les écouter. C'était impoli, même indigne d'elle, mais elle espérait être rassurée, pouvoir se dire que son amour serait là la nuit prochaine et les nuits suivantes.

Sauvageon en décida autrement. Il gratta au battant en poussant une plainte modulée.

Il y eut un bruit de pas. Une cigarette au coin des lèvres, Adrien ouvrit grand la porte. Il découvrit Abigaël dans la pénombre, figée et d'une pâleur insolite.

— Viens, mon ange, dit-il en riant. Qu'est-ce que tu as?

Béatrice vit entrer sa cousine et baissa les yeux, navrée de lui voir ce masque tragique. Assise au bord du lit, elle fumait également.

— Ma chérie, tu avais raison, Claire t'annonçait l'imminence d'un débarquement de milliers de soldats alliés, sans doute en Normandie. De quoi faire fuir les Boches! Béa a eu des renseignements par la radio. C'est pour bientôt, au début du mois de juin, peut-être.

Abigaël dévisagea Adrien. Il était excité et son regard étincelait. Il avait mis une chemise propre et son pantalon de toile noire qu'elle avait repassé avec tant de soin l'avant-veille.

— Je ne peux pas manquer ça, lui assena-t-il, atteint par la supplique pathétique qu'il lisait dans les prunelles si bleues de la jeune fille.

— Ah! vraiment? dit-elle d'une voix sans timbre. Tu comptes te rendre sur les plages de l'Atlantique?

— Ne fais pas d'ironie. Béatrice et Lucas vont à Paris. Ils ont de faux papiers. Moi aussi.

— Depuis quand? interrogea Abigaël.

— Je les lui ai apportés, précisa sa cousine. Abi, tu te doutais qu'il ne resterait pas ici des mois. Il est guéri. Il reprend du service. On doit être à Paris dans deux jours. D'autres résistants font le voyage. Adrien a raison, on ne peut pas manquer ça. Si les Alliés débarquent, si les Allemands doivent se replier, la capitale sera peut-être libérée. Un spectacle historique! On a le droit de se trouver sur le devant de la scène.

— Et de vous faire tuer? rétorqua durement Abigaël. Mon Dieu, Béa, pourquoi vous en mêler, tous? Ton frère est mort et j'ai cru perdre Adrien. Maintenant qu'il est sauvé, il n'a pas besoin de te suivre. Nous devons nous marier, surtout si la guerre prend fin.

Excédée, Béatrice se leva et sortit de la chambre. Elle semblait lasse et désabusée, en dépit de ses affirmations.

— Réglez vos problèmes en tête à tête, jeta-t-elle. Je vais quand même embrasser papa. J'ignore quand je reviendrai… Je dirai à Marie qu'on ne déjeunera pas ici, à midi. Quelqu'un surveille la sortie du souterrain, du côté de la ville. J'ai promis de faire vite.

À un mètre l'un de l'autre, les deux amoureux s'observaient. Comme frappée d'un maléfice, le souffle suspendu, Abigaël était d'une blancheur de craie;

Adrien avait les mâchoires crispées; sombre et le front penché, il était prêt à foncer et à renverser le moindre obstacle.

Il parla le premier d'une voix autoritaire, nuancée de tendresse, cependant.

— Ma chérie, soit, je m'en vais, mais ça ne change rien à mes sentiments pour toi. Je t'aime de toute mon âme et je t'aimerai toujours. Nous pourrons nous marier dès mon retour. Non, ne pleure pas.

Elle avait résisté aux larmes. Elle refusait de l'implorer, de le vaincre par des sanglots déchirants. Sa détresse était si profonde, sa panique si instinctive qu'elle pleurait contre sa volonté. Adrien franchit la courte distance qui les séparait et l'étreignit à lui faire mal. Il chuchota à son oreille:

— Je suis déjà parti une semaine, même deux mois. Je pouvais m'en aller parce que tu m'attendais, que tu priais pour ma sauvegarde et que tu m'aimais. Qu'est-ce qu'il y a de différent, aujourd'hui? Je te promets de revenir, mon ange, mon bel ange.

— Mais je ne pourrai plus me passer de toi, maintenant, avoua-t-elle en l'enlaçant, avide de son corps et de son odeur. C'est différent, oui, car je suis devenue ta femme. J'étais ignorante, avant... Si tu n'es plus là, cette nuit, ce sera un supplice pour moi. Je t'en prie, Adrien, reste encore un peu. Reste jusqu'à demain.

— C'est impossible, ma petite chérie. Tu as entendu Béa! Le temps presse. Je t'en supplie, ne complique pas les choses. Pense que nous nous aimerons au grand jour quand je reviendrai. Je t'épouserai. Sois courageuse, d'accord?

Elle murmura un oui hébété. Adrien n'était déjà plus là, même s'il couvrait son cou, sa bouche, son nez et ses cheveux de baisers rapides. Elle se serait effondrée s'il ne l'avait pas serrée aussi fort contre lui.

— Sois courageuse, répéta-t-il, comme Claire, ta belle dame brune que tu admires tant!

Ce fut le coup de grâce. Abigaël échappa aux bras de son amant et tituba. Elle s'allongea sur le lit, où la lucarne laissait filtrer un rayon de soleil. «Comme Claire qui a perdu Jean, son grand amour, se disait-elle. Oui, comme elle, je ne reverrai peut-être jamais celui que j'aime, le seul homme au monde, pour moi…»

Elle rassembla ses forces et se redressa pour graver dans sa mémoire l'image d'Adrien. Il enfilait un blouson en toile beige que lui avait acheté le professeur Hitier en remplacement de sa veste ensanglantée et trouée par les balles ennemies.

— Au revoir, mon amour, chuchota-t-elle, une main sur sa bouche pour ne pas crier.

Il se pencha et l'embrassa sur les lèvres, ses belles lèvres qui souriaient sur le seuil d'une nouvelle aventure. Puis il disparut de son champ de vision. Elle guetta ses pas rapides dans l'escalier et perçut encore la voix de Béatrice qui, elle, ne daignerait pas lui dire au revoir.

Le silence se fit autour d'elle. Le visage enfoui dans l'oreiller où elle avait étouffé l'écho de ses plaintes au summum du plaisir, elle sanglota, sourde aux chants des oiseaux, sourde à un souffle régulier tout proche. Inquiet, Sauvageon venait de poser sa belle tête grise sur le matelas. Compatissant et soucieux, il avait presque une expression humaine.

— Mon ami, mon frère, toi, tu es là! Tu ne m'abandonneras pas, dis? soupira-t-elle en le caressant.

Le loup ne bougea pas, fidèle gardien de son chagrin. Peu à peu, Abigaël s'apaisa. Un courant d'air frais la frôla. Elle eut la sensation d'une main invisible sur son front, qui chassait craintes et incertitudes de son esprit bouleversé.

Qui était venu la consoler depuis l'au-delà? Elle ne chercha pas à le savoir, mais elle remercia Dieu tout bas. Pour Abigaël, une longue attente commençait.

Liste des personnages

Abigaël Mousnier, 16 ans le 23 décembre 1943, de taille moyenne, mince, les cheveux châtain blond, beaux yeux bleus, visage fin et angélique.

Marie Monteil, 53 ans, tante d'Abigaël, sœur aînée de sa mère Pascaline morte en couches, corpulente, de taille moyenne, cheveux courts bouclés d'un blond grisonnant, yeux gris-bleu, joli visage rond, vieille fille; elle est amoureuse du professeur Jacques Hitier.

Yvon Mousnier, 54 ans, homme robuste, assez grand, visage rude aux traits anguleux, cheveux bruns épais avec quelques fils d'argent, moustachu, yeux bruns, fermier. Il s'agit de l'oncle d'Abigaël; il est en fait le frère adoptif de son père Pierre, décédé de la tuberculose quand Abigaël avait deux ans.

Pélagie Mousnier, 46 ans, physique ingrat, maigre, cheveux raides châtain foncé, caractère difficile, envieuse, colérique, superstitieuse. Elle adore son mari Yvon.

Béatrice Mousnier, 19 ans, fille aînée de Pélagie, bien faite, cheveux bruns aux épaules un peu ondulés selon la mode de l'époque, yeux bruns, robuste. Elle ressemble à son père, qui œuvre dans la Résistance depuis deux ans.

Patrick Mousnier, 17 ans, aîné du fermier, cheveux bruns, costaud; a mauvais caractère comme sa mère Pélagie. Violent, buveur et vicieux dans le tome 1, il veut se racheter.

Grégoire Mousnier, 12 ans, le benjamin des fermiers, enfant handicapé intellectuel, roux, traits irréguliers.

Adrien, 21 ans, beau garçon, front large, bouche charnue, yeux gris-vert assez grands, cheveux bruns presque noirs, amoureux d'Abigaël; il fait partie de la résistance.

Cécile, 11 ans, jeune sœur d'Adrien, même physique, mais cheveux frisés; son frère et elle ont eu de faux papiers par Hitier, car ils sont d'origine juive.

Jacques Hitier, 72 ans, professeur d'histoire retraité, encore bel homme, solide, cheveux blancs, yeux très bleus; il est amoureux de Marie Monteil, la tante d'Abigaël.

Jorge Pérez, 36 ans, réfugié espagnol, hébergé à la ferme où il devient ouvrier agricole.

Table des matières

1   Le château de Torsac 9

2   Une âme inquiète des siens 39

3   Une visite chez le diable 65

4   Les fantômes de la rue de l'Évêché 95

5   Un retour mouvementé 129

6   Des retrouvailles émues 161

7   Fugue et retour contrit 189

8   Coups de feu dans la vallée 223

9   L'impossible sacrifice 255

10 Des adieux porteurs d'espoir 285

11 La haine personnifiée 313

12 Cauchemars éveillé 339

13 La nuit de l'âme et du cœur 367

14 Avril couleur d'espoir 395

15 La saveur de l'amour 423

16 Une âme en colère 449

17 Les rouages du destin 477

18 Les griffes de la mort 507

19 Une mère dévastée 537

20 Secrets de femme 565

21 Sous le saule pleureur 591

DE LA MÊME AUTEURE :

Grandes séries

Série Val-Jalbert

L'Enfant des neiges, tome I, Éditions JCL, 2008, 656 p.

Le Rossignol de Val-Jalbert, tome II, Éditions JCL, 2009, 792 p.

Les Soupirs du vent, tome III, Éditions JCL, 2010, 752 p.

Les Marionnettes du destin, tome IV, Éditions JCL, 2011, 728 p.

Les Portes du passé, tome V, Éditions JCL, 2012, 672 p.

L'Ange du Lac, tome VI, Éditions JCL, 2013, 624 p.

Série Moulin du loup

Le Moulin du loup, tome I, Éditions JCL, 2007, 564 p.

Le Chemin des falaises, tome II, Éditions JCL, 2007, 634 p.

Les Tristes Noces, tome III, Éditions JCL, 2008, 646 p.

La Grotte aux fées, tome IV, Éditions JCL, 2009, 650 p.

Les Ravages de la passion, tome V, Éditions JCL, 2010, 638 p.

Les Occupants du domaine, tome VI, Éditions JCL, 2012, 640 p.

Série Angélina

Angélina : Les Mains de la vie, tome I, Éditions JCL, 2011, 656 p.

Angélina : Le Temps des délivrances, tome II, Éditions JCL, 2013, 672 p.

Angélina : Le Souffle de l'aurore, tome III, Éditions JCL, 2014, 576 p.

Série Le Scandale des eaux folles

Le Scandale des eaux folles, tome I, Éditions JCL, 2014, 640 p.

Les Sortilèges du lac, tome II, Éditions JCL, 2015, 536 p.

Série Bories

L'Orpheline du Bois des Loups, tome I, Éditions JCL, 2002, 379 p.

La Demoiselle des Bories, tome II, Éditions JCL, 2005, 606 p.

Série *La Galerie des jalousies*

La Galerie des jalousies, tome I, Éditions JCL, 2016, 608 p.

La Galerie des jalousies, tome II, Éditions JCL, 2016, 624 p.

La Galerie des jalousies, tome III, Éditions JCL, 2017, 600 p.

Série *Abigaël Messagère des Anges*

Abigaël, Messagère des Anges, tome I, Éditions JCL, 2017, 608 p.

Grands romans

Hors série

L'Amour écorché, Éditions JCL, 2003, 284 p.

Les Enfants du Pas du Loup, Éditions JCL, 2004, 250 p.

Le Chant de l'Océan, Éditions JCL, 2004, 434 p.

Le Refuge aux roses, Éditions JCL, 2005, 200 p.

Le Cachot de Hautefaille, Éditions JCL, 2006, 320 p.

Le Val de l'espoir, Éditions JCL, 2007, 416 p.

Les Fiancés du Rhin, Éditions JCL, 2010, 790 p.

Les Amants du presbytère, Éditions JCL, 2015, 320 p.

Dans la collection **Couche-tard**

Les Enquêtes de Maud Delage, vol. 1, Éditions JCL, 2012, 344 p.

Les Enquêtes de Maud Delage, vol. 2, Éditions JCL, 2012, 376 p.

Les Enquêtes de Maud Delage, vol. 3, Éditions JCL, 2013, 328 p.

Les Enquêtes de Maud Delage, vol. 4, Éditions JCL, 2014, 448 p.

MARIE-BERNADETTE DUPUY

Originaire d'Angoulême, en France, Marie-Bernadette Dupuy est l'auteure de nombreux ouvrages historiques et de romans policiers.

Elle a publié de très beaux romans parmi lesquels *L'Orpheline du bois des Loups, Le Chant de l'océan* ainsi que les séries *Val-Jalbert, Angélina, Le Moulin du loup* et *La Galerie des Jalousies.*

Avec le talent qu'on lui connaît, elle signe ici le deuxième tome d'une nouvelle saga qui nous transporte dans un univers aussi surprenant que fascinant !

Parution en janvier 2018

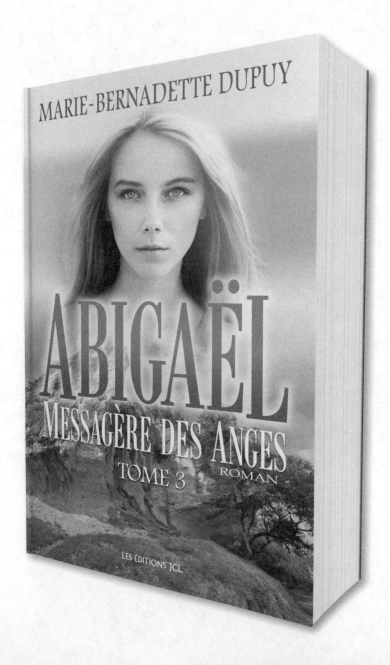

MARIE-BERNADETTE DUPUY

ABIGAËL

MESSAGÈRE DES ANGES

TOME 3

ROMAN

LES ÉDITIONS JCL